《政和本草》校点（下）

〔宋〕唐慎微 撰
尚志钧 校点
尚元胜 尚元藕 整理

北京科学技术出版社

本草古籍辑注丛书 · 第二辑

尚志钧／辑注
尚元胜 尚云飞
尚元藕 任 何／整理

2020年度国家古籍整理出版专项经费资助项目

尚志钧本草文献全集

重修政和经史证类备用本草卷第二十

己酉新增衍义

重修政和经史证类备用本草卷第二十 己①酉新增衍义

成　都　唐　慎　微　续　证　类
中卫大夫康州防御使句当龙德宫总辖修建明堂所医药
提举入内医官编类圣济经提举太医学臣曹孝忠奉敕校勘

虫鱼部上品总五十种

一十种神农本经　白字

六种名医别录　墨字

一种唐本先附　注云唐附

二种今附　皆医家尝用②有效。注云今附③

八种食疗余

二十三种陈藏器余

凡墨盖子已④下并唐慎⑤微续证类

---

① 己：原作“巳”，据底本书首牌记改。

② 尝用：刘《大观》无。

③ 云今附：刘《大观》无。

④ 已：原作“巳”，据文理改。

⑤ 慎：刘《大观》作“谨”。

① 石蜜：其下，刘《大观》有“上品”二字。
② 鼊鼊附：刘《大观》无。
③ 鲫鱼唐附：刘《大观》置“鳣鱼”条下。
④ 鹞：刘《大观》作“鳐”。

［上　品］

石蜜[1]

蜀州蜜

味甘，平，无毒，微温[2]。**主心腹邪气，诸惊痫痓，安五脏诸不足，益气补中，止痛解毒，除众病，和百药，**养脾气，除心烦，食饮不下，止肠澼，肌中疼痛，口疮，明耳目。**久服强志轻身，不饥不老，**延年神仙。**一名石饴。**生武都山谷、河源山谷及诸山石中。色白如膏者良。

［陶隐居］云：石蜜即崖蜜也，高山岩石间作之，色青赤，味小硷[3]，食之心烦，其蜂黑色似虻。又木蜜，呼为食蜜，悬树枝作之，色青白。树空及人家养作之者亦白而浓厚味美。凡蜂作蜜，皆须人小便以酿诸花，乃得和熟，状似作饴须蘖也。又有土蜜，于土[4]中作之，色青白，味硷[3]。今出晋安檀崖者多土蜜，云最胜。出东阳临海诸处多木蜜。出于潜、怀安诸县多崖蜜。亦有杂木及人家养者。例皆被添，殆无淳者，必须亲自看取之，乃无杂尔。且又多被煎煮，其江南向西诸蜜，皆是木蜜，添杂最多，不可为药用。道家丸饵，莫不须之。仙方亦单炼服之，致长生

---

① 石蜜：石蜜同名异物有二。一是本条石蜜，指蜂蜜而言；一是本书卷23果部的石蜜，指乳糖。

② 无毒，微温：柯《大观》作“微温，无毒”。

③ 硷：成化《政和》、商务《政和》作“酸”。

④ 土：成化《政和》、商务《政和》误作“上”。

不老也。

[唐本注]云：上蜜出氐、羌中并胜。前说者，陶以未见，故以南土为证①尔。今京下白蜜如凝酥，甘美耐久，全不用江南者。说者今自有以水牛乳煎沙糖作者，亦名石蜜。此既蜂作，宜去石字。后条蜡蜜，宜单称尔。

[今按]《陈藏器本草》云：蜜，主牙齿㾦𪒠，唇口疮，目肤赤障，杀虫。

[臣禹锡等谨按陈藏器]云：按寻常蜜，亦有木中作者，亦有土中作者。北方地燥，多在土中；南方地湿，多在木中。各随土地所宜②而生，其蜜一也。崖蜜别是一蜂③，如陶所说出南方岩岭间，生悬崖上，蜂大如虻，房著岩窟，以长竿刺令蜜出，承取之，多者至三四石，味硷色绿，入药用胜于凡蜜。苏恭是荆襄间人，地无崖险，不知之者，应未博闻。今云石蜜，正是岩蜜也，宜改为岩字。甘蔗、石蜜，别出《本经》。张司空云：远方山郡幽僻处出蜜，所著巉岩石壁，非攀缘所及。惟于山顶，篮舉自悬挂下，遂得采取。蜂去余蜡著石，鸟④雀群飞来啄之尽。至春蜂归如故，人亦占护其处。宣州有黄连蜜，色黄，味苦。主目热。蜂衔黄连花作之。西京有梨花蜜，色白如凝脂，亦梨花作之，各逐所出。

[药性论]云：白蜜，君。治卒心痛及赤白痢，水作蜜浆，顿服一碗止；又生姜汁、蜜各一合，水和顿服之。又常服，面如花红，神仙方中甚贵。治口疮，浸大青叶含之。

[图经曰] 蜜《本经》作石蜜，苏恭云当去石字，生武都山谷、河源山谷及诸山中，今川蜀、江南、岭南皆有之。蜡、白蜡，生武都山谷，出于蜜房木石间，今处处有之，而宣、歙、唐、邓、伊洛间尤多。石蜜即崖蜜也。其蜂黑色，似虻，作房于岩崖高峻处，或石窟中，人不可到。但以长竿刺令蜜出，以物承之，多者至三四石，味硷，色绿，入药胜于它蜜。张司空云：远方山郡幽僻处出蜜，所著绝岩石壁，非攀缘所及，惟于山顶篮舉，自垂挂下，遂得采取。蜂去余蜡著石，有鸟如雀，群飞来，啄之殆尽，至春蜂归如旧，人亦占护其处，谓之蜜塞。其鸟谓之灵雀。其蜜即今之石蜜也。食蜜有两种，一种在山林木上作房，一种人家作窠槛收养之，其蜂甚小而微黄，蜜皆浓厚而味美。又近世宣州有黄连蜜，色黄，味小苦。雍、洛间有梨

---

① 证：其下，刘《大观》、柯《大观》有“类”字。

② 宜：原作“有”，据文理改。

③ 蜂：柯《大观》作“种”。

④ 鸟：成化《政和》、商务《政和》误作“乌”。

花[①]蜜，如凝脂。亳州太清宫有桧花蜜，色小赤。南京柘城县有何首乌蜜，色更赤。并以[②]蜂采其花作之，各随其花色，而性之温凉亦相近也。蜡，蜜[③]脾底也，初时香嫩，重煮治乃成。药家应用白蜡，更须煎炼，水中烊十数过即白。古人荒岁多食蜡以度饥。欲啖当合大枣咀嚼，即易烂也。刘禹锡《传信方》云：甘少府治脚转筋，兼暴风，通身水冷如瘫[④]缓者，取蜡半斤，以旧帛絁绢，并得约阔五六寸，看所患大小加减阔狭，先销蜡涂于帛上，看冷热，但不过烧人，便承热缠脚，仍须当脚心便著袜裹脚，待冷即便[⑤]易之，亦治心躁惊悸。如觉是风毒，兼裹两手心。

[**▌食疗**] 微温。主心腹邪气，诸惊痫，补五脏不足气。益中止痛，解毒。能除众病，和百药，养脾气，除心烦闷，不能饮食。治心肚痛，血刺腹痛及赤白痢，则生捣地黄汁，和蜜一大匙服，即下。又，长服之，面如花色，仙方中甚贵此物。若觉热，四肢不和，即服蜜浆一碗，甚良。又能止肠澼，除口疮，明耳目，久服不饥。又，点目中热膜，家养白蜜为上，木蜜次之，崖蜜更次。又，治癞，可取白蜜一斤，生姜二[⑥]斤捣取汁。先秤铜铛，令知斤两，即下蜜于铛中消之。又秤，知斤两，下姜汁于蜜中，微火煎，令姜汁尽。秤蜜，斤两在即休，药已[⑦]成矣。患三十年癞者，平旦服枣许大一丸，一日三服，酒饮任下。忌生冷、醋、滑臭物。功用甚多，世人众委，不能一一具之。

[**雷公云**] 凡炼蜜一斤，只得十二两半或一分是数。若火少、火过，并用不得。

[**外台秘要**] 比岁有病天行发斑疮[⑧]，头面及身，须臾周匝，状如火疮，皆戴白浆，随决随生。不即疗，数日必死。差后疮瘢黯，一岁方灭，此恶毒之气。世人云：建武中，南阳击虏[⑨]，仍呼为虏疮。诸医参详疗之，方取好蜜通摩疮上，以蜜

---

① 花：其下，柯《大观》有“即”字。

② 以：柯《大观》无。

③ 蜜：其上，刘《大观》、柯《大观》有“即”字。

④ 瘫：原作“摊”，据刘《大观》、柯《大观》改。

⑤ 便：刘《大观》、柯《大观》作“更”。

⑥ 二：柯《大观》作“三”。

⑦ 已：原作“巳”，据文理改。

⑧ 天行发斑疮：原作“天行斑发疮”，据《外台》引《肘后方》文改。

⑨ 虏：其下，柯《大观》有“所得”2字。

煎升麻，数数拭之。

［**又方**］阴头生疮。以蜜煎甘草涂之，差。

［**肘后方**］丹者，恶毒之疮，五色无常。蜜和干姜末傅之。

［**葛氏方**］目生珠管。以蜜涂目中，仰卧半日，乃可洗之。生蜜佳。

［**又方**］食诸鱼骨鲠、杂物鲠。以好蜜匕抄，稍稍服之，令下。

［**又方**］误吞钱。炼服二升，即出矣。

［**又方**］汤火灼已成疮。白蜜涂之，以竹中白膜贴上，日三度。

［**梅师方**］治年少发白。拔去白发，以白蜜涂毛孔中，即生黑者。发不生，取梧桐子捣汁涂上，必生黑者。

［**又方**］肛门主肺，肺热即肛塞肿缩生疮。白蜜一升，猪胆一枚相和，微火煎令可丸，丸长三寸作挺。涂油内下部，卧令后重。须臾通泄。

［**又方**］治中热油烧外痛，以白蜜涂之。

［**孙真人食忌云**］七月勿食生蜜，若食则暴下，发霍乱。

［**又方**］治面皯。取白蜜和茯苓末涂之，七日便差矣。

［**食医心镜**］主噎不下食。取崖蜜含，微微咽下。《广利方》同。

［**伤寒类要**］阳明病，自汗者，若小便自利，此为津液内竭，虽尔，不可攻之，当须自欲大便，宜蜜煎导以通之。取蜜七合，于铜器中微火煎可丸，捻作一挺，如指许大，得令以内谷道中，须臾必通矣。

［**产书**］治产后渴。蜜不计多少炼过，熟水温调服，即止。

［**衍义曰**］石蜜，《嘉祐本草》石蜜收虫鱼部中，又见果部。新聿[①]取苏恭说，直将石字不用。石蜜既自有本条，煎炼亦自有法，今人谓之乳糖，则虫部石蜜自是差误，不当更言石蜜也。《本经》以谓白如膏者良。由是知石蜜字，乃白蜜字无疑。去古既远，亦文字传写之误，故今人尚言白沙蜜。盖经久则陈白而沙，新收者惟稀而黄。次条蜜蜡故须别立目，盖是蜜之房，攻治亦别。至如白蜡，又附于蜜蜡之下，此又误矣。本是续上文叙蜜蜡之用，及《注》所出州土，不当更分之为二。何者？白蜡本条中盖不言性味，止是言其色白尔。既有黄白二色，今止言白蜡，是取蜡之精英者，在黄蜡直置而不言。黄则蜡陈，白则蜡新，亦是。蜜取陈，蜡取新也。《唐注》云：除蜜字为佳。今详之：蜜字不可除，除之即不显蜡自何处来。山蜜多石中，或古木中，有经三二年，或一得而取之，气味醇厚。人家窠槛中蓄养

---

① 聿：原作“书”，据底本校勘表、庆元《衍义》改。

者，则一岁春秋二取之。取之既数，则蜜居房中日少，气味不足，所以不逮陈白者日月足也。虽收之，才过夏亦酸坏。若瓮于井中近水处，则免汤火伤，涂之痛止。仍捣薤白相和，虽无毒，多食亦生诸风。

蜂子

味甘，平、微寒，无毒。**主风头，除蛊毒，补虚羸，伤中**，心腹痛，大人、小儿腹中五虫口吐出者，面目黄。**久服令人光泽好颜色，不老**，轻身，益气。

蜂子

大黄蜂子　主心腹胀满痛，干呕，**轻身益气。**

土蜂子　主痈肿，嗌音益，喉也痛。**一名蜚零。**生武都山谷。畏黄芩、芍药、牡蛎。

［陶隐居］云：前直云蜂子，即应是蜜蜂子也。取其未成头足时炒食之。又酒渍以傅面，令面悦白。黄蜂则人家屋上者及𨞊音候𩀡蜂也。

峡州蜂子

［今按］《陈藏器本草》云：蜂子，主丹毒，风疹，腹内留热，大小便涩，去浮血，妇人带下，下乳汁，此即蜜房中白如蛹者。其穴居者名土蜂，最大，螫人至死，其子亦大、白，功用同蜜蜂子也。

［臣禹锡等谨按陈藏器］云：按土蜂赤黑色，烧末油和傅蜘蛛咬疮。此物能食蜘蛛，亦取其相伏也。

［日华子］云：树蜂、土蜂、蜜蜂，凉，有毒。利大小便，治妇人带下病等。又有食之者，须以冬瓜及苦荬、生姜、紫苏，以制其毒也。

［图经曰］蜂，《本经》有蜂子、黄蜂、土蜂，而土蜂下云：生武都山谷，今处处皆①有之。蜂子，即蜜蜂子也。在蜜脾中如蛹而白色。大黄蜂子，即人家屋上作房及大木间𨞊音候𩀡音娄蜂子也。岭南人亦作馔食之。蜂并黄色，比蜜蜂更大。土蜂子，即穴土居者，其蜂最大，螫人或至死。凡用蜂子，并取头足未成者佳。谨按《岭表录异》载宣、歙人取蜂子法，大蜂结房于山林间，大如巨钟，其中数百层，土人采时，须以草衣蔽体，以捍其毒螫，复以烟火熏散蜂母，乃敢攀缘崖木，

① 皆：刘《大观》、柯《大观》无。

断其蒂。一房蜂子或五六斗至一石，以盐炒暴干，寄入京洛，以为方物。然房中蜂子，三①分之一翅足已成，则不堪用。详此木上作房，盖𧊅𧐢类也。而今宣城蜂子乃掘地取之，似土蜂也。故郭璞注《尔雅》土蜂云：今江东呼大蜂在地中作房者，为土蜂，啖其子，即马蜂。荆、巴间呼为蟺音惮。又注木蜂云：似土蜂而小，在木上作房，江东人亦呼木蜂，人②食其子。然则二蜂子皆可食久矣。大抵蜂类皆同科③，其性效不相远矣。

[◣④礼记曰] 爵、鷃、蜩、范，注⑤云：蜩，蝉也。范，蜂也。

蜜蜡

味甘，微温，无毒。**主下痢脓血，补中，续绝伤，金疮，益气，不饥，耐老。**

白蜡　疗久泄澼后重见白脓，补绝伤，利小儿。久服轻身不饥。生武都山谷，生于蜜房、木石间。恶芫花、齐蛤。

[陶隐居] 云：此⑥蜜蜡尔，生于蜜中，故谓蜜蜡。蜂皆先以此为蜜跖音只，煎蜜亦得之，初时极香软。人更煮炼，或加少醋、酒，便黄赤，以作烛色为好。今药家皆应用白蜡，但取削之，于夏月日暴百日许，自然白。卒用之，亦可烊，内水中十余过，亦白。俗方惟以合疗下丸，而《仙经》断谷最为要用，今人但嚼食方寸者，亦一日不饥也。

[唐本注] 云：除蜜字为佳，蜜已见石蜜条中也。

[臣禹锡等谨按药性论] 云：白蜡，使，味甘，平，无毒。主妊孕妇人胎动，漏下血不绝，欲死。以蜡如鸡子大，煎消三五沸，美酒半升投之，服之差。主白发，镊去，消蜡点孔中，即生黑者。和松脂、杏仁、枣肉、茯苓等分合成，食后服五十丸，便不饥，功用甚多。又云：主下痢脓血。

[图经] 文具石蜜条下。

[◣葛氏方] 治犬咬人重发。疗之火炙蜡，灌入疮中。

[又方] 治狐尿刺人肿痛。用热蜡着疮中，又烟熏之令汁出，即便愈。

---

① 三：柯《大观》作“二”。

② 人：刘《大观》、柯《大观》作“又”。

③ 科：刘《大观》、柯《大观》误作“料”。

④ ◣：原脱，据本书体例补。

⑤ 注：原作“汪”，据成化《政和》、商务《政和》改。

⑥ 此：其下，刘《大观》、柯《大观》有“即”字。

[千金翼[1]**]** 疗伐指。以蜡、松胶相和，火炙笼伐指，即差。

[经验方] 湖南押衙颜思退传头风掣疼。蜡二斤，盐半斤相和，于銹罗中熔令相入，捏作一兜鍪，势可合脑大小。搭头至额，头痛立止。

[集验方] 治雀目如神。黄蜡不以多少，器内熔成汁，取出，入蛤粉相和得所成球。每用以刀子切下二钱，以猪肝二两批开，掺药在内，麻绳扎定。水一碗，同入铫子内煮熟，取出乘热熏眼。至温，冷并肝食之，日二，以平安为度。

[姚和众] 治小儿脚冻，如有疮，即浓煎蜡，涂之。

[衍义] 文具石蜜条下。

牡蛎

泉州牡蛎

味咸，平、微寒，无毒。**主伤寒寒热，温疟洒洒，惊恚怒气，除拘缓鼠瘘，女子带下赤白，**除留热在关节荣卫，虚热去来不定，烦满，止汗，心痛气结，止渴，除老血，涩大小肠，止大小便，疗泄精，喉痹咳嗽，心胁下痞热。**久服强骨节，杀邪鬼，延年。一名蛎蛤，**一名牡蛤。生东海池泽。采无时。贝母为之使，得甘草、牛膝、远志、蛇床良，恶麻黄、吴茱萸、辛荑。

[陶隐居] 云：是百岁雕所化。以十一月采为好。去肉，二百日成。今出东海、永嘉、晋安皆好。道家方以左顾者是雄，故名牡蛎，右顾则牝蛎尔。生著石，皆以口在上，举以腹向南视之，口邪向东则是，或云以尖头左顾者，未详孰是，例以大者为好。又，出广州南海亦如此，但多右顾，不用尔。丹方以泥釜，皆除其甲口，止取朏朏如粉处尔。俗用亦如之，彼海人皆以泥煮盐釜，耐水火而不破漏。

[今按]《陈藏器本草》云：牡蛎捣为粉。粉身，主大人、小儿盗汗；和麻黄根、蛇床子、干姜为粉，去阴汗。肉煮食，主虚损，妇人血气，调中，解丹毒。肉于姜、醋中生食之，主丹毒，酒后烦热，止渴。天生万物皆有牝[2]牡。惟蛎是咸水结成，块然不动，阴阳之道，何从而生？《经》言牡者，应是雄者。

[臣禹锡等谨按蜀本] 云：又有蛶音樗蛎，形短，不入药用。《图经》云：海中蚌属，以牡者良。今莱州昌阳县海中多有，二月、三月采之。

① 千金翼：柯《大观》作“千金方”。

② 牝：线装本《政和》作“牡”。

［药性论］云：牡蛎，君。主治女子崩中，止盗汗，除风热，止痛，治温疟。又和杜仲服止盗汗。末蜜丸，服三十丸，令人面光白，永不值时气。主①鬼交精出，病人虚而多热，加用之，并地黄、小草。

［孟诜］云：牡蛎火上炙令沸，去壳食之甚美，令人细肌肤，美颜色。又药家比来取左顾者，若食之即不拣左右也，可长服之，海族之中惟此物最贵，北人不识，不能表其味尔。

［段成式酉阳杂俎］云：牡蛎言牡，非谓雄也。

［图经曰］牡蛎，生东海池泽，今海傍皆有之，而南海、闽中及通泰间尤多。此物附石而生，磈礧相连如房，故名蛎房读如阿房之房。一名蚝山。晋安人呼为蚝莆。初生海边才如拳石，四面渐长，有一二丈者，崭岩如山。每一房内有蚝肉一块，肉之大小随房所生，大房如马蹄，小者如人指面。每潮来，则诸房皆开，有小虫入，则合之以充腹。海人取之，皆凿房以烈火逼开之，挑取其肉，而其壳左顾者②雄，右顾者则牝蛎耳。或曰以尖头为左顾。大抵以大者为贵，十一月采左顾者入药。南人以其肉当食品。其味尤美好，更有益，兼令人细肌肤，美颜色，海族之最可贵者也。

［◣海药云］按《广州记》云：出南海水中。主男子遗精，虚劳乏损，补肾正气，止盗汗，去烦热，治伤热疾，能补养安神，治孩子惊痫。久服身轻。用之，炙令微黄色，熟后研令极细，入丸散中用。

［雷公云］有石牡蛎、石鱼蛎、真海牡蛎。石牡蛎者，头边背大，小甲沙石，真似牡蛎，只是圆如龟壳。海牡蛎使得，只是丈夫不得服，令人无髭。真牡蛎，煅白炮，并用瑿试之，随手走起可认真。是万年珀号曰瑿，用之妙。凡修事，先用二十个，东流水、盐一两，煮一伏时，后入火中烧令通赤，然后入钵中研如粉用也。

［肘后方］大病差后小劳便鼻衄。牡蛎十分，石膏五分，捣末。酒服方寸匕，日三四，亦可蜜丸如梧子大，服之。

［经验方］治一切渴。大牡蛎不计多少，于腊日、端午日，黄泥裹煅通赤，放冷取出，为末。用活鲫鱼煎汤调下一钱匕，小儿服半钱匕，只两服差。

［又方］治一切丈夫、妇人瘰疬经效。牡蛎用炭一秤，煅通赤取出，于湿地上用纸衬，出火毒一宿，取四两，玄参三两，都捣罗为末，以面糊丸如梧桐子。早晚

---

① 主：柯《大观》作“又”。

② 者：其下，刘《大观》、柯《大观》有“为”字。

食后、临卧各三十丸，酒服。药将服尽，疬子亦除根本。

[又方] 除盗汗及阴汗。牡蛎为末，有汗处粉之。

[胜金方] 治甲疽，胬肉裹甲，脓血疼痛不差。牡蛎头厚处，生研为末。每服二钱，研缎花酒调下。如痈盛已溃者，以末傅之，仍更服药，并一日三服。

[初虞世] 治瘰疬发颈项，破、未破甚效如神。牡蛎四两，甘草二两，为末。每服一大钱，食后腊茶同点，日二。

[又方] 治水癞偏大，上下不定疼痛。牡蛎不限多少，盐泥固济，炭三斤，煅令火尽，冷取二两，干姜一两炮，又为细末，用冷水调稀稠得所，涂病处，小便大利即愈。

[集验方] 治痈，一切肿未成脓，拔毒。牡蛎白者为细末，水调，涂干更涂。

[伤寒类要] 疗髓疸，日睚深，嗜卧。牡蛎、泽泻主之。

[衍义曰] 牡蛎须烧为粉用，兼以麻黄根等分同捣，研为极细末，粉盗汗及阴汗。本方使生者，则自从本方。左顾，《经》中本不言，止从陶隐居说。其《酉阳杂俎》已言：牡蛎言牡，非为雄也。且如牡丹，岂可更有牝丹也？今则合于地，人面向午位，以牡蛎顶向子，视之口口在左者为左顾。此物本无目，如此，焉得更有顾盼也。

龟甲

味咸、甘，**平**，有毒。**主漏下赤白，破癥瘕痎**音皆**疟，五痔阴蚀，湿痹四肢重弱，小儿囟**音信**不合**，头疮难燥，女子阴疮，及惊恚气心腹痛，不可久立，骨中寒热，伤寒劳复，或肌体寒热欲死，以作汤，良。**久服轻身不饥。**益气资智，亦使人能食。**一名神屋。**生南海池泽及湖水中。采无时。勿令中湿，中湿即①有毒。恶沙参、蜚蠊。

[陶隐居]云：此用水中神龟，长一尺二寸者为善。厌可以供卜，壳可以充药，亦入仙方。用之当炙。生龟溺甚疗久嗽，亦断疟。肉作羹臛，大补而多神灵，不可轻杀。书家载之甚多，此不具说也。

[唐本注]云：龟，取以酿酒。主大风缓急，四肢拘挛，或久瘫缓不收摄，皆差。

[臣禹锡等谨按蜀本]注《图经》云：江、河、湖水龟也。湖州、江州、交州

---

① 即：柯《大观》无。

者，皆骨白而厚，色分明，并堪卜，其入药者得便堪用。今所在皆有，肉亦堪酿酒也。

［萧炳］云：壳主风脚弱，炙之，末，酒服。

［药性论］云：龟甲，畏狗胆，无毒。烧灰治小儿头疮不燥。骨带入山令人不迷。血治脱肛。灰亦治脱肛。

［日华子］云：卜龟小者，腹下可卜，钻遍者，名败龟。治血麻痹。入药酥炙用，又名败将。

［图经］ 文具秦龟条下。

［◣ 食疗云］ 温，味酸。主除温瘴气，风痹，身肿，踒折。又，骨带入山林中，令人不迷路。其食之法，一如鳖法也。其中黑色者，常啖蛇，不中食之。其壳亦不堪用。其甲能主女人漏下赤白，崩中，小儿囟不合，破癥瘕，痻疟，疗五痔，阴蚀，湿痹①，女子阴隐疮，及骨节中寒热，煮汁浴渍之良。又，已前都用水中龟，不用啖蛇龟。五月五日取头干末服之，亦令人长远入山不迷。又方：卜师处钻了者，涂酥炙，细罗，酒下二钱，疗风疾。

［肘后方］ 治卒得咳嗽。生龟三枚，治如食法，去肠，以水五升，煮取三升以渍曲，酿米四升如常法，熟饮二升，令尽此，则永断。

［经验方］ 治产后产前痢。败龟一枚，用米醋炙，捣为末，米饮调下。

［孙真人云］ 治小儿龟背。以龟尿摩胸背上，差。

［孙真人食忌］ 十二月勿食龟肉，损命，不可辄食，杀人。

［子母秘录］ 令子易产。烧龟甲末，酒服方寸匕。

［抱朴子］ 云：千岁灵龟五色具焉，其雄额上两骨起似角，以羊血浴之，乃剔取其甲，火②炙捣，服方寸匕，日三尽一具。

［衍义］ 文具秦龟条下。

秦龟

味苦，无毒。主除湿痹气，身重，四肢关节不可动摇。生山之阴土中。二月、八月取。

---

① 痹：原作“瘅”，据本条药理改。

② 火：原脱，据《抱朴子·仙药》补。

江陵府秦龟

［陶隐居］云：此①即山中龟不入水者。形大小无定，方药不甚②用。龟类虽多，入药正有两种尔。又有鸯龟，小狭长尾，乃言疗蛇毒，以其食蛇故也。用以卜则吉凶正反，带秦龟前臑乃到切骨，令人入山不迷。广州有蠵子夷切蠵以规切，其血甚疗俚人毒箭伤。

［唐本注］云③：蠢龟腹折，见蛇则呷而食之。荆楚之间谓之呷蛇龟也。秦龟即蠵蠵是，更无别也。

［今按］《陈藏器本草》云：龟溺，主耳聋，滴耳中差。

［臣禹锡等谨按蜀本］《图经》云：今江南、岭南并有。冬月藏土中，春夏秋即游溪谷。今据《尔雅》摄龟，即小龟也。腹下曲折，能自开闭，好食蛇，江东呼为陵龟，即夹蛇龟也。又灵龟出涪陵郡，大甲可以卜，似玳瑁，即蠵蠵龟也。一名灵蠵。能鸣，今苏言秦龟即蠵蠵，非为通论。且陶注：蠵蠵但疗箭毒，则与《本经》主治④不同。又陶注：秦龟即山中龟不入水者，而云秦龟应以地名为别故也。

［陈藏器］云：苏云秦龟即是蠵蠵。按蠵蠵生海水中，生山阴者非蠵蠵矣。今秦龟是山中大龟，如碑下者。食草根、竹笋，深山谷有之，卜人取以占山泽。汉书十朋有山龟，即是此也。揭取甲，亦如蠵蠵堪饰器物。

［陈士良］云：蠢龟腹下横折，秦人呼蠵蠵，山龟是也。肉寒，有毒。主筋脉。凡扑损，便取血作酒食。肉生研⑤厚涂，立效。

［日华子］云③：蠵蠵，平，微毒。治中刀箭闷绝，刺血饮便差。皮甲名鼊皮，治血⑥疾，若无生血，煎汁代之，亦可宝装饰物。

［又云］夹蛇龟，小，黑，中心折者无用，不可食。肉可生捣署傅蛇毒。

［图经曰］秦龟，山中龟，不入⑦水者是也，生山之阴土中。或云秦以地称，云生山之阴者是，秦地山阴也。今处处有之。龟甲，水中神龟也，生南海池泽及湖

① 此：刘《大观》、柯《大观》无。

② 甚：柯《大观》作“堪”。

③ 云：原无，据刘《大观》、柯《大观》补。

④ 主治：刘《大观》、柯《大观》作“注”。

⑤ 研：刘《大观》、柯《大观》作“斫”。

⑥ 血：柯《大观》作“面”。

⑦ 入：柯《大观》作“见”。

水中，今江湖间并①皆有之。山中龟，其形大小无定，大者有如碑趺，食草根、竹萌，冬月藏土中，至春而出，游山谷中。今市肆间人或畜养为玩，至冬而埋土穴中。然药中稀用，卜人亦取以占山泽，揭取其甲，亦堪饰器物。《尔雅》所谓山龟者，岂是此欤。水中龟，其骨白而厚，色至分明，所以供卜人及入药用，以长一尺二寸为善。《尔雅》亦有水龟，又一种蠵龟，小狭长尾，腹②下有横折，见蛇则呷而食之，江东人谓之陵龟，即《尔雅》所谓小龟也，亦入药用，能疗蛇毒。又一种蟕子夷切蠵以规切，大甲，可以卜，即《尔雅》所谓灵龟也。陶、苏以此为秦龟。按《岭表录异》云：蟕蠵，俗谓之兹夷，盖山龟之大者，人立背上，可负而行。潮、循间甚多，乡人取壳，以生得全者为贵。初用木楔出其肉，龟被楚毒，鸣吼如牛，声动山谷，工人以其甲通明黄色者，煮拍陷玳瑁为器，今所谓龟筒③者是也。据此乃别是一种山龟，未必是此秦龟也。其入药亦以生脱者为上。凡④龟之类甚多，而时人罕复遍识，盖近世货币所不用，而知卜术者亦稀，惟医方时用龟甲，故尔弗贵矣。方书中又多用败龟，取钻灼之多者，一名漏天机。一说入药须用神龟，神龟底壳当心前，有一处四方透明如琥珀色者是矣。其头方，壳圆，脚短者为阳龟。形长，头尖，脚长者为阴龟。阴人用阳，阳人用阴。今医家亦不复如此分别也。又药中用龟尿，最难得。孙光宪《北梦琐言》载其说云：道士陈钊，言龟之性妒，而与蛇交，或雌蛇至，有相趁斗噬，力小者或至毙。采时取雄龟，于瓷碗中，或小盘中置之，于后以鉴照，龟既见鉴中影，往往淫发而失尿，急以物收取。又以纸炷火上爓热，以点其尻，亦致失尿，然不及鉴照之快也。

［**陈藏器**］蟕蠵，秦龟注：陶云广州有蟕蠵，其血主俚人毒箭。按蟕蠵，人被毒箭伤，烦闷欲死者。剖取血傅伤处，此是焦铜及蜚汁毒，南人多养用之，似龟，生海边。有甲文，堪为物饰。

［**海药云**］谨按《正经》云：生在广州山谷。其壳，味带苦，治妇人赤白漏下，破积癥，顽风冷痹，关节⑤气壅，或经卜者更妙。凡甲炙令黄，然后入药中⑥。

---

① 并：刘《大观》、柯《大观》无。

② 腹：柯《大观》作“肢”。

③ 筒：柯《大观》作“同”。

④ 凡：柯《大观》作“也”。

⑤ 节：刘《大观》、柯《大观》作“隔”。

⑥ 药中：刘《大观》、柯《大观》作“诸药中用”。

［抱朴子］蠳龟啖蛇，南人入山①皆带蠳龟之尾以辟蛇。蛇中人，刮此物以傅之，其疮亦便②愈。

［衍义曰］秦龟，即生于秦者。秦地山中多老龟，极大而寿。龟甲即非止秦地有，四方皆有之，但取秦地所出，大者为胜。今河北独流钓台甚多。取龟筒治疗，亦入众药。止此二种，各逐本条，以其灵于物，方家故用以补心，然甚有验。

真珠

寒，无毒。主手足皮肤逆胪，镇心。绵裹塞耳，主聋。傅面令人润泽好颜色。粉点目中，主肤翳障膜。今附

［臣禹锡等谨按药性论］云：真珠，君。治眼中翳障白膜，七宝散用磨翳障，亦能坠痰。

［日华子］云：真珠子，安心，明目，驻颜色也。

廉州真珠牡

［图经曰］真珠，《本经》不载所出州土，今出廉州，北海亦有之。生珠牡俗谓之③珠母。珠牡，蚌类也。按《岭表录异》：廉州边海中有洲岛，岛上有大池，谓之珠池。每岁刺史亲监珠户入池采老蚌，割取珠以充贡。池虽在海上，而人疑其底与海通，池水乃淡，此不可测也。土人采小蚌肉作脯食之，往往得细珠如米者。乃知此池之蚌，随大小皆有珠矣。而今④取珠牡，云得之⑤海傍，不必是珠池中也。其北⑥海珠蚌，种类小别。人取其肉，或有得珠者，但不常有，其珠亦不甚光莹，药中不堪用。又蚌属中有一种似江珧者，其腹亦有珠，皆不及南海者奇而且多。入药须用新完未经钻缀者为佳。

［■海药云］谨按《正经》云：生南海，石决明产出也。主明目，除面䵟，止泄，合知母疗烦热，消渴。以左缠⑦根，治儿子麸豆疮入眼。蜀中西路女瓜亦出真珠，是蚌蛤产，光白甚好，不及舶上彩耀。欲穿须得金刚钻也。为药须久研如粉

---

① 人入山：原作“从”，据《抱朴子·登涉》改。

② 便：原作“使”，据柯《大观》改。

③ 之：柯《大观》无。

④ 今：其下，刘《大观》、柯《大观》有“之”字。

⑤ 之：刘《大观》、柯《大观》无。

⑥ 北：线装本《政和》作“此”。

⑦ 缠：柯《大观》作“右”。

面，方堪服饵。研之不细，伤人脏腑。

[雷公云] 须取新净者，以绢袋盛之。然后用地榆、五花皮、五方草三味各四两，细剉了，又以牡蛎①约重四五斤已来，先置于平底铛中，以物四向揩令稳，然后著真珠于上了②，方下剉了三件药，笼之，以浆水煮三日夜。勿令火歇，日满出之，用甘草汤淘之，令净后，于臼中捣令细，以绢罗重重筛过，却更研二万下了，用。凡使，要不伤破及钻透者，方可用也。

[外台秘要] 疗子死腹中方：真珠二两，为末，酒调服尽，立出。

[千金方] 治儿胞衣不出，苦酒服真珠末一两。

[又方] 难产。取真珠末一两，和酒服之，立出。

[肘后方] 卒忤停尸不能言。真珠末以鸡冠血和丸小豆大，以三四粒内口中。

[又方] 主镇安魂魄，珠蜜方：炼真珠如大豆，以蜜一蚬壳，和一服与一豆许，日三。大宜小儿矣。

[抱朴子] 真珠径寸已上可服，服之可以长久。酪浆渍之，皆化如水银，亦可以浮石、水蜂窠、鼈③化包彤、蛇黄合之，可以引长三、四尺，丸服之，绝谷得长生。

[衍义曰] 真珠，小儿惊热药中多用。河北圹泺中，亦有围及寸者，色多微红，珠母与廉州珠母不相类。但清水急流处，其色光白；水浊及不流处，其色暗。余如《经》。

玳瑁

寒，无毒。主解岭南百药毒。俚人刺其血饮，以解诸药毒。大如帽，似龟，甲中有文。生岭南海畔山水间。今附

玳瑁

[臣禹锡等谨按陈士良] 云：玳瑁，身似龟，首嘴如鸚鵡。肉，平。主诸风毒，行气血，去胸膈中风痰④，镇心脾，逐邪热，利大小肠，通妇人经脉。甲壳亦似肉，同疗心风邪，解烦热。

---

① 蛎：原作“蛎”，据药名改。

② 了：线装本《政和》误作“子”。

③ 鼈：《抱朴子·仙药》无。

④ 痰：成化《政和》、商务《政和》作“疾”。

［日华子］云：破癥结，消痈毒，止惊痫等疾。

［图经曰］玳瑁，生岭南山水间，今亦出广南①。盖龟类也。惟腹、背甲皆有红点斑文，其大者有如盘。入药须生者乃灵，带之亦②可以辟蛊毒。凡遇饮食有毒，则必自摇动，死者则不能，神矣。昔唐嗣薛王之镇③南海，海人有献生玳瑁者，王令揭取上甲二小片，系于左臂，欲以辟毒。玳瑁甚被楚毒，复养于使宅后池，伺其揭处复生，还遣送旧处，并无伤矣。今人多用杂龟筒作器皿，皆杀取之。又经煮拍，生者殊不易得。顷有自岭表罢官，得生玳瑁畜养且久，携以北归，北人多④有识者。又有一种鼊鼊，亦玳瑁之类也。其形如笠，四足缦胡无指，其甲有黑珠，文采亦好，但薄而色浅，不任作器，惟堪贴饰耳。今人谓之鼊皮，不入药用。

［🅺 陈藏器云］大如扇，似龟，甲有文，余并同。

［杨氏产乳］疗中蛊毒。生玳瑁以水磨如浓饮，服一盏即解。

［衍义曰］玳瑁，治心经风热，生者入药，盖性味全也。既入汤火中，即不堪用，为器物者矣，与生熟犀其义同。

桑螵蛸

味咸、甘，**平**，无毒。**主伤中，疝瘕，阴痿，益精生子，女子血闭腰痛，通五淋，利小便水道。**又疗男子虚损，五脏气微，梦寐失精，遗溺。久服益气养神。**一名蚀肬**音尤。**生桑枝上，**螳螂子也。二月、三月**采蒸之，**当火炙。不尔令人泄。得龙骨，疗泄精。畏旋覆花。

蜀州桑螵蛸

［陶隐居］云：俗呼螳螂为蚚音石螂，逢树便产，以桑上者为好，是兼得桑皮之津气。市人恐非真，皆令合枝断取之尔，伪者亦以胶著桑枝之上也。

［臣禹锡等谨按蜀本图经］云：此物多在小桑树上，丛荆棘间，并螳螂卵也，三月、四月中，一枝出小螳螂数百枚。以热浆水浸之一伏时，焙干，于柳木

---

① 南：柯《大观》作“州”。

② 亦：刘《大观》、柯《大观》无。

③ 昔唐嗣薛王之镇：柯《大观》无。

④ 多：柯《大观》作“少”。

灰中炮令黄色用之。

[药性论] 云：桑螵蛸，臣，畏戴椹。主男子肾衰，漏精，精自出。患虚冷者能止[①]之，止小便利。火炮令热，空心食之。虚而小便利，加而用之。

[图经曰] 桑螵蛸，螳[②]螂子也。《本经》不载所出州土，今在处有之。螳[②]螂逢木便产，一枚出子百数，多在小木[③]荆棘间，桑上者兼得桑皮之津气，故以为佳。而市之货者，多非真。须连枝折之为验。然伪者亦能以胶著桑枝上，入药不宜也。三月、四月采。蒸过收之，亦火炙，不尔则令人泄。一法：采得便以热浆水浸一伏时，焙干，更于柳木灰中，炮令黄用之。《尔雅》云：莫貈户各切，螳[②]螂蛑。郭璞云：螗螂，有斧虫，江东呼为石螂。又云：不过，蟷丁郎切蠰息详切。蟷蠰，螳[②]螂别名也。其子蜱音裨蛸音萧，一名蜱普莫切蟭音焦，蟷蠰卵也。古今方漏精及主风药中，多用之。

[▌雷公云] 凡使，勿用诸杂树上生者，螺螺不入药中用。凡采觅须桑树东畔枝上者，采得去核子，用沸浆水浸淘七遍，令水遍沸，于瓷锅中熬令干用。勿乱别修事，却无效也。

[经验方] 治底耳方：用桑螵蛸一个，慢火炙，及八分熟存性细研，入麝香一字为末。掺在耳内，每用半字，如[④]神效。如有脓，先用绵包子拈去，次后掺药末入在耳内。

[产书] 治妊娠小便数不禁。桑螵蛸十二枚，捣为散，分作两服，米饮下。《杨氏产乳》同。

[又方] 疗小便不通及胞转。桑螵蛸捣末，米饮服方寸匕，日三。

[衍义曰] 桑螵蛸，自采者真，市中所售者，恐不得尽皆桑上者。蜀本《图经》浸炮之法，不若略蒸过为佳。邻家有一男子，小便日数十次，如稠米泔色，亦白，心神恍惚，瘦瘁食减，以女劳得之。今服此桑螵蛸散，未终一剂而愈。安神魂，定心志，治健忘，小便数，补心气。桑螵蛸、远志、菖蒲、龙骨、人参、茯神、当归、龟甲醋炙，已上各一两，为末。夜卧，人参汤调下二钱，如无桑上者，即用余者，仍须以炙桑白皮佐之，量多少，可也。盖桑白皮行水，意以接螵蛸就肾

---

① 止：柯《大观》作“治”。

② 螳：原作“螗”，据柯《大观》改。

③ 木：其下，刘《大观》、柯《大观》有“及”字。

④ 字，如：柯《大观》作“书字”。

经。用桑螵蛸之意如此，然治男女虚损，益精，阴痿，梦失精，遗溺，疝瘕，小便白浊，肾衰不可阙也。

石决明

味咸，平，无毒。主目障翳痛，青盲。久服益精轻身。生南海。

［陶隐居］云：俗云①是紫贝②，定小异，亦难得。又云是鳆步角切鱼甲③，附石生，大者如手，明耀五色，内亦含珠。人今皆水渍紫贝，以熨眼，颇能明。此一种，本亦附见在决明条，甲既是异类，今为副品也。

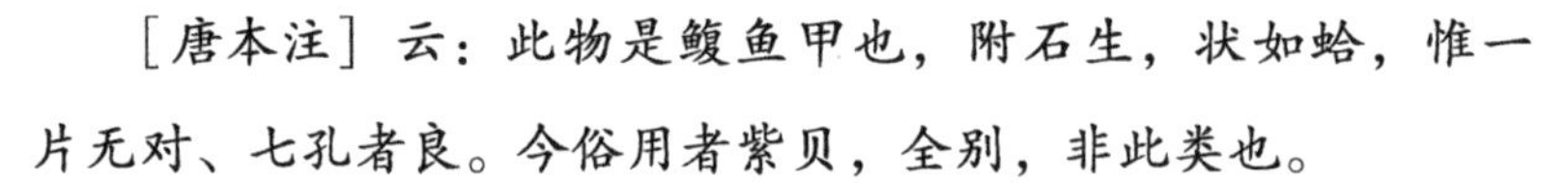

［唐本注］云：此物是鳆鱼甲也，附石生，状如蛤，惟一片无对、七孔者良。今俗用者紫贝，全别，非此类也。

雷州石决明

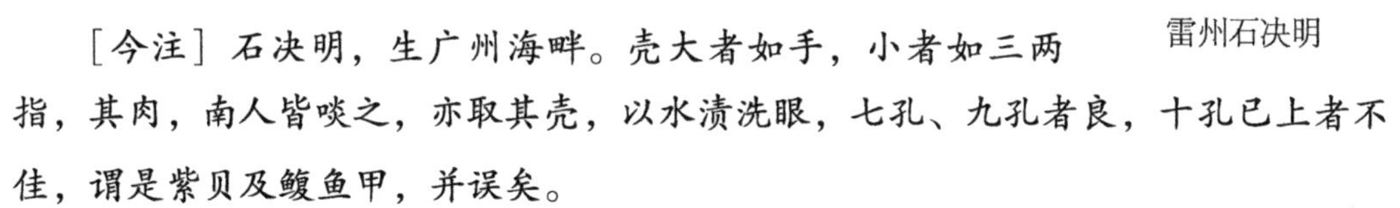

［今注］石决明，生广州海畔。壳大者如手，小者如三两指，其肉，南人皆啖之，亦取其壳，以水渍洗眼，七孔、九孔者良，十孔已上者不佳，谓是紫贝及鳆鱼甲，并误矣。

［臣禹锡等谨按蜀本］云：石决明，寒。又注云：鳆鱼，主咳嗽，啖之明目。又《图经》云：今出莱州，即墨县南海内。三④月、四月采之。

［日华子］云：石决明，凉，明目。壳磨障翳。亦名九孔螺也。

［图经曰］石决明，生南海，今岭南州郡及莱州皆有之。旧说，或以为紫贝，或以为鳆鱼甲。按紫贝即今人研螺，古人用以为货币者，殊非此类。鳆鱼，王莽所食者，一边著石，光明可爱，自是一种，与决明相近耳。决明壳大如手，小者三两指，海人亦啖其肉，亦取其壳，渍水洗眼，七孔、九孔者良，十孔者不佳。采无时。

［◣海药云］主青盲、内障，肝肺风热，骨蒸劳极，并良。凡用先以面裹熟煨，然后磨去其外黑处，并粗皮了，烂捣之，细罗，于乳钵中再研如面，方堪用也。

---

① 俗云：柯《大观》无。

② 贝：成化《政和》、商务《政和》作“具”。

③ 甲：刘《大观》、柯《大观》误作“中”。

④ 三：柯《大观》作“二”。

[雷公云] 凡①使，即是真珠母也，先去上粗皮，用盐并东流水于大瓷器中，煮一伏时了，漉出拭干，捣为末，研如粉，却入锅子中，再用五花皮、地榆、阿胶三件，更用东流水于瓷器中，如此淘之三度，待干，再研一万匝，方入药中用。凡修事五两，以盐半分，取则第二度煮，用地榆、五花皮、阿胶各十两。服之十两，永不得食山桃，令人丧目也。

[胜金方] 治小肠五淋。石决明去粗皮甲，捣研细，右件药如有软硬物淋，即添朽木细末，熟水调下二钱匕服。

[衍义曰] 石决明，《经》云：味咸，即是肉也。人采肉以供馔，及干致都下，北人遂为珍味。肉与壳两可用，方家宜审用之。然皆治目，壳研，水飞，点磨外障翳，登、莱州甚多。

海蛤

味苦、咸，**平**，无毒。**主咳逆上气，喘息烦满，胸痛寒热**，疗阴痿。**一名魁蛤。**生东海。蜀漆为之使，畏狗胆、甘遂、芫花。

沧州海蛤

[唐本注] 云：此物以细如巨胜，润泽光净者好，有粗如半杏仁者，不入药用。亦谓为豚耳蛤，粗恶不堪也。

[今按] 别本注云：雁腹中出者极光润，主②十二水满急痛，利膀胱、大小肠。粗者如半片郁李仁，不任用，亦名豚耳。

[臣禹锡等谨按蜀本]《图经》云：今莱州即墨县南海沙湍中。四月、五月采，淘沙取之。当以半天河煮五十刻，然后③以枸杞子汁和，篁竹筒盛，蒸一伏时；勿用游波虫骨，似海蛤而面上无光④，误食之令人狂眩，用醋蜜解之即⑤愈。

[吴氏] 云：海蛤，神农：苦。岐伯：甘。扁鹊：咸。大节头有文，文如磨齿。采无时。

[萧炳] 云：止消渴，润五脏，治服丹石人有疮。

---

① 凡：成化《政和》、商务《政和》误作“足”。
② 主：原作“王”，据刘《大观》、柯《大观》改。
③ 后：原无，据刘《大观》、柯《大观》补。
④ 光：成化《政和》、商务《政和》作“花”。
⑤ 即：刘《大观》、柯《大观》作“则”。

［药性论］云：海蚧亦曰海蛤，臣。亦名紫薇。味咸，有小毒。能治水气浮肿，下小便，治嗽逆上气。主[1]治项下瘤瘿。

［日华子］云：治呕逆，阴痿，胸胁胀急，腰痛，五痔，妇人崩中带下病。此即鲜蛤子[2]。雁食后粪中出，有文彩者为文蛤，无文彩者为海蛤。乡人又多将海岸边烂蛤壳，被风涛打磨莹滑者，伪作之。

［图经曰］海蛤、文蛤，并生东海，今登、莱、沧州皆有之。陶隐居以细如巨胜，润泽光净者为海蛤。云经雁食之，从粪中出过数多，故有光泽也。以大而有紫斑文者为文蛤。陈藏器以为海蛤是海中烂壳，久为风波涛洗，自然圆净，此有大小而久远者为佳，不必雁腹中出也。文蛤是未烂时壳，犹有文理者，此乃新旧不同，正一物而二名也。然海蛤难得真烂久者。海人多以它蛤壳经风涛摩荡莹滑者伪作之，殊无力。又有一种游波骨，极类海蛤，但少莹泽，误食之令人狂眩，用醋、蜜解之则[3]愈。《本经》海蛤一名魁蛤。又别有魁蛤条云：形正圆，两头空，表有文，乃别是一种也。按《说文》曰：千岁燕化为海蛤，魁蛤即是伏翼所化，故一名伏老。并采无时。张仲景《伤寒论》曰：病在阳，应以汗解，反以冷水潠之，若水灌之，其热被却，不得去，弥更益烦，皮上粟起，意欲[4]水，反不渴者，文蛤散主之。文蛤五两，一味捣筛，以沸汤和一方寸匕服，汤用五合。此方医家多用，殊效。

［■雷公云］凡使，勿用游波蕈骨，其虫骨真似海蛤，只是无面上光。其虫骨误饵之，令[5]人狂走，拟投水时，人为之犯鬼心狂，并不是缘曾误饵。此虫骨若服着，只以醋解之，立差。凡修事一两，于浆水中煮一伏时后，却以地骨皮、柏叶二味，又煮一伏时后出，于东流水中淘三遍，拭干，细捣研如粉，然后用。凡一两，用地骨皮二[6]两，并细剉，以东流水淘取用之。

［衍义曰］海蛤、文蛤，陈藏器所说是。今海中无雁，岂有食蛤粪出者？若蛤壳中有肉时，尚可食，肉既无，焉得更有粪中过数多者？必为其皆无廉棱，乃有是说。殊不知风浪日夕淘汰，故如是。治伤寒汗不溜，搐却手脚，海蛤、川乌头各一

---

① 主：柯《大观》误作“三”。

② 子：柯《大观》作“又”。

③ 则：刘《大观》、柯《大观》作“即”。

④ 欲：其下，刘《大观》、柯《大观》有“饮”字。

⑤ 令：成化《政和》、商务《政和》误作“今”。

⑥ 二：刘《大观》、柯《大观》作“一”。

两，川山甲二两，为末，酒糊和丸，大一寸许，捏①褊，置所患足心下。擘葱白盖药，以帛缠定。于暖室中，取热水浸脚至膝上，久则水温，又添热水，候遍身汗出为度。凡一二日一次浸脚，以知为度。

文蛤

味咸，平，无毒。**主恶疮，蚀五痔**，咳逆胸痹，腰痛胁急，鼠瘘大孔出血，崩中漏下。生东海。表有文，取无时。

［陶隐居］云：海蛤至滑泽，云从雁屎中得之，二三十过方为良。今人多取相摝，令②磨荡似之尔。文蛤小③大而有紫斑，此既异类而同条，若别之，则数多，今以为附见，而在副品限也。凡有四物如此。

［唐本注］云：文蛤，大者圆三寸，小者圆五六分。若④今妇人以置燕脂者，殊非海蛤之类也。夫天地间物，无非天地间用，岂限其数为正副耶！

［今按］《陈藏器本草》云：海蛤，主水癊。取二两先研三日，汉防己、枣肉、杏仁二两，葶苈子六两，熬研成脂为丸，一服十丸，利下水。

［臣禹锡等谨按蜀本］《图经》云：背上有⑤斑文者，今出莱州掖县南海中，三月中旬采。

［萧炳］云：出密州。

［陈藏器］云：按海蛤，是海中烂壳，久在泥沙，风波淘漉⑥，自然圆净，有大有小，以小者久远为佳，亦非一一从雁腹中出也。文蛤是未烂时壳，犹有文者。此乃新旧为名，二物元同一类。假如雁食蛤壳，岂择文与不文。苏恭此言殊为未达，至如烂蚬蚌壳，亦有所主，与生不同。陶云副品，正其宜矣。《说文》曰：千岁燕化为海蛤，一名伏老，伏翼化为，今亦生子滋长也。

［图经］文具海蛤条下。

［■千金翼］治急疳蚀口鼻数日尽，欲死。烧文蛤灰，腊月脂和，涂之。

［衍义］文具海蛤条下。

---

① 捏：原作“担”，据庆元《衍义》、商务《衍义》改。

② 令：柯《大观》误作“今”。

③ 小：柯《大观》作“少”。

④ 若：刘《大观》、柯《大观》无。

⑤ 有：刘《大观》无。

⑥ 漉：原作“洒”，据文理改。柯《大观》作“洗”。

魁蛤

味甘，平，无毒。主痿痹，泄痢便脓血。一名魁陆，一名活东。生东海。正圆两头空，表有文，取无时。

［陶隐居］云：形似纺軖音狂，小狭长，外有纵横文理，云是老蝙蝠化为，用之至少。而《本经》海蛤，一名魁蛤，与此为异也。

［臣禹锡等谨蜀本］《图经》云：形圆长，似大腹槟榔，两头有孔，今出莱州。

［图经］文具海蛤条下。

［■ 食疗］寒。润五脏，治消渴，开关节。服丹石人食之，使人免有疮肿及热毒所生也。

蠡音礼**鱼**

味甘，寒，无毒。**主湿痹，面目浮肿，下大水，**疗五痔，有疮者不可食，令人瘢音盘白。**一名鲖**音铜**鱼**。生九江池泽。取无时。

蠡鱼

［陶隐居］云：今皆作鳢字，旧言是公蛎蛇所变，然亦有相生者。至难死，犹有蛇性。合小豆白煮以疗肿满，甚效。

［唐本注］云：《别录》云，肠及肝，主久败疮中虫。诸鱼灰，并主哽噎也①。

［臣禹锡等谨按孟诜］云：鳢鱼，下大小便，拥塞气。又作脍，与脚气、风气人食之，效。又以大者洗去泥，开肚，以胡椒末半两，切大蒜三两颗，内鱼腹中缝合，并和小豆一升煮之。临熟下萝卜三五颗如指大，切葱一握，煮熟。空腹服②之，并豆等强饱，尽食之。至夜即泄气无限，三五日更一顿。下一切恶气。又十二月作酱良也③。

［日华子］云：鳢鱼肠，以五味炙贴痔瘘及蚛骭，良久虫出，即去之。诸鱼中，惟此胆甘，可食。

---

① 噎也：柯《大观》作“咽”。

② 服：刘《大观》、柯《大观》作“食”。

③ 也：刘《大观》、柯《大观》无。

［图经曰］蠡通作鳢字鱼，生九江池泽，今处处有之。陶隐居以为①公蛎蛇所变，至难死，犹有蛇性。谨按《尔雅》：鳢，鲩。郭璞注云：鳢，鲖音同也。释者曰：鳢，鲩也。《诗·小雅》云：鱼丽于罶，鲂鳢。《毛传》云：鳢，鲩也。《正义》云：诸本或作鳢，鲰音重也②。陆机谓鲩即鳢鱼也，似鳢，狭而厚，今京东人犹呼鲰鱼，其实一类也。据上所说，则似今俗间所谓黑鳢鱼者，亦至难死，形近蛇类，浙中人多食之。然《本经》著鳢鱼，主湿痹下水，而黑鳢鱼主妇人妊娠。《千金方》有安胎单用黑鳢鱼汤方，而《本经》不言有此功用，恐是漏落耳。肝肠亦入药，诸鱼胆苦，惟此胆味甘可食为异也。又下鲍鱼条，据陶、苏之说，乃似今汉、沔间所作淡干鱼，味辛而臭者。苏又引《李当之本草》，亦言胸中湿者，良。其以暴鱼不以盐，外虽干而鱼肥，故中湿也，中湿则弥臭矣。一说鲍鱼自是一种，形似小鳙鱼，生海中，气最臭。秦始皇取置车中者是也。此说虽辨，亦无的据。《素问》治血枯雀卵丸，饮鲍鱼汁，以利肠中。

［■ 外台秘要］疗患肠痔，每大便常有血。鳢鱼脍，姜齑食之，佳。任性多少，差。忌冷毒物。

［又方］疗痔。鳢鱼肠三具，炙令香，以绵裹，内谷道中，一食顷虫当出，鱼肠数易之，尽三枚差。

［食医心镜］治十种水气病不差垂死。鳢鱼一头，重一斤已上，右熟取汁，和冬瓜、葱白作羹食之。

［又方］治野鸡病，下血不止，肠疼痛。鳢鱼一头，如食法作脍，蒜齑食之。

［灵苑方］治急喉闭，逡巡不救者。蠡鱼胆，腊月收，阴干为末，每服少许，点患处，药至即差，病深则水调灌之。

［衍义曰］蠡鱼，今人谓之黑鲤鱼。道家以谓头有星为厌，世有知之者，往往不敢食。又发故疾，亦须忌尔。今用之疗病，亦止取其一端耳。

鮧音夷又音题鱼

味甘，无毒。主百病。

［陶隐居］云：此是鳀音题也，今人皆呼慈音，即是鲇乃兼切鱼，作臛食之，云

---

① 以为：刘《大观》、柯《大观》作“云是”。

② 也：刘《大观》无。

补。又有鳠鱼相似而大；又有鮠五回切鱼亦相似，黄而美，益人，其合鹿肉及赤目、赤须、无鳃者，食之并杀人；又有人鱼，似鳀而有四足，声如小儿，食之疗瘕疾，其膏燃之不消耗，始皇骊山冢中用之，谓之人膏也。荆州、临沮、青溪至多此鱼。

鮧鱼

［唐本注］云：鮧鱼，一名鲇鱼，一名鳀鱼。主水浮肿，利小便也。

［臣禹锡等谨按蜀本］《图经》云：有三种。口腹俱大者名鳠音护，背青而口小者名鲇，口小背黄腹白者名鮠，一名河豚。三鱼并堪为臛，美而且补。

鮠鱼

［陈士良］云：鮧鱼，暖。

［图经曰］鮧音夷又音题鱼，旧不著所出州土，今江浙多有之。大首方口，背青黑，无鳞，多涎。其类有三。陶隐居云：即鳀音题鱼也。鳀即鲇乃兼切鱼也。又有鳠音护鱼，相似而大。鮠五回切鱼亦相似，色黄而美。三种形性皆相类，而小不同也。鲇亦名鰋。《诗·小雅》云：鱼丽于罶，鰋鳢。《传》云：鰋，鲇也。《尔雅·释鱼》：鰋，鲇。郭璞注云：今鰋，额白鱼。鲇别名鳀，江东通呼鲇①为鮧是也。今江浙多食之，不可与牛肝合食，令人患风多噎。涎，主三消。取生鱼涎，溲黄连末作丸，饭后乌梅煎饮下五七丸，渴便顿减。鳠②，四季不可食，又不可与野猪肉合食，令人吐泻。鮠，秦人呼为鳜③鱼，能动痼疾，不可与野鸡、野猪肉合食，令人患癞。此三鱼大抵寒而有毒，非食品之佳味也④。

［■食疗］鲇与⑤鳠，大约相似。主诸补益。无鳞，有毒，勿多食。赤目、赤须者，并杀人也。

［千金翼］治刺伤中毒，水烧鱼目灰涂之。

---

① 鲇：线装本《政和》误作“鲇”。

② 鳠：其下，刘《大观》、柯《大观》有“鱼”字。

③ 鳜：柯《大观》作“獭”。

④ 也：柯《大观》无。

⑤ 与：原作“鱼”，据柯《大观》改。

[衍义曰] 鲮鱼，形少类獭，有四足，腹重坠如囊，身微紫色。尝剖之，中有三小蟹，又有四五小石块，如指面许小鱼五七枚，然无鳞，与鲇、鮠相类，今未见用者。

鲫鱼

主诸疮，烧以酱汁和涂之，或取猪脂煎用，又主肠痈。

鲫鱼

头灰 [臣禹锡等谨按药对] 云：头，温。主小儿头疮，口疮，重舌，目翳。一名鲋音父鱼，合莼作羹，主胃弱不下食，作脍，主久赤白痢。唐本先附

[臣禹锡等谨按蜀本] 云：鲫鱼，味甘，温。止下痢，多食亦不宜人。又注云：形亦似鲤，色黑而体①促，肚大而脊隆，所在池泽②皆有之。

[孟诜] 云：鲫鱼，平胃气，调③中，益五脏，和莼作羹食，良。又鲫鱼与鲫④，其状颇同，味则有殊。鲫是节化，鲫是稷米化之，其鱼腹⑤上尚有米色。宽大者是鲫，背高腹⑤狭小者是鲫，其功不及鲫。鱼子调⑥中，益肝气尔⑦。

[日华子] 云⑧：鲫鱼，平，无毒。温中下气，补⑨不足。作脍，疗⑩肠澼，水谷不调③及赤白痢。烧灰以傅恶疮良。又酿白矾烧灰，治肠风血痢。头烧灰疗⑩嗽。又云：子不宜与猪肉同食。

[图经曰] 鲫鱼，《本经》不载所出州土，今所在池泽②皆有之。似鲤鱼，色

① 体：柯《大观》作“身”。

② 泽：柯《大观》作“沼”。

③ 调：柯《大观》作“和”。

④ 鲫：柯《大观》无。

⑤ 腹：柯《大观》作“肚”。

⑥ 调：成化《政和》、商务《政和》误作“谓”。

⑦ 尔：刘《大观》、柯《大观》无。

⑧ 云：刘《大观》、柯《大观》无。

⑨ 补：柯《大观》作“益”。

⑩ 疗：柯《大观》作“治”。

黑而体①促，肚大而脊隆②。亦有大者至重二三斤。性温，无毒。诸鱼中最可食。或③云稷米所化，故其腹④尚有米色。又有一种背高腹④狭小者，名鲫鱼，功用亦与鲫同，但力差劣⑤耳。又黔州有一种重唇石鲫鱼，亦其类也。

［陈藏器云］头主咳嗽，烧为末服之。肉主虚羸⑥，五味熟煮食之。脍亦主赤白痢及五野鸡病。

［食疗］食之平胃气，调⑦中，益五脏，和莼⑧作羹良。作脍食之，断⑨暴下痢。和蒜食之，有少热；和姜、酱食之，有少冷。又夏月热痢可食之，多益。冬月中⑩则不治也。骨烧为灰，傅䘌⑪疮上，三五度⑫差。谨按：其子调中，益肝气。凡鱼生子，皆粘在草上及土中。寒冬月水过后，亦不腐坏。每到五月三伏时，雨中便化为鱼。食鲫鱼不得食沙糖，令人成疳虫。丹石热毒发者，取茭首和鲫鱼作羹，食一两顿即差。

［圣惠方］治小儿脑疳鼻痒，毛发作穗，面黄羸瘦，益脑。用鲫鱼胆滴于鼻中，连三五日甚效。

［外台秘要］治患肠痔，大便常有血。食鲫鱼羹及随意任作饱食。《孙真人》同。

［千金方］小儿头无发。烧鲫鱼末，酱汁和傅之。

［梅师方］鲫鱼不可合猪肝食。

［孙真人］治牙齿疼。取鲫鱼内盐花于肚中，烧作灰末，傅之即差。

［又方］主恶核肿不散，取鲜鲫鱼杵傅之。

［又方］主脚气及上气。取鲫鱼一尺长者作脍，食一两顿，差。

---

① 体：柯《大观》作“身”。

② 隆：柯《大观》作“高”。

③ 或：柯《大观》作“又”。

④ 腹：柯《大观》作“肚”。

⑤ 差劣：柯《大观》作“少差”。

⑥ 羸：柯《大观》作“弱”。

⑦ 调：柯《大观》作“和”。

⑧ 和莼：柯《大观》作“以菜”。

⑨ 断：柯《大观》作“止”。

⑩ 中：刘《大观》、柯《大观》无。

⑪ 䘌：柯《大观》作“恶”。

⑫ 度：柯《大观》作“次”。

[食医心镜] 治脾胃气冷，不能下食，虚弱无力。鹘突羹：鲫鱼半斤细切，起作脍，沸豉汁热投之，著胡椒、干姜、莳萝、橘皮等末，空心食之。

[集验方] 热病差后百日食五辛者，必目暗。鲫鱼作臛熏之。

[子母秘录] 治小儿面上忽生疮，黄水出。鲫鱼头烧末，和酱清汁傅，日易之。

[又方] 小儿丹。鲫鱼肉细切五合，小豆捣屑二①合，和更，杵如泥，和水傅之。

[杨氏产乳] 疗妊娠时行伤寒。鲫鱼一头烧作灰，酒服方寸匕，汗出，差。《伤寒类要》同。

[又方] 中风寒热，腹中绞痛。以干鲫鱼一头烧作末，三指撮，以苦酒服之，温覆取汗，良。

[衍义曰] 鲫鱼，开其腹，内药烧之，治齿。

鱓音善鱼

味甘，大温，无毒。主补中，益血，疗沈音审唇。五月五日取头骨烧之，止痢。

［陶隐居］云：鱓是荇苓根化作之。又云：是人发所化，今其腹中自有子，不必尽是变化也。性热，作臛食之亦补。而时行病起，食之多复，又喜令人霍乱。凡此水族鱼虾之类甚多，其有名者，已②注在前条，虽皆可食，而甚损人，故不入药用。又有食之反能致病者，今条注如后说，凡鱼头有白色如连珠至脊上者、腹中无胆者、头中无鳃者，并杀人。鱼汁不可合鸬鹚肉食之。鲫鱼不可合猴、雉肉食之。鳅音秋鱓不可合白犬血食之。鲤鱼子不可合猪肝食之。鲫鱼亦尔。青鱼鲊不可合生胡荽及生葵并麦酱食之。虾无须及腹下通黑及煮之反白，皆不可食。生虾脍不可合鸡肉食之，亦损人。又有鯆音脯魮音枇亦益人，尾有毒，疗齿痛。又有鉠乌郎切䰲乙八切鱼，至能醒酒。鯸音候鮧鱼有毒，不可食。

［唐本注］云：《别录》云，干鱓头，主消渴，食不消，去冷气，除痞疹。其穿鱼绳，主竹木屑入目不出；穿鲍鱼绳，亦主眯目、去刺，煮汁洗之大良也。

---

① 二：柯《大观》作“三”。

② 已：原作“巳”，据文理改。

［今按］《陈藏器本草》云：䱇①鱼主湿痹气，补虚损②，妇人产后淋沥，血气不调，羸瘦，止血，除腹中冷气肠鸣也③。

［臣禹锡等谨按蜀本］《图经》云：似鳗鲡鱼而细长，亦似蛇而无鳞，有青黄二色，生水岸泥窟中，所在皆有之。

［孟诜］云：䱇鱼，补五脏，逐十二风邪。患恶④气人，常⑤作臛，空腹饱食，便以衣盖卧少顷，当汗出如白胶，汗从腰脚中出，候汗尽，暖五木汤浴，须慎⑥风一日，更三五日一服。并治湿风。

［◣陈藏器云］血主癣及瘘，断取血涂之。夏月于浅水中作窟，如蛇冬蛰夏出，宜臛食之。证俗音䱇鱼，音善字，或作䱇，诸书皆以鳣为䱇。《本经》以鳣为鼍，仍足鱼字，殊为误也⑦。《风土记》云：䱇鱼夏出冬蛰，亦以气养和实时节也。《颜氏家训》云：《后汉书》鹳雀衔三䱇鱼，音善，多假借作鳣。《魏武四时食制》䱇，鳣鱼，大如五斗，躯⑧长一丈，即鳣⑨鱼也。若如此长大，鹳雀不能胜一，况三头乎！是䱇鱼明矣。今宜作䱇字，作臛当重煮之，不可以桑薪⑩煮之，亦蛇类也。

［圣惠方］治妇人乳结硬疼。用䱇鱼皮烧灰末，空心暖酒调二钱匕。

［衍义曰］䱇鱼，腹下黄，世谓之黄䱇。此尤动风气，多食令人霍乱，屡见之。向在京师，邻舍一郎官，因食黄䱇，遂致霍乱吐利，几至委顿。又有白䱇，稍粗大，色白，二者皆亡鳞。大者长尺余，其形类蛇，但不能陆行，然皆动风。江陵府西有湖曰西湖，每岁夏秋沮河水涨，即湖水满溢，冬即复涸。土人于干土下掘得之，每及二三尺，则有往来䱇行之路，中有泥水，水涸又下，水至复出。

---

① 䱇：柯《大观》误作“蝉”。

② 虚损：刘《大观》、柯《大观》无。

③ 也：刘《大观》、柯《大观》无。

④ 恶：刘《大观》、柯《大观》无。

⑤ 常：柯《大观》作“当”。

⑥ 慎：刘《大观》、柯《大观》作“忌”。

⑦ 也：柯《大观》作“耳”。

⑧ 躯：柯《大观》作“身”。

⑨ 鳣：柯《大观》作“䱇”。

⑩ 薪：柯《大观》作“柴”。

鲍鱼

味辛、臭，温，无毒。主坠堕，腿吐猥切蹶音厥，踠折，瘀血、血痹在四肢不散者，女子崩中血不止。勿令中咸。

［陶隐居］云：所谓鲍鱼之肆，言其臭也，俗人呼为鲍音裛鱼，字似鲍，又言盐鲍之以成故也。作药当用少盐臭者，不知正何种鱼尔？乃言穿贯者亦入药，方家自少用之。今此鲍鱼乃是鳙音慵鱼，长尺许，合完淡干之，而都无臭气，要自疗漏血，不知何者是真？

［唐本注］云：此说云味辛，又言勿令中咸，此是鳢居憶切鱼，非鲍鱼也。鱼去肠肚，绳穿，淡暴使干，故辛而不咸。《李当之本草》亦言胸中湿者良，鲍鱼肥者，胸中便湿。又云穿贯绳者，弥更不惑。鲍鱼破开，盐裛不暴，味咸不辛，又完淹令湿，非独胸中。且鳢鱼亦臭，臭与鲍别。鲍、鳢二鱼，杂鱼并用。鲍似尸臭，以无盐也；鳢臭差微，有盐故也。鳢鱼，沔州、复州作之，余处皆不①识尔。

［今②注］今考其实，止血须淡干，勿令中咸，入别方药用，则以盐裛之尔。

［臣禹锡等谨按蜀本］《图经》注云：十月后，取鱼去肠，绳穿淡干之，凡鱼皆堪食，不的取一色也。据陶注：作药当用少盐，不知正何种鱼尔？又据《本经》云：勿令中咸，是知入药，当少以盐鲍成之，有盐则中咸而不臭，盐少则味辛而臭矣！古人云：与不善人居，如入鲍鱼之肆；谓恶人之行，如鲍鱼之臭也。考其实，则今荆楚淡鱼，颇臭而微辛，方家亦少用。旧云沔州、复州作之，余皆不出。审陶注及《图经》与《本经》，即所在皆可作之也。又据鳀鱼有口小，背黄，腹白者为鲍鱼，而疗治与鳀鱼同。补益，主百病。今《图经》既不的取一色，可淡干，此之为是也。

［图经］文具蠡鱼条下。

［■ 子母秘录］妊娠中风寒热，腹中绞痛，不可针灸。干鱼一枚烧末，酒服方寸匕，取汗。

---

① 不：刘《大观》、柯《大观》作“未”。

② 今：成化《政和》、商务《政和》误作“本”。

鲤鱼胆

鲤鱼

味苦，寒，无毒。**主目热赤痛，青盲，明目。久服强悍，益志气。**

肉　味甘，主咳逆上气，黄疸，止渴。生者，主水肿脚满，下气。

［臣禹锡等谨按大腹水肿通用药］云：鲤鱼，寒。

［药对］云：平。

［陈士良］云：无毒。

骨①　主女子带下赤白。

齿②　主石淋。生九江池泽。取无时。

［陶隐居］云：鲤鱼，最为鱼之主，形既③可爱，又能神变，乃至飞越山湖，所以琴高乘之。山上水中有鲤不可食。又鲤鲊不可合小④豆藿食之。其子合猪肝食之，亦能害人尔⑤。

［唐本注］云：鲤鱼骨，主阴蚀，哽不出。血，主小儿丹肿及疮。皮，主瘾疹，脑，主诸痫。肠，主小儿肌疮。

［今按］《陈藏器本草》云：鲤鱼肉，主安胎，胎动，怀妊身肿。煮为汤食之，破冷气痃癖，气块横关伏梁，作脍以浓蒜齑食之。胆，主耳聋，滴耳中，目为灰，研傅刺疮，中风水疼肿，汁出即愈。诸鱼目并得。

［臣禹锡等谨按药性论］云：鲤鱼胆亦可单用，味大苦。点眼治赤肿翳痛。小儿热肿涂之。蜀漆为使。鱼烧灰末，治咳嗽，糯米煮粥。

［孟诜］云：鲤鱼白煮食之，疗水肿脚满，下气，腹有宿瘕不可食。又修理，可去脊上两筋及黑血，毒故也。又天行病后不可食，再发即死。其在沙石中者，毒多在脑中，不得食头。

［日华子］云：鲤鱼，凉，有毒。肉治咳嗽，疗脚气，破冷气，痃癖。怀妊人

---

① 骨：柯《大观》作白字《本经》文。

② 齿：柯《大观》作白字《本经》文。

③ 既：柯《大观》作“最”。

④ 小：柯《大观》误作“汁”。

⑤ 尔：刘《大观》、柯《大观》无。

胎不安，用[①]绢裹鳞和鱼煮羹，熟后去鳞，食之验。脂治小儿痫疾惊忤。胆治障翳等。脑髓治暴聋，煮粥服良。诸溪涧中者，头内有毒。不计大小，并三十六鳞也。

［图经曰］鲤鱼，生九江池泽，今处处有之。即赤鲤鱼也。其脊中鳞一道，每鳞上皆[②]有小黑点，从头数至尾，无[③]大小皆[②]三十六鳞。古语云：五尺之鲤与一寸之鲤，大小虽殊，而鳞之数等是也。又崔豹《古今注》释鲤鱼有三[④]种。兖州人谓赤鲤为玄驹[⑤]，谓白鲤为白骥，黄鲤为黄雉。盖诸鱼中，此为最佳，又能神变，故多贵之。今人食品中以为上味。其胆、肉、骨、齿皆入药。古今方书并用之。胡洽治中风脚弱，短气腹满，有鲤鱼汤方最胜。脂、血、目睛、脑髓亦单使[⑥]治疾，惟子不可与肝同食[⑦]。又齿主石淋。《古今录验》著其方云：鲤鱼齿一升筛末，以三岁苦酒和，分三服。宿不食，旦服一分，日中服一分，暮服一分，差。赤鲤鱼鳞亦入药。唐方多用治产妇腹痛，烧灰酒调之。兼治血气，杂诸药用之。

［▌陈藏器云］鲤鱼，从脊当中数至尾，无[⑧]大小皆有三十六鳞，亦其成数也。

［食疗］胆，主[⑨]除目中赤及热毒痛，点之良。肉，白煮食之，疗水肿脚满，下气。腹中有宿瘕不可食，害人。久服天门冬人，亦不可食。刺在肉中，中风水肿痛者，烧鲤鱼眼睛作灰，内疮中，汁出即可。谨按：鱼血，主小儿丹毒，涂之即差。鱼鳞，烧，烟绝，研，酒下方寸匕[⑩]，破产妇滞血。脂，主诸痫，食之良。肠，主小儿腹中疮。鲤鱼鲊，不得和豆藿叶食之，成瘦。其鱼子，不得合猪肝食之。凡修理，可去脊上两筋及黑血，毒故也。炙鲤鱼切忌烟，不得令熏着眼，损人眼光。三两日内必见验也。又天行病后不可食，再发即死。其在砂石中者，有毒，多在脑中，不得食头。

---

① 用：刘《大观》、柯《大观》无。

② 皆：刘《大观》、柯《大观》无。

③ 无：其下，柯《大观》有“论”字。

④ 三：崔豹《古今注》作“五”。

⑤ 兖州人谓赤鲤为玄驹：崔豹《古今注》作“兖州人谓赤鲤为赤骥，谓青鲤为青马，谓黑鲤为玄驹”。

⑥ 使：柯《大观》作“用”。

⑦ 不可与肝同食：柯《大观》作“与猪肝不可同食”。

⑧ 无：其下，柯《大观》有“论”字。

⑨ 主：原作“生”，据刘《大观》、柯《大观》、成化《政和》、商务《政和》改。

⑩ 匕：原脱，据药理补。

[圣惠方] 治水气，利小便，除浮肿。用鲤鱼一头，重一斤者，治如食法修事，食之。

[外台秘要]《古今录验[①]》疗鱼鲠骨横喉中，六七日不出。取鲤鱼鳞、皮合烧作屑，以水服之，则出，未出更服。

[又方] 疗水病肿。鲤鱼一头极大者，去头尾及骨，唯取肉，以水二斗，赤小豆一大升，和鱼肉煮，可取二升已上汁，生布绞去滓，顿服尽，如不能尽，分为二服，后服温令暖，服讫当下利，利尽即差。

[又方] 疗瘘。鲤鱼肠切作五段，火上炙之，洗疮拭干，以肠封之，冷则易，自暮至旦，干止觉痒，开看虫出，差。

[又方] 凡肿已溃、未溃者。烧鲤鱼作灰，酢和涂之一切肿上，以差为度。

[又方] 疗卒淋。鲤鱼齿烧灰，酒服方寸匕。

[千金方] 治暴痢。小鲤鱼一枚，烧为末，米饮服之。大人、小儿俱服得。

[又方] 小儿咽肿喉痹。以鲤鱼胆二七枚，和灶底土，以涂咽喉，立差。

[肘后方] 疗雀目。鲤鱼胆及脑傅之，燥痛即明。

[食医心镜] 主上气咳嗽，胸膈[②]妨满，气喘。鲤鱼一头切作脍，以姜、醋食之，蒜齑亦得。

[又方] 主肺咳嗽，气喘促。鲤鱼一头重四两，去鳞，纸裹火炮，去刺研，煮粥，空腹吃之。

[子母秘录] 疗妊娠伤寒。鲤鱼一头烧末，酒服方寸匕，令汗出。兼治乳无汁。

[产书] 下乳汁。烧鲤鱼一头研为末，酒调下一钱匕。

[礼记]“食鱼去乙”。注[③]：鱼目旁有骨名乙，如象乙字，食之令人鲠。

[衍义曰] 鲤鱼，至阴之物也，其鳞故三十六。阴极则阳复，所以《素问》曰：鱼热中。王叔和曰：热即生风，食之所以多发风热，诸家所解并不言。《日华子》云：鲤鱼，凉，今不取，直取《素问》为正。万一风家更使食鱼，则是贻祸无穷矣。

---

① 验：原脱，据《外台》补。

② 膈：原作“隔”，据柯《大观》改。

③ 注：原无，据《礼记·内则》郑注补。

八种食疗余

时鱼

平。补虚劳，稍发疳痼。

黄赖鱼

一名䱗𩷊。醒酒。亦无鳞，不益人也。

比目鱼

平。补虚，益气力，多食稍动气。

鲚鱼

发疥，不可多食。

鯸鮧鱼

有毒，不可食之。其肝毒煞人。缘腹中无胆，头中无鳃，故知害人。若中此毒及鲈鱼毒者，便剉芦根煮汁饮，解之。又此鱼行水之次，或自触着物，即自怒气胀，浮于水上，为鸦鸮所食。

[**孙真人食忌**] 鯸鮧鱼，勿食肝，杀①人。

䲙鱼

平。补五脏，益筋骨，和脾胃。多食宜人。作鲊尤佳。曝干甚香美。不毒，亦不发病。

黄鱼

平，有毒。发诸气病，不可多食。亦发疮疥，动风。不宜和荞麦同食，令人失音也。

---

① 杀：柯《大观》作“煞”。

鲂鱼

调胃气，利五脏。和芥子酱食之，助肺气，去胃家风。消谷不化者，作脍食，助脾气，令人能食。患疳痢者，不得食。作羹臛食，宜人。其功与鲫鱼同。

二十三种陈藏器余

鲟鱼

味甘，平，无毒。主益气补虚，令人肥健。生江中，背如龙，长一二丈，鼻上肉作脯名鹿头。一名鹿肉。补虚下气，子如小豆。食之肥美，杀腹内小虫。

[◣食疗] 有毒。主血淋。可煮汁饮之。其味虽美，而发诸药毒。鲊，世人虽重，尤不益人，服丹石人不可食，令人少气。发一切疮疥，动风气。不与干笋同食，发瘫缓风。小儿不与食，结癥瘕及嗽。大人久食，令人卒心痛，并使人卒患腰痛。

鱁鯷[1]上逐下题鱼白

主竹木入肉，经久不出者，取白傅疮上，四边肉烂即出刺。一名鳔毗眇切。

[◣海药云] 谨按《广州记》云：生南海，无毒。主月蚀疮，阴疮，瘘疮。并烧灰用。

[经验方] 治呕血。鳔胶长八寸，阔二寸，炙令黄，刮二钱已来，用甘蔗节三十五个，取自然汁调下。

文鳐鱼余招反

无毒。妇人临月带之，令易产。亦可临时烧为黑末，酒下一钱匕。出南海。大者长尺许，有翅与尾齐。一名飞鱼，群飞水上，海人候之，当有大风。《吴都赋》云：文鳐夜飞而触网，是也。

---

① 鯷：柯《大观》作“鮧”。

牛鱼

无毒。主六畜疾疫。作干脯捣为末，以水灌之，即鼻中黄涕出。亦可置病牛处，令其气相熏。生东海。头如牛也。

海豚鱼

味咸，无毒。肉主飞尸、蛊毒、瘴疟，作脯食之。一如水牛肉，味小腥耳。皮中肪，摩恶疮，疥癣，痔瘘，犬马瘑疥，杀虫。生大海中。候风潮出。形如豚，鼻中声，脑上有孔，喷水直上，百数为群，人先取得其子，系著水中，母自来就而取之。其子如蠡鱼子，数万为群，常随母而行。亦有江豚，状如豚，鼻中为声，出没水上，海中舟人候之，知大风雨。又中有曲脂，堪摩病，及樗博即明，照读书及作即暗，俗言懒妇化为此也。

杜父鱼

主小儿差颓，差颓核大小也。取鱼擘开，口咬之七下。生溪涧下。背有刺，大头阔口，长二三寸，色黑，班如吹砂而短也。

海鹞鱼齿

无毒。主瘴疟。烧令黑，末，服二钱匕。鱼似鹞，有肉翅，能飞上石头。一名石蛎，一名邵阳鱼。齿如石版。生东海。

鮠鱼

一作鮧并音五禾反鲶属又五回反。味甘，平，无毒，不腥。主膀胱水下，开胃。作脍白如雪。隋朝吴都进鮠鱼干[1]脍，取快日曝干瓶盛。临食以布裹，水浸良久，洒去水，如初脍无异。鱼生海中。大如石首。

［图经］文具鮧鱼条下。

---

① 干：柯《大观》作“作”。

鮹鱼

味甘，平，无毒。主五野鸡痔下血，瘀血在腹。似马鞭，尾有两歧，如鞭鞘，故名之。出江湖①。

鳣鱼肝

无毒。主恶疮疥癣。勿以盐炙食。郭注《尔雅》云：鳣鱼长二三丈。《颜氏家训》曰：鳣鱼纯灰色，无文。古书云：有多用鳣鱼字为鱓，既长二三丈，则非鱓鱼明矣。《本经》又以鱓为鼍，此误深矣。今明鱑鱼，体有三行甲，上龙门化为龙也。

石鮅音必鱼

味甘，平，有小毒。主疮疥癣。出南海方山涧中。长一寸，背里腹下赤。南人取之作鲊。

鱼鲊

味甘，平，无毒。主癣。和柳叶捣碎，热炙傅之。又主马瘑疮。取酸臭者，和糁及屋上尘傅之。瘑似疥而大，凡鲊皆发疮疥，可合杀虫疮药用之。

鱼脂

主牛疥，狗瘑疮，涂之立愈。脂是和灰泥船者，腥臭为佳。又主癥。取铜器盛二升，作大火炷，脂上燃之，令暖彻②，于癥上熨之，以纸籍腹上，昼夜勿息火，良。

鲙

味甘，温。蒜齑食之，温补，去冷气，湿痹，除膀胱水，喉中气结，心下酸水，腹内伏梁，冷痃，结癖，疝气，补腰脚，起阳道。鲫鱼鲙，主肠澼，水谷不

① 江湖：柯《大观》作“汉江”。

② 彻：通“撤”。

调，下利，小儿、大人丹毒，风眩。鲤鱼鲙，主冷气，气块结在心腹，并宜蒜齑进之。鱼鲙以菰菜为羹，吴人谓之金羹玉鲙，开胃口，利大小肠。食鲙不欲近夜，食不销，兼饮冷水，腹内为虫。时行病起食鲙，令人胃弱。又不可同乳酪食之，令人霍乱。凡羹以蔓菁煮之，蔓菁去鱼腥。又万物脑能销毒，所以食鲙，食鱼头羹也。

昌侯鱼

味甘，平，无毒。腹中子有毒，令人痢下。食其肉肥健益气力。生南海，如鲫鱼，身正圆，无硬骨，作炙食之至美，一名昌鼠也。

鲩鱼

无毒。主喉闭，飞尸。取胆和暖水搅服之。鲩音患似鲤，生江湖间，内喉中飞尸上。此胆至苦。

鯸鱼肝及子

有大毒。入口烂舌，入腹烂肠。肉小毒。人亦食之，煮之不可近铛，当以物悬之。一名鹕夷鱼。以物触之即嗔，腹如气球，亦名嗔鱼。腹白，背有赤道如印鱼，目得合，与诸鱼不同。江海中并有之，海中者大毒，江中者次之，人欲收其肝、子毒人，则当反被其噬，为此人皆不录。唯有橄榄木及鱼茗木解之，次用芦根、乌蓝草根汁解之，此物毒疾，非药所及。橄榄、鱼茗已出木部。

鱼虎

有毒。背上刺著人如蛇咬。皮如猬有刺，头如虎也。生南海，亦有变为虎者。

鯸鱼音拱，鲲子①、鳅鱼鳅同音、鼠尾鱼、地青鱼、𫚥魮鱼𫚥魮普胡反音毗、邵阳鱼尾刺人者，有大毒。三刺中之者死，二刺者困，一刺者可以救。候人溺处钉之，令人阴肿痛，拔去即愈。海人被其刺毒，煮鱼簄竹及海獭皮解之。已上鱼并生南海。总有肉翅，尾长二尺，刺在尾中，逢物以尾拨之。食其肉而去其刺。其𫚥魮

① 鲲子：柯《大观》作“鲲鱼”，用大字书写。

鱼，已在《本经》鱓[①]鱼注中。

鲵鱼

鳗鲡注陶云：鳗鲡能上树。苏云：鲵鱼能上树，非鳗鲡也。按鲵鱼一名王鲔，在山溪中，似鲇，有四脚，长尾，能上树，天旱则含水上山，叶覆身，鸟来饮水，因而取之。伊、洛间亦有，声如小儿啼，故曰鲵鱼。一名鳠鱼，一名人鱼。膏燃烛不灭，秦始皇冢中用之。陶注鲇鱼条云：人鱼即鲵鱼也。

诸鱼有毒者

鱼目有睫杀人。目得开合杀人。逆鳃杀人。脑中白连珠杀人。无鳃杀人。二目不同杀人。连鳞者杀人。白鬐杀人。腹下丹字杀人。鱼师大者有毒，食之杀人。

水龟

无毒。主难产。产妇戴之，亦可临时烧末酒下。出南海，如龟，长二三尺，两目在侧傍。

疟龟

无毒。主老疟发无时者，亦名痞疟，下俚人呼为妖疟。烧作灰，饮服一二钱匕，当微利，取头烧服弥佳。亦候发时煮为沸汤，坐中浸身。亦悬安病人卧处。生高山石下，身偏头大，嘴如鹗鸟，亦呼为鹗龟。

重修政和经史证类备用本草卷第二十

① 鱓：原误“鉭”，据本书药名改。按，“鱓”即“䱇”，因字形相近误为“鉭”。

重修政和经史证类备用本草卷第二十一

己酉新增衍义

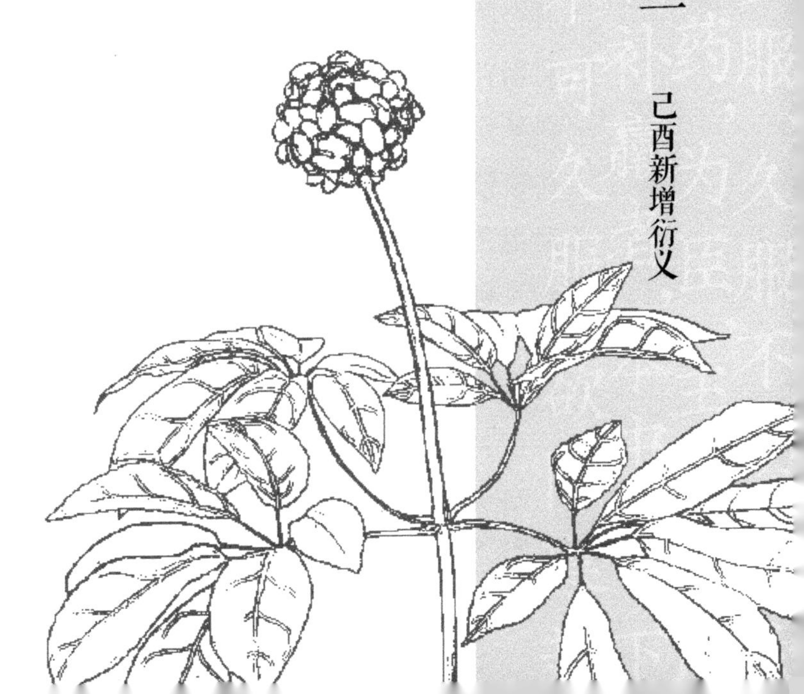

重修政和经史证类备用本草卷第二十一 己[①]酉新增衍义

成　都　唐　慎　微　续　证　类
中卫大夫康州防御使句当龙德宫总辖修建明堂所医药
提举入内医官编类圣济经提举太医学臣曹孝忠奉敕校勘

虫鱼中品总五十六种

一十六种神农本经 白字

三种名医别录 墨字

二种唐本先附 注云唐附

七种今附 皆医家尝用有效。注云今附

二种新补

一种新定

二种唐慎[②]微续添 墨盖子下是

二种海药余

二十一种陈藏器余

---

① 己：原作"巳"，据底本书首牌记改。

② 慎：刘《大观》作"谨"。

凡墨盖子已①下并唐慎②微续证类

猬皮　**露蜂房** 土蜂房 续注　**鳖甲** 肉附

蟹 截、蝤蛑、蟛蜎③、爪等④附　**蚱**音笮又音侧**蝉** 蝉蜕 续注

◣ 蝉花 续添⑤　**蛴螬**　**乌贼鱼骨** 肉附

原蚕蛾 屎附 蚕布纸 续注　蚕退 新定　◣缘桑螺 续注

白僵蚕 蚕蛹、子 续注　鳗音谩鲡音黎鱼 鳅鱼、海鳗 续注

鮀音驼**鱼甲** 肉附 鼍 续注　**樗**丑如切**鸡**　**蛞蝓**上阔下俞

蜗牛　**石龙子**⑥　**木虻**　**蜚虻**

蜚蠊音廉　**䗪**音柘**虫**　鲛鱼皮 唐附　白鱼 今附

鳜居卫切鱼 今附　青鱼 眼、头、胆附 今附

河豚 今附⑦　石首鱼 今附　嘉鱼 今附　鲻鱼 今附

紫贝 唐附　鲈鱼 新补　鲎 新补

二种海药余

郎君子　海蚕

二十一种陈藏器余

鼍　海马　齐蛤　柘蚕屎

蚱蜢　寄居虫　蛐蟱　负蠜

蠼螋　蛊虫　土虫　鳙鱼

予脂　砂挼子　蛔虫　蟲螽

灰药　吉丁虫　腆颗虫　鼷鼠

诸虫有毒

---

① 已：原作“巳”，据文理改。

② 慎：刘《大观》作“谨”。

③ 截、蝤蛑、蟛蜎：刘《大观》无。

④ 等：刘《大观》无。

⑤ 续添：刘《大观》无。

⑥ 原蚕蛾……石龙子：以上10药目录，刘《大观》与本书排列次序不同，文繁从略。

⑦ 河豚今附：此条，刘《大观》列在“青鱼”条前。

［中　品］

猬皮

猬皮

味苦，平，无毒。**主五痔，阴蚀，下血赤白五色，血汁不止，阴肿痛引腰背，酒煮杀之。**又疗腹痛疝积，亦烧为灰，酒服之。生楚山川谷田野。取无时，勿使中湿。得酒良，畏桔梗、麦门冬。

［陶隐居］云：田野中时有此兽，人犯近，便藏头足，毛刺人，不可得捉，能跳入虎耳中。而见鹊便自仰腹受啄，物有相制，不可思议尔。其脂烊铁注中，内少水银，则柔如铅锡矣。

［唐本注］云：猬极狞钝，大者如小豚，小者犹瓜大，或恶鹊声，故反腹令啄，欲掩取之，犹蚌鹬音聿尔。虎耳不受鸡卵，且去地三尺，猬何能跳之而入？野俗鄙说，遂为雅记，深可怪也。

［今按］《陈藏器本草》云：猬脂主耳聋，可注耳中。皮及肉主反胃，炙黄食之。骨食之令人瘦，诸节渐缩小。肉食之主瘘。

［臣禹锡等谨按蜀本］注云：勿用山枳鼠皮，正相似，但山枳毛端有两歧为别。又有虎鼠皮亦相类，但以味酸为别。又有山犍皮类兔皮，颇相似，其色褐，其味甚苦，亦不堪用。《图经》云：状如猯、豚。脚短多①刺，尾长寸余。苍白色，取去肉火干良也。

---

① 多：原脱，据本书《图经》文补。

［药性论］云：猬皮，臣，味甘，有小毒。主肠风泻血，痔病有头，多年不差者，炙末，白饮下方寸匕。烧末，吹，主鼻衄。甚解一切药力。

［孟诜］云：猬，食之肥下焦，理胃气。其脂可煮五金八石，皮烧灰酒服治胃逆。又煮汁服止反胃。又可五味淹、炙食之。不得食骨，令人瘦小。

［日华子］云：开胃气，止血、汗，肚胀痛，疝气。脂治肠风泻血。作猪蹄者妙，鼠脚者次。

［图经曰］猬皮，生楚山川谷田野，今在处山林中皆有之。状类猯、豚，脚短多刺，尾长寸余，人触近便藏头足，外皆刺不可向尔。惟见鹊则反腹受啄，或云恶鹊声，故欲掩取之，犹蚌鹬音聿也。此类亦多，惟苍白色，脚似猪蹄者佳，鼠脚者次。其毛端有两歧者，名山枳鼠。肉味酸者名虎鼠。味苦而皮褐色类兔皮者名山䝙。凡此皆不堪用，尤宜细识耳。采无时，勿使中湿。肉与脂皆中用，惟骨不可食，误食之，则令人瘦劣①。

［▌食疗］云猬肉，可食。以五味汁淹、炙食之，良。不得食其骨也。其骨能瘦人，使人缩小也。谨按：主下焦弱，理胃气。令人能食。其皮可烧灰，和酒服。及炙令黄，煮汁饮之，主胃逆。细剉，炒令黑，入丸中治肠风，鼠奶痔，效。主肠风，痔瘘。可煮五金八石。与桔梗、麦门冬反恶。又有一种，村人谓之豪猪，取其肚烧干，和肚屎用之。捣末细罗。每朝空心温酒调二钱匕。有患水病鼓胀者，服此豪②猪肚一个便消，差。此猪多食苦参，不理冷胀，只理热风水胀。形状样似猬鼠。

［圣惠方］治鼻衄塞鼻散：用猬皮一大枚，烧末，研。用半钱，绵裹塞鼻。

［外台秘要］治五痔。猬皮方三指大，切、熏黄如枣大、熟艾，右三味，穿地作坑，调和取便熏之，取口中熏黄烟气出为佳。火气稍尽即停，三日将息，更熏之，三度永差。勿犯风冷，羹臛将补，慎忌鸡、猪、鱼、生冷，二十日后补之。

［千金翼］治蛊毒下血。猬皮烧末，水服方寸匕，当吐蛊毒。

［肘后方］治肠痔大便血，烧猬皮傅之。

［简要济众］治肠痔，下部如虫啮。猬皮烧末，生油和傅之，佳。

［子母秘录］小儿卒惊啼，状如物刺。烧猬皮三寸为末，乳头饮儿，饮服亦得。

---

① 劣：柯《大观》作“少力”。

② 豪：柯《大观》无。

［丹房镜源］云：猬皮脂伏雄黄。

［衍义曰］猬皮，取干皮兼刺用，刺作刷，治纰帛绝佳。此物兼治胃逆，开胃气有功，从虫、从胃有理焉。胆治鹰食病。世有养者，去而复来，久亦不去。当缩身藏足之时，人溺之，即开。合穿山甲等分，烧存性，治痔；入肉豆蔻一半，末之，空肚热米饮调二钱服。隐居所说，跳入虎耳及仰腹受啄之事，《唐本》注见摈，亦当然。

露蜂房

味苦、咸，**平**，有毒。**主惊痫瘈疭，寒热邪气，癫疾，鬼精蛊毒，肠痔，火熬之良。**又疗蜂毒，毒肿。**一名蜂肠，**一名百穿，一名蜂㔷音窠。生牂牁山谷。七月七日采，阴干。恶干姜、丹参、黄芩、芍药、牡蛎。

［陶隐居］云：此蜂房多在树腹中及地中，今此曰露蜂[1]，当用人家屋间及树枝间苞裹者。乃远举牂牁，未解所以。

［唐本注］云：此蜂房，用树上悬得风露者。其蜂黄黑色，长寸许，蛪马、牛、人，乃至欲死者，用此皆有效，非人家屋下小小蜂房也。《别录》云：乱发、蛇皮三味，合烧灰，酒服方寸匕，日二[2]，主诸恶疽，附骨痈，根在脏腑，历节肿出丁肿，恶脉诸毒皆差。又水煮露蜂房，一服五合汁，下乳石，热毒壅闷服之，小便中即下石末，大效。灰之酒服，主阴痿。水煮洗狐尿刺疮。服之，疗上气，赤白痢，遗尿失禁也。

蜀州露蜂房

［臣禹锡等谨按蜀本］《图经》云：树上大黄蜂窠也。大者如瓮，小者如桶。今所在有，十一月、十二月采。

［药性论］云：土蜂房亦可单用，不入服食，能治瘫肿不消，用醋、水调涂干即便易。

---

① 蜂：柯《大观》作“房”。

② 二：柯《大观》作“三”。

［日华子］云：露蜂房，微毒。治牙齿疼，痢疾，乳痈，蜂叮①，恶疮，即煎洗入药并炙用。

［图经曰］露蜂房，生牂牁山谷，今处处山林中皆有之。此木上大黄蜂窠也。大者如瓮，小者如桶，其蜂黑色，长寸许，螫牛、马及人乃至欲死者，用此尤效。人家屋间亦往往有之，但小而力慢，不堪用，不若山林中得风露气者佳。古今方书治牙齿汤多用之，七月七日采。又云十一月、十二月采者佳，亦解蛊毒，又主乳石发动，头痛，烦热口干，便旋赤少者，取十二分炙，以水二升，煮取八合，分温再服，当利小便，诸恶毒随便出。又疗热病后毒气冲目，用半大两，水二升，同煎一升，重滤洗目三四过。又瘰疬成瘘作孔者，取二枚炙末，腊月猪脂和涂孔上，差。

［◣雷公云］凡使，其窠有四件：一名革蜂窠；二名石蜂窠；三名独蜂窠；四名草蜂窠是也。大者一丈二丈围，在大树膊②者，内窠小膈③六百二十个，围大者有一千二百四十个蜂。其窠④粘木蒂，是七姑木汁，盖是牛粪沫，隔是叶蕊。石蜂窠，只在人家屋上，大小如拳，色苍黑，内有青色蜂二十一个，不然只有十四个，其盖是石垢，粘处是七姑木汁，隔是竹蚛。次有独蜂窠，大小只如鹅卵大，皮厚苍黄色，是小蜂肉⑤并蜂翅，盛向里只有一个蜂，大如小石燕子许，人、马若遭螫着立亡。凡使革蜂窠，先须以鸦豆枕等同拌蒸，从巳至未出，去鸦豆枕了，晒干用之。

［千金方］蜂螫人，用蜂房末，猪膏和傅之。《杨氏产乳》：蜂房煎汤洗亦得。

［又方］崩中，漏下青黄赤白，使人无子。蜂⑥房末三指撮，酒服之，大神⑦效。

［又方］卒痫⑧。蜂房大者一枚，水三升⑨，煮令浓赤，以浴小儿，日三四，佳。

---

① 叮：柯《大观》作“疔”。

② 膊：柯《大观》作“脚”。

③ 膈：刘《大观》、柯《大观》作“隔”。

④ 窠：刘《大观》、柯《大观》作“裹”。

⑤ 肉：线装本《政和》作“冈”。

⑥ 蜂：其上，柯《大观》有“烧”字。

⑦ 神：柯《大观》无。

⑧ 卒痫：柯《大观》作“小儿卒得痫”。

⑨ 升：柯《大观》作“斗”。

[外台秘要] 治眼翳①。煮蜂房、细辛各等分，含之即差。

[肘后方] 治苦②鼻中外查瘤，脓水血出。蜂房，火炙焦末。酒服方寸匕，日三③。

[又方] 治风瘘④。蜂房一枚，炙令黄赤色为末。每用一钱，腊月猪脂匀调傅疮上。

[经验方] 解药毒上攻。如圣散：蜂房、甘草等分，用麸炒令黄色，去麸为末。水二碗，煎至八分，一碗令温，临卧顿服。明目取下恶物。

[梅师方] 治风瘾疹方：以水煮蜂房，取二升入芒消傅上，日五度，即差。

[食医心镜] 小儿喉痹肿痛。蜂房烧灰，以乳汁和一钱匕服。

[简要济众] 治妇人乳痈汁不出，内结成脓肿，名妒乳。方：蜂房烧灰，研。每服二钱，水一中盏，煎至六分，去滓温服。

[又方] 小儿重舌。蜂房烧灰，细研，酒和为膏。傅儿舌下，日三四次用之。

[胜金方] 治小儿咳嗽。蜂房二两净洗，去蜂粪及泥土，以快火烧为灰。每服一字，饭饮下。

[广利方] 治头痛，烦热口干，小便赤少。蜂房十二分炙，水二升，煎取八合，分为二服。当利小便，诸恶石毒随小便出。

[又方] 治热病后，毒气冲目痛。蜂房半两，水二升，煮取一升，重滤洗目，日三四度。治赤白翳。

[集验方] 治风气客于皮肤，瘙痒不已⑤。蜂房炙过，蝉蜕等分，为末。酒调一钱匕，日三二服。

[子母秘录] 小儿赤白痢。蜂房烧末，饮服。

[又方] 小儿大小便不通。蜂房烧末，酒服三⑥钱，日再服。

[又方] 小儿脐风湿肿久不差。烧末傅之。

[衍义曰] 露蜂房，有两种，一种小而其色淡黄，窠长六七⑦寸至一尺者，阔

---

① 眼翳：柯《大观》作“牙虫痛如空用水”。

② 苦：柯《大观》作“若”。

③ 三：柯《大观》作“七”。

④ 风瘘：柯《大观》作“痒痹”。

⑤ 已：原作“巳”，据文理改。

⑥ 三：柯《大观》作“半”。

⑦ 七：原作“匕”，据成化《政和》、商务《政和》、庆元《衍义》、商务《衍义》改。

二三寸，如蜜脾下垂，一边是房，多在丛木郁翳之中，世谓之牛舌蜂。又一种或在高木上，或屋之下，外作固，如三四斗许，小者亦一二斗，中有窠，如瓠之状，由此得名。蜂色赤黄，其形大于诸蜂，世谓之元本音犯圣祖讳，今改为元瓠蜂。蜀本《图经》言十一月、十二月采者，应避生息之时也。今人用露蜂房，兼用此两种。

鳖甲

江陵府鳖

味咸，平，无毒。**主心腹癥瘕，坚积，寒热，去痞，息肉，阴蚀，痔，恶肉**，疗温疟，血瘕，腰痛，小儿胁下坚。

肉　味甘，主伤中，益气，补不足。生丹阳池泽。取无时。恶矾石。

［陶隐居］云：生取甲，剔去肉为好，不用煮脱者。今看有连厌及干岩便好，若上有甲，两边骨出，已①被煮也，用之当炙。夏月剉鳖，以赤苋包置湿地，则变化生鳖。人有裹鳖甲屑，经五月，皆能变成鳖子。此其肉亦不足食，多作癥瘕。其目陷者，及合鸡子食之，杀人。不可合苋菜食之。其厌②下有如王字形者，亦不可食。

［唐本注］云：鳖头烧为灰，主小儿诸疾，又主产后阴脱下坠，尸疰，心腹痛。

［今按］《陈藏器本草》云：鳖，主热气湿痹，腹中激热。细擘，五味煮食之，当微泄。膏，脱人毛发，拔去涂孔中即不生。若欲重生者，以白犬乳汁涂拔处，当出黑毛也。颔下有软骨如龟形，食之令人患水病。

［臣禹锡等谨按蜀本］云：以绿色仍重七两已①上者，置醋五升于中，缓火逼之令尽，然后去裙捣入③。

［药性论］云：鳖甲，使，恶理石。能主宿食，癥块痃癖气，冷瘕劳瘦，下气，除骨热，骨节间劳热，结实拥塞。治妇人漏下五色羸瘦者，但烧甲令黄色，末，清酒服之方寸匕。日二服。又方诃梨勒皮、干姜末等分为丸，空心下三十丸，

① 已：原作“巳”，据文理改。

② 厌：刘《大观》、柯《大观》作“肉”。

③ 入：其下，刘《大观》、柯《大观》有“药”字。

再服，治癥癖病。又治痃癖气，可醋炙黄，末，牛乳一合，散一匙，调[1]可，朝朝服之。又和琥珀、大黄作散，酒服二钱匕，少时恶血即下。若妇人小肠中血下尽，即休服。又白[2]头血涂脱肛。

［孟诜］云：鳖，主妇人漏下，羸瘦。中春食之美，夏月有少腥气。其甲，岳州昌江者为上。赤足不可食，杀人。

［日华子］云：鳖，益气调中，妇人带下，治血瘕腰痛。鳖甲，去血气，破癥结恶血，堕胎，消疮肿，并扑损瘀血，疟疾，肠痈。头烧灰疗脱肛。

［图经曰］ 鳖，生丹阳池泽，今处处有之。以岳州、沅江其甲有九肋者为胜。取无时，仍生取甲，剔去肉为好，不用煮脱者，但看有连厌及干岩便真，若上两边骨出，是已[3]被煮也。古今治瘕癖虚劳方中用之最多。妇人漏下五色羸瘦者，烧甲令黄色，筛末，酒服方寸匕，日二。又合诃梨勒皮、干姜，三物等分为丸，空腹[4]三十丸，治癖最良。又醋炙令黄捣末，以牛乳一合，调一匙，朝日服之，主痃气。其肉食之亦益人，补虚，去血热。但不可久食，则损人，以其性冷耳。当胸前有软骨谓之丑，食当去之。不可与苋菜同食，令生鳖瘕，久则难治。又其头、足不能缩及独目者，并大毒，不[5]可食，食之杀人。其头烧灰，主脱肛。南人养鱼池中，多畜鳖，云令鱼不随雾起。鳖之类，三足者[6]为能奴来切，大寒而有毒，主折伤，止痛，化血。生捣其肉及血傅之。道家云：可辟诸厌秽[7]死气，画像亦能止之。无裙而头、足不缩者名鳓，食之令人昏塞，误中其毒，以黄耆、吴蓝煎汤服之，立解。其壳亦主传尸劳及女子经闭。其最大者为鼋，江中或有阔一二丈者，南人亦捕而食之。云其肉有五色而白多，卵大如鸡、鸭子，一产一二百枚，人亦掘取，以盐淹可食。其甲亦主五脏邪气，妇人血热。又下有鮀音驼甲条云：生南海池泽，今江湖极多，即鼍也，形似守宫、陵鲤辈，而长一二丈，背、尾俱有鳞甲，善攻碕岸，夜则鸣吼，舟人甚畏之。南人食其肉，云色白如鸡，但发冷气痼疾。其皮亦中冒鼓。皮及骨烧灰，研末，米饮服。主肠风痔疾，甚者入红鸡冠花末，白矾灰末，和之。空

---

① 调：刘《大观》、柯《大观》无。

② 白：柯《大观》作“日”。

③ 已：原作“巳”，据文理改。

④ 腹：其下，刘《大观》、柯《大观》有“服”字。

⑤ 不：其上，刘《大观》、柯《大观》有“亦”字。

⑥ 者：刘《大观》无。

⑦ 秽：柯《大观》作“物”。

腹服便差。今医方鲜有用鼋、鮀甲者。

［■雷公曰］凡使，要绿[1]色、九肋、多裙、重七两者为上。治气破块，消癥，定心，药中用之。每个鳖甲，以六一泥固济瓶子底了，干，于大火以物搘于中，与头醋下火煎[2]之，尽三升醋为度，仍去裙并肋骨了，方炙干，然入药中用。又治劳去热药中用，依前泥，用童子小便煮昼夜，尽小便一斗二升为度，后去裙留骨，于石上捶，石臼中捣成粉了，以鸡肶皮裹之，取东流水三两[3]斗，盆盛，阁于盆上一宿，至明任用，力有万倍也。

［**圣惠方**］治久患劳疟瘴等。方用鳖甲三两，涂酥炙令黄，去裙为末。临发时温酒调下二钱匕。

［**又方**］治小儿尸疰劳瘦，或时寒热。方用鳖头一枚，烧灰杵末，新汲水下半钱匕。

［**千金方**］妊娠勿食鳖肉，令子项短。

［**又方**］治脱肛历年不愈。死鳖头一枚，烧令烟绝，杵末。以傅肛上，手按挼之。

［**千金翼**］治丈夫阴头痈，师所不能医。鳖甲一枚，烧令末之，以鸡子白和傅之，良。

［**肘后方**］治笃病新起，早劳食饮，多致复欲死。烧鳖甲，服方寸匕。

［**又方**］治老疟。炙鳖甲杵末，服方寸匕。至时令三服尽，用火炙，无不断。

［**又方**］卒腰痛不得俯仰。鳖甲一枚捣末，服方寸匕。

［**又方**］治人心孔昏塞，多忘喜误。丙午日取鳖甲，着衣带上。

［**又方**］石淋者，取鳖甲杵末，以酒服方寸匕。日二三[4]，下石子，差。

［**梅师方**］鳖目凹陷者煞人，不可食。

［**又方**］难产。取鳖甲烧末[5]。服方寸匕，立出。

［**孙真人**[6]］鳖腹下成五字，食之作瘕。鳖肉合芥子作恶疾[7]。

---

① 绿：成化《政和》、商务《政和》误作“录”。

② 煎：刘《大观》、柯《大观》作“煮”。

③ 两：刘《大观》、柯《大观》作“四”。

④ 二三：柯《大观》倒置。

⑤ 末：成化《政和》、商务《政和》作“灰”。

⑥ 人：其下，柯《大观》有“云”字。

⑦ 疾：其下，柯《大观》有“病”字。

［伤寒类要］治沈①唇紧方：鳖甲及头烧灰作末，以傅之。

［子母秘录］治小儿痫。鳖甲炙令黄，捣为末，取一钱乳服。亦可蜜丸如小豆大，服。

［杨氏产乳］疗上气急满，坐卧不得方：鳖甲一大两炙令黄，细捣为散。取灯心一握，水二升，煎取五合。食前服一钱匕，食后蜜水服一钱匕。

［姚和众］小儿因痢脱肛。鳖头、甲烧灰末，取粉扑之。

［左传云］三足谓之能②，不可食也。

［衍义曰］鳖甲，九肋者佳，煮熟者不如生得者，仍以酽醋炙黄色用，《经》中不言治劳，惟蜀本《药性论》云：治劳瘦，除骨热，后人遂用之。然甚有据，亦不可过剂。头血涂脱肛，又烧头灰，亦治。

蟹

味咸，寒③，有毒。**主胸中邪气热结痛，㖞僻，面肿，败漆烧之致鼠**，解结散血，愈漆疮，养筋益气。

爪　主破胞，堕胎。生伊、洛池泽诸水中。取无时。杀莨菪毒、漆毒。

蟹　　拥剑　　蝤蛑

［陶隐居］云：蟹类甚多，蝤音道蝶音谋、拥剑、彭蚏音越皆是，并不入药。惟蟹最多有用，仙方以化漆为水，服之长生。以黑犬血灌之三日，烧之，诸鼠毕至。未被霜甚有毒，云食水莨音建所为，人中之，不即疗多死。目相向者亦杀人，服冬瓜汁、紫苏汁及大黄丸皆得差。海边又有彭蜞、拥剑，似彭蚏而大，似蟹而小，不可食。蔡谟初渡江，不识而啖之，几死，叹曰：读《尔雅》不熟，为劝学者所误。

---

① 沈：柯《大观》作“审”。

② 三足谓之能：《尔雅》作“鳖三足曰能”。

③ 寒：刘《大观》、柯《大观》作黑字《别录》文。

［今按］《陈藏器本草》云：蟹脚中髓及脑并壳中黄，并能续断绝筋骨。取碎之微熬内疮中，筋即连也。八月腹内有芒，食之无毒，其芒是稻芒，长寸许，向东输海神，开腹中犹有海水。《本经》云：伊、洛水中者石蟹，形段不同。其黄傅久疽疮，无不差者。

［臣禹锡等谨按陈藏器］云：蝤蝶，主小儿闪痞，煮食之。大者长尺余，两螯至强，八月能与虎斗，虎不如也。随大潮退壳，一退一长。拥剑，一名桀步。一螯极小，以大者斗。小者食，别无功。彭蜞有小毒，膏主湿癣疽疮，不差者涂之。食其肉，能令人吐下至困。蔡谟渡江，误食者。彭蜎如小蟹，无毛，海人食之，别无功。

［孟诜］云：蟹，主散诸热。治胃气，理经脉，消食。八月输芒后食好，未输时为长未成。就醋食之，利肢节，去五脏中烦闷[①]气。其物虽形状恶，食甚宜人。

［日华子］云：螃蟹，凉，微毒。治产后肚痛，血不下，并酒服。筋骨折伤，生捣，炒署，良。脚爪，破宿血，止产后血闭、肚痛，酒及醋汤煎服，良。又云：蝤蛑，冷，无毒。解热气，治小儿痞气。

［图经曰］蟹，生伊、洛池泽诸水中，今淮海、京东、河北陂泽中多有之，伊、洛乃反难得也。八[②]足二螯，大者箱角两出，足节屈曲，行则旁横。今人以为食品之佳味，独螯独目及两目相向者，皆有大毒，不可食。其黄能化漆为水，故涂漆疮用之。黄并肉熬末，以内金疮中，筋断亦可续。黄并螯烧烟，可以集鼠于庭。爪入药最多。胡洽疗孕妇僵仆，胎转上抢心困笃，有蟹爪汤之类是也。《经》云：取无时。俗传蟹八月一日，取稻芒两枚，长一二寸许，东行输送其长，故今南方捕得蟹，差早则有衔稻芒者，此后方可食之。以前时长未成就，其毒尤猛也。蟹之类甚多，六足者名蛫音跪，四足者[③]名北，皆有大毒，不可食，误食之，急以豉汁可解。阔壳而多黄者名蠘，生南海中，其螯最锐，断物如芟刈焉，食之行风气。扁而最大，后足阔者，为蝤蛑，岭南人谓之拨棹子，以后脚形如棹也。一名蟳。随潮退壳，一退一长。其大者如升，小者如盏碟。两螯无毛，所以异于蟹。其力至强，能与虎斗，往往虎不能胜。主小儿闪癖，煮与食之良。一螯大，一螯小者，名拥剑，

① 闷：柯《大观》作“热”。

② 八：成化《政和》、商务《政和》误作“爪”。

③ 者：刘《大观》、柯《大观》无。

又名桀步。常以大螯斗，小螯食物。一名执火，以其螯赤故也。其最小者名彭蜎音滑，吴人语讹为彭越。《尔雅》云：蜎蟹音泽，小者蟧力刀切。郭璞云：即彭蜎也，似蟹而小，其膏可以涂癣，食之令人吐下至困。彭蜞亦其类也，蔡谟渡江误食者，是此①也。

［■食疗］云蟹，足斑、目赤不可食，杀人。又，堪治胃气，消食。又，八月前，每个蟹腹内有稻谷一颗，用输海神。待输芒后，过八月方食即好。经霜更美，未经霜时有毒。又，盐淹之作蝑，有气味。和酢食之，利肢节，去五脏中烦闷②气。其物虽恶形容，食之甚益人。爪，能安胎。

［百一方］疥疮，杵蟹傅之亦效。

［又方］金疮方：续筋多取蟹黄及脑并足中肉熬末，内疮中。

［孙真人］十二月勿食蟹，伤神。

［简要济众］小儿解颅不合。生蟹足骨半两，焙干，白敛半两，为末。用乳汁和，贴骨缝上，以差为度。

［杨氏产乳］妊娠人不得食螃蟹，令儿横生也。

［荀卿云］蟹，六跪而二螯，非蛇、鳝之穴，无所寄托。凡食鳝毒，可食蟹解之，鳝畏蟹。蟹，鳝类也。类聚相解其效速于他耳。

［沈存中笔谈］关中无螃蟹，土人怖③其形状，以为怪物。秦州人家，收得一干蟹，有病疟者，则借去悬门上，往往遂差。不但人不识，鬼亦不识。

［衍义曰］蟹，伊、洛绝少，今多自京师来，京师亦自河北置之。今河北沿边沧、瀛州等处所出甚多，徐州亦有，但不及河北者。小儿解颅④，以螯并白及烂捣，涂囟⑤上，颅④合。此物极动风，体有风疾人，不可食，屡见其事。河北人取之，当八九月蟹浪之时，直于塘泺岸上，伺⑥其出水而拾之。又夜则以灯火照捕，始得之。时黄与白满壳，凡收藏十数日，不死亦不食。此物每至夏末秋初，则如蝉蜕解。当日名蟹之意，必取此义。

---

① 此：刘《大观》、柯《大观》无。

② 闷：柯《大观》作“热”。

③ 怖：原作“恶”，据《梦溪笔谈》卷25改。

④ 颅：原作“胪”，据医理改。

⑤ 囟：原作“腮”，据底本校勘表、庆元《衍义》、商务《衍义》改。

⑥ 伺：原作“祠”，据庆元《衍义》、商务《衍义》改。

蚱音笮又音侧**蝉**

蚱蝉

味咸、甘，**寒**①，无毒。**主小儿惊痫，夜啼，癫病，寒热**，惊悸，妇人乳难，胞衣不出，又堕胎。**生杨柳上。**五月采，蒸干之，勿令蠹。

［陶隐居］云：蚱字音作笮，即是哑乌下切蝉。哑蝉②，雌蝉也，不能鸣者。蝉类甚多。《庄子》云：蟪蛄不知春秋，则是今③四月、五月小紫青色者。而《离骚》云：蟪蛄鸣兮啾啾，岁暮兮不自聊，此乃寒螀尔，九月、十月中，鸣甚凄急；又二月中便鸣者名蝏音宁母，似寒螀而小；七月、八月鸣者名蛁音雕蟟音辽，色青。今此云生杨柳树上是。《诗》云：鸣蜩嘒嘒者，形大而黑，伛偻丈夫，止④是掇此，昔人啖之。故《礼》有雀、鷃音晏、蜩、范，范有冠，蝉有緌，亦谓此蜩。此蜩复五月便鸣。俗云五月不鸣。婴儿多灾⑤，今其疗亦专主小儿也。

［唐本注］云：《别录》云，壳名枯蝉，一名伏蜟音育。主小儿痫，女人生子不出。灰服之，主久痫。又云蚱者，鸣蝉也，主小儿痫，绝不能言。今云哑蝉，哑蝉则雌蝉也，极乖体用，按诸虫兽，以雄者为良也。

［臣禹锡等谨按蜀本］《图经》云：此鸣蝉也，六月、七月收，蒸干之。陶云是哑蝉，不能鸣者，雌蝉也。二说既相矛盾。今据《玉篇》云：蚱者，蝉声也。如此则非哑蝉明矣。且蝉类甚多，有蟪蛄、寒螀之名。又《尔雅》云：蝒，马蜩。蜺，寒蜩。皆蝉也。按《礼记》云：仲夏之月，蝉始鸣。《本经》云：五月采。即是此也，其余不入药用。

［药性论］云：蚱蝉，使，味酸。主治小儿惊哭不止，杀疳虫，去壮热，治肠中幽幽作声。又云：蝉蜕，使，主治小儿浑身壮热，惊痫，兼能止渴。

---

① 寒：柯《大观》作黑字《别录》文。

② 蝉：原脱，据刘《大观》、柯《大观》补。

③ 今：成化《政和》、商务《政和》误作“人”。

④ 止：成化《政和》、商务《政和》作“虫”。

⑤ 灾：刘《大观》、柯《大观》作“夭”。

［图经曰］蚱音笮又音侧蝉，《本经》不载所出州土，但云生杨柳上，今在处有之。陶隐居以为哑蝉。苏恭以为鸣蝉。二说不同。按字书解蚱字云：蝉声也。《月令》：仲夏之月，蝉始鸣，言五月始有此蝉鸣也。而《本经》亦云五月采，正与《月令》所记始鸣者同时。如此苏说得之矣。蝉类甚多，《尔雅》云：蝒，马蜩。郭璞注云：蜩中最大者为马蝉。今夏中所鸣者，比众蝉最大。陶又引《诗》鸣蜩嘒嘒，云是形大而黑，昔人所啖者。又礼冠之饰附蝉者，亦黑而大，皆此类也。然则《尔雅》所谓马蜩，诗人所谓鸣蜩，《月令》礼家所谓蝉，本草所谓蚱蝉，其实一种。蝉类虽众，而为时用者，独此一种耳。又医方多用蝉壳，亦此蝉所蜕壳也，又名枯蝉。本生于土中，云是蜣螂所转丸，久而化成此虫，至夏便登木而蜕。采得当蒸熟，令勿蠹。今蜀中有一种蝉，其蜕壳头上有一角如花冠状，谓之蝉花，西人有赍至都下者，医工云入药最奇。

［▶陈藏器］蟪蛄、寒螀、蚱蟟、宁母、蜩、范并蝉。注：陶云蟪蛄，四月、五月鸣，小小紫色者。而《离骚》云：蟪蛄鸣兮啾啾，此乃寒螀耳。二月鸣者名宁母，似寒螀而小。七月鸣者名蚱蟟，色青。《诗》曰：鸣蜩嘒嘒，形大而黑，古人食之。故《礼》云：雀、鷃、蜩、范，范有冠，蝉有緌。按，蜩已[①]上五虫，并蝉属也。《本经》云：蝼蛄，一名蟪蛄，本功外，其脑煮汁服，主产后胞不出。自有正传，然蟪蛄非蝼蛄，二物名字参错耳。《字林》云：蝉，蟪蛄也；蝘，蝉属也。《草木疏》云：蝉，一名蚱蟟。青、徐间谓之螗蜣，楚人名之蟪蛄，秦、燕谓之蛥蚗。郭璞注云：俗呼之为蝉，宋、卫谓之蜩螗，楚谓之蟪蛄，关东谓之蛥蟧。陶又注桑螵蛸云：俗呼螳螂为蚱蟟，螳螂即非蝉类，陶误也。蜩蟟退皮研，一钱匕，井花水服，主哑病。寒螀、蜩、范，《月令》谓蜺也。宁母亦小蝉。《礼》注云：蜩，蝉也；范，蜂也。已[①]有《本经》自蜩已[①]上，并无别功也。

［圣惠方］治风头旋。用蝉壳一两，微炒为末。非时温酒下一钱匕。

［集验方］治风气客皮肤，瘙痒不已[①]。蝉蜕、薄荷叶等分，为末。酒调一钱匕，日三服。

［御药院］治头风目眩。蝉蜕末，熟汤下。

［衍义曰］蚱蝉，夏月身与声皆大者是。始终一般声，仍皆乘昏夜方出土中，升高处，背壳坼蝉出。所以皆夜出者，一以畏人，二畏日炙，干其壳而不能蜕也。至时寒则坠地，小儿蓄之，虽数日亦不须食。古人以谓饮风露，信有之，盖不粪而

---

① 已：原作“巳”，据文理改。

溺，亦可见矣。西川有蝉花，乃是蝉在壳中不出，而化为花，自顶中出。又壳治目昏翳。又水煎壳汁，治小儿出疮疹不快，甚良。

蝉花

味甘，寒，无毒。主小儿天吊，惊痫瘈疭，夜啼心悸。所在皆有，七月采。生苦竹林者良，花出土上。

蝉花

［图经］文具蚱蝉条下。

［◣雷公云］凡使，要白花全者，收得后，于屋下东角悬干，去甲土后，用浆水煮一日，至夜焙干，碾细用之。

［衍义］蝉花，文具蚱蝉条下。

蛴螬

味咸，微温、微寒，有毒。**主恶血，血瘀痹气，破折血在胁下坚满痛，月闭，目中淫肤，青翳白膜**，疗吐血在胸腹不去及破骨踒折，血结，金疮内塞，产后中寒，下乳汁。**一名蟦**扶文切**蛴**，一名𧎳音肥齐，一名勃齐。生河内平泽及人家积粪草中。取无时，反行者良。蜚蠊为之使，恶附子。

蛴螬

［陶隐居］云：大者如足大指，以背行，乃快于脚，杂猪蹄作羹，与乳母不能别之。《诗》云：领如蝤蛴，今此别之，名以蛴字在下，恐此云蛴螬倒尔。

［唐本注］云：此虫有在粪聚，或在腐木中。其在腐柳树中者，内外洁白；土粪中者，皮黄内黑黯。形色既异，土木又殊，当以木中者为胜。采虽无时，亦宜取冬月为佳。按《尔雅》一①名蝎音易，一名蛣蝠，一名蝤蛴。

［今按］《陈藏器本草》云：蛴螬，主赤白游疹。以物发疹破碎，蛴螬取汁涂之。

［臣禹锡等谨按蜀本］注云：今据《尔雅》蟦，蛴螬。注云：在粪土中。《本经》亦云：一名蟦蛴。又云：生积粪草中，则此外恐非也。今诸朽树中蠹虫，俗通谓之蝎，莫知其主疗，惟桑树中者，近方用之，治眼得效。又《尔雅》：蝎，蛣

① 一：柯《大观》作“云”。

蝠。又：蝎，桑蠹[1]。注云：即蛣蝠也。又据有名未用，存[2]用未识部虫类中，有桑蠹一条云：味甘，无毒。主心暴痛，金疮肉[3]生不足，即此是也。苏云：当以木中者为胜，今独谓其不然者，谓生[4]出既殊，主疗亦别。虽有毒、无毒易见，而相使、相恶难知。又蝎不共号蛴螬，蟦不兼名蛣蝠，凡以处疗，当自审之也。

［药性论］云：蛴螬，臣。汁，主滴目中，去翳障。主血止痛。

［日华子］云：蛴螬虫，治胸下坚满，障翳瘀膜，治风疹。桑、柳树内收者佳，余处即不中。粪土中者，可傅恶疮。

［图经曰］蛴螬，生[5]河内平泽及人家积粪草中，今处处有之。大者有如足大指，以背行反快于脚，采无时。反行者良。此《尔雅》所谓蟦，蛴螬。郭璞云：在粪土中者是也。而诸朽木中蠹虫，形亦[6]相似，但洁白于粪土中者，即《尔雅》所云：蝤蛴，蝎。又云：蝎，蛣蝠。又云：蝎，桑虫。郭云：在木中虽通名蝎，所在异者是此也。苏恭以谓入药当用木中者，乃与《本经》云生积粪草中相戾矣。有名未用中，自有桑虫条。桑虫即蛣蝠也，与此主疗殊别。今医家与蓐妇下乳药用之，乃是掘粪土中者，其效殊速。乃知苏说未可据也。张仲景治杂病方，大䗪虫丸中用蛴螬，以其主胁下坚满也。《续传信方》治喉痹，取虫汁点在喉中，下即喉开也。

［陈藏器］《本经》云：生粪土中。陶云：能背行者。苏云：在腐木中、柳木中者皮白，粪中者皮黄，以木中者为胜。按蛴螬居粪土中，身短足长，背有毛筋。但从水入秋，蜕为蝉，飞空饮露，能鸣高洁。蝎在朽木中，食木心，穿如锥刀。一名蠹，身长足短，口黑无毛，节慢。至春羽化为天牛，两角状如水牛，色黑背有白点，上下缘木，飞腾不遥。二虫出处既殊，形质又别，苏乃混其状，总名蛴螬，异乎蔡谟彭蜞，几为所误。苏敬[7]此注，乃千虑一失矣。《尔雅》云：蟦，蛴螬，蛴蝎。郭注云：蛴螬在粪土中；蝎在木中，桑蠹是也。饰通名蝎，所在异也。又云：啮桑。注云：似蝎牛，长角，有白点，喜啮桑树作孔也。

---

① 蠹：柯《大观》作“壶”。

② 存：刘《大观》、柯《大观》作“有”。

③ 肉：原作“内”，据刘《大观》、柯《大观》改。

④ 生：柯《大观》作“在”。

⑤ 生：成化《政和》、商务《政和》作“主”。

⑥ 亦：刘《大观》、柯《大观》无。

⑦ 敬：柯《大观》作“恭”。

［雷公云］凡使，桑[1]树、柏树中者妙。凡收得后阴干，干后与糯米同炒，待米焦黑为度，然后去米，取之，去口畔并身上肉毛并黑尘了，作三四截，碾成粉用之。

［外台秘要］《删繁》丹走皮中浸淫，名火丹。方：取蛴螬末傅之。

［千金方］治稻、麦芒入眼。取蛴螬，以新布覆目上，持蛴螬从布上摩之，其芒出着布上，良也。

［百一方］诸竹木刺在肉中不出，蛴螬碎之傅刺上，立出。

［子母秘录］治痈疽，痔漏，恶疮及小儿丹。末蛴螬傅上。

［治口疮］截头箸，翻过拭疮，效[2]。

［衍义曰］蛴螬，此虫诸腐木根下有之。构木津甘，故根下多有此虫，其木身未有完者。亦有生于粪土中者，虽肥大，但腹中黑，不若木中者，虽瘦而稍白。生研，水绞汁，滤清饮，下奶。

乌贼鱼骨

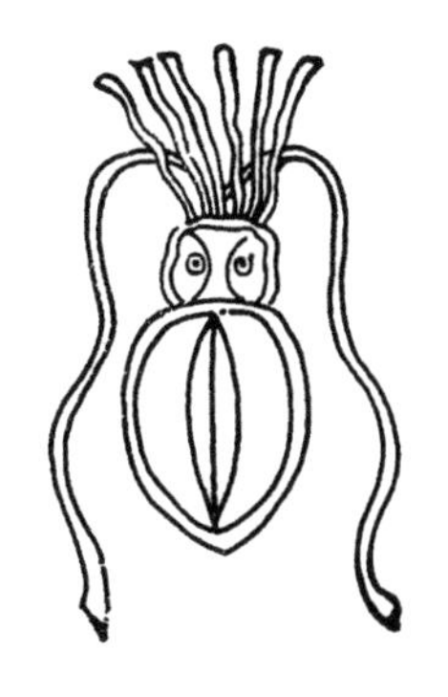

雷州乌贼鱼

味咸，微温，无毒。**主女子漏下赤白经汁，血闭，阴蚀肿痛，寒热，癥瘕，无子**，惊气入腹，腹痛环脐，阴中寒肿，令[3]人有子。又止疮多脓汁不燥。

肉　味酸，平，主益气强志。生东海池泽。取无时。恶白敛、白及、附子。

［陶隐居］云：此是鸔音剥乌所化作，今其口脚具存，犹相似尔。用其骨亦炙之。其鱼腹中有墨，今作好墨用之。

［唐本注］云：此鱼骨，疗牛、马目中障翳，亦疗人目中翳，用之良也。

［今按］《陈藏器本草》云：乌贼鱼骨，主小儿痢下，细研为末，饮下之。亦主妇人血瘕，杀小虫并水中虫，投骨于井中，虫死。腹中墨，主血刺心痛，醋摩服之。海人云：昔秦王东游，弃筭袋于海，化为此鱼。其形一如筭袋，两带极长，墨犹在腹也。

---

① 桑：其上，刘《大观》、柯《大观》有“是”字。

② ［治口疮］……拭疮，效：以上11字，柯《大观》脱。

③ 寒肿，令：原作白字《本经》文，据柯《大观》改。

［臣禹锡等谨按蜀本］《图经》云：鷃乌①所化也，今目口尚在背上，骨厚三四分，今出越州。苏恭引《音义》云：无鷃字，言是鹎字，乃以《尔雅》中鹎鶋。一名雅乌②，小而多群，腹下白者为之。《图经》又云：背上骨厚三四分，则非水乌③也。今据《尔雅》中自有鸧、乌鷃④，是水乌⑤。似鶂，短颈，腹翅紫白，背上绿色，名字既与《图经》相符，则鷃⑥乌所化明矣。

［药性论］云：乌贼鱼骨，使，有小毒。止妇人漏血，主⑦耳聋。

［孟诜］云：乌贼骨，主目中一切浮翳。细研和蜜点之。又，骨末治眼中热泪。

［日华子］云：乌贼鱼，通月经。骨疗血崩，杀虫。心痛甚者，炒其墨，醋调服也。又名缆鱼，须脚悉在眼前，风波稍急，即以须粘石为缆。

［图经曰］乌贼鱼，出东海池泽，今近海州郡皆有之。云是鷃音剥乌所化，今其口脚犹存，颇相似，故名乌鲗⑧，能吸波噀墨以溷水，所以自卫，使水匿不能为人所害。又云：性嗜乌，每暴水上，有飞乌过，谓其已⑨死，便啄其腹，则卷取而食之，以此得名，言为乌之贼害也。形若革囊，口在腹下，八足聚生口傍。只一骨，厚三四分，似小舟轻虚而白。又有两须如带，可以自缆，故别名缆鱼。《南越志》云：乌贼有碇，遇风便虬前一须下碇而住⑩碇，亦缆之义也。腹中血及胆，正如墨，中以书也，世谓乌贼怀墨而知礼，故俗谓是海若白事小吏。其肉食之益人，取无时。其无骨者名柔鱼。又更⑪有章举、石距二物，与此相类而差大，味更珍好，食品所贵重，然不入药用，故略焉。

［◣食疗云］骨，主小儿、大人下痢，炙令黄，去皮细研成粉，粥中调服之

---

① 鷃乌：柯《大观》作“鸔鱼”。

② 乌：成化《政和》、商务《政和》作“鸟”。

③ 水乌：原作“小乌”，据底本校勘表、柯《大观》改。

④ 乌鷃：柯《大观》作“乌鸔”。

⑤ 乌：原作“鸟”，据底本校勘表、柯《大观》改。

⑥ 鷃：柯《大观》作“鸔”。

⑦ 主：柯《大观》作“及”。

⑧ 鲗：柯《大观》作“贼”。

⑨ 已：原作“巳”，据文理改。

⑩ 住：柯《大观》作“往”。

⑪ 更：刘《大观》、柯《大观》无。

良。其骨能销目中一切①浮翳。细研和蜜点之，妙。又，点马眼热泪甚良。久食之，主绝嗣无子，益精。其鱼腹中有墨一片，堪用书字。

[雷公云] 凡使，勿用沙鱼骨，缘真相似，只是上文横②，不入药中用。凡使，要上文顺，浑用血卤作水浸，并煮一伏时了，漉出，于屋下掘一地坑，可盛得前件乌贼鱼骨多少，先烧坑子，去炭灰了，盛药一宿，至明取出用之，其效倍多。

[圣惠方] 治伤寒热毒气攻眼，生赤白翳。用乌贼鱼骨一两，不用大皮，杵末，入龙脑少许令细，日三四度，取少许点之。

[外台秘要] 治疬疡风及三年。酢磨乌贼鱼骨，先布磨肉赤，即傅之。

[千金方] 治妇人小③户嫁痛。乌贼骨烧末，酒下方寸匕，日三服。

[又方] 治丈夫阴头痈，师不能治。乌贼骨末粉傅之，良。

[经验方] 治疳眼。乌贼鱼骨、牡蛎并等分，为末糊丸，如皂子大。每服用猪子肝一④具，药一丸，清米泔内煮，肝熟为度，和肝食，用煮肝泔水下，三两服。

[子母秘录] 治小儿重舌。烧乌贼鱼骨和鸡子黄，傅之喉及舌上。

[南越记] 乌贼鱼自浮于水上，乌见以为死，往啄之，乃卷取入水，故谓乌贼。今鸦乌化为之也。

[素问云] 乌贼鱼，主女子血枯⑤。

[丹房镜源] 乌贼鱼骨，淡盐。

[衍义曰] 乌贼鱼，干置。四方人炙食之。又取骨镂为钿，研细，水飞，澄下，比去水，日干之，熟蜜和得所，点目中翳，缓取效。

原蚕蛾

雄者，有小毒。主益精气，强阴道，交接不倦，亦止精。

[臣禹锡等谨按阴痿通用药] 云：原蚕蛾，热。

[蜀本] 云：原蚕蛾，味咸，温。

屎　温，无毒。主肠鸣，热中消渴，风痹瘾疹。

---

① 目中一切：柯《大观》作“一切目中”。

② 横：原作“揁”，据成化《政和》、商务《政和》改。

③ 小：原作“水”，据柯《大观》改。

④ 一：原无，据柯《大观》补。

⑤ 枯：柯《大观》作“闭”。

原蚕蛾

[陶隐居]云：原蚕是重养者，俗呼为魏蚕。道家用其蛾止精，其翁茧入术用。屎，名蚕沙，多入诸方用，不但熨风而已①也。

[今按]《陈藏器本草》云：原蚕屎，一名蚕沙，净收，取晒干，炒令黄，袋盛浸酒，去风，缓诸节不随，皮肤顽痹，腹内宿冷，冷血瘀血，腰脚疼冷。炒令热，袋盛热熨之，主偏风，筋骨瘫缓，手足不随及②腰脚软，皮肤顽痹。

[臣禹锡等谨按日华子]云：晚蚕蛾，壮阳事，止泄精，尿血，暖水脏。又，蚕蛾，平。治暴风，金疮，冻疮，汤火疮并灭疮瘢，入药炒用。又云：蚕布纸，平。治吐血，鼻洪，肠风泻血，崩中带下，赤白痢，傅丁肿疮。入药烧用。又云：蚕沙，治风痹顽疾不仁，肠鸣。

[图经曰]原蚕蛾，《本经》不载所出州土，今东南州郡多养此蚕，处③皆有之。此是重养者，俗呼为晚蚕。北人不甚复养，恶其损桑。而《周礼》禁原蚕者，郑康成注云：为其伤马，伤马亦是其一事耳。《淮南子》曰：原蚕一岁再登，非不利也。然王法禁之者，为其残桑是也，人既稀养，市中货者亦多早蛾，不可用也。至于用蚕沙、蚕退，亦须用晚出者，惟白僵蚕不著早晚，但用白而条直者。凡用蚕，并须食桑蚕，不用食柘者。蚕蛾，益阳方中多用之。今方治小儿撮口及发噤者，取二枚炙黄，研末，蜜和，涂口唇内，便差。蚕沙、蚕退，并入治风及妇人药中用。蚕退，医家多用初出蚕壳在纸上者。一说蚕眠时所退皮，用之更有效。

[◣圣惠方]治风瘙瘾疹遍身痒成疮。用蚕沙一升，水二斗，煮取一斗二升，去滓，温热得所以洗之。宜避风。

[千金方]治妇人始觉妊娠，转女为男法：取原蚕屎一枚，井花水服之，日三服。

[斗门方]治渴疾。用晚蚕沙，焙干为末。冷水下二钱，不过数服。

[胜金方]治刀斧伤，止血生肌。天蛾散：晚蚕蛾为末，糁匀，绢裹之，随手

---

① 已：原作“巳”，据文理改。

② 及：成化《政和》、商务《政和》作“其”。

③ 处：其下，刘《大观》、柯《大观》有“处”字。

疮合血止。一切金疮亦治。

［**简要济众**］小儿撮口及发噤方：晚蚕蛾二枚，炙令黄，为末，蜜和，傅儿口唇内。

［**子母秘录**］云：倒产难生。原蚕子烧末，饮服三钱。

［**小儿宫气方**］治小儿口疮及风疳疮等，晚蚕蛾细研，贴疮上，妙。

［**衍义曰**］原蚕蛾，有原复敏速之义，此则第二番蛾也。白僵蚕条中已[①]具。屎，饲牛代谷。又以三升醇酒，拌蚕屎五斗，用甑蒸热，于暖室中铺于油单上，令患风冷气闭及近感瘫风人，就所患一边卧，看温热，厚盖覆，汗出为度。若虚人须常在左右，防大热昏冒。仍令头面在外，不得壅覆。未全愈，间，再作。

蚕退

主血风病，益妇人。一名马鸣退。近世医家多用蚕退纸，而东方诸医用蚕欲老眠起所蜕皮，虽二者之用各殊，然东人所用者为正。用之当微炒，和诸药可作丸、散服。新定

［◣**集验方**］治缠喉风及喉痹，牙宣，牙痈，口疮并小儿走马疳。蚕退纸不计多少，烧成灰存性，右炼蜜和，丸如鸡头大。含化咽津。牙宣，牙痈，揩龈上。口疮，干傅患处。小儿走马疳，入麝香少许，贴患处佳。

［**百一方**］凡狂发欲走，或自高贵称神，皆应备。诸火灸，乃得永[②]差耳。若或悲泣呻吟者，此为邪祟。以蚕纸作灰，酒水任下，差。疗风癫也。

［**衍义曰**］蚕退，治妇人血风，此则眠起时所蜕皮是也。其蚕退纸，谓之蚕连，亦烧灰用之，治妇人血露。

◣缘桑螺

主人患脱肛。烧末，和猪膏傅之，脱肛立缩。此螺全似蜗牛黄，小雨后好[③]缘桑叶。

［**范汪**］脱肛。绿桑树螺烧之，以猪脂和，傅之立缩，亦可末傅之。

---

① 已：原作“巳”，据庆元《衍义》、商务《衍义》改。

② 永：成化《政和》、商务《政和》误作“水”。

③ 好：柯《大观》作“出”。

白僵蚕

味咸、辛，平，无毒。**主小儿惊痫夜啼，去三虫，灭黑䵟，令人面色好，男子阴疡**音亦**病**，女子崩中赤白，产后余痛，灭诸疮瘢痕。生颍川平泽。四月取自死者，勿令中湿，湿有毒，不可用。

[陶隐居] 云：人家养蚕时，有合箔皆僵者，即暴燥都不坏。今见小白色，似有盐度者为好。末以涂马齿，即不能食草，以桑叶拭去乃还食，此明蚕即马类也。

棣州白僵蚕

[唐本注] 云：《别录》云，末之，封丁肿，根当自出，极效。此白僵死蚕，皆白色，陶云似有盐度，此误矣。

[臣禹锡等谨按蜀本]《图经》云：用[①]僵死白色者，再生一生俱用，今所在有之。

[药性论] 云：白僵蚕，恶桑螵蛸、桔梗、茯苓、茯神、萆薢，有小毒。治口噤发汗，主妇人崩中，下血不止。与衣中白鱼、鹰屎白等分，治疮灭瘢。

[日华子] 云：僵蚕，治中风失音，并一切风疾，小儿客忤，男子阴痒痛，女子带下。入药除绵丝并子尽，匀炒用。又云[②]：蚕蛹子，食，治风及劳瘦。又研，傅蚕瘑，恶疮等。

[图经曰] 白僵蚕，生颍川平泽，今所在养蚕处皆有之。用自僵死白色而条直者为佳。四月取，勿令中湿，湿则有毒，不可用。用时仍去绵丝及子，炒过。今医家用治中风急喉痹欲死者，捣筛细[③]末，生姜自然汁调灌之，下喉立愈。又合衣鱼、鹰屎白等分为末，面膏和涂疮瘢疵，便灭。

[◣雷公云] 凡使，先须以糯米泔浸一日，待蚕桑涎出如[④]蜗牛涎浮于水面上，然后漉出，微火焙干，以布净拭蚕上黄肉毛并黑口甲了，单捣筛如粉用也[⑤]。

[外台秘要] 治瘰疬。白僵蚕为散，水服五分匕。日三，十日[⑥]差。

---

① 用：成化《政和》、商务《政和》作“有”。

② 云：成化《政和》、商务《政和》误作“去”。

③ 细：刘《大观》、柯《大观》作“为”。

④ 如：刘《大观》、柯《大观》作“作”。

⑤ 如粉用也：刘《大观》、柯《大观》作“为末，入药用之。云白僵蚕，人家养蚕处皆有之。凡用白僵死者，白色而条直者为佳。四月取，勿令中湿，湿则有毒，不可入药用”。

⑥ 日：其下，柯《大观本草札记》有“立”字。

[**千金方**] 治大风半身不遂。蚕沙两硕，熟蒸，作直袋三只，各受七斗，热盛一袋着患处，如冷即取余袋一依前法数数换，一日不禁，差。又须羊①肚酿粳米、葱白、姜、豉、椒等烂煮热吃，日食一枚，十日即止。

[**肘后方**] 治背疮弥验。以针挑四畔，白僵蚕为散，水和傅之，即拔出根。

[**经验后方**] 下奶药：白僵蚕末两钱，酒调下，少顷，以脂麻茶一钱热投之，梳头数十遍，奶汁如泉。

[**斗门方**] 治卒头痛。白僵蚕碾②为末去丝。以熟水下二钱匕，立差。

[**博济方**] 治喉闭。如圣散子：白僵蚕、天南星刮皮等分，并生为末。每服一字，以生姜汁下，如咽喉大段开不得，即以小竹筒子擘口灌之，涎出后，用大姜一块，略炙过，含之。小可，只傅唇上，立差。

[**胜金方**] 治风痰。白僵蚕七个，直者细研。以姜汁一茶脚，温水调灌之。

[**又方**] 治风痔忽生，痔头肿痛，又忽自消，发歇不定者是也。白僵蚕二两，洗剉③，令微黄为末，乌梅肉为丸如梧桐子大。每服姜蜜汤下五丸，空心服之。

[**杨氏产乳**] 疗野火丹，从背上两胁起。用僵蚕二七枚，和慎火草捣涂之④。

[**圣惠方**] 治风遍身瘾疹，疼痛成疮。用白僵蚕焙令黄色，细研为末。用酒服之，立差。

[**又方**] 主偏、正头疼并夹脑风，连两太阳穴疼痛。以白僵蚕细研为末，用葱茶调服方寸匕。

[**小儿宫气方**] 主小儿口疮通白者，及风疳疮蚀透者。以白僵蚕炒令黄色，拭去蚕上黄肉、毛，为末，用蜜和傅之，立效。

[**又方**] 治小儿撮口及发噤者。以白僵蚕二枚为末，用蜜和傅于小儿唇口内，即差。

[**斗门方**] 主黑皯，令人面色好。用白僵蚕并黑牵牛、细辛等分为末，如澡豆用之。又浴⑤小儿胎秽，良。

[**又方**] 治刀斧所伤及一切金疮。以白僵蚕不以多少，炒令黄色，细研为末，傅之立愈。

---

① 羊：柯《大观本草札记》作“半”。

② 碾：柯《大观本草札记》作“研”。

③ 剉：柯《大观本草札记》作“刮”。

④ 外台秘要……涂之：此段文字，刘《大观》脱。

⑤ 浴：成化《政和》、商务《政和》误作“俗”。

[又方] 治中风急喉痹欲死者。用白僵蚕以火焙干令黄色，捣筛为末。用生姜自然汁调灌喉中，效。

[千金方] 治[1]妇人崩中，下血不止。以衣中白鱼、僵蚕等分，为末。以井花水服之，日三服，差。

[又方] 主中风失音并一切风疾，及小儿客忤，男子阴痒痛，女子带下。以白僵蚕七枚为末，用酒调方寸匕，立效。

[衍义曰] 白僵蚕，然蚕有两三番，惟头番僵蚕最佳，大而无蛆。治小儿惊风，白僵蚕、蝎梢等分，天雄尖、附子尖共一钱，微炮过，为细末。每服一字或半钱，以生姜温水调，灌[2]之。其蚕蛾，则第二番者，以其敏于生育。

鳗音谩鲡音黎鱼

味甘，有毒。主五痔，疮瘘，杀诸虫。

[陶隐居] 云：能缘树食藤花，形似鳝，取作臛食之。炙以熏诸木竹，辟蛀虫。膏，疗诸瘘疮。又有鳅音秋，亦相似而短也。

[唐本注] 云：此膏，又疗耳中有虫痛者。鲵鱼，有四脚能缘树[3]。陶云鳗鲡，便是谬证也。

[臣禹锡等谨按孟诜] 云：杀诸虫毒，干末空腹食之，三五度差。又，熏下部痔，虫尽死。患诸疮瘘及疬疡风，长食之甚验。腰肾间湿风痹，常如水洗者，可取五味、米煮，空腹食之，甚补益。湿脚气人服之良。又，诸草石药毒，食之，诸毒不能为害。五色者，其功最胜。兼女人带下百病，一切风，五色者出歙州。头似蝮蛇，背有五色文者是也。

鳗鲡鱼

[陈士良] 云：鳗鲡鱼，寒。

[陈藏器] 云：鳅鱼，短小，常在泥中。主狗及牛瘦，取一二枚以竹筒从口及鼻生灌之，立肥也。

---

① 治：刘《大观》作“主”。

② 灌：原作“嚾”，据成化《政和》、商务《政和》、庆元《衍义》、商务《衍义》改。

③ 树：柯《大观》作“木”。

[日华子]云：海鳗，平，有毒。治皮肤恶疮疥，疳䘌，痔瘘。又名慈鳗、猧狗鱼。又云[①]鳗鱼，平，微毒。治劳补不足，杀传尸疰气，杀虫毒，恶疮，暖腰膝，起阳，疗妇人产户疮虫痒。

[图经曰] 鳗音谩鲡音黎鱼，《本经》不载所出州土，今在处有之。似鳝而腹大，青黄色。云是蛟之类，善攻碕岸，使辄颓阤，近江河居人酷畏之。此鱼虽有毒，而能补五脏虚损，久病罢瘵，人可和五味，以米煮食之。患诸疮痔漏及[②]有风者长食。歙州出一种，背有五色文，其功最胜。出海中者名海鳗，相类而大，功用亦同。海人又名慈鳗，又名猧狗鱼。

[◣食疗云] 杀虫毒，干烧炙之令香。食之，三五度即差。长服尤良。又，压诸草石药毒，不能损伤人。又，五色者，其功最胜也。又，疗妇人带下百病，一切风瘙如虫行。其江海中难得五色者，出歙州溪泽潭中，头似蝮蛇，背有五色文者是也。又，烧之熏毡中，断蛀虫。置其骨于箱衣中，断白鱼、诸虫咬衣服。又，烧之熏舍屋，免竹木生蛀蚛。

[圣惠方] 治诸虫心痛，多吐，四肢不和，冷气上攻，心腹满[③]闷。用鳗鲡鱼淡炙令熟，令患人三五度食之。

[又方] 治蚊虫。以鳗鲡鱼干者，于室烧之，即蚊子化为水矣。

[又方] 治骨蒸劳瘦及肠风下虫。以鱼二斤，治如食法，切作段子入铛内，以酒二[④]盏煮，入盐、醋中食之。

[外台秘要] 必效：治痟心痛。取鳗鲡鱼淡炙令熟，与患人食之[⑤]，一二枚永差，饱食弥佳。

[经验方] 治恶疮。用蛇鱼骨杵末，入诸色膏药中相和合，傅上，纸花子贴之。

[食医心镜] 主五痔瘘疮。杀虫方：鳗鲡鱼一头，治如食法，切作片，炙，着椒、盐、酱调和食之。

[集验方] 治颈项及面上白驳浸淫渐长，有似癣，但无疮，可治。鳗鲡鱼脂傅之，先拭剥上，刮使燥痛，后以鱼脂傅之，一度便愈，甚者不过三度。

---

① 又云：原书注为黑字，据刘《大观》、柯《大观》改。

② 及：成化《政和》、商务《政和》作“其”。

③ 满：柯《大观》无。

④ 二：柯《大观》作“三”。

⑤ 之：柯《大观》无。

［稽神录］有人多得劳疾，相因染死者数人。取病者于棺中钉之，弃于水，永绝传染之病，流之于江。金山有人异之，引岸开视之，见一女子，犹活。因取置渔舍，多得鳗鲡鱼食之，病愈。遂为渔人之妻。

［衍义曰］鳗鲡鱼，生剖晒干，取少许，火上微炙，俟油出，涂白剥风，以指擦之，即时色转。凡如此五七次用，即愈，仍先于白处微微擦动。

鮀音驼**鱼甲**

味辛，微温，有毒。**主心腹癥瘕，伏坚积聚，寒热，女子崩中，下血五色，小腹阴中相引痛，疮疥死肌，**五邪涕泣时惊，腰中重痛，小儿气癃眦溃。

肉　主少①气吸吸，足不立地。生南海池泽。取无时。蜀漆为之使，畏狗胆、芫花、甘遂。

［陶隐居］云：鮀，即今鼍甲也，用之当炙。皮可以贯鼓，肉至②补益。于③物难死，沸汤沃口入腹良久乃剥尔。鼋肉亦补，食之如鼍法。此等老者多能变化为邪魅，自非急勿食之。

［今按］《陈藏器本草》云：主恶疮，腹内癥瘕。甲更佳，炙，浸酒服之，口内涎有毒也。

［臣禹锡等谨按蜀本］《图经》云：生湖畔土窟中，形似守宫而大，长丈余，背尾俱有鳞甲，今江南诸州皆有之。

［药性论］云：鼍甲，臣，味甘，平，有小毒。主百邪鬼魅，治妇人带下，除腹内血积聚伏坚相引结痛。

［孟诜］云：鼍，疗惊恐及小腹气疼。

［日华子］云：鼍，治齿，疳䘌，宣露。甲用同功，入药炙。又云鼋④甲，臣，平，无毒。主五脏邪气，杀百虫毒，消百药毒，续人筋骨，又脂涂铁烧之便明。淮南王⑤方术内用之。

［陈藏器］云：鼋甲功用同鳖甲，炙烧浸酒。主瘰疬，杀虫，风瘘疮，风顽疥

---

① 少：成化《政和》、商务《政和》误作“小”。

② 至：柯《大观》作“主”。

③ 于：刘《大观》、柯《大观》作“为”。

④ 鼋：刘《大观》、柯《大观》作“鼍”。

⑤ 王：柯《大观》作“子”。

瘙。肉，主湿气①，邪气，诸蛊。张鼎云：膏，摩风及恶疮。

［图经］文具鳖甲条下。

［◣陈藏器］按鮀鱼合作鼍字，《本经》作鮀。鱼之别名，已②出《本经》。今以鼍为鮀，非也，宜改为鼍字。肉至美，食之主恶疮，腹内癥瘕。甲，炙浸酒服之，口内涎有毒。长一丈者，能吐气成雾致雨，力至猛，能攻陷江岸，性嗜睡，恒目闭③，形如龙，大长者，自啮其尾，极难死，声甚可畏。人于穴中掘之，百人掘亦须百人牵，一人掘亦须一人牵，不然终不可出。梁周兴嗣常食其肉，后为鼍所喷，便为恶疮，此物灵强，不可食。既是龙类，宜去其鱼。

［肘后方］治五尸。鼍肝一具，熟煮④切食尽，亦用蒜齑食之。

樗丑如切**鸡**

味苦，平，有小毒。**主心腹邪气，阴痿，益精强志，生子好色，补中轻身。**又疗腰痛，下气，强阴多精，不可近目。生河内川谷樗树上。七月采，暴干。

樗鸡

［陶隐居］云：形似寒螿而小，今出梁州，方用至稀，惟合大麝香丸用之。樗树似漆而臭，今以此树上为好，亦如芫青、亭长，必以芫、葛上为良矣。

［唐本注］云：此物有二种，以五色具者为雄，良；青黑质白斑者是雌，不入药用。今出岐州，河内无此物也。

［图经曰］樗鸡，生河内川谷樗木上，今近都皆有之。形似寒螿而小，七月采，暴干。谨按《尔雅》云：螒音翰，天鸡。郭璞注云：小虫，黑身赤头。一名莎鸡，又曰樗鸡。李巡曰：一名酸鸡。《广雅》谓之樗鸠。苏恭云：五色具者为雄，良；青黑质白斑者是雌，不入药。然今所谓莎鸡者，亦生樗木上，六月后出飞，而振羽索索作声，人或畜之樊中。但头方腹大，翅羽外青内红，而身不黑，头不⑤

① 气：柯《大观》作“众”。

② 已：原作“巳”，据文理改。

③ 闭：柯《大观》误作“开”。

④ 煮：成化《政和》、商务《政和》作“炙”。

⑤ 不：刘《大观》作“亦”。

赤，此殊不类，盖别一种而同名也。今在樗木上者，人呼为红娘子，头、翅皆赤，乃如旧说，然不名樗鸡，疑即是此，盖古今称不同耳。古今大麝香丸用之，近人少用，故亦鲜别。

［**衍义曰**］樗鸡，东、西京界尤多。形类蚕蛾，但头、足微黑，翅两重，外一重灰色，下一重深红，五色皆具。腹大，此即樗①鸡也。今人又用之，行瘀血、血②闭。

蛞音阔**蝓**音俞

味咸，寒，无毒。**主贼风㖞**口乖切**僻，轶**音益**筋及脱肛，惊痫挛缩。一名陵蠡，**一名土蜗，一名附蜗。生太山池泽及阴地沙石垣下。八月取。

［陶隐居］云：蛞③蝓无壳，不应有蜗名，其附蜗者，复名蜗牛。生池泽沙石，则应是今山蜗，或当言其头，形类犹似蜗牛虫者，俗名蜗牛者，作瓜字，则蜗字亦音瓜。《庄子》所云，战于蜗角也。蛞蝓入三十六禽限，又是四种角虫之类。荧室星之精矣，方家殆无复用乎。

蛞蝓

［唐本注］云：三十六禽。亥上有三豕，貐④，豪猪，亦名蒿猪，毛如猬，簪摇而射人，其肚合屎干烧为灰，主黄疸，猪之类也。陶谓为蝓，误极大矣。又《山海经》云：貐，彘身人面，音如婴儿，食人⑤兽。《尔雅》云：猰乌八切貐，类貙音枢。迅走食人，并非蛞蝓也。蛞蝓乃无壳蜗蠡也。

［臣禹锡等谨按蜀本］注云：此即蜗牛也。而新附自有蜗牛一条，虽数字不同，而主疗与此无别，是后人误剩出之。亦如《别录》草部已⑥有鸡肠，而新附又有繁蒌在菜部。按《尔雅》云：附蠃，螔蝓。注云：蜗牛也。而《玉篇》蝓字下注亦云：螔蝓，蜗牛也。此则一物明矣。形似小螺，白色，生池泽草树间，头有四

---

① 樗：原作“糯”，据庆元《衍义》、商务《衍义》改。

② 血：庆元《衍义》、商务《衍义》作“月”。

③ 蛞：其上，刘《大观》、柯《大观》有“今”字。

④ 貐：成化《政和》、商务《政和》误作“榆”。

⑤ 人：成化《政和》、商务《政和》误作“之”。

⑥ 已：原作“巳”，据文理改。

角，行则出，惊之则缩，首尾俱能藏入壳中。而苏注云：无壳蜗牛，非也。今据《本经》一名陵蠡，又有土蜗之名。且蜗、蠡者，皆蠃壳之属也。陶云若无壳，则不合有蜗名是也。又据今下湿处有一种虫，大于蜗牛，无壳而有角，云是蜗牛之老者。

［图经曰］蛞音阔蝓音俞，生泰山池泽及阴地沙石垣下。蜗牛，《本经》不载所出州土，今并处处有之。陶隐居注云：蜗牛，形如蛞蝓，但背负壳耳。则《庄子》所谓战于蜗角是也。又云：俗名蜗牛者，作瓜字形，故蜗字亦音瓜。《本经》蛞蝓，一名附蜗，蛞蝓无壳，不应有蜗名，或以其头形类犹似蜗牛，故以名之。或云：都是一物有二名，如鸡肠、蘩蒌之比。谨按郭璞注《尔雅》：蚹蠃，螔蝓，蜗牛也。《字书》解蝓字，亦云螔蝓，蜗牛也。如此是一物明矣。然今下湿处，有种大于蜗牛，亦有角而无壳，相传云是蜗牛之老者。若然，本一物，而久蜕壳者为异耳。并八月采。方书蜗牛涎，主消渴。崔元亮《海上方》著其法云：取蜗牛十四枚，以水三合，浸之瓷瓯中，以器覆之一宿，其虫自沿器上取水饮，不过三剂已①。凡用蜗牛，以形圆而大者为胜。久雨晴，竹林池沼间多有出者，其城墙阴处有一种扁而小者，无力，不堪用。蜗牛入婴孺药为最胜，其壳亦堪用。韦丹主一切疳。取旧死壳七牧，皮薄色黄白者真②，净洗，不得小有尘滓，漉干，内酥于壳中，以瓷盏盛之，纸糊盏面，置炊饭③上蒸之。下饙时，即坐甑中，装饭又蒸，饭熟即已①，取出细研如水淀，渐渐与吃，令一日尽，为佳。

［衍义曰］蛞蝓、蜗牛，二物矣。蛞蝓，其身肉止一段。蜗牛，背上别有肉，以负壳行，显然异矣。若一物，《经》中焉得分为二条也。其治疗亦大同小故知别类。又谓蛞蝓是蜗牛之老者，甚无谓。蛞蝓二角，蜗牛四角，兼背有附壳肉，岂得为一物也。

蜗牛

味咸，寒。主贼风㖞僻，踠跌，大肠下脱肛，筋急及惊痫。

［陶隐居］云：蜗牛，字是力戈反，而俗呼为瓜牛。生山中及人家，头形如蛞

① 已：原作“巳”，据文理改。

② 真：原作“直”，据刘《大观》、柯《大观》改。

③ 饭：柯《大观》作“饮”。

蝓，但背负壳尔。前以注说之①。海边又一种，正相似，火炙壳便走出，食之益颜色，名为寄居。方家既不复用，人无取者，未详何者的是也。

［今注］蜗牛条，《唐本》编在田中螺之后。今详陶隐居云：形似蛞蝓而背负壳。

［唐本注②］云：蛞蝓乃无壳，蜗蠡即二种，当近似一物，主疗颇同，今移附蛞蝓之下。

［臣禹锡等谨按药性论］云：蜗牛亦可单用，一名蠡牛，有小毒，能治大肠脱肛，生研取服，止消渴。

［日华子］云：冷，有毒。治惊痫等。入药炒用，此即负壳蜒蚰也。

［图经］文具蛞蝓条下。

［■ 圣惠方］治齿䘌并有虫。用蜗牛壳二③十枚，烧灰细研，每用揩齿，良。

［又方］治蜈蚣咬方。用蜗牛拷取汁，滴入咬处。

［又方］治大肠久积虚冷，每因大便脱肛收不得。用蜗牛一两烧灰，猪脂和傅之，立缩。

［集验方］治发背。以蜗牛一④百个，活者，以一升净瓶入蜗牛，用新汲水一盏，浸瓶中封系，自晚至明，取出蜗牛放之，其水如涎，将真蛤粉不以多少，旋⑤调傅，以鸡翎扫之疮上。日可⑥十余度，其热痛止，疮便愈。

［小儿宫气方］治小儿一切疳疾。取蜗牛壳七个，净洗不得有尘土，令干，向酥蜜中，瓷合盛却用纸糊，于饭甑内蒸之。下餴即安之，至饭熟取出，细研，渐渐吃，一日食⑦尽之。

［衍义］文具蛞蝓条下。

石龙子

味咸，寒，有小毒。**主五癃邪结气，破石淋下血，利小便水道。一名蜥**音锡**蜴**

---

① 之：柯《大观》作“是”。

② 唐本注：原标注为白小字，据刘《大观》、柯《大观》改。

③ 二：柯《大观》作“三”。

④ 一：成化《政和》、商务《政和》作“二”。

⑤ 旋：柯《大观》误作“漩”。

⑥ 可：柯《大观》作“用”。

⑦ 食：柯《大观》作“令”。

音亦，一名山龙子，一名守宫，一名石蜴。生平阳川谷及荆山①石间。五月取，著石上令干。恶硫黄、斑猫、芜荑。

石龙子

［陶隐居］云：其类有四种：一大形，纯黄色，为蛇医母，亦名蛇舅母，不入药；次似蛇医，小形长尾，见人不动，名龙子；次有小形而五色，尾青碧可爱，名蜥②蜴，并不螫人；一种喜缘篱壁，名蝘音偃蜓音电，形小而黑，乃言螫人必死，而未常闻中人。按东方朔云：是非守宫，则蜥蜴，如此蝘蜓名守宫矣。以朱饲之，满三斤，杀，干末。以涂女子身，有交接事便脱，不尔如赤志，故谓守宫。今此一名守宫，犹如野葛、鬼白之义也，殊难分别。

［唐本注］云：此言四种者，蛇师，生山谷，头大尾短小，青黄或白斑者是。蝘蜓，似蛇师，不生山谷，在人家屋壁间，荆楚及江淮人名蝘蜓，河济之间名守宫，亦名荣螈音元，又名蝎虎，以其常在屋壁，故名守宫，亦名壁宫，未必如术饲朱点妇人也，此皆假释尔。其名龙子及五色者，并名蜥蜴，以五色者为雄而良，色不备者为雌，劣尔，形皆细长，尾与身相类，似蛇著四足，去足③便直④蛇形也。蛇医则不然。按《尔雅》亦互言之，并非真说。又云朱饲满三斤，殊为谬矣。

［臣禹锡等谨按蜀本］《图经》云：长者一尺，今出山南襄州、安州、申州。以三月、四月、八月、九月采，去腹中物，火干之。

［图经曰］石龙子，生平阳川谷及荆山山石间，今处处有之。一名蜥音锡蜴音亦。谨按《尔雅》云：蝾螈，蜥蜴。蜥蜴，蝘蜓。蝘蜓，守宫也。疏释曰：《诗·小雅·正月》云：胡为虺蜴，蜴为此也。四者一物，形状相类而四名也。《字林》云：蝾螈，蛇医也。《说文》云：在草曰蜥蜴，在壁曰蝘蜓。《方言》云：秦、晋、西夏谓之守宫，或谓之蠦音卢蝘音麈，或谓之刺易，南阳人呼蝘蜓，其在泽中者，谓之易蜥，楚谓之蛇医，或谓之螈蝾。又东方朔云：非守宫，即蜥蜴。按此诸文，即是在草泽中者，名蝾螈、蜥蜴，在壁者，名蝘蜓、守宫也。然则入药当用草泽者，以五色具者为雄而良，色不具者为雌，乃⑤劣耳。五月取，

---

① 山：其下，刘《大观》、柯《大观》有“山”字。

② 蜥：原作“断”，据刘《大观》、柯《大观》改。

③ 足：刘《大观》误作“尾”。

④ 便直：刘《大观》、柯《大观》作“真”。

⑤ 乃：成化《政和》、商务《政和》、线装本《政和》作“力”。

著石上令干。

［衍义曰］石龙子，蜥蜴也，今人但呼为蜴蜥，大者长七八寸，身有金碧色。仁庙朝，有一蜥蝎在右掖门西浚沟庙中，此真是蜥蜴也。郑状元有诗。有樵者于涧下行，见一蜥蜴自石罅中出，饮水讫而入。良久，凡百十次，尚不已①。樵者疑不免翻石视之，有冰雹一二升。樵人讶而去，行方三五里，大雨至，良久风雹暴作。今之州县依法，用此祈雨。《经》云：治五癃，破石淋，利水道，亦此义乎。

木虻音萌

味苦，平，有毒。**主目赤痛，眦伤泪出，瘀血，血闲，寒热酸嘶**音西，**无子。一名魂常。**生汉中川泽，五月取。

［陶隐居］云：此虻不啖血，状似虻而小，近道草中不见有②，市人亦少有卖者，方家所用，惟是蜚虻也。

［唐本注］云：虻有数种，并能啖血，商、淅音昔已①南，江岭间大有。木虻长大绿色，殆如次蝉，咂牛马，或至顿仆。蜚虻状如蜜蜂，黄黑色，今俗用多以此也。又一种小虻，名鹿虻，大如蝇，啮牛马亦猛，市人采卖之。三种③体，以疗血为本，余疗虽小有异同，用之不为嫌。何有木虻而不啖血。木虻倍大蜚虻。陶云似虻而小者，未识之矣。

蔡州木虻

［臣禹锡等谨按陈藏器］云：木虻，陶云此虻不啖血，似虻而小，苏云：江、岭已已①南有木虻，长大绿一作艳色者，何有虻而不啖血，陶误耳。按木虻从木叶中出，卷叶如子，形圆著叶上，破中初出如白蛆，渐大羽化，坼④破便飞，即能啮物。塞北亦有，岭南极多，如古度化成蚁耳。《本经》既出木虻，又出蜚虻，明知木虻是叶内之虻，飞虻是已已①飞之虫，飞是羽化，亦犹在蛹，如蚕之与蛾尔，既是一物，不

---

① 已：原作“巳”，据文理改。

② 有：刘《大观》、柯《大观》无。

③ 种：其下，《纲目》有“同”字。

④ 坼：柯《大观》误作“折”。

合二出，应功用不同，后人异注尔。

［图经曰］木虻，生汉中川泽。蜚虻生江夏川谷，今并处处有之，而襄、汉近地尤多。虻有数种，皆能啖牛马血，木虻最大而绿色，几若蜩蝉。蜚虻状如蜜蜂，黄色。医方所用虻虫，即此也。又有一种小虻，名鹿虻大如蝇，咂牛马亦猛。三种大抵同体，俱能治血，而方家相承，只用蜚虻，它不复用，并五月采，腹有血者良。人伺其啖咂牛马时腹红者，掩取干之用，入药须去翅足也。《淮南子》曰：虻散积血，斫木愈龋丘主切，此以类推之者也。然今本草不著斫木之治病，亦漏脱耳。

［▶肘后方］葛氏云：蛇螫人九窍皆血出方：取虻虫初食牛马血腹满者三七枚，烧服之。

［杨氏产乳］疗母困笃恐不济，去胎方：虻虫十枚，右捣为末，酒服之，即下。

［衍义曰］木虻，大小有三种。蜚虻，今人多用之，大如蜜蜂，腹凹褊，微黄绿色，雄、霸州、顺安军、沿塘泺界河甚多。以其惟食牛马等血，故治瘀血，血闭。

蜚虻

味苦，微寒，有毒。**主逐瘀血，破下血积，坚痞癥瘕，寒热，通利血脉及九窍**，女子月水不通，积聚，除贼血在胸腹五脏者，及喉痹结塞。生江夏川谷。五月取，腹有血者良。

［陶隐居］云：此即今啖牛马血者，伺其腹满掩取干之，方家皆呼为虻虫矣。

［唐本注］云：三虻俱食牛马，非独此也，但得即堪用，何假血充，然始掩取。如以义求，应如养鹰，饥则为用，若伺其饱，何能除疾尔。

［臣禹锡等谨按药性论］云：虻虫，使，一名蜚虻，恶麻黄。

［日华子］云：破癥结，消积脓堕胎。入丸散，除去翅足，炒用①。

［图经］文具木虻条下。

［衍义］文具木虻条下。

---

① 用：其下，刘《大观》、柯《大观》有“之”字。

蜚蠊音廉

味咸，寒，有毒。**主血瘀癥坚，寒热，破积聚，喉咽闭**①**内塞**②**，无子，**通利血脉。生晋阳川泽及人家屋间，立秋采。

［陶隐居］云：形亦似䗪③虫而轻小能飞，本在草中。八月、九月知寒，多入人家屋里逃尔。有两三种，以作廉姜气者为真，南人亦啖之。

［唐本注］云：此虫，味辛辣而臭，汉中人食之，言下气，名曰石姜，一名卢蜰音肥，一④名负盘。《别录》云，形似蚕蛾，腹下赤，二月、八月采，此即南人谓之滑虫者也。

［臣禹锡等谨按蜀本］《图经》云：金州、房州等山人啖之，谓之石姜，多在林树间百十为聚。

［尔雅⑤］云：蜚，蠦蜰。注云：蜰即负盘臭虫。

［图经］文具木虻条下。

䗪音柘**虫**

味咸，寒，有毒。**主心腹寒热洗洗，血积癥瘕，破坚，下血闭，生子大良。一名地鳖，**一名土鳖。生河东川泽及沙中、人家墙壁下土中湿处。十月⑥暴干。畏皂荚、昌蒲。

［陶隐居］云：形扁扁如鳖，故名土鳖，而有甲，不能飞，小有臭气，今人家亦有之。

［唐本注］云：此物好生鼠壤土中及屋壁下，状似鼠妇，而大者寸余，形小⑦似鳖，无甲，但有鳞也。

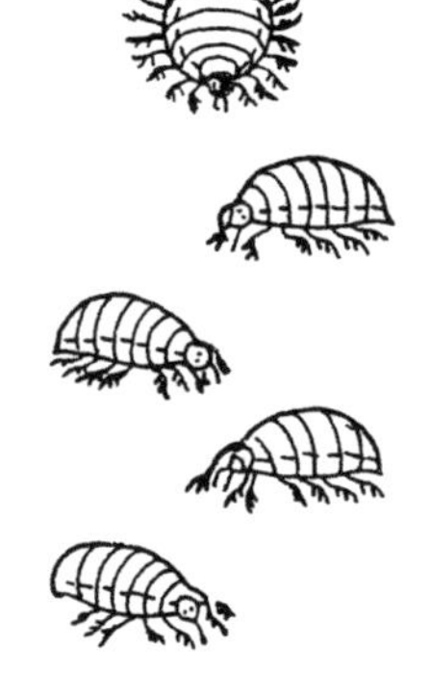

䗪虫

---

① 闭：刘《大观》、柯《大观》作“痹”。

② 塞：原作“寒”，据“蜚虻”条“喉痹结塞”文改。按蜚蠊、蜚虻均是活血化瘀药。蜚虻能治“喉痹结塞”，则蜚蠊亦能治“喉痹结塞”。《本经》云蜚蠊治“喉咽闭内寒”，其“寒”字不可解。且蜚蠊性寒，岂能治寒证。“寒”改为“塞”，于药理、药性均合拍。

③ 䗪：柯《大观》作“虻”。

④ 一：柯《大观》无。

⑤ 尔雅：刘《大观》作黑字。

⑥ 月：其下，柯《大观》有“取”字。

⑦ 小：线装本《政和》作“少”。

［臣禹锡等谨按药性论］云：䗪虫，使，畏屋游，味苦、咸。治月水不通，破留血积聚。

［图经曰］䗪虫，生河东川泽及沙中、人家墙壁下土中湿处，状似鼠妇，而大①者寸余，形扁如鳖，但有鳞而无甲，故一名土鳖。今小儿多捕以负物为戏。十月取，暴干。张仲景治杂病方：主久瘕积结，有大黄䗪虫丸。又大鳖甲丸中，并治妇人药，并用䗪虫，以其有破坚积下血之功也。

［衍义曰］䗪虫，今人谓之簸箕虫，为其像形也。乳脉不行，研一枚，水半合，滤清，服，勿使服药人知。

鲛鱼皮

主蛊气，蛊疰方用之。即装刀靶音霸䱜音鹊鱼皮也。

［唐本注］云：出南海，形似鳖，无脚而有尾。

［今按］《陈藏器本草》云：一名沙鱼，一名鳆鱼。皮主食鱼中毒，烧末服之。唐本先附

鲛鱼皮

［臣禹锡等谨按蜀本］《图经》云：圆广尺余，尾长尺许，惟无足，背皮粗错。

［日华子］云：鲛鱼，平，微②毒。

［图经曰］鲛鱼皮，旧不著所出州土。苏恭云出南海。形似鳖无脚而有尾。《山海经》云：鲛，沙鱼，其皮可以饰剑是也。今南人但谓之沙鱼。然有二种：其最大而长喙如锯者，谓之胡沙，性善而肉美；小而皮粗者曰白沙，肉强而有小毒。二种彼人皆盐为修脯，其皮刮治去沙，翦为脍，皆食品之美者，食之益人。然皆不类鳖，盖其种类之别耳③。胡洽治五尸鬼疰，百毒恶气等，鲛鱼皮散主之。鲛鱼皮炙、朱砂、雄黄、金牙、椒、天雄、细辛、鬼臼、麝香、干姜、鸡舌香、桂心、莽草各一两，贝母半两，蜈蚣炙、蜴蜥炙各二枚，凡十六物，治，下

沙鱼

① 大：原作“太”，据刘《大观》改。

② 微：成化《政和》、商务《政和》无。

③ 耳：刘《大观》作“可”。

筛，温清酒服半钱匕，日三，渐增至五分匕，亦可带之。中用蜈蚣、蜴蜥，皆此品类中，故并载①方。

［■陈藏器］云：皮主食鱼中毒，烧末服之。鰒鱼皮，是装刀靶者，正是沙鱼也。石决明，又名鰒鱼甲，一边著石，光明可爱，此虫族，非鱼类，乃是同名耳。沙鱼，一名鲛鱼，子随母行，惊即从口入母腹也②，其鱼状貌非一，皮上有沙，堪揩木，如木贼也。

［**食疗云**③］平。补五脏。作脍食之，亚于鲫鱼。作鲊鱐食之并同。又，如有大患喉闭，取胆汁和白矾灰，丸之如豆颗，绵裹内喉中。良久吐恶涎沫，即喉咙开。腊月取之。

［**海药**④］谨按《名医别录》云：生南海。味甘、咸，无毒。主心气鬼疰，蛊毒，吐血，皮上有真珠斑⑤。

［**衍义曰**］鲛鱼、沙鱼皮，一等形稍异，今人取皮饰鞍、剑。余如《经》。

白鱼

味甘，平，无毒。主胃气，开胃下食，去水气，令人肥健。大者六七尺，色白头昂，生江湖中。今附

［臣禹锡等谨按孟诜］云：白鱼，主肝家不足气，不堪多食，泥人心。虽不发病，终养䘌所食。新者好，久食令人心腹诸病。可煮炙，于葱、醋中一两沸食。犹少调五脏气，理经脉。

［日华子］云：助血脉，补肝明目。患疮疖人不可食，甚发脓，炙疮不发，作脍食之良。

［**■食疗云**］和豉作羹，一两顿而已⑥。新鲜者好食。若经宿者不堪食。令人腹冷生诸疾。或淹或糟藏，犹可食。又可炙了，于葱、醋中重煮食之。调五脏，助脾气，能消食，理十二经络，舒展不相及气。时人好作饼，炙食之。犹少动气，久亦不损人也。

---

① 载：其下，刘《大观》、柯《大观》有“其”字。
② 也：柯《大观》无。
③ 云：刘《大观》、柯《大观》作小字。
④ 药：其下，刘《大观》有“云”字。
⑤ ［海药］……真珠斑：柯《大观》无此段文字。又“斑”字下，刘《大观》有“也”字。
⑥ 已：原作“巳”，据文理改。

鳜居卫切鱼

味甘，平，无毒。主腹内①恶血，益气力，令人肥健，去腹内小虫。背有黑点，味尤重。昔仙人刘凭，常食石桂鱼。今此鱼犹有桂名，恐是此也。生江溪间。今附

［臣禹锡等谨按日华子］云：微毒。益气，治肠风泻血。又名鳜豚、水豚。

［◣食疗云］平。补劳，益脾胃，稍有毒。

［胜金方］治小儿、大人一切骨鲠，或竹木签刺喉中不下方：于腊月中取鳜鱼胆，悬北檐②下令干。每有鱼鲠，即取一皂子许，以酒煎化温温呷。若得逆便吐，骨即随顽涎出；若未吐，更吃温酒，但以吐为妙，酒即随性量力也；若更未出，煎一块子，无不出者。此药应是鲠在脏腑中日久痛，黄瘦甚者，服之皆出。若卒求鳜鱼不得，蠡鱼、鲩鱼、鲫鱼俱可。腊月收之甚佳。

青鱼

味甘，平，无毒。

肉　主脚气湿痹。作鲊与服石人相反。

眼睛　主能夜视。

头中枕　蒸取干，代琥珀，用之摩服，主心腹痛。

胆　主目暗，滴汁目中，并涂恶疮。生于③江湖之④间。今附

青鱼

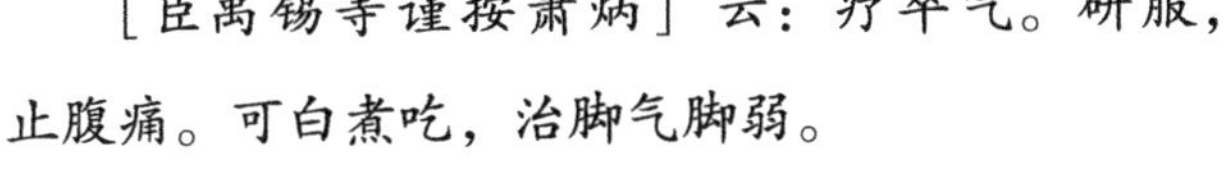

［臣禹锡等谨按萧炳］云：疗卒气。研服，止腹痛。可白煮吃，治脚气脚弱。

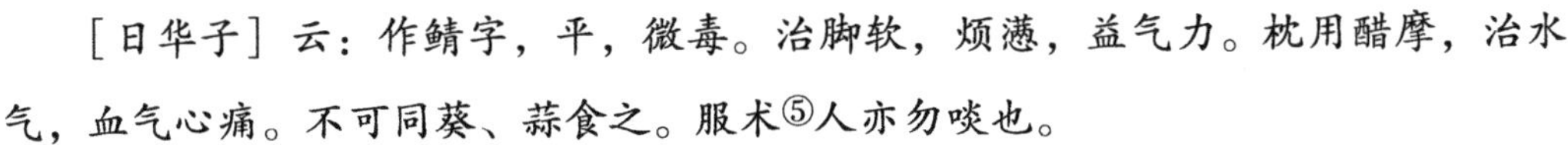

［日华子］云：作鲭字，平，微毒。治脚软，烦懑，益气力。枕用醋摩，治水气，血气心痛。不可同葵、蒜食之。服术⑤人亦勿啖也。

---

① 内：柯《大观》作“中”。

② 檐：柯《大观》作“屋”。

③ 于：刘《大观》、柯《大观》无。

④ 之：刘《大观》、柯《大观》无。

⑤ 术：原作“木”，成化《政和》、商务《政和》同，据刘《大观》、柯《大观》改。

［图经曰］青鱼，生江湖间，今亦出南方，北地或时有之。似鲤鲩而背正青色。南人多以作鲊，古作鲭字，所谓五侯鲭鲊是也。头中枕，蒸令气通，暴干，状如琥珀，云可以代琥珀，非也。荆楚间取此鱼枕煮拍作器皿甚佳。胆与目睛并入药用。取无时。古今方书多用。其①胆滴汁目中，主目昏暗。又可涂恶疮。余亦稀用。

［◣食疗云］主脚气烦闷。又，和韭白煮食之，治脚气脚弱，烦闷，益心力也。又，头中有枕，取之，蒸，令气通，曝干，状如琥珀。此物疗卒心痛，平水气。以水研服之良。又，胆、眼睛，益人眼，取汁注目中，主目暗。亦涂热疮，良。

［海药云］青鱼，南方②人以为酒器，梳篦也。

［孙真人］云：治喉闭及骨鲠③方，以腊月取青鱼胆阴干，如患此及着骨鲠③，即以胆少许，口中含咽津，即便愈。

河豚音屯

味甘，温，无毒。主补虚，去湿气，理腰脚，去痔疾，杀虫。江河淮皆有。今附

［臣禹锡等谨按日华子］云：河豚，有毒。又云：胡夷鱼，凉，有毒。煮和秃菜食，良。毒以芦根及橄榄等解之。肝有大毒。又名鯸鱼、规鱼、吹肚鱼也。

［◣陈藏器］云：如鲶鱼，口尖，一名鲵鱼也。

［衍义曰］河豚，《经》言无毒，此鱼实有大毒。味虽珍，然修治不如法，食之杀人，不可不慎也。厚生者不食亦好。苏子美云：河豚于此时，贵不数鱼虾。此即诗家鄙讽之言，未足全信也。然此物多怒，触之则怒气满腹，翻浮水上，渔人就以物撩之，遂为人获。橄榄并芦根汁解其毒。

石首鱼

味甘，无毒。头中有石如棋子。主下石淋，磨石服之，亦烧为灰末服，和莼菜作羹，开胃益气。候干食之，名为鲞音想，炙食之，主消瓜成水，亦主卒腹胀，食

---

① 其：柯《大观》作“此”。

② 南方：刘《大观》、柯《大观》作“枕南”。

③ 鲠：原作“哽”，据医理改。

不消，暴下痢。初出水能鸣，夜视有光。又野鸭头中有石，云是此鱼所化。生东海。今附

［臣禹锡等谨按陈士良］云：石首鱼，平。

［日华子云］取脑中枕，烧为末，饮下，治淋也。

［🀄 食疗①］作干鲞，消宿食，主中恶，不堪鲜食。

嘉鱼

味甘，温，无毒。食之令人肥健悦泽。此乳穴中小鱼，常食乳水，所以益人，能久食之，力强于乳，有似英鸡，功用同乳。今附

［🀄 陈藏器］《吴都赋》云：嘉鱼出于丙穴。李善注云：丙日出穴，今则不然，丙者，向阳穴也。阳穴多生此鱼，鱼复何能择丙日耶？此注误矣。《新注》云：治肾虚消渴及劳损羸瘦，皆煮食之。又《抱朴子》云：鹳知夜半，燕知戊巳，岂鱼不知丙日也。

［食疗云］微温。常于崖石下孔中吃乳石沫，甚补益。微有毒。其味甚珍美也。

鲻鱼

味甘，平，无毒。主开胃，通利五脏。久食令人肥健。此鱼食泥，与百药无忌。似鲤身圆，头扁骨软。生江海浅水中。今附

紫贝

明目，去热毒。

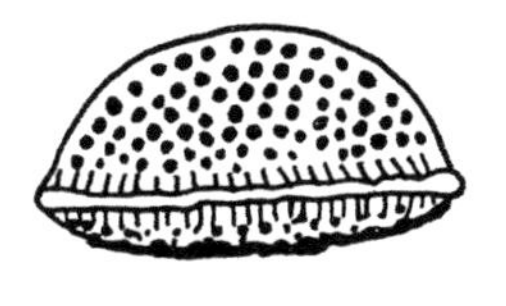

紫贝

［唐本注］云：形似贝，圆，大二三寸。出东海及南海上，紫斑而骨白。唐本先附

［臣禹锡等谨按陈士良］云：紫贝，平，无毒。

［图经曰］紫贝，《本经》不载所出州土。苏恭注云：出东海及南海上，今南海多有之，即砑螺也。形似贝而圆，大二三寸，儋振夷黎采以为货币，北人惟画家用砑物。谨按郭璞注《尔雅》云：余貾直其切，黄白文。谓以

① 疗：其下，刘《大观》、柯《大观》有“云”字。

黄为质，白为文点。余泉，白黄文。谓以白为质，黄为文点。今紫贝则以紫为质，黑为文点也。贝之类极多，古人以为宝货，而此紫贝尤为世所贵重。汉文帝时，南越王献紫贝五百是也。后世以多见贱，而药中亦稀使之。又车螯之紫者，海人亦谓之紫贝。车螯，近世治痈疽方中多用，其壳烧煅为灰，傅疮。南海、北海皆有之，采无时。人亦食其肉，云味咸，平，无毒。似蛤蜊①，而肉坚硬不及。亦可解酒毒。北中者壳粗，不堪用也②。

［衍义曰］紫贝，大二三寸，背上深紫有点，但黑。《本经》以此烧存性，入点眼药。

鲈鱼

平。补五脏，益筋骨，和肠胃，治水气。多食宜人，作鲊尤③良。又暴干，甚香美。虽有小毒，不至发病。一云：多食发痃癖及疮肿，不可与乳酪同食。

［▮食疗云④］平。主安胎，补中。作脍尤佳。

［衍义曰］鲈鱼，益肝肾，补五脏，和肠胃，食之宜人。不甚发病，宜然张干思之也。

鲎⑤

平，微毒。治痔，杀虫，多食发嗽并疮癖。壳入香，发众香气。尾，烧焦，治肠风泻血并崩中带下及产后痢。脂，烧，集鼠。已⑥上二种⑦新补见孟诜、日华子。

［▮陈藏器］味辛，无毒。主五野鸡⑧病，杀虫，发嗽，壳发众香，尾灰断产

① 蜊：刘《大观》、柯《大观》作“蝶”。

② 也：刘《大观》、柯《大观》无。

③ 尤：原作“犹”，据下文改。

④ 云：刘《大观》、柯《大观》无。

⑤ 鲎：柯《大观》误作“鲞”。

⑥ 已：原作“巳”，据文理改。

⑦ 种：原作“肿”，据刘《大观》、柯《大观》改。

⑧ 野鸡：柯《大观本草札记》倒置。

后痢，膏烧集鼠矣①。生南海，大小皆②牝、牡相随，牝③无目，得牡④始行，牡④去牝③死。以骨及尾，尾长二尺，烧为黑灰，米饮⑤下，大主产后痢。先服生地黄、蜜等煎讫，然后服尾，无不断也。

二种海药余

郎君子

谨按《异志》云：生南海。有雄雌，青碧色，状似杏仁。欲验真假，先于口内含，令热，然后放醋中，雄雌相趁，逡巡便合，即下其卵如粟粒状，真也。主妇人难产，手把便生，极有验也。乃是人间难得之物。

海蚕沙

谨按《南州记》云：生南海山石间。其蚕形大如拇指，沙甚白，如玉粉状，每有节。味咸，大温，无毒。主虚劳冷气，诸风不遂。久服令人光泽，补虚羸，轻身延年不老。难得真者，多只被人以水搜葛粉、石灰，以梳齿隐成，此即非也，纵服无益，反损人，慎服之。

二十一种陈藏器余

鼋

鲤鱼注陶云：鼋肉，补。此老者，能变化为魅。按鼋甲，功用同鳖甲。炙浸酒，主瘰疬，杀虫，逐风恶疮⑥瘘，风顽疥瘙。肉，主湿气，诸邪气蛊，消百药毒。张鼎云：膏涂铁摩之便明，膏摩风及恶疮。子如鸡卵，正圆，煮之白不凝。今时人谓藏卵为鼋子，似此非为木石机也。至难死，剔其肉尽，头犹咬物，可以张

① 矣：刘《大观》、柯《大观》作“未试”。

② 小皆：刘《大观》、柯《大观》作“如扇”。

③ 牝：刘《大观》、柯《大观》作“牡”。

④ 牡：刘《大观》、柯《大观》作“牝”。

⑤ 米饮：刘《大观》、柯《大观》作“末酒”。

⑥ 疮：其下，柯《大观》有“痔”字。

鸢鸟。

[■[1]食疗云] 微温。主五脏邪气，杀百虫蛊毒，消百药毒，续人[2]筋。又，膏涂铁，摩之便明。淮南术方中有用处。

海马

谨按《异志》云：生西海，大小如守宫虫，形若马形，其色黄褐。性温，平，无毒。主妇人难产，带之于身，神验。

[图经云] 生南海。头如马形，虾类也。妇人将产带之，或烧末饮服，亦可手持之。《异鱼图》云：收之暴干，以雌雄为对。主难产及血气[3]。

齐蛤

远志注陶云：远志畏齐蛤。苏云：《药录》下卷有蛤，而不言功状。注又云：蜡畏齐蛤。按齐蛤如蛤，两头尖小，生海水中。无别功用，海人食之。

柘虫屎

詹糖注陶云：詹糖伪者，以柘虫屎为之。按即今之柘木虫，在木间食木注为屎。其屎破血，不香。詹糖烧之香也。既不相似，不堪为类。

蚱蜢

石蟹注陶云：石蟹如蚱蜢，形长小，两股如石蟹，在草头能飞，螽螽之类，无别功。与蚯蚓交，在土中得之，堪为媚药。入《拾遗记》。

寄居虫

蜗牛注陶云：海边大有，似蜗牛，火炙壳便走出。食之益颜色。按寄居在壳间，而非螺也。候螺、蛤开，当自出食，螺、蛤欲合，已[4]还壳中，亦名寄生，无

---

① ■：刘《大观》脱。

② 人：成化《政和》、商务《政和》无。

③ [图经云]……及血气：以上48字，柯《大观》脱。

④ 已：原作“巳”，据文理改。

别功用。海族多被其寄。又南海一种似蜘蛛，入螺壳中，负壳而走，一名辟，亦呼寄居，无别功用也。

蚰音抽蜒

蜘蛛注陶云：悬网状如鱼罾者，亦名蚰蜒。按蚰蜒在孔穴中及草木稠密处，作网如蚕丝为幕络者，就中开一门出入，形段小，似蜘蛛而斑小。主丁肿出根，作膏涂之。陶云：罾网，此正蝴蛛也，非为蚰蜒。此物族类非一也。

负蠜

葵注苏云：戎人重薰渠，犹巴人重负蠜。按飞廉一名负盘，蜀人食之，辛辣也，已[1]出《本经》。《左传》云：蜚不为灾。杜注云：蜚，负蠜也。如蝗虫，又夜行。一名负盘，即𥨍盘虫也。名字及虫相似，终非一物也。蠜音烦，蟲螽也。

蠼螋

鸡肠注陶云：鸡肠草，主蠼螋溺。按蠼螋能溺人影，令发疮，如热沸而大，绕腰匝，不可疗。虫如小蜈蚣，色青黑，长足，山蠼螋溺毒，更猛。诸方中大有主法，其虫无能，惟扁豆叶傅，即差。

蛊虫

败鼓皮注陶云：服败鼓皮，即唤蛊主姓名。按古人愚质，造蛊图富，皆取百虫瓮中盛，经年间开之，必有一虫尽食诸虫，即此名为蛊。能隐形，似鬼神，与人作祸，然终是虫鬼，咬人至死者。或从人诸窍中出信候，取之曝干。有患蛊人，烧为黑灰，服少许立愈。亦是其类，自相伏耳。新注云：凡蛊虫疗蛊，是知蛊名，即可治之。如蛇蛊用蜈蚣蛊虫，蜈蚣蛊用虾蟆蛊虫，蛤蟆蛊病复用蛇蛊虫。是互相能伏者，可取治之。

土虫

蚰蜒并马陆注陶云：今有一细黄虫，状如蜈蚣，俗呼为土虫[1]。按土虫[1]无

---

① 虫：柯《大观》作"蛊"。

足，如一条衣带，长四五寸，身扁似韭叶，背上有黄黑襇，头如铲子，行处有白涎，生湿地，有毒，鸡吃即死。陶云：如蜈蚣者，正是蚰蜒，非土虫①也。苏云：马陆如蚰蜒。按蚰蜒色正黄不斑，大者如钗股，其足无数，正是陶呼为土虫①者。此虫好脂油香，能入耳及诸窍中，以驴乳灌之，化为水，苏云似马陆，误也。

鳙鱼

鲍鱼注陶云：鱼是臭者。按，鳙鱼，岭南人作鲍鱼。刘元绍云：其臭如尸，正与陶公相背。海人食之，所谓海上有逐臭之夫也。其鱼以格额，目旁有骨，名乙。《礼》云：鱼去乙。郑云：东海鳙鱼也。只食之，别无功用也。

予脂

有毒。主风肿，痈毒，瘾疹，赤瘙瘑疥，痔瘘，皮肤顽痹，踠跌折伤，肉损瘀血，以脂涂上，炙手及热摩之，即透。生岭南，蛇头鳖身。《广州记》云：予，蛇头鳖身，亦水宿，亦树栖，俗谓之予膏，主蛭刺。以铜及瓦器盛之，浸出。唯鸡卵盛之不漏。摩理毒肿大验，其透物甚于醍醐也。

砂挼子

有毒。杀飞禽走兽，合射罔用之。人亦生取置枕，令夫妻相好。生砂石中，作旋孔，有虫子如大豆，背有刺，能倒行，一名倒行狗子。性好睡，亦呼为睡虫，是处有之。

蛔虫汁

大寒。主目肤赤热痛。取大者净洗，断之，令汁滴目中，三十年肤赤亦差。

蠼螋

蚯蚓二物异类同穴，为雄雌，令人相爱。五月五日收取，夫妻带之。蠼螋如蝗虫，东人呼为舴艋，有毒，有黑斑者，候交时取之。

① 虫：柯《大观》作“蛊”。

灰药

令人喜好相爱。出岭南陶家，如青灰。彼人以①竹筒盛之，云是蛲蛲，音蛔②，虫也。所作，以灰拭物皆可。喜损小儿、鸡、犬等，不置家中，未知此事虚实。

吉丁虫

功用同前，人取带之。甲虫背正绿，有翅在甲下。出岭南宾、澄州也。

腆颗虫一作颙

功用同前，人取带之。似屭盘，褐色，身扁。出岭南，人重之也。

鼷鼠

有毒。食人及牛、马等皮肤成疮，至死不觉。此虫极细，不可卒见。《尔雅》云：有虫毒，食人至尽不知。《左传》曰：食郊牛角者也。《博物志》云：食人死肤，令人患恶疮，多是此虫食。主之法，当以狸膏摩之及食狸肉。凡正月食鼠，残多为鼠瘘，小孔下血者，是此病也。

诸虫有毒

不可食者。鳖目白杀人。腹下有卜字及五字不可食。颔下有骨如鳖不利人。虾煮白食之，腹中生虫。蟹腹下有毛，两目相向，腹中有骨，不利人。鳖肉共鸡肉食，成瘕疾也。

重修政和经史证类备用本草卷第二十一

① 以：其下，柯《大观》有“小”字。

② 蛔：柯《大观》作“饶”。

重修政和经史证类备用本草卷第二十二

己酉新增衍义

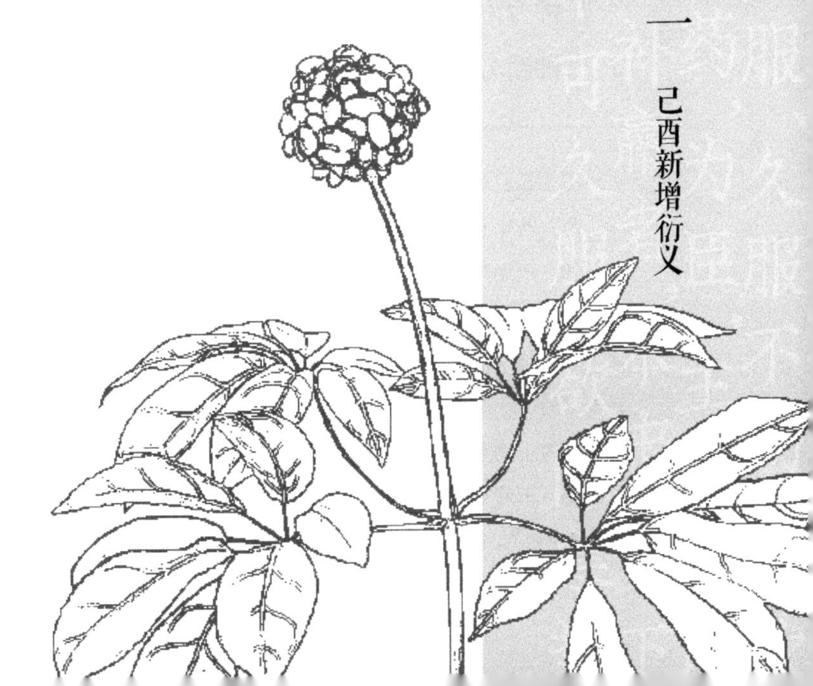

重修政和经史证类备用本草卷第二十二 己[①]酉新增衍义

成都唐慎微续证类

中卫大夫康州防御使句当龙德宫总辖修建明堂所医药提举入内医官编类圣济经提举太医学臣曹孝忠奉敕校勘

虫部下品总八十一[②]种

一十八种神农本经 白字

一十二种名医别录[③] 墨字

二种唐本先附 注云唐附

五种今附[④] 皆医家尝用有效。注云今附

八种新分条

---

① 己：原作“巳”，据底本书首牌记改。

② 八十一：刘《大观》作“八十”。因刘《大观》无虾条，故总数为80种。

③ 一十二种名医别录：刘《大观》作“一十一种名医别录”，因刘《大观》无虾条，故少一种。其实本卷《别录》只有10种。目录中虾、乌蛇脱文献出处小字注，误为《别录》药。按本卷正文“虾”条末有小字注“新见孟诜”，此表明虾条从孟诜《食疗》中分出，又本卷正文“乌蛇”条末注有“今附”小字，说明乌蛇为《开宝本草》新增药。由于目录中虾、乌蛇均无文献出处小字注，遂误把虾、乌蛇当作《别录》药，使10种变为12种。

④ 五种今附：本卷目录“今附”，实数是6种，由于“乌蛇”条脱漏“今附”小字注，遂误为“五种今附”。

三十六种陈藏器余

凡墨盖子已[①]下并唐慎[②]微续证类

虾音遐**蟆**音麻	牡鼠 肉、粪附	**马刀**	蛤蜊音梨
蚬音显	蝛乎咸切蜼音进	蚌蛤	车螯
蚶	蛏	淡菜 已上八种元附马刀条下[③] 今新分条	
虾[④]	蚺蛇胆 膏附	**蛇蜕**	蜘蛛
腹蛇胆 肉附	**白颈蚯蚓**[⑤]	**蠮**音噎**螉**乌红切	葛上亭长
蜈蚣[⑥]	蛤蚧 今附	**水蛭**音质	**斑猫**
田中螺	**贝子**	**石蚕**	**雀瓮**
白花蛇 今附	乌蛇 今附[⑦]	金蛇 银蛇、金星鳝等[⑧]附 今附	
蜣螂	五灵脂 今附	蝎 今附	**蝼**音娄**蛄**音姑
马陆	蛙[⑨]	鲮鲤甲 今人谓之穿山甲	
芫青	**地胆**	珂 唐附	蜻蛉
鼠妇 湿生虫也[⑩]	**萤火**	甲香 唐附[⑪]	**衣鱼**

三十六种陈藏器余

海螺	海月	青蚨	豉虫
乌烂死蚕	茧卤汁	壁钱	针线袋
故锦灰	故绯帛	赦日线	苟印
溪鬼虫	赤翅蜂	独脚蜂	蜡音蛇
盘蝥虫	蛭蟷	山蛩虫	溪狗
水黾	飞生虫	芦中虫	蓼螺

---

① 已：原作“巳”，据文理改。

② 慎：刘《大观》作“谨”。

③ 下：刘《大观》无。

④ 虾：刘《大观》无。其下，各本脱文献出处。按本书体例，当加“新分条”3字。

⑤ 白颈蚯蚓：刘《大观》将其置于“蛇蜕”条下。

⑥ 蜈蚣：刘《大观》将其置于“蛤蚧”条下。

⑦ 今附：原脱，据本卷正文“乌蛇”条补。

⑧ 金星鳝等：刘《大观》无。

⑨ 蛙：刘《大观》将其置于“珂”条下。

⑩ 湿生虫也：刘《大观》无。

⑪ 甲香唐附：刘《大观》将其置于“衣鱼”条下。

蛇婆	朱鳖	担罗	青腰虫
虱	苟杞[①]上虫	大红虾鲊	木蠹
留师蜜	蓝蛇[②]	两头蛇	活师

① 杞：原作“枸”，据药名改。

② 蓝蛇：原作“蓝蛇头”，据尚辑本《本草拾遗》及《纲目》改。按，“头”字属下文，误入药名内。

[下　品]

虾音遐**蟆**音麻

虾蟆

味辛，寒，有毒。**主邪气，破癥坚血，痈肿，阴疮，服之不患热病，**疗阴蚀疽疠音赖恶疮，猘犬伤疮，能合玉石。一名蟾十占切蜍常余切，一名䶂音秋，一名去甫，一名苦蠪音龙又音笼。生江湖池泽。五月五日取，阴干，东行者良。

［陶隐居］云①：此是腹大、皮上多痱蒲罪切磊来罪切者，其皮汁甚有毒。犬啮之，口皆肿。人得温病斑出困者，生食一两枚，无不差者。五月五日取东行者五枚，反缚著密室中闭之，明旦视自解者，取为术用，能使人缚亦自解。烧灰傅疮立验。其肪涂玉则刻之如蜡，故云能合玉石，但肪不可多得。取肥者，剉，煎膏，以涂玉，亦软滑易截。古玉器有奇特，非雕琢人功者，多是昆吾刀及虾蟆肪所刻也。

［唐本注］云：《别录》云，脑，主明目，疗青盲也。

［臣禹锡等谨按蜀本］《图经》云：今所在池泽皆有。取日干及火干之。一法：刳去皮、爪，酒浸一宿，又用黄精自然汁浸一宿，涂酥炙干用之。

［萧炳］云：腹下有丹书八字者，以足画地，真蟾蜍也。

［药性论］云：虾蟆，亦可单用。主辟百邪鬼魅，涂痈肿及治热结肿。又云：蟾蜍，臣。能杀疳虫，治鼠漏恶疮。端午日取眉脂，以朱砂、麝香为丸，如麻子大，小孩子疳瘦者，空心一丸。如脑疳，以奶汁调，滴鼻中。烧灰，傅一切有虫恶

① 云：柯《大观》为白小字。

痒滋胤疮。

［陈藏器］云：虾蟆、蟾蜍，二物各别，陶将蟾蜍功状注虾蟆条中，遂使混然。采取无别。今药家所卖，亦以蟾蜍当虾蟆，且虾蟆背有黑点，身小，能跳接百虫，解作呷呷声，在陂泽间，举动极急。《本经》书功，即是此也。蟾蜍身大，背黑无点，多痱磊，不能跳，不解作声，行动迟缓，在人家湿处。本功外，主温病身斑者，取一枚生捣，绞取汁服之。亦烧末服，主狂犬咬发狂欲死。作脍食之，频食数顿。矢主恶疮，谓之土槟榔，出下湿地处，往往有之。术家以肪软压及五月五日收取，即是此也。又有青蛙、蛙蛤、蝼蝈、长肱、石榜、蠼子之类，或在水田中，或在沟渠侧，未见别功，故不具载。《周礼·掌蝈氏》：去蛙黾焚牡菊，灰洒之则死。牡菊，无花菊也。《本经》云：虾蟆一名蟾蜍，误矣。

［日华子］云：虾蟆，冷，无毒。治犬咬及热狂，贴恶疮，解烦热，色斑者是。又云：蟾，凉，微毒。破癥结，治疳气，小儿面黄，癖气。烧灰油调傅恶疮，入药并炙用。又名蟾蜍。眉酥治蚛牙，和牛酥摩，傅腰眼并阴囊，治腰肾冷并助阳气。以吴茱萸苗汁调妙[①]。粪傅恶疮、丁肿，杂虫咬。油调傅瘰疬、痔[②]瘘疮。

［图经曰］虾蟆，生江湖，今处处有之。腹大形小，皮上多黑斑点，能跳接百虫食之，时作呷呷声，在陂泽间，举动极急，五月五日取，阴干，东行者良。《本经》云[③]一名蟾蜍，以为一物，似非的也。谨按《尔雅》鼁起据切䵶，蟾蜍。郭璞注云：似虾蟆，居陆地。又科斗注云：虾蟆子也。是非一物明矣。且蟾蜍形大，背上多痱磊，行极迟缓，不能跳跃，亦不解鸣，多在人家下湿处。其腹下有丹书八字者，真蟾蜍也。陶隐居所谓能解犬毒及温病斑生，生食之，并用蟾蜍也。《本经》云：主邪气，破坚血之类，皆用虾蟆。二物虽一类，而功用小别，亦当分别而用之。《洽闻记》云：虾蟆大者，名田父，能食蛇。蛇行，田父逐之，蛇不得去，田父衔其尾，久之，蛇死，尾后数寸皮不损，肉已[④]尽也。世传蛇啖蛙，今乃云田父食蛇，其说颇怪，当是别有一种如此耳。韦宙《独行方》，治蚕咬。取田父脊背上白汁和蚁子灰涂之，差。蟾蜍矢，谓之土槟榔，下湿处往往有之。亦主恶疮。眉酥，主蚛牙及小儿疳瘦药所须。又有一种，大而黄色，多在山石中藏蛰，

---

① 妙：刘《大观》、柯《大观》作“炒”。

② 痔：柯《大观本草札记》云“明版作‘治’”。

③ 云：刘《大观》、柯《大观》无。

④ 已：原作“巳”，据文理改。

能吞气饮风露，不食杂虫，谓之山蛤。山中人亦餐①之，此主小儿劳瘦及疳疾等，最良。

［🅒雷公云］有多般，勿误用。有黑虎，有蚼黄，有黄蚝，有蝼蝈，有蟾。其形各别。其虾蟆，皮上腹下有斑点，脚短，即不鸣叫。黑虎，身小黑，嘴脚小斑。蚼黄，斑色，前脚大，后腿小，有尾子一条。黄蚝，遍身黄色，腹下有脐带，长五七分已②来，所住立处，带下有自然汁出。蝼蝈，即夜鸣，腰细口大，皮苍黑③色。蟾，即黄斑，头有肉角。凡使虾蟆，先去皮并肠及爪了④，阴干，然后涂酥炙令干。每修事一个，用牛酥一分，炙尽为度。若使黑虎，即和头、尾、皮、爪，并阴干，酒浸三日，漉出，焙干用。

［圣惠方］治风邪。虾蟆烧灰、朱砂等分。每服一钱，水调下，日三四服，甚有神验⑤。

［又方］治腹蛇螯方：用生虾蟆一枚，烂杵碎，傅之。

［外台秘要］治卒狂言鬼语。烧虾蟆杵末，酒服方寸匕，日三。

［又方］治小儿初得月蚀疮。五月虾蟆烧杵末，猪膏和傅之。

［又方］治小儿患风脐及脐疮，久不差者。烧虾蟆杵末，傅之，日三四度，差。

［又方］虫已②食下部，肛尽肠穿者。取长股虾蟆青背者一枚，鸡骨一分，烧为灰，合吹下部，令深入。又云数用大验。

［又方］治癣疮方：取蟾蜍烧灰末，以猪脂和傅之。

［孙真人］肠头挺出。以皮一片，瓶内烧熏挺处。

［梅师方］治疳䘌无问去处，皆治之。以虾蟆烧灰，好醋和傅，日三五度，傅之，差。

［子母秘录］小儿洞泄下痢。烧虾蟆末，饮调方寸匕服。

［又方］治小儿口疮。五月五日虾蟆炙杵末，傅疮上即差。兼治小儿蓐疮。

---

① 餐：柯《大观》作“食”。

② 已：原作“巳”，据文理改。

③ 黑：刘《大观》、柯《大观》作“黧”。

④ 了：刘《大观》、柯《大观》作“子”。

⑤ 甚有神验：柯《大观》无。

[南史①] 张畅弟牧②，尝为猘犬所伤。医云：宜食虾蟆脍。牧甚难之，畅含笑先尝，牧因此乃食。

[衍义曰] 虾蟆③，多在人家渠堑下，大腹品类中最大者是，遇阴雨或昏夜即出食。取眉间有白汁，谓之蟾酥，以油单裹眉裂之，酥出单上，入药用。有人病齿缝中血出，以纸絍子，蘸干蟾酥少许，于血出处按之，立止。世有人收三足枯蟾以罔众，但以水沃半日，尽见其伪，尽本无三足者。

牡鼠

微温，无毒。疗踒折，续筋骨，捣傅之，三日一易。四足及尾，主妇人堕胎，易出。

[臣禹锡等谨按药诀④] 云：牡鼠，味甘。

肉　热，无毒。主小儿哺露大腹，炙食之。

粪　微寒，无毒。主小儿痫疾，大腹，时行劳复。

[陶隐居] 云：牡鼠，父鼠也。其屎两头尖，专疗⑤劳复。鼠目，主明目，夜见书，术家用之。腊月鼠，烧之辟恶气。膏，煎之，亦疗诸疮。胆，主目暗，但才⑥死胆便消，故不可得之。

[臣禹锡等谨按孟诜] 云：牡鼠，主小儿痫疾。腹大贪食者，可以黄泥裹烧之，细拣去骨，取肉和五味汁作羹，与食之。勿令⑦食著骨，甚瘦人。又，取腊月新死者一枚，油一大升，煎之使烂，绞去滓，重煎成膏。涂冻疮及折破疮。

[日华子] 云：鼠，凉，无毒。治小儿惊痫疾，以油煎令消，入蜡傅汤火疮。生捣罯折伤筋骨。雄鼠粪⑧，头尖硬者是。治痫疾，明目。葱、豉煎服，治劳复。足，烧食，催生。

---

① 南史：原作“南北史”，其下文原出《南史》卷32，据此改。

② 牧：原作“收”，据《南史》卷32改。下同。

③ 蟆：原作“蟖”，据成化《政和》、商务《政和》改。

④ 诀：柯《大观》作“性论”，并为白小字。

⑤ 疗：柯《大观》作“治”。

⑥ 才：柯《大观》作“方”。

⑦ 令：柯《大观》作“冷”。

⑧ 粪：柯《大观》作“屎”。

［图经］文已[①]附鼷鼠条下。

［◣陈藏器序］雄鼠脊骨，未长齿多年不生者效[②]。

［外台秘要］治劳复方：用鼠屎头尖者二十枚，豉五合，水二升，煮取一升顿服。

［又方］治鼻中外查瘤，脓血出者。正月取鼠头烧作灰，以腊月猪膏傅疮上。

［千金方］治鼠瘘。以新鼠屎一百粒已[①]来，收置密器中五六十日，杵碎，即傅疮孔。

［又方］治痈疮中冷，疮口不合。用鼠皮一枚，烧为灰，细研，封疮口上。

［又方］治室女月水不通。用鼠屎一两，烧灰研[③]，空心温酒调下半钱。

［又方］医针人而[④]针折在肉中，以鼠脑涂[⑤]之。

［肘后方］耳卒聋。取鼠胆内耳中，不过三，愈。有人云：侧卧沥一胆尽，须臾胆汁从下边出。初出益聋，半日须臾乃差，治三十年老聋。

［又方］治人目涩[⑥]喜睡。取[⑦]鼠目一枚，烧作屑，鱼膏和，注目眦，则不眠，兼取两目，缝囊[⑧]盛带之。

［又方］箭镝及针[⑨]、刀刃在咽喉、胸膈诸隐处不出方：杵鼠肝及脑傅之。

［又方］蛇骨刺人毒痛方：烧死鼠傅之。

［又方］治项强身中急者。取活鼠破其腹去五脏，就热傅之，即差。

［经验方］灵鼠膏：以大雄鼠一枚浑[⑩]用，清油一斤，慢火煎鼠焦，于水上试油不散，即以绵滤去滓澄清，重[⑪]拭铫子令净，再[⑫]以慢火煎上件油。次下黄丹五

---

① 已：原作“巳”，据文理改。

② 效：柯《大观》作“良”。

③ 研：柯《大观》作“末”。

④ 针人而：柯《大观》作“工”。

⑤ 涂：柯《大观》作“傅”。

⑥ 目涩：柯《大观》作“嗜眠”。

⑦ 取：柯《大观》作“父”。

⑧ 缝囊：柯《大观》作“纱袋”。

⑨ 针：柯《大观》作“诸”。

⑩ 浑：柯《大观》作“却”。

⑪ 重：柯《大观》作“再”。

⑫ 再：柯《大观》作“仍”。

两，炒令色变，用柳木篦子，不住手搅令匀，再于水上试滴①，候凝，即下黄蜡一两，又熬②带黑色，方成膏。然后贮于瓷③合器中，候硬，合地上出火毒三两日，傅贴疮肿④，去痛而凉。

［**梅师方**］治食马肝有毒，杀人者。以雄鼠屎三七⑤枚和水研，饮服之。

［**又方**］治从高坠下伤损⑥，筋骨疼痛，叫唤不得，瘀血著在肉⑦。以鼠屎烧末，以猪脂和，傅痛上，急裹⑧，不过半日，痛乃止。

［**又方**］腊月鼠向正旦朝所居处埋⑨之，辟温疫。

［**又方**］治汤火烧疮，痛不可忍。取鼠一头，油中浸煎之，候鼠焦烂尽，成膏研之，仍以绵裹，绞去滓，待冷傅之。日三度，止痛。

［**又方**］治因疮中风，腰脊反张，牙关口噤，四肢强直。鼠一头和尾烧作灰，细研⑩，以腊月猪脂傅之。

［**又方**］治狂犬咬人。取鼠屎二升烧末，研⑪傅疮上。

［**又方**］马咬人踏破作疮，肿毒热痛方⑫：鼠屎二七枚、马鞘五寸故者，相⑬和烧为⑭末，以猪脂和傅之。

［**食医心镜**］主水鼓石水，腹胀身肿。肥鼠一枚，剥皮细切煮粥，空心吃之，频食三两度，差。

［**斗门方**］治打伤疮。用老鼠一个自死腊月者，和肠肚劈剉，油半斤，煎令焦黑，用罐收之，使时以鸡翎蘸油傅于疮上即干，立差。

---

① 滴：柯《大观》作“之”。

② 熬：柯《大观》作“煎”。

③ 瓷：柯《大观》作“瓦”。

④ 肿：柯《大观》无。

⑤ 七：柯《大观》作“十”。

⑥ 伤损：柯《大观》作“损折”。

⑦ 肉：柯《大观本草札记》作“内”。

⑧ 裹：柯《大观》作“包”。

⑨ 埋：原作“理”，据柯《大观》改。

⑩ 研：柯《大观》作“末”。

⑪ 研：柯《大观》作“以”。

⑫ 方：柯《大观》作“以”。

⑬ 相：柯《大观》作“同”。

⑭ 为：柯《大观》作“作”。

［姚和众］ 治小儿癥瘦，煮老鼠肉汁煮粥与食。

［子母秘录］ 令子易产。取鼠烧末，以井花水服方寸匕，日三服。

［又方］ 治乳无汁。死鼠一头烧作末，以酒服方寸匕，勿令妇人知。

［又方］ 治妊娠子死腹中。雄鼠屎一①七枚，以水三升，煮取一升去滓取汁，以作粥食之，胎即下。

［杨氏产乳］ 疗小儿齿不生。取雌鼠粪三七②枚，一日一枚拭齿，令生。雌粪用两头圆者。

［又方］ 治③眼目晚不见物，取鼠胆点之。

［产书］ 下乳汁。以鼠作臛，勿令知与食。

［深师方］ 治铁棘竹木诸刺在肉中，刺不出。以鼠脑捣如膏，厚涂即④出。

马刀

味辛，微寒，有毒。**主漏下赤白，寒热，破石淋，杀禽兽贼鼠，**除五脏间热，肌中鼠鼷蒲剥切，止烦满，补中，去厥痹，利机关。用之当炼，得水烂人肠。又云得水良。一名马蛤。生江湖池泽及东海。取无时。

马刀

［陶隐居］云：李云生江汉中，长六七寸，江⑤汉间人⑥名为单音善姥音母，亦食其肉，肉似蚌。今人多不识之，大都似今蛴音亭蜌蒲辛切而非。方用至少。凡此类皆不可多食，而不正入药，惟蛤蜊煮之醒酒。蚬壳陈久者止痢。车螯音敖、蚶火甘切蛎、蜮乎咸切蜼音进之属，亦可为食，无损益，不见所主。雉入大水变为蜃，蜃音肾云是大蛤，乃是蚌尔，煮食诸蜊蜗与菜，皆不利人也。

［臣禹锡等谨按蜀本］《图经》云：生江湖中，细长，小蚌也。长三四寸，阔五六分。

［图经曰］ 马刀，生江湖池泽及东海，今处处有之。蛴蜌亦谓之蚌，蚌与蜯同之

① 一：柯《大观》作“二”。

② 七：柯《大观》作“十”。

③ 治：柯《大观》作“疗”。

④ 即：柯《大观》作“则”。

⑤ 江：原脱，据柯《大观》改。

⑥ 人：柯《大观》无。

类也。长三四寸，阔五六分以来，头小锐，多在沙泥中，江汉间人名为单姥，亦食其肉，大类蚌①，方书稀用。蚌蛤之类最多，蚌肉压丹石毒，壳为粉，以傅痈肿，又可制石庭脂，烂壳研饮，主翻胃及胃中痰。蛤蜊，主老癖，能为寒热者。蚬壳，陈久者止痢。蚶，补中益阳，所谓瓦屋是也。蜮蝣似蛤而长扁，壳，主痔。蛏，主胸中邪热，与丹石人相宜。淡菜，补五脏，益阳，浙江谓之壳菜，此皆有益于人者。余类实繁，药品所不取，不可悉数也。

［衍义曰］马刀，京师谓之熇岸，春夏人多食，然发风痰，性微冷。又顺安军界河中亦出蜮，大抵与马刀相类，肉颇澹。人作鲊以寄邻左，又不能致远。亦发风。此等皆不可多食。今蛤粉皆此等众蛤灰也。

蛤蜊音梨

冷，无毒。润五脏，止消渴，开胃，解酒毒，主老癖，能为寒热者及妇人血块，煮食之。此物性虽冷，乃与丹石相反，服丹石人食之，令腹结痛。新见陈藏器、日华子。

［图经］文具马刀条下。

［■初虞世］疗汤火伤神妙。蛤蜊壳灰火烧研为末，油调涂之。《集验》同。

蚬音显

冷，无毒。治时气，开胃，压丹石药及丁疮，下湿气，下乳，糟煮服，良。生浸取汁，洗丁疮。多食发嗽并冷气，消肾。陈壳，治阴疮，止痢。蚬肉，寒，去暴热，明目，利小便，下热气，脚气，湿毒，解酒毒，目黄。浸取汁服，主消渴，烂壳，温，烧为白灰饮②下，主反胃吐食，除心胸痰水。壳陈久，疗胃反及失精。新见《唐本注》、陈藏器、日华子。

［图经］文具马刀条下。

［■陈藏器］小于蛤，黑色，生水泥中，候风雨，能以壳为翅飞也。

［圣惠方］治卒咳嗽不止。用白蚬壳不计多少，捣研极细，每服米饮调下一钱匕，日三四服，妙。

---

① 蚌：原作“蚪”，据刘《大观》、柯《大观》改。

② 饮：柯《大观》作“饭”。

蜮蜼

壳烧作末服之，主痔病。新见陈藏器。

［图经］文具马刀条下。

［■陈藏器］蜮呼咸切蜼音进，一名生进。有毛似蛤，长扁，壳烧作末服之，主野鸡病。人食其肉，无功用也。

蚌蛤

冷，无毒。明目，止消渴，除烦，解热毒，补妇人虚劳，下血并痔瘘，血崩带下，压丹石药毒。以黄连末内之，取汁，点赤眼并暗，良。烂壳粉，饮下，治反胃，痰饮。此即是宝装大者。又云：蚌粉，冷，无毒。治疳，止痢并呕逆。痈肿，醋调傅，兼能制石亭脂。新见日华子。

［图经］文具马刀条下。

［■陈藏器］据陶云：大蛤乃蚌。按蚌，寒，煮之，主妇人劳损，下血，明目，除湿，止消渴。老蚌含珠，壳堪为粉，烂壳为粉，饮下，主反胃，心胸间痰饮。生江溪渠渎间。陶云大蛤，误耳。

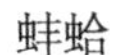

蚌蛤

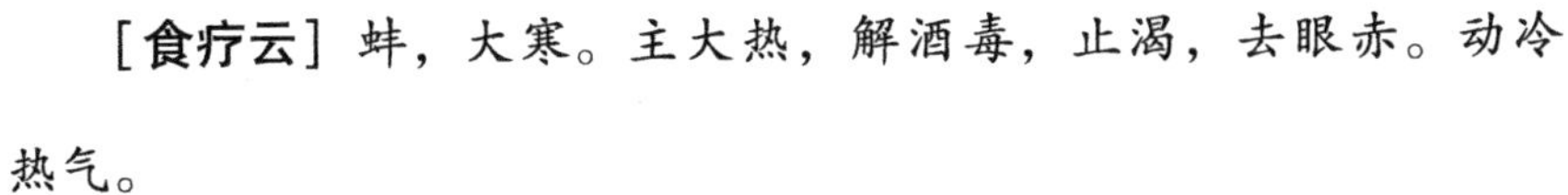

［食疗云］蚌，大寒。主大热，解酒毒，止渴，去眼赤。动冷热气。

［丹房镜源］蚌粉制硫黄。

车螯

冷，无毒。治酒毒，消渴，酒渴并壅肿。壳，治疮疖肿毒。烧二度，各以醋煅，捣为末。又甘草等分，酒服，以醋调傅肿上，妙。车螯是大蛤，一名蜃。能吐气为楼台，海中春夏间依约岛溆，常有此气。新见陈藏器、日华子。

［图经］文具马刀条下①。

［■食疗］车螯②，蝤蝥类，并不可多食之。

① ［图经］文具马刀条下：以上8字，原脱，据刘《大观》、柯《大观》补。

② 螯：柯《大观》误作“螯”。

蚶

温，主心腹冷气，腰脊冷风，利五脏，健胃，令人能食，每食了，以饭压之，不尔令人口干①。又云：温中，消食，起阳，味②最重，出海中。壳如瓦屋。又云无毒，益血色。壳，烧以米醋三度淬后，埋令坏，醋膏丸，治一切血气，冷气，癥癖。新见陈藏器、萧炳、孟诜、日华子。

［**图经**］文具马刀条下。

蛏

味甘，温，无毒。补虚，主冷利。煮食之，主妇人产后虚损。生海泥中，长二三寸，大如指，两头开。主胸中邪热，烦闷气。与服丹石人相宜。天行病后不可食，切忌之③。新见陈藏器、萧炳、孟诜。

［**图经**］文具马刀条下。

淡菜

温。补五脏，理腰脚气，益阳事，能消食，除腹中冷气，消痃癖气。亦可烧，令汁沸出食之。多食令头闷目暗，可微利即止。北人多不识，虽形状不典，而甚益人。又云：温，无毒。补虚劳损，产后血结，腹内冷痛，治癥瘕，腰痛，润毛发，崩中带下。烧一顿令饱，大效。又名壳菜，常时频烧食即苦，不宜人。与少米先煮熟后，除肉内两边锁及毛了，再入萝卜，或紫苏或冬瓜皮同煮，即更妙。新见孟诜、日华子。

［**图经**］文具马刀条下。

［**◣陈藏器**］东海夫人，味甘，温，无毒。主虚羸劳损，因产瘦瘠，血气结积，腹冷，肠鸣，下痢，腰疼，带下，疝瘕。久服令人发脱。取肉作臛宜人，发石令肠结。生南海，似珠母，一头尖，中衔少毛，海人亦名淡菜。新注云：此名壳

---

① 干：其下，刘《大观》、柯《大观》有“又云：蚶主心腹、腰肾冷风，可火上暖之，令沸。空腹食十数个，以饮压之大妙”。

② 味：原作“时”，据底本校勘表、刘《大观》、柯《大观》改。

③ 之：其下，刘《大观》、柯《大观》有“又云：蛏，寒，主胸中烦闷，邪气，止渴。须在饭食后食之，佳”。

菜，大甘美，南人好食，治虚劳伤惫，精血少者及吐血，妇人带下漏下，丈夫久痢，并煮食之，任意。出江湖。

虾

无须及煮色白者，不可食。谨按：小者生水田及沟渠中，有小毒。小儿患赤白游肿，捣碎傅之。鲊内者甚有毒尔。新见孟诜。

[◣陈藏器] 食主五野鸡病，小儿患赤白游疹，捣碎傅之。煮熟色正赤，小儿及鸡、狗食之，脚屈不行。江湖中者稍大，煮之色白。陶云白者杀人，非也。海中有大者。已①出《拾遗》条中。以热饭盛密器中，作鲊食之，毒人至死。

[食疗云②] 平。动风，发疮疥。

蚺音髯蛇胆

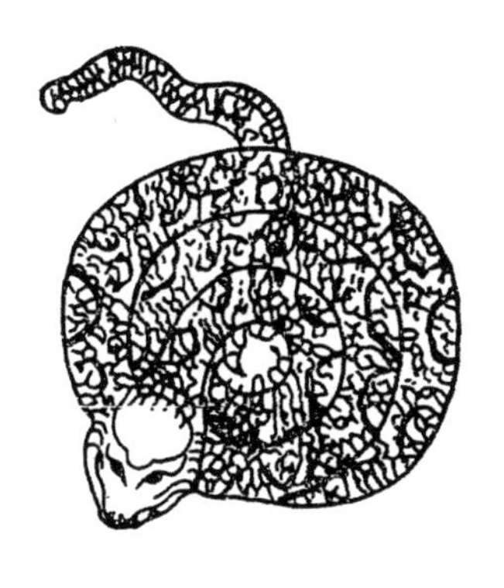

蚺蛇胆

味甘、苦，寒，有小毒。主心腹䘌③痛，下部䘌③疮，目肿痛。

膏　平，有小毒。主皮肤风毒，妇人产后腹痛余疾。

[陶隐居] 云：此蛇出晋安，大者三二围。在地行住不举头者，是真；举头者，非真。形多相似，彼土人以此别之。膏、胆又相乱也。真膏累累如梨豆子相著，他蛇膏皆大如梅、李子。真胆狭长通黑，皮膜极薄，舐之甜苦，摩以注水即沉而不散；其伪者并不尔。此物最④难得真，真膏多所入药用，亦云能疗伯牛疾。

[唐本注] 云：此胆剔取如米粟，著净水中，浮游水上，回旋行走者为真，多著亦即沉散。其少着迳沉者，诸胆血并尔。陶所说真伪正反。今出桂、广已①南，高、贺等州大有。将肉为脍，以为珍味。难死似鼍，稍截食之。其形似鳢鱼，头若鼍头，尾圆无鳞，或言鳢鱼变为之也。

[臣禹锡等谨按蜀本]《图经》云：出交、广二州，岭南诸州。大者径尺，长

① 已：原作“巳”，据文理改。

② 云：刘《大观》、柯《大观》无。

③ 䘌：成化《政和》、商务《政和》误作“慝”。

④ 最：成化《政和》、商务《政和》作“至”。

丈许，若蛇而粗短。

［药性论］云：蚺蛇胆，臣。渡岭南，食此脍，瘴毒不侵，世人皆知之。胆，主下部虫，杀小儿五疳。

［孟诜］云：蚺蛇膏，主皮肉间毒气。肉作脍食之①，除疳疮，小儿脑热，水渍注鼻中。齿根宣露，和麝香末傅之。其胆难识，多将诸胆代之。可细切于水中，走者真也。又，猪及大虫胆亦走，迟于此胆。

［陈藏器］云：蚺蛇，本功外，胆主破血，止血痢，蛊毒下血，小儿热丹，口疮疳痢。肉主飞尸，游蛊。喉中有物，吞吐不得②出者，作脍食之，其脍著醋，能卷人箸，以芒草为箸，不然终不可脱，至难死。开肋边取胆放之，犹能生三五年平复也。

［段成式酉阳杂俎］云：蚺蛇长十丈，尝吞鹿，鹿消尽，乃绕树出骨。养疮时肪腴甚美，或以妇人衣投之，则蟠而不起。其胆上旬近头，中旬在心，下旬近尾。

［图经曰］ 蚺蛇胆，《本经》不载所出州土，陶隐居云出晋安，苏恭云出桂、广以南，高、贺等州，今岭南州郡皆有之。此蛇极大，彼土人多食其肉，取其胆及膏为药。《岭表录异》云：雷州有养蛇户，每岁五月五日即担舁蚺蛇入官以取胆，每一蛇皆两③人担舁，致大篮笼中，藉以软草屈盘其中，将取之，则出置地上，用杈拐十数，翻转蛇腹，旋复按之，使不得转侧，约分寸，于腹间剖出肝胆，胆状若鸭子大，切取之，复内肝腹中，以线缝合创口，蛇亦复活。舁归放于川泽。其胆暴干，以充土贡。或云：蛇被取胆，它日见捕者，则远远侧身露腹疮，明已无胆，以此自脱。或云：此蛇至难死，剖胆复能活三年，未知的否耳？此物极多伪，欲试之，剔取如粟米许，著净水上，浮游水上，回旋行走者为真。其径沉者，诸胆血也。试之不可多，多亦沉矣。膏之真者，累累如梨豆子，他蛇膏皆大如梅、李子，此为别也。下条又有蝮蛇胆，其蛇黄黑色，黄颔尖口，毒最烈，取其胆以为药，主䘌疮。肉酿作酒，以治大风及诸恶风疮，疮瘘，瘰疬，皮肤顽痹等。然今人不复用此法。此蛇多在人家屋间，吞鼠子及雀雏，见其腹大破取鼠干之，疗鼠瘘。陈藏器说：蛇中此蛇独胎产，形短鼻反，锦文。其毒最猛，著手断手，著足断足，不尔合

---

① 之：其下，刘《大观》、柯《大观》有“良”字。

② 得：刘《大观》、柯《大观》无。

③ 两：柯《大观》作“二”。

身糜溃矣。蝮蛇至七、八月毒盛，时常自啮木，以泄其毒，其木即死。又吐口中沫于草木上，著人身成疮，名曰蛇漠，卒难疗治，所主与众蛇同方。又下蛇蜕条云：生荆州川谷及田野。五月五日、十五日取之良。今南中于[①]木石上及人家屋栱[②]间多有之。古今方书用之最多。或云：蛇蜕无时，但著不净[③]物则脱矣。古今治蛇毒方甚多。葛洪、张文仲并言其形状。文仲云：蝮蛇形乃不长，头扁口尖，头斑身赤文斑，亦有青黑色者，人犯之，头足贴著是也。东间诸山甚多，草行不可不慎[④]之。又有一种，状如蝮而短，有四脚，能跳来啮人，东人名为千岁蝮，人或中之必死。然其啮人已，即跳上木作声，其声云斫木斫木者，不可救也。若云博叔博叔者，犹可急疗之。其疗之方：细辛、雄黄等分，末，以内疮中，日三四易之。诸蛇及虎伤亦主之。又以桂、栝楼末，著管中，密塞之带行，中毒急傅之，缓乃不救。葛氏云：青蝰蛇，绿色，喜缘木及竹上，大者不过四五尺，色与竹木[⑤]一种，其尾三、四寸。色异者名熇尾蛇，最毒。中之急灸疮中三五壮，毒则不行；又用雄黄、干姜末，以射罔和之，傅疮。又辟众蛇方云：辟蛇之药虽多，惟以武都雄黄为上，带一块古称五两者于肘间，则莫敢犯。他人中者，便磨以疗之。又带五蛄黄丸，以其丸有蜈蚣故也。其方至今传之。亦可单烧蜈蚣，末，傅著疮上，皆验。

[▮海药云] 谨按徐表《南州记》云：生岭南。《正经》云：出晋安及高、贺州，彼人畜养而食之。胆，大寒，毒。主小儿八痫，男子下部䘌。欲认辨真假，但割胆看，内细如粟米，水中浮走者是真也，沉而散者非也。

[**食疗**] 胆，主䘌疮瘘，目肿痛，疳䘌。肉，主温疫气。可作脍食之。如无此疾及四月勿食之。膏，主皮肤间毒气。小儿疳痢，以胆灌鼻中及下部。

[**圣惠方**] 治小儿急疳疮。用蚺蛇胆细研，水调傅之。

[**杨氏产乳**] 疗温痢久不断，体瘦，昏多睡，坐则闭目，食不下。蚺蛇胆大如豆二枚，煮通草汁研胆，以意多少饮之，并涂五心并下部。

[**又方**] 疗齿疳，蚺蛇胆末傅之。

---

① 于：刘《大观》、柯《大观》无。

② 栱：柯《大观》误作"拱"。

③ 净：刘《大观》误作"浮"。

④ 慎：刘《大观》、柯《大观》作"谨"。

⑤ 木：柯《大观》作"本"。

[顾含①] 养嫂失明，含尝药视膳，不冠不食，嫂目②疾须用蚺蛇胆，含计尽求不得。有一童子以一合授含。含开，乃蚺蛇胆也。童子出门，化为青鸟而去。嫂目②遂差。

[朝野佥载] 泉州卢元钦患大风，唯鼻未倒。五月五日取蚺蛇胆，欲进。或云肉可治风。遂取③一截蛇肉食之，三五日顿觉渐可，百日平复。

蛇蜕音税

味咸，甘，**平**，无毒。**主小儿百二十种惊痫**，**瘈**尺曳切**疭**子用切，**癫疾**，**寒热**，**肠痔**，**虫毒**，**蛇痫**，弄舌摇头，大人五邪，言语僻越，恶疮，呕咳，明目。**火熬之良。一名龙子衣**，**一名蛇符**，一名龙子皮，**一名龙子单衣**，**一名弓皮。**生荆州川谷及田野。五月五日、十五日取之，良。畏磁石及酒。

[陶隐居] 云：草中不甚见虺、蝮蜕，惟有长者，多是赤练力建切、黄颔辈，其皮不可复识，今往往得尔，皆须完全。石上者弥佳，烧之甚疗诸恶疮也。

[今按]《陈藏器本草》云：蛇蜕，主疟，取正发日，以蜕皮塞病人两耳，临发又以手持少许，并服一合盐、醋汁，令吐也。

[臣禹锡等谨按药性论] 云：蛇蜕皮，臣，有毒。能主百鬼魅，兼治喉痹。

[日华子] 云：治蛊毒，辟恶，止呕逆，治小儿惊悸，客忤，催生。疬疡，白癜风，煎汁傅。入药并炙用。

[图经] 文具蚺蛇胆④条下。

[■雷公] 凡使，勿用青、黄、苍色者，要用白如银色者。凡欲使，先于屋下以地掘一坑，可深一尺二寸，安蛇皮于中，一宿，至卯时出，用醋浸一时，于火上炙干用之⑤。

[食疗] 蛇蜕皮，主去邪，明目。治小儿一百二十种惊痫，寒热，肠痔，蛊毒，诸䘌恶疮，安胎。熬用之。

[圣惠方] 治白驳。用烧末，醋调傅上，佳。

---

① 顾含：《纲目》卷43“蚺蛇胆”条同。《太平广记》卷456作“颜含”。

② 目：成化《政和》、商务《政和》误作“日”。

③ 取：原脱，据《朝野佥载》卷1补。

④ 胆：原脱，据刘《大观》、柯《大观》补。

⑤ 之：刘《大观》、柯《大观》无。

［又方］治小儿重腭，重断肿痛。烧末傅之，效。

［外台秘要］治身体白驳。以皮熟摩之，数百遍讫，弃皮于草中。

［千金方[1]］治诸肿失治，有脓。烧蛇蜕皮，水和，封肿上，即虫出。

［又方］治紧唇。以烧灰先拭之，傅上。

［又方］日月未足而欲产。以全蛇蜕一条，欲痛时，绢袋盛，绕腰。

［又方］治恶疮十年不差似癞者。烧全者一条为末，猪脂和傅上。

［肘后方］小儿初生月蚀疮及恶疮。烧末和猪脂，傅上。

［食医心镜］小儿喉痹肿痛。烧末，以乳汁服一钱匕。

［十全博救］治横生难产方：蛇皮一条，瓶子内盐泥固济，存性烧为黑灰。每服二钱，用榆白皮汤调服，立下。

［必效方］五痔肛[2]脱。以死蛇一枚指大者湿用。掘地作坑烧蛇，取有孔板覆坑坐上，虫尽出也。

［孙真人］主蛇露疮。用蛇蜕烧末，和水调，傅上。

［杜壬方］治缠喉风，咽中如束，气不通。蛇蜕炙黄，以当归等分，为末，温酒调一钱匕，得吐愈。

［姚和众云］小儿重舌。焦炙研末，日三傅舌下，一度着一豆许。

［子母秘录］治小儿吐血。烧蛇蜕末，以乳汁调服。

［又方］治小儿头面身上生诸疮。烧末，和猪脂傅上。

［产书］治产不顺，手足先见者。蛇蜕皮，烧作灰，研。面东酒服一钱匕，更以药末傅手足，即顺也。

［杨氏产乳］疗儿吹著奶，疼肿欲作急疗方：蛇蜕一尺七寸，烧令黑，细研，以好酒一盏，微温顿服，未甚效[3]更服。

［初虞世］治陷甲生入肉，常有血疼痛。蛇皮一条烧存性，雄黄一弹子，同研。以温浆水洗疮，针破贴药。

［衍义曰］蛇蜕，从口翻退出，眼睛亦退，今合眼药多用，取此义也。入药洗净。

---

① 千金方：本条引《千金方》，其下共录3个“又方”。柯《大观》将其中第2个“又方”和第3个“又方”位置相互对调。

② 肛：成化《政和》、商务《政和》误作“肚”。

③ 效：原作“较”，据柯《大观》改。

蜘蛛

微寒。主大人、小儿㿉。七月七日取其网，疗喜音戏忘。

［陶隐居］云：蜘蛛类数十种，《尔雅》止载七八种尔，今此①用悬网状如鱼罾者，亦名蚍章悦切蝥音谋。蜂及蜈蚣螫人，取置肉上，则能吸毒。又以断疟及干呕霍乱。术家取其网著衣领中辟忘。有赤斑者，俗名络新妇，亦入方术用之。其余杂种，并不入药。《诗》云：蟏音萧蛸音鞘在户，正谓此也。

［唐本注］云：《别录》云，疗小儿大腹丁奚，三年不能行者，又主蛇毒、温疟、霍乱，止呕逆。剑南、山东为此虫啮，疮中出丝，屡有死者。其网缠赘之锐切疣，七日消烂，有验矣。

蜘蛛

［臣禹锡等谨按日华子］云：斑蜘蛛，冷，无②毒。治疟疾，丁肿。网七夕朝取食，令人巧，去健忘。

［又云］壁钱虫，平，微毒。治小儿吐逆，止鼻洪并疮。滴汁，傅鼻中及疮上，并傅瘘疮。是壁上作茧蜘蛛也。

［图经曰］蜘蛛，旧不著生出州郡，今处处有之。其类极多。《尔雅》云：次蠹音秋，蜘蛛音与知朱字同。蜘蛛，蛛蝥。郭璞云：江东呼蝃③音棳蝥者。又云：土蜘蛛，在地布网者；草蜘蛛，络幕草上者；蟏音萧蛸音鞘、长跨，小蜘蛛长脚者，俗呼为喜子。陶隐居云：当用悬网状如鱼罾者，亦名蚍蝥。则《尔雅》所为蛛蝥④，郭璞所谓蝃蝥者是也⑤。古方主蛇、蜂、蜈蚣毒及小儿大腹丁奚、赘疣。今人蛇啮者，涂其汁。小儿腹痞者，烧熟啖之。赘疣者，取其网丝缠之。蜂及蜈蚣毒⑥者生置痛处，令吸其毒，皆有验。然此虫中人尤惨，惟饮羊乳汁可制其毒。出刘禹锡《传信方》云。张仲景治杂病方：疗阴狐疝气，偏有大小，时时上下者，蜘蛛散主之。蜘蛛十四枚熬焦，桂半两，二物为散，每服八⑦分一匕，日再。蜜丸，亦通。

---

① 此：柯《大观》作“止”。

② 无：柯《大观》作“微”。

③ 蝃：原作“虾”，据《尔雅·释虫》郭璞注、底本校勘表改。

④ 蝥：柯《大观》作“鼄”。

⑤ 也：柯《大观》无。

⑥ 毒：刘《大观》、柯《大观》作“螫”。

⑦ 八：刘《大观》作“一”。

[◣雷公] 凡使，勿用五色者，兼大身上有刺毛生者，并薄小者，已①上并不堪用。凡欲用，要在屋西面有网、身小尻大、腹内有苍黄脓者，真也。凡用，去头、足了，研如膏，投入药中用。

[圣惠方] 治瘰疬。无问有头、无头。用大蜘蛛五枚，日干，细研，酥调如面脂，日两度贴之。

[外台秘要] 崔氏治疣目。以蜘蛛网丝绕缠之，自落。

[千金方] 中风，口喎僻。取蜘蛛子摩其偏急颊车上，候视正即止，亦可向火摩之。

[又方] 治背疮弥验方：取户边蜘蛛，杵，以醋和。先挑②四畔，令血出，根稍露，用药傅，干即易，旦至夜③拔根出，大有神效。

[又方] 治鼠瘘肿核痛，若已有疮口出脓水者。烧蜘蛛二七枚傅，良。

[又方] 治人心孔昏塞，多忘喜误。七月七日取蜘蛛网著领中，勿令人知，则永不忘也。

[又方] 卒脱肛，烧蜘蛛肚傅肛上。

[经验方] 孙真人《备急》治齿牙有孔。蜘蛛壳一枚，绵裹按其内。

[广利方] 治蝎螫人。研蜘蛛汁傅之，差。

[乘闲方] 治泻多时，脱肛疼痛。黑圣散：大蜘蛛一个，瓠叶重裹线系定，合子内烧令黑色存性，取出细研，入黄丹少许，同研。凡有上件疾，先用白矾、葱、椒煎汤洗浴，拭干后，将药末掺在软处，帛上将手掌按托入收之，妙。

[谭氏方] 系指并赘瘤方：以花蜘蛛网上大网丝，于黄丹中养之，系指与瘤，夜至旦自下。

[孙真人] 蜈蚣咬。取蜘蛛一枚，咬处安，当自饮毒，蜘蛛死，痛未止，更著生者。

[产宝方] 治产后咳逆，经三五日不止。欲死方：煎壁钱④窠三五个呷，差。

[衍义曰] 蜘蛛，品亦多，皆有毒，《经》不言用是何种。今人多用人家檐角、篱头、陋巷之间，空中作圆网。大腹、深灰色者，遗尿着人作疮癣。

---

① 已：原作“巳”，据文理改。

② 挑：柯《大观》误作“排”。

③ 夜：柯《大观》作“午”。

④ 钱：原作“镜”，据药理改。

蝮蛇胆

味苦，微寒，有毒。主䘌疮。

肉　酿作酒，疗癞疾，诸瘘，心腹痛，下结气，除蛊毒。其腹中吞鼠，有小毒，疗鼠瘘。

［陶隐居］云：蝮蛇，黄黑色，黄领尖口，毒最烈，虺形短而扁，毒不异于蚖，中人不即疗，多死。蛇类甚众，惟此二种及青蝰[1]为猛，疗之并别有方。蛇皆有足，五月五日取，烧地令热，以酒沃之，置中，足出。术家所用赤连、黄领，多在人家屋间，吞鼠子、雀雏，见腹中大者，破取，干之。

［唐本注］云：蛇屎，疗痔瘘，器中养取之。皮灰，疗丁肿，恶疮，骨疽。蜕皮，主身痒、瘑、疥、癣等。蝮蛇作地色，鼻反，口又[2]长，身短，头尾相似，大毒，一名蚖蛇，无二种也。山南汉、沔间足有之。

［臣禹锡等谨按蜀本］《图经》云：形粗短，黄黑如土色，白斑，鼻反者，山南金州、房州、均州皆有之。

［陈藏器］云：蝮蛇，按蛇既众多，入用非一。《本经》虽载，未能分析，其蝮蛇形短，鼻反，锦文，亦有与地[3]同色者。著足断足，著手断手，不尔合身糜溃。其蝮蛇七、八月毒盛时，啮树以泄其气，树便死，又吐口中涎沫于草木上，著人身肿成疮，卒难主疗，名曰蛇漠疮。蝮所主略与虺同。众蛇之中，此独胎产，本功外，宣城间山人，取一枚，活著器中，以醇酒一斗投之，埋于马溺处，周年已[4]后开取，酒味犹存，蛇已[4]消化，有患大风及诸恶风，恶疮瘰疬，皮肤顽痹，半身枯死，皮肤手足脏腑间重疾，并主之。不过服一升已[4]来，当觉举身习习，服讫，服他药不复得力。亦有小毒，不可顿服。腹中死鼠，主鼠瘘。脂磨著物皆透。又主癞。取一枚及他蛇亦得，烧坐上，当有赤虫如马尾出，仍取蛇肉塞鼻中。亦主赤痢。取骨烧为黑末，饮下三钱匕，杂蛇亦得。

［药性论］云：蝮蛇胆，君。治下部虫，杀虫良。蛇，主治五痔，肠风泻血。

［图经］文具蚺蛇胆条下。

---

① 蝰：原作“蛙”，据尚辑本《新修》改。

② 又：刘《大观》、柯《大观》误作“义”。

③ 地：柯《大观》误作“蛇”。

④ 已：原作“巳”，据文理改。

[■食疗] 主诸匶。肉，疗癞，诸瘘；下结气，除蛊毒。如无此疾者，即不假食也。

[肘后方] 治白癞。大蝮蛇一条，勿令伤，以酒渍之，大者一斗，小者五升，以糠火温令稍稍热。取蛇一寸许，以腊月猪脂和傅上。

[梅师方] 治臂腕痛。取死蛇一条，以水煮取浓汁浸肿痛，冷易之。

白颈蚯蚓

蜀州白颈蚯蚓

味咸，寒、大寒，无毒。**主蛇瘕，去三虫，伏尸，鬼疰，蛊毒，杀长虫，仍自化作水。**疗伤寒伏热，狂谬，大腹，黄疸。一名土龙。生平土，三月取。阴干。

[陶隐居] 云[1]：白颈[2]是其老者尔，取破去土，盐之，日暴，须臾成水，道术多用之。温病大热狂言，饮其汁皆差，与黄龙汤疗同也。其屎，呼为蚓蝼音娄，食细土无沙石，入合丹泥釜用。若服此干蚓，应熬作屑，去蛔虫甚有验也。

[唐本注] 云：《别录》云，盐沾为汁，疗耳聋。盐消蚓，功同蚯蚓。其屎，封狂犬伤毒。出犬毛，神效。

[臣禹锡等谨按蜀本注[3]] 又云：解射罔毒。

[药性论] 云：蚯蚓，亦可单用，有小毒。干者熬末用之，主蛇伤毒。一名地龙子。

[日华子] 云：蚯蚓，治中风并痫疾，去三虫，治传尸，天行热疾，喉痹，蛇虫伤。又名千人踏，即是路行人踏杀者。入药烧用。其屎，治蛇、犬咬并热疮，并盐研傅。小儿阴囊忽虚热肿痛，以生甘草汁调，轻轻涂之。

[图经曰] 白颈蚯蚓，生平土，今处处平泽皋壤地中皆有之。白颈是老者耳。三月采，阴干，一云须破去土盐之，日干。方家谓之地龙。治脚风药，必须此物为使，然亦有毒。曾有人因脚病药中用此，果得奇效，病既愈，服之不辍，至二十余日，而觉躁愦乱，但欲饮水不已，遂至委顿。凡攻病用毒药已愈，当便罢服也。其

---

① 云：原脱，据柯《大观》补。

② 颈：其下，刘《大观》、柯《大观》有“者”字。

③ 注：刘《大观》、柯《大观》注为黑小字。

矢呼为蚓蝼，并盐傅疮，可去热毒。

［▌陈藏器］蚯蚓粪土，疗赤白久热痢，取无沙者，末一升，炒令烟尽，水沃，取半大升，滤去粗滓，空肚服之。

［雷公］凡使，收得后，用糯米水浸一宿，至明漉出，以①无灰酒浸一日，至夜漉出，焙令干后，细切。取蜀椒并糯米及切了蚯蚓，三件同熬之，待糯米熟，去米、椒了，拣净用之。凡修事二两，使米一分、椒一分为准。

［圣惠方］治风赤眼。以地龙十条，炙干为末，夜卧以冷茶调下二②钱匕。

［又方］治蚰蜒入耳。地龙一条，内葱叶中，化水滴耳中，其蚰蜒亦化为水。

［又方］治一切丹毒流肿，用地龙屎水和傅之。

［又方］治代指。用蚯蚓杵为泥，傅之。

［又方］治小儿吐乳。用田中地龙粪一两，研末。空心以粥饮调下半钱匕，不过二三服效。

［外台秘要］治火丹。取曲蟮粪，水和泥傅之。

［千金方］治齿龈宣露。蚯蚓屎水和为泥，火烧令极赤，研之如粉。腊月猪脂和傅上，日三，永差。

［千金翼］治裂齿痛。取死曲蟮末傅之，止。

［斗门方］治小便不通。用蚯蚓杵，以冷水滤过，浓服半碗，立通。兼大解热疾不知人事，欲死者，服之立效。

［胜金方］治耳聋立效。以干地龙入盐，贮在葱尾内，为水点之。

［子母秘录］小儿耳后月蚀疮。烧蚯蚓屎，合猪脂傅之。

［谭氏小儿］治蜘蛛咬，遍身疮子。以葱一枝，去尖头作孔，将蚯蚓入葱叶中，紧捏两头，勿泄气，频摇动，即化为水，点咬处，差。

［孙真人］小儿患聩耳，出脓水成疮污方：以蚯蚓粪碾末傅之，兼吹耳中，立效。

［百一方］治交接劳复，阴卵肿或缩入腹，腹绞痛，或便绝。蚯蚓数条，绞取汁服之，良。

［又方］治中蛊毒或吐下血若烂肝。取蚯蚓十四枚，以苦酒三升渍之，蚓死，

---

① 以：其上，刘《大观》、柯《大观》有“却”字。

② 二：成化《政和》、商务《政和》作“三”。

但服其汁。已①死者皆可活。

［衍义曰］ 白颈蚯蚓，自死者良，然亦应候而鸣。此物有毒。昔有病腹大，夜闻蚯蚓鸣于身，有人教用盐水浸之而愈。崇宁末年，陇州兵士暑月中在倅厅前，跣立厅下，为蚯蚓所中，遂不救。后数日，又有人被其毒，博识者教以先饮盐汤一杯，次以盐汤浸足，乃愈，今入药，当去土了微炙。若治肾脏风下疰病，不可阙也，仍须盐汤送。王荆公所谓藁壤太牢俱有味，可能蚯蚓独清廉者也。

蠮音噎**螉**乌红切

味辛，平，无毒。**主久聋，咳逆，毒气出刺，出汗，**疗鼻窒陟栗切。其土房主痈肿，风头。一名土蜂。生熊耳川谷及牂牁，或人屋间。

蠮螉

［陶隐居］云：此类甚多，虽名土蜂，不就土中为窟，谓摙力展切土作房尔。今一种黑色，腰甚细，衔泥于人室②及器物边作房，如并竹管者是也。其生子如粟米大置中，乃捕取草上青蜘蛛十余枚满中，仍塞口，以拟其子大为粮也。其一种入芦竹管中者，亦取草上青虫，一名蜾蠃。诗人云：螟蛉有子，蜾蠃负之。言细腰物无雌，皆取青虫，教祝音咒便变成己③子，斯为谬矣。造诗者乃可不详，未审夫子何为因其僻邪。圣人有阙，多皆类此。

［唐本注］云：土蜂，土中为窠，大如乌蜂，不伤人，非蠮螉，蠮螉不入土中为窠。虽一名土蜂，非蠮螉也。

［今按］李含光《音义》云：咒变成子，近亦数有见者，非虚言也。

［臣禹锡等谨按蜀本］注云：按《尔雅》果蠃，蒲卢。注云：即细腰蜂也，俗呼为蠮螉。《诗》云：螟蛉有④子，蜾蠃负之。注曰：螟蛉，桑虫也。蜾蠃，蒲卢也。言蒲卢负持桑虫，以成其子，乃知蠮螉即蒲卢也。蒲卢即细腰蜂也。据此，不独负持桑虫，以他虫入穴，摙泥封之，数日则成蜂飞去。陶云是先生子如粟在穴，然捕他虫以为之食。今人有候其封穴了，坏而看之，果见有卵如粟在死虫之上，则

① 已：原作“巳”，据文理改。

② 室：刘《大观》、柯《大观》作“壁”。

③ 己：原作“巳”，据文理改。

④ 有：原作“之”，据《十三经注疏·诗经》改。

如陶说矣。而诗人以为喻者，盖知其大而不知其细也。陶又说此蜂黑色，腰甚细，能�泥在屋壁间作房，如并竹管者是也。亦有入竹管中、器物间作穴者，但以泥封其穴口而已。《图经》云：捷泥作窠，或双或只，得处便作，不拘土石竹木间，今所在皆有之。

［日华子］云：蠮螉，有毒。治呕逆，生研，署竹木刺。入药炒用。

［图经曰］蠮螉，生熊耳川谷及牂牁，或人家屋间，今处处有之。黑色而细腰，虽一名土蜂，而不在土中作穴，但捷土于人家壁间或器物傍作房，如比①竹管者是。谨按郭璞注《尔雅》果②蠃，蒲卢。云：即细腰蜂也。俗呼为蠮螉。又《诗·小雅》云：螟蛉有子，蜾蠃负之。注：螟蛉，桑虫也。蜾蠃，蒲卢也。言蒲卢取桑虫之子，负持而去，妪养之，以成其子。又杨雄《法言》云：螟蛉之子殪，而逢果蠃祝之曰：类我类我。注云：蜾蠃遇螟蛉而受化，久乃变成蜂尔。据诸经传，皆言此蜂取他虫而化为己③子。陶隐居乃谓生子如粟米大，在其房中，乃捕取草虫以拟其子大为粮耳。又有人坏其房而看之，果见有卵如粟在死虫之上，皆如陶之说。又段成式云：书斋中多蠮螉，好作窠于书卷，或在笔管中，祝声可听，有时开卷视之，悉是小蜘蛛，大如蝇④虎，旋以泥隔之，乃知不独负桑虫也。数说不同，人或疑之。然物类变化，固不可度。蚱蝉生于转丸，衣鱼生于瓜子，龟生于蛇，蛤生于雀，白䴔之相视，负螽⑤之相应，其类非一。若桑虫、蜘蛛之变为蜂，不为异矣。如陶所说卵如粟者，未必非祝虫而成之也。宋齐丘所谓蠮螉之虫，孕螟蛉之子，传其情，交其精，混其气，和其神，随物大小，俱得其真，蠢动无定情，万物无定形，斯言得之矣。

［◣陈藏器云］土蜂，蠮螉注苏云：土蜂，土中为窠，大如乌蜂。按土蜂赤黑色，烧末油和傅蜘蛛咬疮，此物能食蜘蛛，亦取其相伏也。

［圣惠方］治小儿霍乱吐泻方：用蠮螉窠，微炙为末，以乳汁调下一字，止。

［衍义曰］蠮螉，诸家所论备矣，然终不敢舍诗之意。尝析窠而视之，果有子，如半粟米大，其色白而微黄，所负虫亦在其中，乃青菜虫，却在子下，不与虫相着。又非叶虫及草上青虫，应是诸虫皆可也。陶隐居所说近之矣。人取此房，研

---

① 比：柯氏改作“并”。

② 果：刘《大观》作“蜾”。

③ 己：原作“巳”，据文理改。

④ 蝇：原作“绳”，据底本校勘表改。

⑤ 螽：线装本《政和》作“蜂”。

细，醋调，涂蜂虿。

葛上亭长

味辛，微温，有毒。主蛊毒，鬼疰，破淋结，积聚，堕胎。七月取，暴干。

［陶隐居］云：葛花时取之，身黑而头赤，喻如人著玄衣赤帻，故名亭长。此一虫五变，为疗皆相似，二月、三月在芫花上，即呼芫青；四月、五月在王不留行上，即呼①王不留行虫；六月、七月在葛花上，即呼为葛上亭长；八月在豆花上，即呼斑猫；九月、十月欲还地蛰②，即呼为地胆。此是伪地胆尔，为疗犹同其类。亭长，腹中有卵，白如米粒，主疗诸淋结也。

［唐本注］云：今检本草及古今诸方，未见用王不留行虫者，若尔，则四虫专在一处。今地胆出豳音邠州，芫青出宁州，亭长出雍州，斑猫所在皆有，四虫出四处，其虫可一岁周游四州乎？且芫青、斑猫形段相似，亭长、地胆貌状大殊。豳州地胆，三月至十月，草莱上采，非地中取。陶之所言，恐浪证之尔。

［臣禹锡等谨按蜀本］《图经》云：五月、六月葛叶上采取之，形似芫青而苍黑色。凡用斑猫、芫青、亭长之类，当以糯米同炒，看米色黄黑，即出，去头、足及翅脚，以乱发裹，悬屋栋上一宿，然后入药用。

［图经］文附芫青条下。

蜈蚣

味辛，温，有毒。**主鬼疰，蛊毒，啖诸蛇、虫、鱼毒，杀鬼物老精温疟，去三虫，**疗心腹寒热结聚，堕胎，去恶血。生大吴川谷、江南。赤头、足者良。

［陶隐居］云：今赤足者多出京口③，长山、高丽山、茅山亦甚有，于腐烂积④草处得之，勿令伤，暴干之。黄足者甚多，而不堪用，人多火炙令赤以当之，非真也。一名蝍蛆。庄周云：蝍蛆，甘带。《淮南子》云：腾蛇游雾，而殆于蝍蛆。其性能制蛇，忽见大蛇，便缘而啖其脑。蜈蚣亦啮人，以桑汁、白盐涂之即愈。

---

① 呼：其下，柯《大观》有“为”字。

② 蛰：柯《大观》作“热”。

③ 口：其下，柯《大观》有“及”字。

④ 积：柯《大观》无。

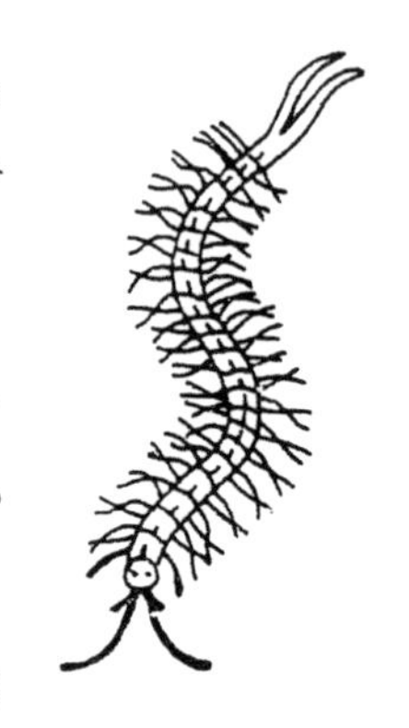

［唐本注］云：山东人呼蜘蛛，一名蝍蛆，亦能制蛇，而蜘蛛条无制蛇语。庄周云蝍蛆，甘带。淮南云螣蛇殆于蝍蛆，并言蜈蚣矣①。

［臣禹锡等谨按蜀本］《图经》云：生山南谷土石间，人家屋壁中亦有。形似马陆，扁身长②黑，头、足赤者良。今出安、襄、邓、随、唐等州，七月、八月采。

［日华子］云：蜈蚣，治癥癖，邪魅，蛇毒，入药炙用。

蜈蚣

［图经曰］蜈蚣，生吴中川谷及江南，今江浙、山南、唐、邓间皆有之。多在土石及人家屋壁间，以头、足赤者为胜。七、八月取之，黄足者最多。人以火炙令赤以当之，不堪用也。其性能制蛇，忽见大蛇，便缘而啖其脑。陶隐居及苏恭皆以为《庄子》称蝍蛆，甘带。《淮南子》云：螣蛇殆于蝍蛆，并言蝍蛆是此蜈蚣也。而郭注《尔雅》：蒺藜，蝍蛆。云：似蝗而大腹，长角，乃又似别种。下有马陆条，亦与蜈蚣相类，长三四寸，斑色，其死侧卧，状如刀环，故一名刀环虫。书传云：百足之虫，至死不僵。此虫足多，寸寸断之，亦便寸行是也。胡洽治尸疰，恶气诸方，皆用蜈蚣。今医治初生儿口噤不开，不收乳者，用赤足蜈蚣去足，炙，末，以猪乳二合调半钱，分三四服，温灌之。

［◣雷公云］凡使，勿用千足虫，真似，只是头上有白肉，面并嘴尖。若误用，并把著，腥臭气入顶，致死。夫使蜈蚣，先以蜈蚣、木末，不然用柳蚛末，于土器中炒，令木末焦黑后，去水末了，用竹刀刮去足③、甲了用。

［千金方］大治射工水弩毒。以蜈蚣大者一枚，炙为末，和苦酒傅之，亦治口噤。

［子母秘录］治小儿撮口病，但看舌上有疮如粟米大是也。以蜈蚣汁，刮破指甲，研，傅两头肉，差。如无生者，干者亦得。

---

① 矣：刘《大观》、柯《大观》作“耳”。

② 身长：刘《大观》、柯《大观》倒置。

③ 足：柯《大观》无。

[**抱朴子**]云：末①蜈蚣以治蛇疮。

[**衍义曰**]蜈蚣，背光黑绿色，足赤，腹下黄。有中其毒者，以乌鸡屎水稠调，涂咬处，效。大蒜涂之，亦效。复能治丹毒瘤。蜈蚣一条干者，白矾皂子大，雷丸一个，百部②二钱，秤，同为末，醋调涂之。又畏蛞蝓，不敢过所行之路，触其身则蜈蚣死，人故取以治蜈蚣毒。桑汁、白盐亦效。

蛤蚧

味咸，平，有小毒。主久肺劳传尸，杀鬼物邪气，疗咳嗽，下淋沥，通水道。生岭南山谷及城墙或大树间。身长四五寸，尾与身等。形如大守宫，一雄一雌，常自呼其名，曰蛤蚧。最护惜其尾，或见人欲取之，多自啮断其尾，人即不取之。凡采之者，须存其尾，则用之力全故也。《方言》曰：桂林之中，守宫能鸣者，谓蛤蚧。盖相似也。今附

蛤蚧

[臣禹锡等谨按岭表录异]云：蛤蚧，首如虾蟆，背有细鳞，如蚕子，土黄色，身短尾长。多巢于榕树中，端州子墙内，有巢于厅署城楼间者，旦暮则鸣，自呼蛤蚧。或云鸣一声是一年者。俚人采之，鬻于市为药，能治肺疾。医人云药力在尾，尾不具者无功。

[日华子]云：无毒。治肺气，止嗽，并通月经，下石淋及治血。又名蛤蟹，合药去头、足，洗去鳞鬣内不净，以酥炙用，良。

[**图经曰**]蛤蚧，生岭南山谷及城墙或大木间，今岭外亦有之。首若虾蟆，背有细鳞如蚕子，色黄如土，长四五寸，尾与身等，盖守宫、蝘蜓之类也。故杨雄《方言》云：桂林之中，守宫能鸣者，俗谓之蛤蚧，言其鸣自呼其名也。药力全在尾，人捕之，则自啮断其尾，因得释去。巢穴多依榕木，亦有在古屋城楼间者，人欲得其③首尾完者，乃以长柄两股铁叉，如粘黐竿④状，伺于榕木间，以叉刺之，

---

① 末：其前，《抱朴子·登涉》有“南人因此”4字。

② 部：原作“步”，据药名改。

③ 其：柯《大观》无。

④ 竿：原作“竽”，据刘《大观》、柯《大观》改。

皆一股中脑，一股著①尾，故不能啮也。行常一雄一雌相随，入药亦须两用之。或云阳人用雌，阴人用雄。

［▶海药云］谨按《广州记》云：生广南水中，有雌雄，状若小鼠，夜即居于榕树上，投一获二。《岭外录》云：首如虾蟆②，背有细鳞，身短尾长。旦暮自鸣蛤蚧。俚人采之，割腹以竹开张，曝干，鬻于市，力在尾，尾不全者无效。彼人用疗折伤。近日西路亦出，其状虽小，滋力一般。无毒。主肺痿上气，咯血，咳嗽，并宜丸散中使。凡用，炙令黄熟，熟捣，口含少许，奔走，令人不喘者，是其真也。

［雷公云］凡使，须认雄雌。若雄为蛤，皮粗口大，身小尾粗；雌为蚧，口尖，身大尾小。男服雌，女服雄。凡修事服之，去甲上、尾上并腹上肉毛，毒在眼。如斯修事了，用酒浸，才干，用纸两重，于火上缓隔焙纸炙，待两重纸干，焦透后，去纸，取蛤蚧于瓷器中盛，于东舍角畔悬一宿，取用，力可十倍。勿伤尾，效在尾也。

［衍义曰］蛤蚧，补肺虚劳嗽，有功，治久嗽不愈。肺间积虚热，久则成疮，故嗽出脓血，晓夕不止。喉中气塞，胸鬲噎痛，蛤蚧、阿胶、生犀角、鹿角胶、羚羊角一两；除胶外，皆为屑，次入胶，分四服。每服用河水三升，于银石器中，慢火煮至半升，滤去滓，临卧微温细细呷，其滓候服尽再捶，都作一服，以水三升，煎至半升，如前服。若病人久虚不喜水，当递减水。张刑部子皋病极，田枢密况送此方，遂愈。

水蛭音质

味咸、苦，平、微寒，有毒。**主逐恶血，瘀血，月闭，破血瘕，积聚，无子，利水道**，又堕胎。一名蚑，一名至掌。生雷泽池泽。五月、六月采，暴干。

［陶隐居］云：蚑音蜞，今复有数种，此用马蜞，得啮人腹中有血者，仍干为佳。山蚑及诸小者皆不用。楚王食寒菹，所得而吞之，果能去结积，虽曰阴祐，亦是物性兼然。

蔡州水蛭

① 著：柯《大观》作“中”。

② 蟆：原作“蟇”，据柯《大观》改。

［唐本注］云：此物有草蛭、水蛭。大者长①尺，名马蛭，一名马蜞。并能咂牛、马、人血。今俗多取水中小者，用之大效，不必要须食人血满腹者。其草蛭，在深山草上，人行即傅著胫股，不觉，遂于肉中产育，亦大为害，山人自有疗法也。

［臣禹锡等谨按蜀本］云：采得之，当用篚竹筒盛，待干，又②米泔浸一宿后，暴干。以冬猪脂煎令焦黄，然后用之。勿误采石蛭、泥蛭用。石、泥二蛭，头尖，腰粗，色赤，不入药，误食之，则令人眼中如生烟，渐致枯损。今用水中小者耳。

［陈藏器］云：水蛭，本功外，人患赤白游疹及痈肿毒肿，取十余枚，令啖一作嗜病处，取皮皱肉白，无不差也。冬月无蛭虫，地中掘取，暖水中养之，令动，先洗去人皮咸，以竹筒盛蛭缀之，须臾便咬血满自脱，更用饥者。崔知悌令两京无处预养之，以防缓急，收干蛭，当展其身，令长腹中有子者去之。此物难死，虽加火炙，亦如鱼子，烟熏三年，得水犹活，以为楚王之病也。

［药性论］云：水蛭，使。主破女子月候不通，欲成血劳癥块。能治血积聚。

［日华子］云：畏石灰。破癥结。然极难修制，须细剉后，用微火炒，令色黄乃熟，不尔，入腹生子为害。

［图经曰］水蛭，生雷泽池泽，今近处河池中多有之。一名蜞。此有数种：生水中者名水蛭，亦名马蟥；生山中者名石蛭；生草中者名草蛭；生泥中者名泥蛭。并皆③著人及牛、马股胫间，啮咂其血，甚者入肉中，产育为害亦大。水蛭有长尺者，用之当以小者为佳。六月采，暴干。一云采得当以篚竹筒盛之，待干，又用米泔浸经宿，然后出之，暴已。又用冬月猪脂煎令黄，乃堪用。干蛭，当展令长，腹中有子者去之。古法有用水蛭啖疮者，缓急所须，亦不可得。崔知悌令预收养之，以备用。此物极难死，加④火炙，经年，得水犹可活也。石蛭等并头尖腹粗，不堪入药，误用之，则令人目中生烟不已。渐致枯损，不可不辨也。

［▶经验方］治折伤。用水蛭，新瓦上焙干，为细末，热酒调下一钱。食顷痛，可更一服，痛止；便将折骨药封，以物夹定，直候至效⑤。

［初虞世］治从高坠下及打击内伤，神效。麝香、水蛭各一两，剉碎，炒令烟

---

① 长：其下，刘《大观》、柯《大观》有“一”字。

② 又：刘《大观》、柯《大观》作“入”。

③ 皆：刘《大观》、柯《大观》作“能”。

④ 加：柯《大观》作“如”。

⑤ 效：原作“较”，据文理改。

出，二件研为末。酒调一钱，当下畜血。未止再服，其效如神。

[衍义曰] 水蛭，陈藏器、日华子所说备矣。大者京师又谓之马鳖，腹黄者谓之马黄；畏盐，然治伤折有功。《经》与《注》皆不言修制，宜子细不可忽也。今人用者皆炒。

斑猫

味辛，寒，有毒。**主寒热，鬼疰，蛊毒，鼠瘘，**疥癣，**恶疮，疽蚀，死肌，破石癃，**血积，伤人肌，堕胎。**一名龙尾。**生河东川谷。八月取，阴干。马刀为之使，畏巴豆、丹参、空青，恶肤青。

斑猫

[陶隐居]云：豆花时取之，甲上黄黑斑色如巴豆大者是也。

[臣禹锡等谨按蜀本]《图经》云：七月、八月，大豆叶上甲虫，长五六分，黄斑文乌腹者，今所在有之。

[吴氏]云：斑猫，一名斑蚝音刺，一名龙蚝，一名斑菌，一名腃发，一名盘蛩[①]，一名晏青。神农：辛。岐伯：咸。桐君：有毒。扁鹊：甘，有大毒。生河内川谷或生水石。

[药性论]云：斑猫，使，一名龙苗，有大毒。能治瘰疬，通利水道。

[日华子]云：恶豆花。疗淋疾，傅恶疮，瘘烂。入药除翼、足，熟炒用。生即吐泻人。

[图经曰] 斑猫，生河东川谷，今处处有之。七月、八月大豆盛时，此虫多在叶上，长五六分，甲上黄黑斑文，乌腹尖喙，如巴豆大，就叶上采之，阴干。古方书多有用此，其字或作斑蝥，亦作斑蚝，入药不可令生，生即吐泻人。

[■ 外台秘要] 救急治丁肿方：斑猫一枚捻破，以针划疮上，作米字封之，即根乃出。

[又方] 治干癣积年生痂，搔之黄水出，每逢阴雨即痒。用斑猫半两，微炒为末，蜜调傅之。

[经验方] 大治大人、小儿瘰疬内消方：斑猫一两，去翅、足，用粟米一升，

① 蛩：刘《大观》、柯《大观》作“蝥”。

同斑猫炒，令米焦黄，去米不用，细研，入干薄荷末四两同研，令匀，以乌鸡[①]子清丸如绿豆大。空心腊茶下一丸，加至五丸，却每日减一也，减至一丸后，每日服五丸。

［肘后方］治沙虱毒。斑猫二枚：一枚末服之；一枚烧令烟绝，研末，以傅疮中。立差。

［广利方］治瘰疬经久不差。斑猫一枚，去翅、足，微炙，以浆水[②]一盏，空腹吞之，用蜜水下，重者不过七枚差。

［又方］妊娠或已不活，欲下胎。烧斑猫末，服一枚，即下[③]。

［衍义曰］斑猫，须糯米中炒米黄为度，妊身人不可服。为能溃人肉，治淋药多用，极苦，人尤宜斟酌。下条芫青，其用与此不相远，故附于此。

田中螺汁

大寒。主目热赤痛，止渴。

［陶隐居］云：生水田中及湖渎岸侧，形圆大如梨、橘者，人亦煮食之。煮汁，亦疗热，醒酒，止渴。患眼痛，取真珠并黄连[④]内其中，良久汁出，取以注目中，多差。

［唐本注］云：《别录》云，壳，疗尸疰，心腹痛；又主失精。水渍饮汁，止渴[⑤]。

［今按］《陈藏器本草》云：田中螺，煮食之，利大小便，去腹中结热，目下黄，脚气冲上，小腹急硬，小便赤涩，脚手浮肿。生浸取汁饮之，止消渴，碎其肉，傅热疮。烂壳烧为灰末服，主反胃。

［臣禹锡等谨按蜀本］《图经》云：生水田中，大如桃、李，状类蜗牛而尖长，青黄色，夏秋采之。

［药性论］云：田螺汁，亦可单用。主治肝热，目赤肿痛。取大者七枚，洗净，新汲水养去秽泥，重换水一升浸洗，仍旋取于干净器中，著少盐花于口上，承

---

① 鸡：柯《大观》无。

② 水：柯《大观》无。

③ ［又方］妊娠……即下：柯《大观》无此段文字。

④ 连：原作“莲”，据刘《大观》、柯《大观》改。

⑤ 渴：原作“泻”，据刘《大观》、柯《大观》改。

取自出者，用点目。逐个如此用了，却放之。

［日华子］云：田螺，冷，无毒。治手足肿及热疮，生研汁傅之。

［▌陈藏器云］在水田中，圆大者是。小小泥有棱名蛴①螺，亦止渴，不能下水。食之当先米泔浸去泥，此物至难死，有误泥在壁中，三十年犹活，能伏气饮露唯生，穿散而出即死。烂壳烧为灰末服，主反胃，胃冷，去卒心痛。

［食疗云］大寒。汁饮疗热、醒酒、压丹石。不可常食。

［圣惠方］治连月饮酒咽喉烂，舌上生疮。水中螺、蚌肉、葱、豉、椒、姜煮，饮汁三两盏，差。

［食医心镜］主消渴，饮水日夜不止，口干，小便数。田中螺五升，水一斗，浸经宿，渴即饮之。每日一度易水换生螺为妙。

［又方］云：以水三升煮，取汁，渴即饮之，螺即任吃。

贝子

味咸，平，有毒。**主目翳，鬼疰，蛊毒，腹痛下血，五癃，利水道，**除寒热温疰，解肌，散结热。**烧用之良。**一名贝齿。生东海池泽。

贝子

［陶隐居］云：此是今小小贝子，人以饰军容服②物者，乃出南海。烧作细屑末，以吹眼中，疗翳良。又真马珂捣末，亦疗盲翳。

［臣禹锡等谨按蜀本］《图经》云：蜗类也，形若鱼，齿洁者良。

［药性论］云：贝子，使。能破五淋，利小便，治伤寒狂热。

［日华子］云：贝齿，凉。治翳障并鬼毒，鬼③气，下血。又名白贝。

［图经曰］贝子，生东海池泽④，今南海亦有之。贝类之最小者，又若蜗状。而《交州记》曰：大贝出日南，如酒杯；小贝，贝齿也。善治毒，俱有紫色是也。洁白如鱼齿，故一名贝齿。古人用以饰军容服物，今⑤稀用，但穿之与小儿戏髢头家以饰鉴带，画家亦或使研物。采无时。珂亦似此而大，黄黑色，其骨白，可以

---

① 蛴：刘《大观》、柯《大观本草札记》作“螭”。

② 服：其下，刘《大观》、柯《大观》有“用”字。

③ 鬼：刘《大观》、柯《大观》作“蛊”。

④ 泽：柯《大观》作“中”。

⑤ 今：其下，刘《大观》、柯《大观》有“亦”字。

饰马。

[◣ 海药云] 云南极多，用为钱货易。主水气浮肿及孩子疳蚀，吐乳。并烧过入药中用。

[雷公云] 凡使，勿用花虫壳，其二味相似，只是用之无效。凡使，先用苦酒与蜜相对秤，二味相和了，将贝齿于酒、蜜中蒸，取出，却于清酒中淘令净，研用。

[圣惠方] 治射罔在诸肉中有毒及漏脯毒。用贝子末，水调半钱服，效。或食面臛毒，亦同用。

[千金方] 点小儿黑花眼翳，涩痛。用贝齿一两烧作灰，研如面，入少龙脑，点之妙。

[又方] 去目翳。贝子十枚，烧灰细筛，取一胡豆大，著翳上，卧如炊一石米久乃灭。息肉者加真珠与贝子等分。

[孙真人] 治食物中毒。取贝子一枚，含，自吐。

[衍义曰] 贝子，今谓之贝齿，亦如紫贝，但长寸余，故曰贝子。色微白，有深紫黑者，治目中翳，烧用。北人用之毡帽上为饰及缀衣，或作蹀躞下垂。

石蚕

味咸，寒，有毒。**主五癃，破石淋，堕胎。**

肉　解结气，利水道，除热。一名沙虱。生江汉池泽。

常州石蚕

[陶隐居] 云：李云江左无识此者，谓为草根，其实类虫，形如老蚕，生附石。伧助庚切人得而食之，味咸而微辛。李之所言有理，但江汉非伧地尔，大都应是生气物，犹如海中蛎蛤辈，附石生不动，亦皆活物也。今俗用草根黑色多角节，亦似蚕，恐未是实。方家不用沙虱，自是东间水中细虫。人入水浴，著人略不可见，痛如针刺，挑亦得之。今此名或同尔，非其所称也。

[唐本注] 云：石蚕，形似蚕，细小有角节，青黑色。生江汉侧石穴中，岐陇间亦有，北人不多用，采者遂绝尔。今陇州采送之。

[臣禹锡等谨按蜀本] 注：李云江左无识此者，谓是草根，生附石间，其实如老蚕。如此则合在草部矣！今既在虫部，又一名沙虱，则是沙石间所生者一种虫也。陶云犹如蛎蛤辈，附石而生，近之矣。苏亦未识，而云似蚕，有节，青黑，生

江汉石穴中。此则半似说虫半似草，更云不采遂绝，妄亦甚也。按此虫所在水石间有之，取以为钩饵者是也。今马湖石间①出此最多。彼人好啖之，云咸、微辛。李、苏二说，殆不足凭也。

［图经曰］石蚕，生江汉池泽，旧注或以为草根，生石上，似蚕者。或以为生气物，犹如海中蛎蛤辈。又《本经》云：一名沙虱。沙虱自是水中细虫，都无定论。《蜀本草》注云：此虫所在水石间有之，人取以为钩饵。马湖石间①出此②最多。彼人亦好啖之，云味咸、小辛。今此类川、广中多有之。草根之似蚕者，亦名石蚕，出福州及信州山石上，四时常③有，其苗青，亦有节，三月采根，焙干。主走注④风，散血，止痛。其节亦堪单用，捣筛取末，酒温服之⑤。

［衍义曰］石蚕，谓之为草则缪矣。《经》言肉解结气，《注》中更辩不定此物在处。有附生水中石上，作丝茧如钗股，长寸许，以蔽其身，色如泥，蚕在其中，此所以谓之石蚕也。今方家用者绝稀，此亦水中虫耳，山河中多。

雀瓮

味甘，平，无毒。**主小儿惊痫，寒热，结气，蛊毒，鬼疰。一名躁舍。**生汉中，采蒸之，生树枝间，蛅音髯蟖音斯房也。八月取。

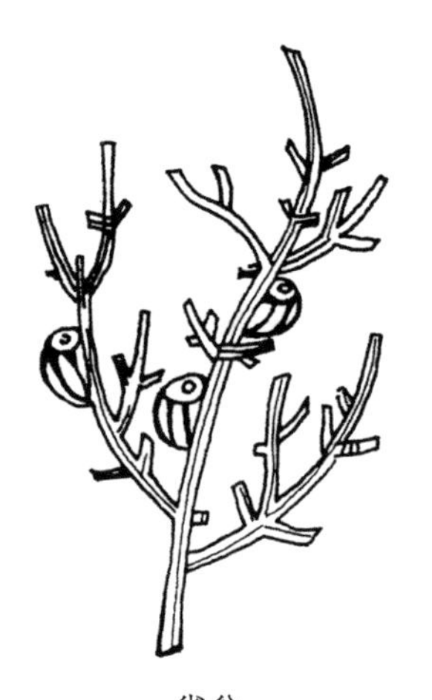

雀瓮

［陶隐居］云：蛅蟖，蚝七吏切虫也。此虫多在石榴树上，俗为蚝虫，其背毛亦螫人。生卵形如鸡⑥子，大如巴豆，今方家亦不用此。蚝，一作蛓七吏切尔。

［唐本注］云：此物紫白间斑，状似砗磲文可爱，大者如雀卵，在树间似螵蛸虫也。

［臣禹锡等谨按蜀本注⑦］云：雀好食之，俗谓之雀儿饭瓮。

---

① 间：原作“门”，据底本校勘表、柯《大观》改。

② 此：原作“取”，据刘《大观》、柯《大观》改。

③ 常：原作“当”，据刘《大观》、柯《大观》改。

④ 注：刘《大观》、柯《大观》作“疰”。

⑤ 之：刘《大观》、柯《大观》无。

⑥ 鸡：刘《大观》、柯《大观》作“雀”。

⑦ 注：刘《大观》、柯《大观》作黑小字。

［陈藏器］云：雀痈，本功外，主小儿撮口病，先剺小儿口傍，令见血，以痈碎[①]取汁涂之，亦生捣鼠妇并雀痈汁涂。小儿多患此病，渐渐以[②]撮不得饮乳者是。凡产育时，开诸物口不令闭，相厌之也。打破绞取汁，与平常小儿饮之，令无疾。《本经》云：蛅蟖房。苏云蚝虫卵也[③]。且蚝虫身扁，背上有刺，大小如蚕，安有卵如雀卵哉，苏为深误耳。雀痈一名雀瓮，为其形似瓮而名之。痈、瓮声近耳，其虫好在果树上，背有五色裥毛，刺人有毒。欲老者，口中吐白汁，疑聚渐硬，正如雀卵，子在其中作蛹，以瓮为茧，羽化而出，作蛾放子如蚕子，于叶间，岂有蚝虫卵如雀卵大也。

［日华子］云：蛓，毛虫窠，有毒。

［图经曰］雀瓮，蛅蟖房也。生汉中木枝上，今处处有之。蛅蟖，蚝七吏切虫也，亦曰蛓与蚝同。毛虫好在石榴木上，似蚕而短，背上[④]有五色斑，刺螫人有毒，欲老者口吐白汁，凝聚渐坚硬，正如雀卵，故名之。一名雀痈，痈、瓮声近耳，其子在瓮中作蛹，如蚕之在茧也。久而作蛾出，枝间叶上放子如蚕子，复为虫。旧注以瓮为虫卵，非也。一曰雀好食其瓮中子，故俗间呼为雀儿饭瓮，又名棘[⑤]刚子，又名天浆子。八月采，蒸之。今医家治小儿慢惊方，以天浆子有虫者、白僵蚕、干蝎三物微炒，各三枚，捣筛为末，煎麻黄汤调服一字，日三，随儿大小加减之，大有效。

［衍义曰］雀瓮，多在棘枝上，故又名棘刚子。研其间虫出，灌小儿，治惊痫。

白花蛇

味甘、咸，温，有毒。主中风，温痹不仁，筋脉拘急，口面㖞斜，半身不遂，骨节疼痛，大风疥癞及暴风瘙痒，脚弱不能久立。一名褰鼻蛇，白花者良。生南地及蜀郡诸山中。九月、十月采捕之，火干。今附

蕲州白花蛇

［臣禹锡等谨按药性论］云：白花蛇，君。主治肺风鼻塞，

① 以痈碎：刘《大观》、柯《大观》作“碎之”。

② 以：刘《大观》、柯《大观》无。

③ 也：刘《大观》、柯《大观》无。

④ 上：柯《大观》无。

⑤ 棘：成化《政和》、商务《政和》作“刺”。

身生白癜风，疬疡斑点及浮风瘾疹。

［图经曰］白花蛇，生南地及蜀郡诸山中，今黔中及蕲州、邓州皆有之。其文作方胜白花，喜螫人足，黔人有被螫者，立断之。补养既愈，或作木脚续之，亦不妨行。九月、十月采捕之，火干。治风速于诸蛇。然有大毒，头、尾各一尺尤甚，不可用，只用中断。干者以酒浸，去皮骨，炙过收之，不复蛀坏。其骨须远弃之，不然刺伤人，与生者殆同。此蛇入人室屋中，忽作烂瓜气者，便不可向，须速辟除之。黔人有治疥癞遍体，诸药不能及者，生取此蛇中剂，火烧一大砖，令通红，沃醋，令热气蒸，便置蛇于上，以盆覆宿昔，如此三过，去骨取肉，芼以五味，令过熟，与病者顿啖之，瞑眩一昼夕乃醒，疮疕随皮便退，其人便愈。用干蛇，亦以眼不陷为真。

［🅺雷公云］凡使，即云治风。元何治风？缘蛇性窜，即令引药至于有风疾处，因定号之为使。凡一切蛇，须认取雄雌及州土。有蕲州乌蛇，只重三分至一两者，妙也。头尾全、眼不合、如活者，头上有逆毛，二寸一路，可长半分已来，头尾相对，使之入药。彼处若得此样蛇，多留供近，重二两三①分者，不居别处也。《乾宁记》云：此蛇不食生命，只吸芦花气并南风，并居芦枝上，最难采，又不伤害人也。又有重十两至一镒者，其蛇身乌光，头圆尾尖，逻眼目赤光，用之中也。蛇腹下有白肠带子一条，可长一寸已②来，即是雄也。采得，去之头兼皮、鳞、带子了，二寸许剉之。以苦酒浸之一宿，至明漉出，向柳木炭火焙之令干，却以酥炙之，酥尽为度。炙干后，于屋下巳地上掘一坑，可深一尺已②来，安蛇于中一宿，至明再炙令干，任用。凡修事一切蛇，并去胆并上皮了，干湿须酒煮过用之。

［孙真人］云：四月勿食蛇肉，害人。

［太平广记］赵延禧云：遭恶蛇所螫处，贴蛇皮，便于其上炙之，引去毒气，即止。

［衍义曰］白花蛇，诸蛇鼻向下，独此蛇鼻向上，背有方胜花纹，以此得名。用之去头、尾，换酒浸三日，弃酒不用，火炙，仍尽去皮、骨。此物毒甚，不可不防也。

---

① 三：柯《大观》作“二”。

② 已：原作“巳”，据文理改。

乌蛇

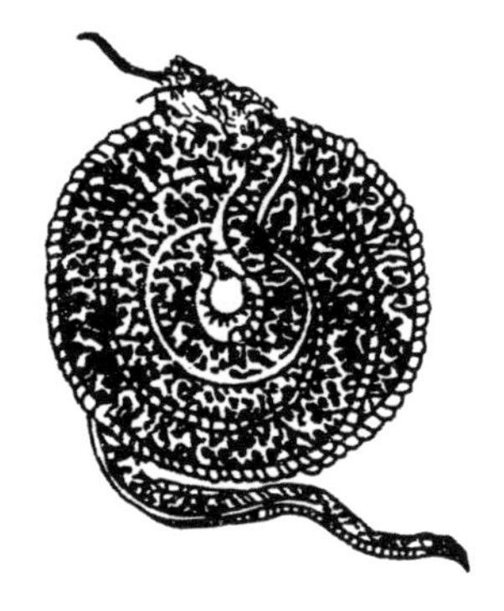
蕲州乌蛇

无毒。主诸风瘙瘾疹，疥癣，皮肤不仁，顽痹诸风。用之炙，入丸散，浸酒、合膏。背有三棱，色黑如漆。性善，不噬物。江东有黑梢蛇，能缠物至死，亦如①其类。生商洛山。今附

［臣禹锡等谨按药性论云］乌蛇，君，味甘，平，有小毒。能治热毒风，皮肌生疮，眉髭脱落，瘑痒疥等。

［图经曰］乌蛇，生商洛山，今蕲州、黄州山中有之。背有三棱，色黑如漆。性至善，不噬物。多在芦丛中嗅其花气，亦乘南风而吸。最难采捕，多于芦枝上得之。至枯死而眼不陷，称之重三分至一两者为上，粗大者转重，力尔减也。又头有逆毛，二寸一路，可长半分以来，头尾相对，用之入神，此极难得也。作伪者，用他蛇生熏之至黑，亦能乱真，但眼不光为异尔。

［▶ 圣惠方］治面上疮及皯。易容方：用乌蛇二两，烧灰末，以腊月猪脂调傅之。

［千金方］治耳聋。以绵裹蛇膏塞耳中，神效②。

［朝野佥载］商州有人患大风，家人恶之，山中为起茅屋。有乌蛇坠酒罂中，病人不知，饮酒渐差。罂底尚有蛇骨，方知其由也。

［衍义曰］乌蛇，尾细长，能穿小铜钱一百文者，佳。有身长一丈余者，蛇类中此蛇入药最多。尝于顺安军塘泺堤上，见一乌蛇，长一丈余，有鼠狼啮蛇头，曳之而去，是亦相畏伏尔。市者多伪以他蛇熏黑色货之，不可不察也。乌蛇脊高，世谓之剑脊乌稍。

金蛇

无毒。解生金毒。人中金药毒者，取蛇四寸，炙令黄，煮汁饮，频服之，以差为度。大如中指，长尺许，常登木饮露，身作金色，照日有光。亦有银蛇，解银药毒。人中金毒，候之法，合瞑取银口中含，至晓银变为金色者，是也。令人肉作鸡

---

① 如：刘《大观》、柯《大观》作“是”。

② 塞耳中，神效：柯《大观》无。

金蛇

脚裂。生宾、澄州。今附

［臣禹锡等谨按陈藏器］云：金蛇，味咸，平。

［图经曰］金蛇，出宾、澄①州。大如中指，长尺许，常登木饮露，体作金色，照日有光。及②能解金毒。亦有银蛇，解银毒。今不见有捕得者，而信州上饶县灵山乡出一种蛇，酷似此，彼人呼为金星地鳝，冬月收捕之，亦能解众毒，止泻泄及邪热。

［衍义曰］金蛇，今方书往往不见用。

蜣螂

蜣螂

味咸，寒，有毒。**主小儿惊痫，瘛疭，腹胀，寒热，大人癫疾狂易**音羊。手足端寒，肢满贲豚。**一名蛣**音诘**蜣**音羌。**火熬之良。**生长沙池泽。五月五日取，蒸，藏之，临用当炙，勿置水中，令人吐。畏羊角、石膏。

［陶隐居］云：《庄子》云，蛣蜣之智，在于转丸。其喜入人粪中，取屎丸而却推之，俗名为推丸。当取大者，其类有三四种，以鼻头扁者为真。

［唐本注］云：《别录》云，捣为丸，塞下部，引痔虫出尽，永差。

［臣禹锡等谨按蜀本］《图经》云：此类多种，取鼻高目深者，名胡蜣螂，今所在皆有之。

［药性论］云：蜣螂，使，主治小儿疳虫蚀。

［日华子］云：能堕胎，治疰忤，和干姜傅恶疮，出箭头，其粪窒③痔瘘出虫。入药去足炒用。

［图经曰］蜣螂，生长沙池泽，今处处有之。其类极多，取其大者。又鼻高目深者，名胡蜣螂，用之最佳。五月五日取，蒸而藏之，临用当炙，勿置水中，令人吐。小儿疳虫方多用之。蜣螂心，主丁疮。而《本经》不著。唐·刘禹锡纂《柳

---

① 澄：刘《大观》、柯《大观》无。

② 及：刘《大观》、柯《大观》无。

③ 窒：柯《大观》误作“室”。

州救三死方》云：元和十一年得丁疮，凡十四日，日益笃，善药傅之皆莫能知，长乐贾方伯教用蜣螂心，一夕而百苦皆已。明年正月食羊肉又大作，再用亦如神验。其法：一味贴疮，半日许可再易，血尽根出遂愈。蜣螂心，腹下度取之，其肉稍白是也。所以云食羊肉又大作者，盖蜣螂畏羊肉故耳。用时须禁食羊肉①。其法盖出葛洪《肘后方》。又主箭镞入骨不可拔者，微熬巴豆与蜣螂并研匀，涂所伤处，斯须痛定必微痒，且忍之，待极痒不可忍，便撼动箭镞拔之立出。此方传于夏侯郓。郓初为阆州录事参军，有人额上有箭痕，问之。云：随马侍中征田悦中射，马侍中与此药，立可拔镞出，后以生肌膏药傅之，遂无苦，因并方获之。云：诸疮亦可疗。郓得方后，至洪州逆旅，主人妻患疮，呻吟方极，以此药试之，立愈。又主沙尘入眼不可出者，取生蜣螂一枚，手持其背，遂于眼上影之，沙尘自出。

［**◣陈藏器**］治蜂瘘。烧死蜣螂末，和醋傅之。

［**圣惠方**］治一切恶疮及沙虱水弩，恶疽，并皆治之。用蜣螂十枚，端午日收干者佳。杵末油调傅之。

［**外台秘要**］治疬疡风。取涂中死蜣螂杵烂之，当揩令热，封之，一宿差。

［**肘后方**］若大赫疮已炙之，以蜣螂干者末之，和盐水傅疮四畔周回，如韭叶阔狭。

［**子母秘录**］治小儿重舌。烧蜣螂末，和唾傅舌上。

［**又方**］小儿、大人忽②得恶疮，未辨识者。取蜣螂杵，绞取汁，傅其上。

［**刘涓子**］治鼠瘘。死蜣螂烧作末，苦酒和傅之，数过即愈，先以盐汤洗。

［**又方**］治附骨痈。蜣螂七枚，和大麦烂捣封之。

［**衍义曰**］蜣螂，大小二种：一种大者为胡蜣螂，身黑光，腹翼下有小黄，子附母而飞行，昼不出，夜方飞出，至人家庭户中，见灯光则来。一种小者，身黑暗，昼方飞出，夜不飞。今当用胡蜣螂，其小者研三十枚，以水灌牛马，治胀结，绝佳。狐遇而必尽食之。

五灵脂

味甘，温，无毒。主疗心腹冷气，小儿五疳，辟疫，治肠风，通利气脉，女子月闭。出北地，此是寒号虫粪也。今附

---

① 肉：刘《大观》、柯《大观》无。

② 人忽：柯《大观》作“肠头”。

［臣禹锡等］今据寒号虫四足，有肉翅不能远飞，所以不入禽部。

［图经曰］五灵脂，出北地，今惟河东州郡有之。云是寒号虫粪，色黑如铁，采无时。然多是夹①沙石，绝难修治。若用之，先以酒研飞炼，令去沙石，乃佳。治伤冷积聚及小儿、女子方中多用之。今医治产妇血晕昏迷，上冲闷绝，不知人事者。五灵脂二两，一半炒熟，一半生用，捣罗为散，每服一钱，温熟水调下，如口噤者，以物斡开口灌之，入喉即愈，谓之独胜散。又治血崩不止②。五灵脂十两，捣罗为末，以水五大盏，煎至三盏，去滓澄清，再煎为膏，入神曲末二两，合和，丸如梧子大。每服二十丸，温酒下，空心服便止。诸方用之极多。

［◤经验方］治丈夫、妇人吐逆，连日不止，粥食汤药不能下者，可以应用此得③效。摩丸，五灵脂不夹土石，拣精好者，不计多少，捣罗为末，研狗胆汁和为丸，如鸡头大。每服一丸，煎热生姜、酒，摩令极细，更以少生姜、酒化以汤，汤药令极热，须是先做下粥，温热得所，左手与患人药吃，不得嗽口，右手急将粥与患人吃，不令太多。

潞州五灵脂

［经效方］治妇人心痛，血气刺不可忍。失笑散：五灵脂净好者，蒲黄等分，为末。每服二钱，用好醋一杓熬成膏，再入水一盏同煎至七分，热服，立效。

［又方］治妇人经血不止。五灵脂末，炒令过熟，出尽烟气。每服大两钱，用当归两片，酒一中盏，与药末同煎至六分，去滓热服。连三五服效。

［衍义曰］五灵脂，行经血有功，不能生血。尝有人病眼中翳，往来不定，如此乃是血所病也。盖心生血，肝藏血，肝受血则能视，目病不治血为背理。此物入肝最速。一法，五灵脂二两，没药一两，乳香半两，川乌头一两半，炮去皮，同为末，滴水丸如弹子大，每用一丸，生姜温酒磨服，治风冷气血闭，手足身体疼痛，冷麻。又有人被毒蛇所伤，良久之间已④昏困；有老僧以酒调药二钱灌之，遂苏。及以药滓涂咬处，良久，复灌二钱，其苦皆去。问之，乃五灵脂一两，雄黄半两，

① 夹：刘《大观》误作“挟”。

② 止：其下，刘《大观》、柯《大观》有“方”字。

③ 得：柯《大观》作“候”。

④ 已：原作“巳”，据文理改。

同为末，止此耳。后有中毒者用之，无不验。此药虽不甚贵，然亦多有伪者。

蝎

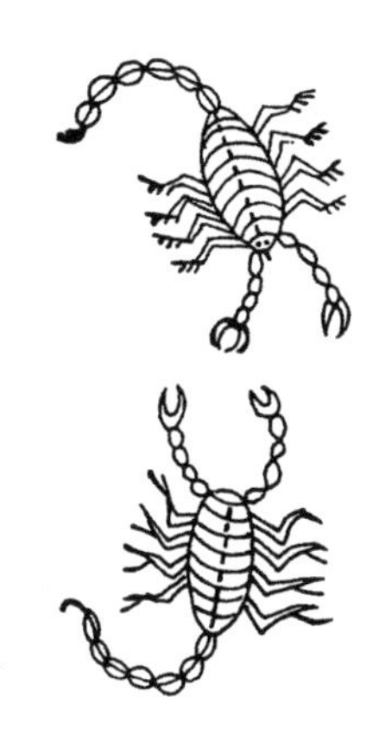
蝎

味甘、辛，有毒。疗诸风瘾疹及中风，半身不遂，口眼㖞斜，语涩，手足抽掣。形紧小者良。出青州者良。今附

[臣禹锡等谨按蜀本] 云：蝎，紧小者名虰蛷。

[段成式酉阳杂俎] 云：鼠负虫巨者，多化为蝎。蝎子多负于背，尝见一蝎负十余子，子色犹白，才如稻粒。陈州古仓有蝎，形如钱，螫人必死。江南旧无蝎，开元初尝有主簿，竹筒盛过江，至今江南往往有之，俗呼为主簿虫。蝎常为蜗所食，先以迹规之不复去。蝎前谓之螫，后谓之虿。

[日华子] 云：蝎，平。

[图经曰] 蝎，旧不著所出州土，注云出青州者良，今京东西及河、陕州郡皆有之。采无时。用之欲紧小者。今人捕得，皆火逼干死收之。方书谓之虰蛷。陶隐居《集验方》云：蝎有雌雄，雄者螫人，痛止在一处，雌者痛牵诸处。若是雄者，用井泥傅之，温则易。雌者当用瓦屋沟下泥傅之，或不值天雨泥，可汲新水从屋上淋下，取泥用。又可画地作十字，取上土，水服五分匕。又云：曾经螫毒痛苦不可忍，诸法疗不效，有人令以冷水渍指，亦渍手，即不痛，水微暖复痛即易冷水。余处不可用冷水浸，则以故布榻之，小暖则易之，皆验。又有咒禁法，今人亦能用之有应。古今治中风抽掣手足及小儿惊搐①方多用蝎。《箧中方》治小儿风痫，取蝎五枚，以一大石榴割头，去子，作瓮子样，内蝎其中，以头盖之，纸筋和黄泥封裹，以微火炙干，渐加火烧令通赤，良久去火，待冷去泥，取中焦黑者细研。乳汁调半钱匕，灌之便定。儿稍大，则以防风汤调末服之。

[▇ 经验方] 治小儿惊风。用蝎一个，不去头尾，薄荷四叶裹合，火上炙令薄荷焦，同碾为末，作四服，汤下。大人风涎只一服。

[杜壬方] 治耳聋。因肾虚所致，十年内一服愈。蝎，至小者四十九枚，生姜如蝎大四十九片，二物铜器内，炒至生姜干为度，为末。都作一服，初夜温酒下，至二更尽，尽量饮酒至醉，不妨。次日耳中如笙簧②，即效。

---

① 搐：原作“榰”，据文理改。

② 簧：原作“篁”，据文理改。

[衍义曰] 蝎，大人、小儿通用，治小儿惊风，不可阙也。有用全者，有只用梢者，梢力尤功。今青州山中石下捕得，慢火逼，或烈日中晒①，蝎渴热时，乃与青泥食之，既满腹，以火逼杀之，故其色多赤，欲其体重而售之故也。医家用之，皆悉去土，如蛋人，还能禁止之。自尝被其毒，兄长禁而止，及令，故蜇终不痛，翰林禁科具矣。

蝼音娄**蛄**音姑

味咸，寒，无毒。**主产难，出肉中刺，溃痈肿，下哽噎，解毒，除恶疮。一名蟪蛄，一名天蝼，一名彀**音斛。生东城平泽，**夜出者良**，夏至取，暴干。

蝼蛄

[陶隐居] 云：以自出者，其自腰以前甚涩，主止大小便。从腰以后甚利，主下大小便。若出拔刺，多用其脑。此物颇协神鬼，昔人狱中得其蟪力者。今人夜忽见出，多打杀之，言为鬼所使也。

[臣禹锡等谨按蜀本] 注②云：《尔雅》曰，螜，天蝼是也。《图经》云：夏至取，今所在有之。

[尔雅疏] 云：一名硕鼠。《夏小正·三月》云③：螜则鸣是也。

[日华子] 云：冷，有毒。治恶疮水肿，头面肿，入药炒用。

[图经曰] 蝼蛄，生东城平泽，今处处有之。穴地粪壤中而生，夜则出求食，人夜行忽见出④，多打杀之，言其为鬼所使也。夏至后取，暴干，以夜出者良。其自腰以前甚涩，主止大小便，或云止小便。自腰以后甚利，主下大小便。若出拔刺，多用其脑，此一名彀。《尔雅》云：彀，天蝼。《夏小正》篇云：三月彀则鸣是也。《广雅》云：一名硕鼠，《易》晋如硕鼠。孔颖达《正义》云：有五能而不能成技之虫也。又引蔡邕《劝学篇》云：硕鼠五能不成一技术。注云：能飞不能过屋；能缘不能穷木；能游不能度谷；能穴不能掩身；能走不能免人。《荀子》云：梧鼠五技而穷。并为此蝼蛄也。而《魏诗》硕鼠刺重敛。《传》注：皆谓大

① 晒：原作“煞”，据庆元《衍义》、商务《衍义》改。

② 注：刘《大观》、柯《大观》作白小字。

③ 云：柯《大观》无。

④ 出：成化《政和》、商务《政和》无。

鼠。则《尔雅》所谓硕鼠，关西呼为鼩音瞿鼠者。陆机云：今河东有大鼠，能人立，交见两脚于颈①上，跳②舞善鸣，食人禾苗，人逐则走木空中，亦有五技，或谓之雀鼠，其形大，然则蝼蛄与此鼠二物而同名硕鼠者也。蝼蛄有技而穷，此鼠技不穷，故不同耳。蝼蛄又名梧鼠，《本经》未见也。今方家治石淋导水，用蝼蛄七枚，盐二两，同于新瓦上铺盖焙干，研末。温酒调一钱匕，服之即愈。

[**■圣惠方**] 治十种水病，肿满喘促不得卧。以蝼蛄五枚，干为末。食前汤调半钱匕至一钱，小便通，效。

[**外台秘要**] 治鲠。蝼蛄脑一物吞，亦治刺不出，傅之刺即出。

[**孙真人**] 治箭镞在咽喉，胸鬲及针刺不出。以蝼蛄捣取汁滴上，三五度箭头自出。

[**衍义曰**] 蝼蛄，此虫当立夏后，至夜则鸣，《月令》谓之蝼蝈鸣者是矣。其声如蚯蚓，此乃是五技而无一长者。

马陆

味辛，温，有毒。**主腹中大坚癥，破积聚，息肉，恶疮，白秃**，疗寒热痞结，胁下满。**一名百足**，一名马轴。生玄菟川谷。

[陶隐居] 云：李云此虫形长五六③寸，状如大蛩，夏月登树鸣，冬则蛰，今人呼为飞蛿音玄虫也，恐不必是马陆尔。今有一细黄虫，状如蜈蚣而甚长，俗名土虫，鸡食之醉闷亦至死。书云：百足之虫，至死不僵居良切。此虫足甚多，寸寸断便寸行，或欲④相似，方家既不复用，市人亦无取者，未详何者的是。

[唐本注] 云：此虫大如细笔管，长三四寸，斑色，一如蚰蜒，襄阳人名为马蛿，亦呼马轴，亦名刀环虫，以其死侧卧，状如刀环也。有人自毒，服一枚便死也。

[**■雷公云⑤**] 凡使，收得后，糠头炒，令糠头焦黑，取马陆出，用竹刮足去头了，研成末用之。

---

① 颈：柯《大观》作“头”。

② 跳：柯《大观》作“能”。

③ 六：柯《大观》作“七”。

④ 欲：柯《大观》作“亦”。

⑤ 云：原脱，据柯《大观》补。

［衍义曰］马陆，即今百节虫也，身如槎节，节有细蹙纹，起紫黑色，光润，百足。死则侧卧如环，长二三寸，尤者粗如小指。西京上阳宫及内城砖墙中甚多，入药至鲜。

蛙

味甘，寒，无毒。主小儿赤气，肌疮，脐伤，止痛，气不足。一名长股。生水中，取无时。

蛙

［陶隐居］云：凡蜂、蚁、蛙、蝉，其类最多。大而青脊者，俗名土鸭，其鸣甚壮。又一种黑色，南人名为蛤子，食之至美。又一种小形善鸣唤，名蛙子，此则是也。

［臣禹锡等谨按蜀本］注云：虾蟆属也，居陆地，青脊善鸣，声作蛙者是。

［日华子］云：青蛙，性冷，治小儿热疮，背有黄路者，名金线。杀尸疰病虫，去劳劣，解热毒，身青绿者是。

［图经曰］蛙，《本经》不载所出州土，云生水中，今处处有之。似虾蟆而背青绿色，俗谓之青蛙。亦有背作黄文者，人谓之金线蛙。陶隐居云：蜂、蚁、蛙、蝉，其类最多，大腹而脊青者，俗名土鸭。其鸣甚壮，即《尔雅》所谓在水曰黾①者是也。黑色者，南人呼为蛤子，食之至美，即今所谓之蛤，亦名水鸡是也。闽、蜀、浙东人以为珍馔。彼人云：食之补虚损，尤宜产妇，即此也。小形善鸣唤者，名蛙子，即药中所用蛙是也。其余蝼蝈、长肱、蠼子之类非药中所须，不复悉载也。

［衍义曰］蛙，其色青，腹细嘴尖，后脚长，故善跃。大其声则曰蛙，小其声则曰蛤，《月令》所谓雀入大水化为蛤者也。唐·韩退之诗：一夜青蛙啼到晓者是。此食之性平，解劳热。

鲮鲤甲

微寒。主五邪，惊啼悲伤，烧之作灰，以酒或水和方寸匕，疗蚁瘘。

［陶隐居］云：其形似鼍而短小，又似鲤鱼，有四足，能陆能水。出岸开鳞

---

① 黾：柯《大观》作“蛙”。

甲，伏如死，令蚁入中，忽闭而入水，开甲，蚁皆浮出，于是食之。故主蚁瘘，方用亦稀，惟疗疮癞及诸疰疾尔。

［臣禹锡等谨按蜀本］《图经》云：生深山大①谷中，金、房、均等州皆有之。

［药性论］云：鲮鲤甲，使，有大毒。治山瘴疟，恶疮，烧傅之。

［日华子］云：凉，有毒。治小儿惊邪，妇人鬼魅悲泣及痔漏，恶疮，疥癣。

［图经曰］鲮②鲤甲，旧不著所出州郡，今湖岭及金、商、均、房间，深山大谷中皆有之。似鼍③而短小，色黑，又似鲤鱼而有四足，能陆能水。日中出岸，开鳞甲如死，令蚁入中，蚁满便闭而入水，蚁皆浮出，因接而食之，故主蚁瘘为最。亦主恶疮疥癞，烧其甲，末，傅之。杨炎《南行方》主山瘴疟，有鳞鲤甲汤。今人谓之穿山甲，近医亦用烧灰，与少肉豆蔻末，米饮调服，疗肠痔疾。又治吹④奶，疼痛不可忍，用穿山甲炙黄、木通各一两，自然铜半两，生用三味捣罗为散。每服二钱，温酒调下，不计时候。

［◣外台秘要］《肘后》治蚁入耳。烧鳞鲤甲末，以水调灌之，即出。

［千金翼］治蚁漏。取鲮鲤甲二七枚，末，猪膏和傅之。

［简要济众］治产后血气上冲心成血晕。穿山甲一两，童子小便浸一宿，取出慢火炙令黄，为散。每服一钱，狗胆少许，热酒调下，非时服之。

［衍义曰］鲮鲤甲⑤，穴山而居，亦能水。烧一两存性，肉豆蔻仁三个，同为末，米饮调二钱，服，治气痔，脓血；甚者加猬皮一两，烧入，中病即已，不必尽剂。

---

① 山大：原作“大山”，据柯《大观》改。

② 鲮：原作“鳞”，据本书药名改。

③ 鼍：鼍龙，是鳄鱼的一种。

④ 吹：柯《大观》误作“女”。

⑤ 甲：原作“角”，据庆元《衍义》、商务《衍义》改。

芫青

味辛，微温，有毒。主蛊毒，风疰，鬼疰，堕胎。三月取，暴干。

［陶隐居］云：芫花时取之，青黑色，亦疗鼠瘘。

［臣禹锡等谨按蜀本］《图经》云：形大小如斑猫，纯青绿色，今出宁州也。

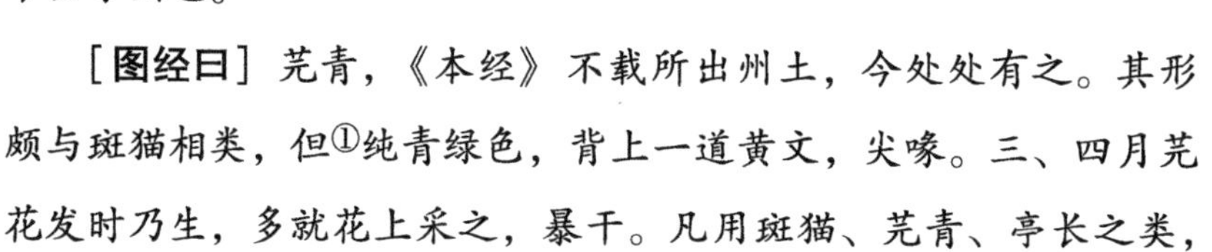

南京芫青

［图经曰］芫青，《本经》不载所出州土，今处处有之。其形颇与斑猫相类，但①纯青绿色，背上一道黄文，尖喙。三、四月芫花发时乃生，多就花上采之，暴干。凡用斑猫、芫青、亭长之类，当以糯米同炒，看米色黄黑，即为熟，便出之。去头、足及翅翼，更以乱发裹之，挂屋东荣一宿，然后用之，则去毒矣。旧说斑猫、芫青、葛上亭长、地胆皆一类而随时变。古方皆用之。深师疗淋用亭长，说之最详。云：取葛上亭长，折断腹，腹中有白子如小米二三分，取著白板子上阴干燥。二三日药成。若有人患十年淋，服三枚；八九年以还，服二枚。服时以水著小杯②中，水如枣许，内药盏中，爪甲研，当扁扁见于水中，仰头，乃令人写著咽喉中，勿令近牙齿间，药虽微小，下喉自觉当至下焦淋所，有顷，药大作，烦急不可堪者，饮干麦饭汁，则药势止也。若无干麦饭，但水亦可耳。老、小服三分之一，当下淋疾如脓血连连尔。石去者，或如指头，或青，或黄，男女服之皆愈。此虫四月、五月、六月为葛上亭长，七月为斑猫，九月、十月为地胆。随时变耳。亭长时，头当赤，身黑。若药不快，淋不下，以意节度，更增服之。今医家多只用斑猫、芫青，而亭长、地胆稀有使者。人亦少采捕，既不得其详，故不备载。

［雷公云］芫青③、斑猫、亭长、赤头等四件，其样各不同，所居、所食、所效各不同。其芫青④嘴尖，背上有一画黄。斑猫背上一画黄，一画黑，嘴尖处一小点赤，在豆叶上居，食豆叶汁。亭长形黑黄，在蔓叶上居，食蔓胶汁。赤头，额上有大红一点，身黑。用各有处。凡修事芫青、斑猫、亭长、赤头并用糯米、小麻

---

① 但：柯《大观》作“俱”。

② 杯：原作“柸”，据柯《大观》改。

③ 青：原作“蜻”，据本条药名改。

④ 青：原作“晴”，据本条药名改。

子相拌同炒，待米黄黑出，去麻子等，去两翅、足并头，用血余裹，悬于东墙角上一夜，至明取用。

地胆

味辛，寒，有毒。**主鬼疰，寒热，鼠瘘，恶疮，死肌，破癥瘕，堕胎，**蚀疮中恶肉，鼻中息肉，散结气石淋，去子，服一刀圭即下。**一名蚖青，**一名青蛙乌娲切。生汶山川谷，八月取。恶甘草。

［陶隐居］云：真者出梁州，状如大马蚁，有翼；伪者即斑猫所化，状如大豆，大都疗体略同，必不能得真尔，此亦可用，故有蚖青之名。蚖字乃异，恐是相承误矣。

［唐本注］云：形如大马蚁者，今见出邠州者是也。状如大豆者，未见也。

［臣禹锡等谨按蜀本］《图经》云：二月、三月、八月、九月，草菜①上取之，形倍黑色，芫青②所化也。

［药性论］云：地胆，能宣出瘰疬根，从小便出，上亦吐之。治鼻齆。

［图经］文具芫青②条下。

珂

味咸，平，无毒。主目中翳，断血，生肌。贝类也，大如鳆，皮黄黑而骨白，以为马③饰。生南海，采无时。唐本先附

［海药］谨按《名医别录》云：生南海，白如蚌。主消翳膜及筋胬肉，并刮点之。此外无诸要用也。

［雷公云］要冬采得色白腻者，并有白旋水文。勿令见火，立无用处。夫用，以铜刀刮作末子，细研，用重绢罗筛过后，研千余下用。此物不入妇人药中用。

---

① 菜：刘《大观》、柯《大观》作“莱”。

② 青：原作“菁”，据刘《大观》、柯《大观》改。

③ 马：成化《政和》、商务《政和》无。

蜻音青蛉音零

微寒。强阴，止精。

［陶隐居］云：此有五六种，今用青色大眼者，一名诸乘，俗呼胡蜊，道家用以止精。眼可化为青珠。其余黄细及黑者，不入药用，一名蜻蜓。

蜻蛉

［臣禹锡等谨按蜀本］注云：蜻蜓六足四翼，好飞溪渠侧。

［日华子］云：蜻蜓，凉，无毒。壮阳，暖水脏。入药去翼足，炒用良。

［图经曰］蜻蛉，旧不载所出州郡，今所在水际多①有之。此有数种，当用青色大眼者为良。其余黄赤及黑色者不入用。俗间正名蜻蜓，而不甚须也。道家则多用之。

［衍义曰］蜻蛉，其中一种最大，京师名为马大头者是，身绿色，雌者，腰间一遭碧色。用则当用雄者。陶隐居以谓青色大眼。一类之中，元无青者，眼一类皆大。此物生化于水中，故多飞水上。唐·杜甫云：点水蜻蜓款款飞。

鼠妇

味酸，温、微寒，无毒。**主气癃，不得小便，妇人月闭，血瘕，痫痓，寒热，利水道。一名负蟠**音烦，**一名蛜**音伊**蝛**音威，一名蝼蝼。生魏郡平谷及人家地上，五月五日取。

鼠妇

［陶隐居］云：一名鼠负，言鼠多在坎中，背则负之，今作妇字，如似乖理。又一名鼠姑。

［臣禹锡等谨按蜀本］注云：《尔雅》云，蟠，鼠负是也。多在瓮器底及土坎中，常惹著鼠背，故名之也。俗亦谓之鼠粘②，犹如莫耳，名羊负来也。

［日华子］云：鼠妇虫，有毒。通小便，能堕胎。

---

① 多：成化《政和》、商务《政和》无。

② 粘：柯《大观》误作“粘”。

[图经曰] 鼠妇，生魏郡平谷及人家地上，今处处有之。多在下湿[①]处瓮器底及土坎中，常惹著鼠背，故名鼠负。会作妇字，谬耳。《尔雅》云：蟠，鼠负。郭璞云：瓮器底虫。又云：蛜威，委黍。《诗·东山》云：蛜威在室。郑笺云：此物家无人则生。然《本经》亦有此名，是今人所谓湿生虫者也。五月五日取。古方有用者，张仲景主久疟，大鳖甲丸中使之。以其主寒热也。

[■千金方] 治产后小便不利。鼠妇七枚一味，熬为屑，作一服酒调下。

[衍义曰] 鼠妇，此湿生虫也，多足，其色如蚓，背有横纹蹙起，大者长三四分，在处有之，砖甃及下湿处多，用处绝少。

萤火

味辛，微温，无毒。**主明目，小儿火疮，伤热气，蛊毒，鬼疰，通神精。一名夜光**，一名放光，一名熠以入切燿以灼切，一名即炤音照。生阶地池泽。七月七日取，阴干。

[陶隐居] 云：此是腐草及烂竹根所化，初犹未如虫，腹下已[②]有光，数日便变而能飞。方术家捕取内酒中，令死乃干之，俗药用之亦稀。

[臣禹锡等谨按蜀本] 注云：《尔雅》云，萤火，即炤。《注》曰，夜飞，腹下[③]有火，按此虫是朽草所化也。《吕氏春秋》云：腐草化为萤是也。

[药性论] 云：萤火，亦可单用，治青盲。

[衍义曰] 萤，常在大暑前后飞出，是得大火之气而化，故如此明照也，今人用者少。《月令》虽曰腐草所化，然非阴湿处终无。

甲香

味咸，平，无毒。主心腹满痛，气急，止痢，下淋。生南海。

[唐本注] 云：蠡大如小拳，青黄色，长四五寸，取黡烧灰用之。南人亦煮其肉啖，亦无损益也。唐本先附

[图经曰] 甲香，生南海，今岭外、闽中近海州郡及明州皆有之。海蠡音螺之

---

① 湿：成化《政和》、商务《政和》误作“温”。

② 已：原作“巳”，据文理改。

③ 下：柯《大观》误作“光”。

掩也。《南州异物志》曰：甲香，大者如瓯面，前一边直揜长数寸，围壳岨峿①有刺。其掩杂众香烧之使益芳，独烧则臭。一名流螺。诸螺之中，流最厚味是也。其蠡大如小拳，青黄色，长四五寸。人亦啖其肉。今医方稀用，但合香家②所须。用时先以酒煮去腥③及涎，云可聚香，使不散也。《传信方》载其法云：每甲香一斤，以泔一斗半，于铛中，以微塘火煮经一复时，即换新泔。经三换即漉出，众手刮去香上恶物讫，用白蜜三合，水一斗，又塘火煮一复时，水干，又以蜜三合，水一斗，再煮都三复时，以香烂止，炭火热烧地，洒清酒，令润，铺香于其上，以新瓷瓶盖合密，埿一复时，待香冷硬，即臼中，用木杵捣，令烂，以沉香三两，麝香一分和合，略捣，令相乱，入即香成，以瓷瓶贮之，更能埋之，经久，方烧尤佳。凡烧此香，须用大火炉，多著热灰及刚炭，至合翻时，又须换火，猛烧令尽讫④，去之，炉傍著火，暖水即香不散。甲香须用台州小者佳。此法出于刘兖奉礼也。凡蠡之类亦多，绝有大者。珠蠡莹洁如珠，鹦鹉蠡形似鹦鹉头，并堪酒杯者。梭尾蠡如梭状，释辈所吹者，皆不入药，故不悉录。

泉州甲香

[◣海药云] 和气清神，主肠风瘘痔。陈氏云：主甲疽，瘘疮，蛇、蝎、蜂螫，疥癣，头疮，馋疮。甲煎，口脂用也。《广州记》云：南人常食，若龟鳖之类。又有小甲香，若螺子状。取其蒂⑤而修成也。

[雷公云] 凡使，须用生茅香、皂角二味煮半日，却，漉出，于石臼中捣，用马尾筛筛过用之。

[经验方] 甲香修制法：不限多少，先用黄土泥水煮一日，以温水浴过；次用米泔或灰汁煮一日，依前浴过；后用蜜、酒煮一日，又浴过；爆干任用。

[衍义曰] 甲香，善能管香烟，与沉、檀、龙、麝用之，甚佳。

衣鱼

味咸，温，无毒⑥。主妇人疝瘕，小便不利，小儿中风项强巨两切**背起，摩之。**

---

① 岨峿：柯《大观》作“疽蟚”。

② 家：柯《大观本草札记》云“《政和》作‘方’”。

③ 腥：线装本《政和》误作“醒”。

④ 讫：刘《大观》、柯《大观》作“即”。

⑤ 蒂：柯《大观》误作“带”。

⑥ 无毒：刘《大观》、柯《大观》作黑字《别录》文。

又疗淋，堕胎，涂疮灭瘢。**一名白鱼**，一名蟫音谈。生咸阳平泽。

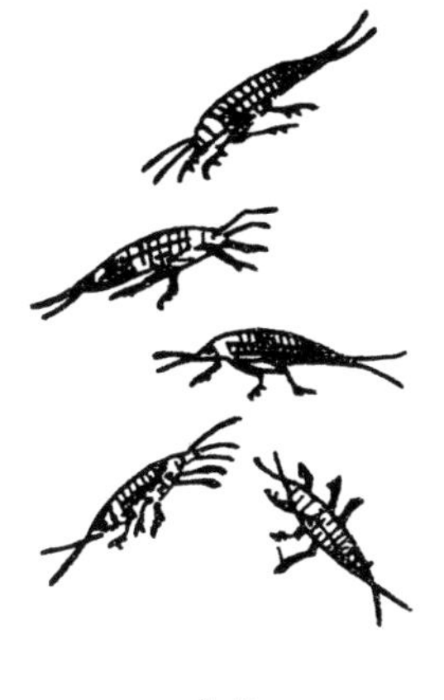
衣鱼

［陶隐居］云：衣中乃有，而不可常得，多在书中，亦可用。小儿淋闭，以摩脐及小腹，即溺通也。

［臣禹锡等谨按药性论］云：衣中白鱼，使，有毒，利小便。

［图经曰］ 衣鱼，生咸阳平泽，今处处有之。衣中乃少，而多在书卷中。《尔雅》所谓蟫潭寻二音，白鱼。郭璞云：衣，书中虫，一名蛃音丙鱼是也。段成式云：补阙张周封[①]见壁上瓜子化为白鱼，因知《列子》朽瓜为鱼之言不虚也。古方主小儿淋闭，取以摩脐及小腹，溺即通。又合鹰屎、僵蚕同傅疮瘢即灭。今人谓之壁鱼，俗传壁鱼入道经函中，因蠹食神仙字，则身有五色，人能得而吞之，可致神仙。唐·张汤[②]之少子，惑其说，乃多书神仙字，碎剪置瓶中，取壁鱼投之，冀其蠹食而不能得，遂致心疾。

［◣ 千金方］ 治沙石草落目中，眯，不出。白鱼以乳汁和，注目中。

［外台秘要］ 主眼翳。白鱼末，注少许于翳上。

［孙真人］ 卒患偏风，口㖞语涩。取白鱼摩耳下。㖞向左摩右，向右摩左，正即止。

［子母秘录］ 治妇人无故遗血溺。衣中白鱼三十个，内阴中。

［食医心镜］ 小儿中客忤。书中白鱼十枚，傅乳头，饮之差。

［衍义曰］ 衣鱼，多在故书中，久不动，帛中或有之，不若故纸中多也。身有厚粉，手搐之则落，亦啮毳衣，用处亦少。其形稍似鱼，其尾又分二歧，世用以灭瘢痕。

---

① 周封："周"，柯《大观》误作"用"。"封"，原脱，据段成式《酉阳杂俎》前集卷17"壁鱼"条补。

② 汤：成化《政和》、商务《政和》、线装本《政和》同，刘《大观》作"杨"，张本《纲目》、柯《大观》作"易"，点校本《纲目》据《北梦琐言》卷12"张氏子效壁鱼"条改作"裼"。

三十六种陈藏器余

海螺

《百一方[1]》治目痛累年，或三四十年，方取生螺一枚，洗之，内燥抹螺口开，以黄连一枚，内螺口中，令其螺饮黄连汁，以绵注取汁，著眦中。

[■ **孙真人**] 合菜食治心痛。

海月

味辛，平，无毒。主消渴，下气，令人能食，利五脏，调中。生姜、酱食之，销腹中宿物，令易饥，止小便。南海水沫所化，煮时犹变为水，似半月，故以名之。海蛤类也。

[■ **食疗云**] 平。主消痰，辟邪鬼毒。以生椒、酱调和食之良，能消诸食，使人易饥。又，其物是水沫化之，煮时犹是水。入腹中之后，便令人不小便。故知益人也。又，有食之人，亦不见所损。此看之，将是有益耳。亦名以下鱼。

青蚨

味辛，温，无毒。主补中，益阳道，去冷气，令人悦泽。生南海，状如蝉，其子著木，取以涂钱，皆归本处，一名蟱蜗。《广雅》云：青蚨也。《搜神记》曰：南方有虫，名蜩蠋，如蝉，大辛美，可食。其子如蚕种，取其子归，则母飞来，虽潜取，必知处，杀其母涂钱，子涂贯，用钱则自还。《淮南子·万毕》云：青蚨一名鱼伯，以母血涂八十一钱，以子血涂八十一钱，置子用母，置母用子，皆自还也。

[■ **海药**] 谨按《异志》云：生南海诸山，雄雌常处不相舍。主秘精，缩小便。青金色相似，人采得，以法末之，用涂钱以货易，昼用夜归。亦是人间难得之物也。

---

① 方：柯《大观》误作“云”。

鼓虫

有毒。杀禽兽，蚀息肉，傅恶疮。

[〖百一方〕鼓虫，主射工。取一枚致口中便愈，已[①]死者亦起虫有毒，应不可吞，云以白梅皮裹含之。

乌烂死蚕

有小毒。蚀疮有根者，亦主外野鸡病，并傅疮上，在簇上乌臭者。白死蚕，主白游。赤死蚕，主赤游。并涂之。游，一名疹也。

茧卤汁

主百虫入肉，𧏾蚀瘙疥及牛、马虫疮，山蜍、山蛭入肉，蚊子诸虫咬毒。盐茧瓮下收之，以竹筒盛卤浸疮，山行亦可预带一筒，取一蛭置中，兼持一片干海苔，则辟诸蛭。苏恭注《本经》蛭条云：山人自有疗法，岂非此乎，亦可为汤浴小儿，去疮疥。此汁[②]是茧中蛹汁，故能杀虫，非为卤咸也。

壁钱

无毒。主鼻衄及金疮，下血不止，捺取虫汁点疮上及鼻中，亦疗外野鸡病下血。其虫上钱幕，主小儿呕吐逆，取二七煮汁饮之。虫似蜘蛛，作白幕如钱，在暗壁间，此土人呼为壁茧。

针线袋

主妇人产后肠中痒不可忍。以袋安所卧褥下，无令知之。

故锦烧作灰

主小儿口中热疮，研灰为末，傅口疮上。煮汁服，疗蛊毒。岭南有食锦虫，屈如指环，食故绯帛锦，如蚕之食叶。

---

① 已：原作“巳”，据文理改。

② 汁：原作“汗”，据柯《大观》改。

故绯帛

主恶疮，丁肿，毒肿，诸疮有根者，作膏用。帛如手大，取露蜂房，弯头棘刺，烂草节二七，乱发，烧为末，空腹服，饮下方寸匕，大主毒肿。绯帛亦入诸膏，主丁肿用为上，又主儿初生脐未落时，肿痛水出，烧为末，细研傅之。又[1]五色帛，主盗汗，拭讫弃五道头。

赦日线

主人在牢狱日，经赦得出，候赦日，于所被囚枷上合取，将[2]为囚缝衣，令犯罪经恩也。

苟印

一名苟汁，取膏滴耳中，令左右耳彻，出潮州，似蛇，有四足。大主聋也。

溪鬼虫

取其角带之，主溪毒射工，出有溪毒处山林间。大如鸡子，似蛣蜣，头有一角，长寸余，角上有四歧，黑[3]甲下有翅，能飞，六月、七月取之。

［▌百一方］射工虫，口边有角，人得带之，辟溪毒。

［周礼］壶涿氏掌除水虫。以炮土之鼓驱之[4]，以焚石投之[5]。《注》云：投使惊去也，今人过诸山溪，先以石投水，虫当先去，不著人也。

［张司空云］江南有射工虫，甲虫类也。口边有弩，以气射人。

［玄中记云］水狐，虫也。长四寸，其色黑，背上有甲，其口有角，向前如弩，以气射人，江淮间谓之短狐、射工，通为溪病，此既其虫，故能相压伏也。

---

① 又：刘《大观》、柯《大观》无。

② 将：其下，柯《大观》有“以”字。

③ 黑：其上，柯《大观》有“色”字。

④ 以炮土之鼓驱之：“炮土之鼓”，《十三经注疏·周礼》云：“壶涿氏掌除水虫，以炮土之鼓驱之。”郑注：“炮土之鼓，瓦鼓也。”“驱”，原作“欧”，据《十三经注疏·周礼》改。

⑤ 以焚石投之：“焚”，原误“禁”，据《十三经注疏·周礼》改。按，郑注云：“焚石投之使惊去。”贾疏云：“石之燔烧，得水作声，故惊去也。”

赤翅蜂

有小毒。主蜘蛛咬及丁肿，疽病疮，烧令黑，和油涂之。亦取蜂窠土，酢和为泥，傅蜘蛛咬处，当得丝，出岭南，如土蜂，翅赤，头黑，穿土为窠，食蜘蛛。大如螃蟹，遥知蜂来，皆狼狈藏隐，蜂以预知其处。相食如此者无遗也。

独脚蜂

所用同前。似小蜂，黑色，一足。连树根不得去，不能动摇，五月采取，出岭南。又有独脚蚁，功用同蜂。亦连树根下，能动摇，出岭南。

蜡音蛇

味咸，无毒。主生气及妇人劳损，积血带下，小儿风疾，丹毒。汤火炸出，以姜酢进之，海人亦为常味，一名水母，一名樗蒲鱼，生东海，如血䘓，大者如床，小者如斗，无腹胃、眼目，以虾为目，虾动蛇沉，故曰水母。目虾如駏驉之与蟨蟨相假矣。蛇，除驾切①。

盘蝥虫蝥牟二音

有小毒。主传尸鬼疰，如夜行虫而小，亦未可轻用也。

蛭音窒蟷音当

有毒。主一切疔肿，附骨疽蚀等疮，宿肉赘瘤，烧为末，和腊月猪脂傅之。亦可诸药为膏，主丁肿出根。似蜘蛛，穴土为窠。《尔雅》云：蛈音迭蝪音荡。郭注云：蛭蟷也。穴上有盖，复穴口，今呼为颠蟷虫，河北人呼为蛈蝪②，音姪螗，是处有之。崔知悌方云：主疔肿为上。

① 蛇，除驾切：柯《大观》无。

② 蝪：成化《政和》、商务《政和》作“蟷”。

山蛩虫

有大毒。主人嗜酒不已①，取一节烧成灰，水下，服之讫，便不喜闻酒气。过一节则毒人至死。此用疗嗜酒人也。亦主蚕白僵死，取虫烧作灰粉之。以烧令黑，傅恶疮。乌斑色，长二三寸，生林间，如百足而大。更有大者如指，名马陆，能登木群吟。已①见《本经》。

溪狗

有小毒。主溪毒及游蛊，烧末，服一二钱匕。似虾蟆，生南方溪石间，尾三四寸。

水黾

有毒。令人不渴，杀鸡犬。长寸许，四脚，群游水上，水涸即飞，亦名水马。非海中主产难之水马也。

飞生虫

无毒。令人易产，取角，临时执之。亦得可烧末服少许，虫如啮发，头上有角。

芦中虫

无毒。主小儿饮乳后吐逆，不入腹亦出。破芦节中，取虫二枚，煮汁饮之。虫如小蚕。小儿呕逆与哯乳不同，宜细详之。哯乳，乳饱后哯出者是。

蓼螺

无毒。主飞尸游蛊。生食，以姜、醋进之，弥佳。生永嘉海中，味辛辣如蓼，故名蓼螺。

---

① 已：原作“巳”，据文理改。

蛇婆

味咸，平，无毒。主赤白毒痢，蛊毒下血，五野鸡病，恶疮。生东海，一如蛇，常在水中浮游，炙食，亦烧末服一二钱匕。

朱鳖

带之主刀刃不伤。亦云令人有媚。生南海山水中，大如钱，腹下赤如血。云在水中著水马脚，皆令仆倒耳①。

担②罗

味甘，平，无毒。主热气，消食。杂昆布为羹，主结气。生新罗，蛤之类，罗人食之。

青腰虫

有大毒。著皮肉肿起，杀癣虫，食恶疮息肉，剥人面皮，除印字，印骨者亦尽。虫如中蚁大，赤色，腰中青黑，似狗猲，一尾尖，有短翅，能飞，春夏时有。

虱

主脑裂，人大热，发头热者，令脑缝裂开。取黑虱三五百，捣碎傅之。又主丁肿，以十枚置疮上，以荻箔绳作炷，灸虱上，即根出。反脚指间有肉刺疮，以黑虱傅，根出也。

[■太平广记] 出《酉阳杂俎》。人将死，虱离身。或云：取病者虱于床前，可以卜病将差，虱行向病者，背则死③。

苟杞上虫

味咸，温，无毒。主益阳道，令人悦泽有子。作茧子为蛹时取之，曝干，炙令

---

① 耳：柯《大观》作“未知虚实”。

② 担：柯《大观》目录作“担”，正文作“檐”。

③ 将差，虱行向病者，背则死：原作“之将死，虱行向病者皆死”，据《太平广记》卷47改。

黄，和干地黄为丸服之，大起阳，益精。其虫如蚕，食苟杞叶。

大红虾鲊

味甘，平，小毒。主飞尸，蛔虫，口中甘䘌，风瘙身痒，头疮牙齿，去疥癣，涂山蜍蚊子入人肉初食疮，发后而愈。生临海、会稽，大者长一尺，须可为簪。虞啸父答晋帝云：时尚温未及以贡，即会稽所出也。盛密器及热饭作鲊，毒人至死。崔豹云：辽海间，有蜚虫，如蜻蛉，名绀蟠，七月群飞暗天，夷人食之，云是虾化为之。又杜台卿《淮赋》云：蝗化为雉，入水为蜃。

木蠹

味辛，平，小毒。主血瘀劳积，月闭不调，腰脊痛，有损血及心腹间疢。桃木中有者，杀鬼，去邪气。桂中者，辛美可啖，去冷气。一如蛴螬，节长足短，生腐木中，穿木如锥刀，至春羽化，一名蝎。《尔雅》云：蝎，结蝠。注云：木蠹也。苏恭证云：蛴螬，深误也。

留师蜜

味甘，寒。主牙齿䘌痛，口中疮，含之，蜂如小指大，正黑色。啮①竹为窠，蜜如稠糖，酸甜好食。《方言》云：留师，竹蜂也。

蓝蛇

头大毒②，尾良，当中有约，从约断之。用头合毒药，药人至死。岭南人名为蓝药，解之法，以尾作脯，与食之即愈。蓝蛇如蝮，有约，出苍梧诸县③。头毒尾良也。

两头蛇

见之令人不吉。大如指，一头无目无口，二头俱能行。出会稽，人云是越王弩

---

① 啮：柯《大观》作“齿”。

② 蓝蛇头大毒：本条在目录上作“蓝蛇头”。按《酉阳杂俎》前集卷17“虫篇”作“蓝蛇，首有大毒”。而本条“头”字后脱“有”字。遂将“头”字误入药名内。

③ 出苍梧诸县：《酉阳杂俎》前集卷17“虫篇”蓝蛇条作“出梧州陈家洞”。

弦。昔孙叔敖埋之，恐后人见之，将必死也。人见蛇足，亦云不佳。蛇以桑薪烧之，则足出见，无可怪也。

活师

主火飚热疮及疥疮，并捣碎傅之，取青胡桃子上皮，和为泥，染髭发，一染不变。胡桃条中有法，即虾蟆儿，生水中，有尾如[①]鲦音余鱼，渐大脚生，尾脱。卵主明目。《山海经》云：活师，科斗虫也。

重修政和经史证类备用本草卷第二十二

① 如：原作“和”，据文理改。

重修政和经史证类备用本草卷第二十三

己酉新增衍义

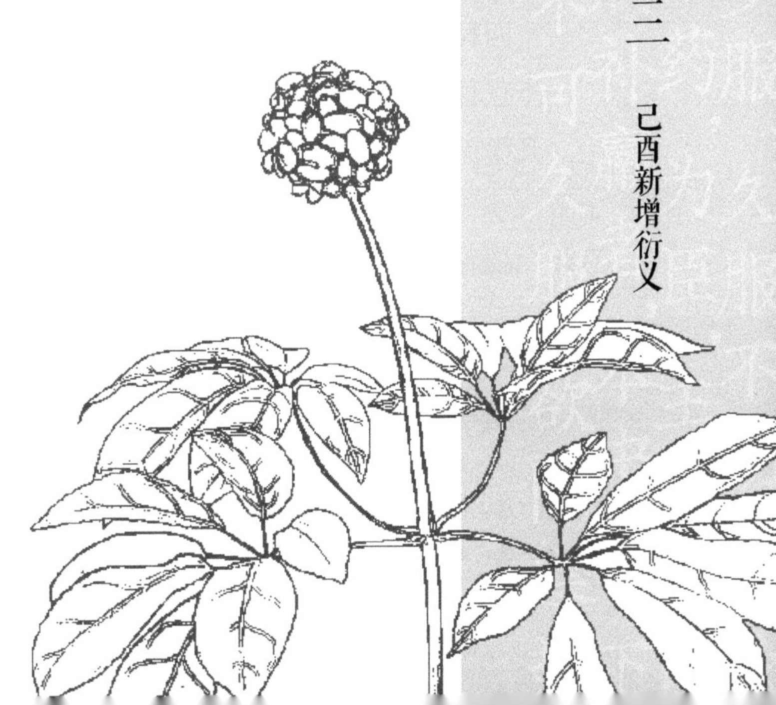

重修政和经史证类备用本草卷第二十三 己①酉新增衍义

成都唐慎微续证类
中卫大夫康州防御使句当龙德宫总辖修建明堂所医药
提举入内医官编类圣济经提举太医学臣曹孝忠奉敕校勘

果部三品总五十三种

九种神农本经 白字

一②十五种名医别录 墨字

二种唐本先附 注云唐附

一十四种今附 皆医家尝用有效。注云今附

一十三种陈藏器余

凡墨盖子已③下并唐慎④微续证类

上品

豆蔻 豆蔻花、山姜花、枸橼 续注

---

① 己：原作“巳”，据底本书首牌记改。

② 一：刘《大观》无。

③ 已：原作“巳”，据文理改。

④ 慎：刘《大观》作“谨”。

藕实茎 石莲子附①。荷鼻、花、叶 续注

橘柚 自木部今移。核、筋膜 续注

大枣 生枣及叶附 仲思枣 今附 苦枣 续注

葡萄 栗 **蓬蘽**力轨切 覆盆子 莓子 续注

芰音伎实 菱角也 橙子 今附 樱桃 **鸡头实**②

中品

梅实 叶、根、核仁 续注 木瓜 榠樝 续注 柿 蒂 续注

芋 叶 续注 乌芋 茨菰、凫茨 续注 枇杷叶 子 续注

荔枝子 今附 乳柑子 今附 石蜜 乳糖也 唐附

甘蔗音柘 沙糖 唐附 椑音卑柿 今附

下品

桃核仁 花、枭、毛、蠹、皮、叶、胶、实附

杏核仁 花、实附 安石榴 根、壳附 梨 鹿梨附 林檎 今附

李核仁 根、实附 杨梅 今附 胡桃 今附 猕猴桃 今附

海松子 今附 柰 庵罗果 今附

橄榄音览 核中仁附 今附 榅桲 今附 榛子③ 今附

一十三种陈藏器余

灵床上果子 无漏子 都角子 文林郎子

木威子 摩厨子 悬钩 钩栗

石都念子 君迁子 韶子 椋子

诸果有毒

---

① 石莲子附：刘《大观》无。

② 豆蔻……鸡头实：以上13种药，刘《大观》与底本排列次序不同，文繁从略。

③ 桃核仁……榛子：以上15种药，刘《大观》与底本排列次序不同，文繁从略。

[上　品]

豆蔻

味辛，温，无毒。主温中，心腹痛，呕吐，去口臭气。生南海。

宜州豆蔻

[陶隐居] 云：味辛烈者为好，甚香，可常含之。其五和糁素感切中物皆宜人。廉姜，温中下气；益智，热；枸音矩橼音沿，温；甘蕉、麂音几目并小冷尔。

[唐本注] 云：豆蔻，苗似山姜，花黄白；苗、根及子亦①似杜若。枸橼，性冷，陶云温，误尔。

[今注] 此草豆蔻也，下气止霍乱。

[臣禹锡等谨按蜀本]《图经》云：苗似杜若。春，花在穗端，如芙蓉，四房，生于茎下，白色，花开即黄。根似高良姜。实若龙眼，而无鳞甲，中如石榴子。茎、叶、子皆味辛而香。十月收。今苑中亦种之。

山姜花

[药性论] 云：草豆蔻，可单用，能主一切冷气。

[陈藏器] 云：山姜，味辛，温。去恶气，温中，中恶霍乱，心腹冷痛，功用如姜。南人食之。根及苗并如姜，而大作樟木臭。又有獽𪓟子姜，黄色，紧，辛辣。破血气，殊强此姜。

---

① 亦：原误"赤"，据傅《新修》、罗《新修》改。

［又云］枸橼生岭南，大叶，甘橘属也。子大如盏。味辛、酸，性温。皮，去气，除心头痰水，无别功。

［日华子］云：豆蔻花，热，无毒。下气，止呕逆，除霍乱，调中补胃气。消酒毒。

［又云］山姜花，暖，无毒。调中下气，消食，杀酒毒。

［图经曰］豆蔻，即草豆蔻也。生南海，今岭南皆有之。苗似芦，叶似山姜、杜若辈，根似高良姜。花作穗，嫩叶卷之而生，初如芙蓉，穗头深红色，叶渐展，花渐出，而色渐淡，亦有黄白色者。南人多采以当果。实尤贵，其嫩者，并穗入盐同淹治，叠叠作朵不散落。又以木①槿花同浸，欲其色红耳。其作实者，若龙眼子而锐，皮无鳞甲，中子若石榴瓣，候熟采之，暴干。根、苗微作樟木气。其山姜花，茎、叶皆姜也。但根不堪食，足与豆蔻花相乱而微小耳。花生叶间，作穗如麦粒，嫩红色，南人取其未大开者，谓之含胎花。以盐水淹藏入甜糟中，经冬如琥珀色，香辛可爱，用其脍醋，最相宜也。又以盐杀治暴干者，煎汤服之，极能除冷气，止霍乱，消酒食毒，甚佳。

［◣雷公云］凡使，须去蒂并向里子后，取②皮，用茱萸同于鏊上缓炒，待茱萸微黄黑，即去茱萸，取草豆蔻皮及子，杵用之③。

［千金方］治心腹胀满，短气。以草豆蔻一两，去皮为末，以木瓜生姜汤下半钱。

［海药云］豆蔻，生交趾，其根似益智，皮壳小厚，核如石榴，辛且香。蒳草，树也，叶如芄兰而小。三月采其叶，细破阴干之。味近苦而有甘。

［衍义曰］豆蔻，草豆蔻也，气味极辛，微香。此是对肉豆蔻而名之。若作果，则味不和。不知前人之意，编入果部，有何意义？性温而调散冷气力，甚速。花性热，淹置京师，然味不甚美，微苦。必为能消酒毒，故为果。花干则色淡紫。

藕实茎

味甘，平、寒，无毒。**主补中养神，益气力，除百疾。久服轻身耐老，不饥延年。一名水芝丹，**一名莲。生汝南池泽。八月采。

---

① 木：原作“朱”，据柯《大观》改。

② 取：柯《大观》作“散”。

③ 之：柯《大观》无。

［陶隐居］云：此即今莲子，八月、九月取坚黑者，干捣破之。花及根并入神仙用。今云茎，恐即是根，不尔不应言甘也。宋帝时，太官作血䘓音勘，庖人削藕皮误落血中，遂皆散不凝，医乃用藕疗血多效也。

［唐本注］云：《别录》云，藕，主热渴，散血，生肌。久服令人心欢。

藕实

［臣禹锡等谨按蜀本］《图经》云①：此生水中。叶名荷，圆径尺余。《尔雅》云：荷，芙蕖。其茎茄，其叶蕸，其本蔤，其华菡萏，其实莲，其根藕，其中的，的中薏是也。《尔雅》释曰：芙蕖，其总名也，别名芙蓉，江东人②呼荷。菡萏，莲花③也。的，莲实也。薏，中心也。郭云：蔤，茎下白蒻在泥中者。今江东人呼荷华为芙蓉，北方人便以藕为荷，亦以莲为荷。蜀人以藕为茄，或用其母为华名，或用根子为母叶号。此皆名相错，习俗传误，失其正体也。陆玑疏云：莲，青皮里白，子为的，的中有④青为薏，味甚苦，故里语云苦⑤如薏，是也。

［药性论］云：藕汁亦单用，味甘，能消瘀血不散。节捣汁，主吐血不止，口鼻并皆治之。

［孟诜］云：藕，生食之，主霍乱后虚渴、烦闷、不能食。其产后忌生冷物，惟藕不同生冷，为能⑥破血故也。又蒸食甚补五脏，实下焦。与蜜同食，令人腹脏肥，不生诸虫。亦可休粮。仙家有贮石莲子及干藕经千年者，食之至妙矣。

［又云］莲子，性寒，主五脏⑦不足，伤中气绝，利⑧益十二⑨经脉血气。生食

① 《图经》云：柯《大观》为白字。

② 人：刘《大观》、柯《大观》无。

③ 花：原作“叶”，据本条《尔雅》云改。

④ 有：柯《大观》无。

⑤ 苦：柯《大观本草札记》云：“‘苦’《政和》误‘若’。”

⑥ 能：柯《大观》无。

⑦ 脏：柯《大观》无。

⑧ 利：柯《大观》无。

⑨ 二：柯《大观》作“三”。

微动气，蒸食之良。又熟去心，为末，蜡蜜和丸。日服①三十丸，令人不饥。此方仙家用尔。又雁腹中者，空腹食十枚，身轻，能登高涉远。雁食，粪于田野中，经年尚生。又或于山岩之中止息，不逢阴雨，经久不坏。又诸鸟、猿猴不食，藏之石室内，有得三百余年者，逢此食，永不老矣。其房、荷叶，皆破血。

［陈藏器］云：藕实，莲也。本功外，食之宜蒸，生则胀人腹。中薏，令人吐，食当去之。经秋正黑者名石莲，入水必沉，惟煎盐卤能浮之。石莲，山海间经百年不坏，取得食之，令发黑不老。藕，本功外，消食止泄，除烦解酒毒，压食，及病后热渴。

［又云］荷鼻，味苦，平，无毒。主安胎，去恶血，留好血，血痢，煮服之。即荷叶蒂也。又叶及房，主血胀腹痛，产后胎衣不下，酒煮服之。又主食野菌毒，水煮服之。郑玄云：芙蕖之茎曰荷。的中薏，食之令人霍乱。

［陈士良］云：莲子心，生取为末，以米饮调下三钱，疗血、渴疾。产后渴疾，服之立愈。

［日华子］云：藕，温。止霍乱，开胃消食，除烦止闷，口干渴疾。止怒，令人喜。破产后血闷，生研服亦不妨。捣罯金疮并伤折，止暴痛。蒸煮食，大开胃。节，冷。解热毒，消瘀血。产后血闷，合地黄生研汁，热酒并小便服，并得。

［又云］莲子，温，并石莲。益气止渴，助心，止痢。治腰痛，治泄精，安心，多食令人喜，又名莲的。莲子心，止霍乱。

［又云］莲花，暖，无毒。镇心，轻身，益色，驻颜。入香甚妙。忌地黄、蒜。

［又云］荷叶，止渴，落胞，杀蕈毒，并产后口干，心肺燥，烦闷，入药炙用之。

［图经曰］ 藕实茎，生汝南池泽，今处处有之。生水中，其叶名荷。谨按，《尔雅》及陆玑疏谓：荷为芙蕖，江东呼荷。其茎茄；其叶蕸加遐二音或作葭；其本蔤土笔切，茎下白蒻音若在泥中者；其华未发为菡萏，已发为芙蓉；其实莲，莲，谓房也；其根藕，幽州人谓之光旁，至深益大，如人臂；其中的。莲中子，谓青皮白子也。中有青，长二分，为薏，中心苦者是也。凡此数物，今人皆以中药。藕，生食其茎，主霍乱后虚渴烦闷，不能食及解酒食毒。花，镇心，益颜色，入香尤佳。荷叶，止渴，杀蕈毒。今妇人药多有用荷叶者。叶中蒂，谓之荷鼻。主安胎，去恶

---

① 服：柯《大观》无。

血，留好血。实，主益气。其的至秋表①皮黑而沉水者，谓之石莲。陆玑云：可磨为豉，如米②饭，轻身益气，令人强健。医人炒末以止痢，治腰痛。又治哕逆，以实仁六枚，炒赤黄色，研末，冷熟水半盏，和服，便止。惟苦薏不可食，能令霍乱。大抵功用主血多效。乃因宋太官作血䘓③，庖人削藕皮，误落血中，遂散不凝，自此医家方用主血也。

［**圣惠方**］治时气烦渴。用生藕汁一中盏，入生蜜一合，令匀，分为二服。

［**又方**］治食蟹中毒。以生藕汁，或煮干蒜汁，或冬瓜汁并佳。

［**又方**］治扑打坠损，恶血攻心，闷乱疼痛。以火干荷叶五斤，烧令烟尽，细研。食前以童子热小便一小盏，调三钱匕，日三服。

［**又方**］益耳目，补中，聪明强志。莲实半两，去皮心细研，先煮令熟；次以粳米三④合作粥，候熟，入莲实，搅匀食之。

［**千金方**］治坠马，积血心腹，唾血无数。干藕根末，酒服方寸匕，日三。

［**肘后方**］令易产。莲华一叶，书"人"字吞之，立产。

［**经验后方**］主吐血咯血。以荷叶焙干为末，米汤下二⑤钱匕。

［**梅师方**］治产后余血不尽，奔上冲心，烦闷腹痛。以生藕汁二⑥升饮之。

［**孙真人**］莲子不去心食，成霍乱。

［**食医心镜**］藕实，味甘，平，无毒。主补中养神，益气力，除百病。久服令人欢心，止渴去热，轻身耐老，不饥延年。其根止热渴，破留血，生肌。久服令人悦泽矣。

［**救急方**］治产后血不尽，疼闷心痛。荷叶熬令香，为末，煎水下方寸匕。

［**集验方**］治漆疮。取莲叶干者一斤，水一斗，煮取五升，洗疮上，日再，差。

［**诗疏**］的，五月中生啖⑦脆，至秋表皮黑，的成实或，可磨以为饭，如栗

---

① 表：成化《政和》、商务《政和》误作"来"。

② 豉如米：刘《大观》、柯《大观》作"饭如栗"。

③ 䘓：柯《大观》作"蜭"。

④ 三：柯《大观》作"二"。

⑤ 二：柯《大观本草札记》云："'二'《政和》作'三'。"

⑥ 二：柯《大观》作"一"。

⑦ 啖：原作"莲"，据陆玑《毛诗疏》改。

也[1]。轻身益[2]气，令人强健。又可为粥。

［唐书］姜抚言服常春藤，使白发还鬒[3]，则长生可致。藤生太湖最良。终南往往有之，不及也。帝遣使者至太湖，多取以赐中朝老臣。又言终南山有旱藕，饵之延年。状类葛粉。帝作汤饼赐大臣。右骁卫将军甘守诚，能詺[4]药石，曰：常春者，千岁藟也；旱藕，牡[5]蒙也。方家久不用，抚易名以神之。太清诸草木方七月七日采莲花七分，八月八日采根八分，九月九日采实九分，阴干捣筛，服方寸匕，令人不老。华山记华山顶有池，生千叶莲花，服之羽化。

［衍义曰］藕实，就蓬中干者为石莲子，取其肉，于砂盆中干，擦去浮上赤色，留青心为末，少入龙脑[6]为汤点，宁心志，清神。然亦有粉红千叶、白千叶者皆不实。如此是有四等也。其根惟白莲为佳。今禁中又生碧莲，亦一瑞也。

橘柚

味辛，温，无毒。**主胸中瘕热逆气，利水谷，**下气，止呕咳，除膀胱留热，停水，五淋，利小便，主脾[7]不能消谷，气冲胸中，吐逆，霍乱，止泄，去寸白。**久服去臭，下气通神，**轻身长年。**一名橘皮。**生南山川谷，生江南。十月采。

柚

［陶隐居］云：此是说其皮功尔。以东橘为好，西江亦有而不如。其皮小冷，疗气，乃言胜橘。北人亦用之，并以陈者为良。其肉，味甘、酸，食之多痰，恐非益也。今此虽用皮，既是果类，所以犹宜相从。柚子皮乃可服，而不复入药。用此应亦下气。

［唐本注］云：柚皮厚，味甘，不如橘皮味辛而苦。其肉亦如橘，有甘有酸，酸者名胡甘。今俗人或谓橙为柚，非也。按《吕氏春秋》云：果之美者，有云梦

① 的成实或，可磨以为饭，如栗也：原作“的成可食，可摩以为饭如粟饭”，据陆玑《毛诗疏》改。

② 益：原作“养”，据改同上。

③ 白发还鬒：原作“曰发还须”，据《新唐书》卷204改。“鬒”即黑发。

④ 詺：原作“订”，据改同上。

⑤ 牡：柯《大观》作“杜”。

⑥ 脑：原作“脳”，据庆元《衍义》、商务《衍义》改。

⑦ 脾：柯《大观》作“痹”。

之柚。郭璞云：柚似橙，而大于橘。孔安国云：小曰橘，大曰柚，皆为甘也。

橘

［今注］自木部今移。

［臣禹锡等谨按药性论］云：橘皮，臣，味苦、辛。能治胸膈间气，开胃，主气痢，消痰涎，治上气咳嗽。

［陈藏器］云：橘、柚本功外，中实冷。酸者聚痰，甜者润肺。皮堪入药，子非宜人。其类有朱柑、乳柑、黄柑、石柑、沙柑。橘类有朱橘、乳橘、塌橘、山橘、黄淡子。此辈皮皆去气调中，实总堪食。就中以乳柑①为上。《本经》合入果部，宜加实字，入木部非也。岭南有柚，大如冬瓜。

［孟诜］云：橘，止泄痢。食之下食，开胸膈痰实结气。下气不如②皮。穰不可多食，止气。性虽温，止渴。又，干皮一斤，捣为末，蜜为丸。每食前酒下三十丸，治下焦冷气。又，取陈皮一斤，和杏仁五两，去皮、尖熬，加少蜜为丸。每日食前饮下三十丸，下腹脏间虚冷气。脚气冲心，心下结硬，悉主之。

［日华子］云：橘，味甘、酸。止消渴，开胃，除胸中隔气。

［又云］皮，暖，消痰止嗽，破癥瘕痃癖。又云核，治腰痛，膀胱气，肾冷③，炒去壳，酒服，良。橘囊上筋膜，治渴及吐酒。炒，煎汤饮，甚验也。又云柚子，无毒。治妊孕人吃食少并口淡，去胃中恶气，消食，去肠胃气。解酒毒，治饮酒人口气。

［图经曰］橘、柚，生南山川谷及④江南，今江浙、荆襄、湖岭皆有之。木高一二丈，叶与枳无辨，刺出于茎间。夏初生白花，六月、七月而成实，至冬而⑤黄熟，乃可啖。旧说小者为橘，大者为柚。又云：柚似橙而实酢，大于橘。孔安国注《尚书》：厥包橘柚。郭璞注《尔雅》柚条皆如此⑥说。又闽中、岭外、江南皆有柚，比橘黄白色而大；襄、唐间柚，色青黄而实小。皆味酢，皮厚，不堪入药。今医方乃用黄橘、青橘两物，不言柚。岂青橘是柚之类乎？然黄橘味辛，青橘味苦。

① 柑：刘《大观》、柯《大观》作“甘”。

② 如：柯《大观》作“加”。

③ 冷：原作“疼”，据成化《政和》、商务《政和》改。

④ 及：柯《大观》作“又”。

⑤ 而：柯《大观》作“至”。

⑥ 此：柯《大观》无。

《本经》二物通云味辛。又云一名橘皮。又云十月采，都是今黄橘也。而今之青橘似黄橘而小，与旧说大小、苦辛不类，则别是一种耳。收之并去肉，暴干。黄橘以陈久者入药[1]良，古今方书用之最多。亦有单服者，取陈皮捣末，蜜和丸，食前酒吞三十丸，梧[2]子大，主下焦积冷。亦可并杏子仁合丸，治肠间虚冷，脚气冲心，心下结硬者，悉主之。而青橘主气滞，下食，破积结及膈气方用之，与黄橘全别。凡橘核皆治腰及膀胱肾气，炒去皮，酒服之良。肉不宜多食，令人痰滞。又乳柑、橙子性皆冷，并其类也，多食亦不宜人。今人但取其核作涂面药，余亦稀用，故[3]不悉载。又有一种枸音矩亦音钩橼音沿，如小瓜状，皮若橙而光泽可爱，肉甚厚，切[4]如萝卜，虽味短而香氛，大胜柑[5]橘之类，置衣笥中，则数日香不歇。古作五和糁素感切所用。陶隐居云：性温宜人。今闽、广、江西皆有，彼人但谓之香橼子，或将至都下，亦贵之。

［雷公曰］凡使，勿用柚皮、皱子皮，其二件用不得。凡修事，须[6]去白膜一重，细剉，用鲤鱼皮裹一宿，到明，出，用。其橘皮，年深者最妙。

［肘后方］治卒失声，声咽不出。橘皮五两，水三升，煮取一[7]升，去滓顿服。

［又方］治食鱼中毒，浓煮橘皮饮汁。

［经验后方］治膈下冷气及酒食饱满。常服青橘皮四两，盐一两，分作四分一分。无用汤：浸青橘皮一宿，漉出去穰，又用盐三分，一处拌和匀，候良久，铫子内炒微焦，为末。每服一钱半，茶末半钱，水一盏，煎至七分，放温常服，不用入茶，煎沸汤点亦妙。

［又方］治妇人产后气逆。以青橘皮为末，葱白、童子小便煎服之。

［食医心镜云］主胸中伏[8]热，下气消痰，化食。橘皮半两，微熬作末，如茶法，煎呷之。

［又方］治卒食噎。以陈皮一两，汤浸去穰，焙为末。以水一大盏，煎取半

---

① 入药：刘《大观》、柯《大观》无。

② 梧：其下，柯《大观》有“桐”字。

③ 故：成化《政和》、商务《政和》误作“枚”。

④ 切：其下，刘《大观》有“之”字。

⑤ 柑：柯《大观》作“甘”。

⑥ 须：柯《大观》无。

⑦ 一：柯《大观》作“二”。

⑧ 伏：原作“大”，据柯《大观》改。

盏，热服。

［**又方**］治吹奶，不痒不痛，肿硬如石。以青橘皮二两，汤浸去穰，焙为末。非时温酒下，神验。

［**孙尚药方**］治诸吃噫①。橘皮二两，汤浸去瓤，剉，以水一升，煎之五合，通热顿服。更加枳壳一两，去瓤炒，同煎之服，效。

［**集验方**］治腰痛不可忍。橘子仁炒研为末。每服一钱，酒一盏，煎至七分，和滓空心服。

［**列子**］吴楚有大木，名櫾碧树，而冬生实，丹而味酸，食皮、汁，止愤厥之疾。

［**尚书注**］小曰橘，大曰柚，扬州者为善，故锡贡也。

［**衍义曰**］橘、柚，自是两种，故曰一名橘皮，是元无柚字也。岂有两等之物，而治疗无一字别者，即知柚一字为误。后人不深求其意，谓柚字所惑，妄生分别，亦以过矣。且青橘与黄橘，治疗尚别，矧柚为别种也。郭璞云：柚似橙而大于橘，此即是识橘、柚者也。今若不如此言之，恐后世亦以柚皮为橘皮，是贻无穷之患矣。去古既远，后之贤者亦可以意逆之耳。橘惟用皮与核。皮，天下甚所须也，仍汤浸去穰，余如《经》与《注》。核、皮二者须自收为佳。有人患气嗽将期，或教以橘皮、生姜焙干，神曲等分为末，丸桐子大，食后、夜卧，米饮服三五十丸。兼旧患膀胱，缘服此偕愈。然亦取其陈皮入药，此六陈中一陈也。肾疰、腰痛、膀胱气痛，微炒核，去壳为末，酒调服，愈。

大枣

味甘，**平**，无毒。**主心腹邪气**，**安中养脾**，**助十二经**，**平胃气**，**通九窍**，**补少气**，**少津液**，**身中不足**，**大惊**，**四肢重**，**和百药**，补中益气，强力，除烦闷，疗心下悬，肠澼。**久服轻身长年**，不饥神仙。一名干枣，一名美枣，一名良枣。八月采，暴干。

三岁陈核中仁燔音烦之，味苦。主腹痛，邪气。

生枣　味甘、辛。多食令人多寒热，羸瘦者，不可食。

叶　覆麻黄，**能令出汗**。生河东平泽。杀乌头毒。

［陶隐居］云：旧云河东猗氏县枣特异，今青州出者，形

大枣

① 噫：柯《大观》作“嗌”。

大，核细，多膏，甚甜。郁州互市亦得之，而郁州者亦好，小不及尔。江东临沂金城枣，形大而虚，少脂，好者亦可用。南枣大恶，殆不堪啖。道家方药以枣为佳饵。其皮利，肉补虚，所以合汤皆擘之也。

［唐本注］云：《别录》云，枣叶散服使人瘦，久即呕吐。揩热痱[①]疮良。

［臣禹锡等谨按孟诜］云：干枣，温。主补津液，强志。三年陈者核中仁，主恶气，卒疰忤。又，疗耳聋、鼻塞，不闻音声、香臭者，取大枣十五枚，去皮核，萆麻子三百颗，去皮，二味和捣，绵裹塞耳鼻。日一度易，三十余日闻声及香臭。先治耳，后治鼻，不可并塞之。又方：巴豆十粒，去壳生用。松脂同捣，绵裹塞耳。又云：洗心腹邪气，和百药毒。通九窍，补不足气。生者食之过多，令人腹胀。蒸煮食，补肠胃，肥中益气。第一青州，次蒲州者好。诸处不堪入药。小儿患秋痢，与虫枣食，良。

［日华子］云：干枣，润心肺，止嗽，补五脏，治虚劳损，除肠胃癖气，和光粉烧，治疳痢。牙齿有病人切忌啖之。凡枣亦不宜合生葱食。又云枣叶，温，无毒。治小儿壮热，煎汤浴，和葛粉裛痱子佳，及治热瘤也。

［图经曰］大枣，干枣也。生枣并生河东，今近北州郡皆有，而青、晋、绛州者特佳。江南出者，坚燥少脂。谨按：枣之类最多。郭璞注《尔雅》：枣，壶枣。云：今江东呼枣大而锐上者为壶，壶犹瓠也。边，腰枣。云：子细腰，今谓之鹿卢枣。桥子兮切，白枣。云：即今枣子，白乃[②]熟。樲，酸枣。云：木小实酢者。遵，羊枣。云：实小而圆，紫黑色，今俗呼之为羊矢枣。洗，大枣。云：今河东猗氏县出大枣，子如鸡卵。蹶泄，苦枣。云：子味苦者。皙，无实枣。云：不著子者。还味，稔而审切枣。云：还味，短味也。而酸枣自见别条，其余种类非一，今园圃皆种莳之[③]，亦不能尽别其名。又其极美者，则有水菱枣、御枣之类，皆不堪入药。盖肌实轻虚，暴服之则枯败。惟青州之种特佳，虽晋、绛大实，亦不及青州者之肉厚也。并八月采，暴干。南郡[④]人煮而后暴，及干，皮薄而皱，味更甘于它枣，谓之天蒸枣，然不堪入药。又有仲思枣，大而长，有一二寸者，正紫色，细文小核，味甘重。北齐时有仙人仲思得之，因以为名。隋大业中，信都郡尝献数颗，近世稀

① 痱：柯《大观》作“沸”。

② 乃：柯《大观》作“及”。柯《大观本草札记》云：“按《尔雅》注无‘及’字。”

③ 之：柯《大观》无。

④ 郡：原作“都”，据成化《政和》、商务《政和》改。

复有之。又广州有一种波斯枣，木无傍枝，直耸三四丈，至巅四向，共生十余枝，叶如棕榈。彼土亦呼为海棕木。三五年一著子，都类北枣，但差小耳。舶商亦有携巾本国生者至南海，与此地人食之，云味极甘，似此中天①蒸枣之类，然其核全别，两头不尖，双卷而圆，如小块紫矿。种之不生，疑亦蒸熟者。近亦少有将来者。

［█食疗云］枣和桂心、白瓜仁、松树皮为丸，久服香身，并衣亦香。软枣，温。多食动风，发冷风并咳嗽。

［圣惠方］令发易长。东行枣根三尺，横安甑上蒸之，两头汗出，收之傅发即长。

［又方］治伤中筋脉急，上气咳嗽。用枣二十枚去核，以酥四两微火煎，入枣肉中泣尽酥。常含一枚，微微咽之。

［外台秘要］痔发疼痛。肥大枣一枚剥去皮，取水银掌中，以唾研令极熟，傅枣瓤上，内下部差。

［肘后方］主下部虫痒。蒸大枣取膏，以水银和捻，长三寸，以绵裹，宿内下部中，明日虫皆出。梅师治妊娠四、五月，忽腹绞痛。以枣十四枚，烧令焦为末，以小便服。

［孙真人云］脾病宜食。

［又方］生枣食之，令人气满②胀，作寒热。

［服气精义云］常含枣核受气，令口行津③液，佳。令人受④气生津液。

［何晏九州论⑤曰］安平好枣，中山好栗，魏郡好杏，河内好稻，真定好梨。

［吴氏本草］枣，主调中，益脾气，令人好颜色，美志气。

［神异经曰］北方荒中，有枣林焉，其高五丈⑥，敷张枝条一⑦里余，子长六七寸，围过其长，熟赤如朱，干之不缩，气味甘润，殊于常枣，食之可以安躯，益气力⑧。

---

① 天：柯《大观》作“三”。

② 满：柯《大观》无。

③ 津：柯《大观》作“精”。

④ 受：原作“爱”，据底本校勘表、柯《大观》改。

⑤ 论：本书首《所出经史方书目》作“记”。《御览》卷969亦作“论”。

⑥ 五丈：《神异经》作“五十丈”。

⑦ 一：《神异经》作“数”。

⑧ 力：柯《大观》无。

[衍义曰] 大枣，今先青州，次晋州，此二等可晒曝①入药，益脾胃，为佳，余止可充食用。又御枣甘美轻脆，后众枣熟。以其甘，故多生虫。今人所谓扑落酥者是。又有牙枣，先众枣熟，亦甘美，但微酸，尖长。此二等，止堪啖，不堪收曝①。今人将干枣去核，于铛锅中微火缓逼，干为末，量多少，入生姜末为汤，点服，调和胃气。又将煮枣肉，和治脾胃丸药尤佳。又青州枣去皮核，焙干为枣圈，达都下，为奇果。

仲思枣

味甘，温，无毒。主补虚益气，润五脏，去痰嗽，冷气。久服令人肥健，好颜色，神仙不饥。形如大枣，长一二寸，正紫色，细文，小核。味甘重。北齐时有仙人仲思得此枣，因以为名。隋大业中，信都郡献数颗。又有千年枣，生波斯国，亦稍温补，非此之俦也。今附

[臣禹锡等谨按尔雅] 云：枣，壶枣；边，要枣；桥，白枣；樲，酸枣；杨彻，齐枣；遵，羊枣；洗，大枣；煮，填枣；蹶泄，苦枣；皙，无实枣；还味，稔②枣。释曰：壶枣者，枣形似壶也。郭云：今江东呼枣大而锐上者为壶。壶犹瓠也。边大而腰细者，名边要枣。郭云：子细腰，今谓之鹿卢枣。枣子白熟者名桥。实小而味酢者名樲枣。遵，一名羊枣。郭云：实小而圆，紫黑色，今俗③呼之为羊矢枣。洗，最大之枣名也。郭云：今河东猗氏县出大枣，子如鸡卵。蹶泄者，味苦之枣名也。皙者，无实之枣名也。还味者，短味也。彻、煮，并未详。

[陈士良] 云：苦枣，大寒，无毒。枣中苦者是也。人多不食，主伤寒热伏在脏腑，狂荡④烦满，大小便秘涩，取肉煮研为蜜丸药佳。今处处有⑤。

葡萄

味甘，平，无毒。**主筋骨湿痹，益气倍力，强志，令人肥健，耐饥，忍风寒。**

---

① 曝：原作"暴"，据庆元《衍义》、商务《衍义》改。

② 稔：柯《大观》据《尔雅》将其改为"捻"。

③ 俗：柯《大观》无。

④ 荡：刘《大观》、柯《大观》作"疡"。

⑤ 有：其下，柯《大观》有"之"字。

久食轻身不老延年。可作酒。逐水，利小便。生陇西五原、敦煌山谷。

葡萄

［陶隐居］云：魏国使人多赍来，状如五味子而甘美，可作酒，云用其藤汁殊美好。北国人多肥健耐寒，盖食斯乎？不植淮南，亦如橘之变于河北矣。人说即此间蘡于庚切薁于六切，恐如彼之枳类橘耶。

［唐本注］云：蘡薁与葡萄相似，然蘡薁是千岁藟。葡萄作酒法，总收取子汁酿之自成酒。蘡薁、山葡萄，并堪为酒。陶云：用藤汁为酒，谬矣。

［臣禹锡等谨按蜀本］《图经》云：蔓生，苗、叶似蘡薁而大。子有紫、白二色，又有似马乳者，又有圆者，皆以其形为名。又有无核者。七月、八月熟。子酿为酒及浆，别有法。谨按：蘡薁，是山葡萄，亦堪为酒。

［孟诜］云：葡萄，不问土地，但收之酿酒，皆得美好。或云子不堪多食，令人卒烦闷，眼暗。根浓煮汁，细细饮之，止呕哕及霍乱后恶心。妊孕人，子上冲心，饮之即下，其胎安。

［药性论］云：葡萄，君，味甘、酸。除肠间水气，调中，治淋，通小便。

［段成式酉阳杂俎］云：葡萄，有黄、白、黑三种，成熟之时，子实逼侧也。

［图经曰］葡萄，生陇西五原，敦煌山谷，今河东及近京州郡皆有之。苗作藤蔓而极长大，盛者，一二本绵被山谷间。花极细而黄白色。其实有紫、白二色，而形之圆锐亦二种。又有无核者。皆七月、八月熟。取其汁，可以酿酒。谨按《史记》云：大宛以葡萄为酒，富人藏酒①万余石，久者十数岁不败。张骞使西域，得其种而还，种之，中国始有。盖北果之最珍者。魏文帝诏群臣说葡萄云：醉酒宿醒，掩露而食，甘而不饴，酸而不酢，冷而不寒，味长汁多，除烦解悁，他方之果宁有匹之者？今大原尚作此酒，或寄至都下，犹作葡萄香。根、苗中空相通，圃人将货②之，欲得厚利，暮溉其根，而晨朝水浸子中矣。故俗呼其苗为木逾，遂水利小肠尤佳。今医家多暴收其实，以治时气。发疮疹不出者，研酒饮之甚效。江东出一种，实细而味酸，谓之蘡薁子。

---

① 酒：其下，柯《大观》有“至”字。

② 货：原作“慎”，据底本校勘表、柯《大观》改。

[衍义曰] 葡萄，先朝，西夏持师子来献，使人兼赍葡萄遗州郡，比中国者皆相似。最难干，不干不可收，仍酸澌不可食。李白所谓胡人岁献葡萄酒者是此。疮疱不出，食之尽出。多食皆昏人眼。波斯国所出，大者如鸡卵。

栗

味咸，温，无毒。主益气，厚肠胃，补肾气，令人耐饥。生山阴，九月采。

栗子

[陶隐居] 云：今会稽最丰，诸暨音既栗形大，皮厚不美。剡时冉切及始丰，皮薄而甜。相传有人患脚弱，往栗树下食数升，便能起行，此是补肾之义，然应生啖之。若饵服，故宜蒸暴之。

[唐本注] 云：栗作粉，胜于菱芡音俭。嚼生者涂疮上，疗筋骨断音段碎，疼痛肿瘀血，有效。其皮名扶，捣为散，蜜和涂肉①，令急缩。毛壳，疗火丹，疗毒肿。实饲孩儿，令齿不生。树白皮水煮汁，主溪毒。

[臣禹锡等谨按蜀本]《图经》云：树高二三丈，叶似栎，花青黄色，似胡桃花。实大者如拳，小如桃李。又有板栗、佳栗，二树皆大。又有茅栗，似板栗而细。其树虽小，然叶与诸栗不殊，惟春生、夏花、秋实、冬枯。今所在有之。

[孟诜] 云：栗子，生食治腰脚。蒸炒食之，令气拥，患风水气，不宜食。又，树皮，主瘅疮毒。谨按：宜日中暴干，食即下气补益。不尔犹有木气，不补益。就中吴栗大，无味，不如北栗也。其上薄皮，研，和蜜涂面，展皱。又，壳，煮汁饮之，止反胃，消渴。今所食生栗，可于热灰火中煨令汗出，食之良。不得通热，热则拥气。生即发气。故火煨杀其木气耳。

[陈士良] 云：栗有数种，其性一类，三颗一球。其中者，栗楔也，理筋骨风痛。

[日华子] 云：栗楔，生食，破冷痃癖，日生吃七个。又生嚼罯，可出箭头，亦罯恶刺，并傅瘰疬、肿毒痛。树皮煎汁，治沙虱，溪毒。壳煮治泻血。

[图经曰] 栗，旧不著所出州土，但云生山阴，今处处有之，而兖州、宣州者最胜。木极类栎，花青黄色，似胡桃花。实有房，汇若拳，中子三五，小者若桃

---

① 肉：柯《大观本草札记》云：“‘肉’《政和》误‘内’。”

李，中子惟一二，将熟则罅拆子出。凡栗之种类亦多。《诗》云：树之莘[①]音榛栗。陆玑疏云：栗，五方皆有之，周、秦、吴、扬特饶，吴越被城表里皆栗[②]，惟濮阳及范阳栗，甜美味长，他方者悉不及也。倭、韩国诸岛上，栗大如鸡子，亦短味不美。桂阳有莘[③]而丛生，实大如杏子中仁，皮、子形色与栗无异也，但差小耳。又有奥栗，皆与栗同，子圆而细，或云即莘也[④]。今此色惟江湖有之。又有茅栗、佳栗，其实更小，而木[⑤]与栗不殊，但春生、夏花、秋实、冬枯为异耳。栗房当心一子，谓之栗楔，治血尤效。今衡山合活血丹用之。果中，栗最有益。治腰脚宜生食之，仍略暴干，去其木[⑥]气。惟患风水气不宜食，以其味咸故也。壳煮汁饮，止反胃及消渴。木皮主疮毒，医家多用[⑦]。

［**■外台秘要**］治小儿疳疮，栗子嚼傅之。

［**肘后方**］丹者，恶毒之疮，五色无常。治之，煮栗皮有刺者，洗之佳。

［**又方**］治熊、虎爪甲所伤，嚼栗傅之。

［**经验后方**］治肾虚，腰脚无力。生栗袋盛，悬干。每日平明吃十余颗，次吃猪肾粥。

［**孙真人云**］栗，味咸，肾病宜食。

［**胜金方**］治马汗入肉血疮，用栗肉嚼傅之。

［**衍义曰**］栗，欲干莫如曝，欲生收莫如润，沙中藏至春末夏初，尚如初收摘。小儿不可多食，生者难化，熟即滞气，隔食，生虫，往往致小儿病，人亦不知。所谓补肾气者，以其味咸，又滞其气尔。湖北路有一种栗，顶圆末尖，谓之旋栗。《图经》引《诗》言莘音榛栗者，谓其象形也。

蓬蘽力轨切

味酸，咸[⑧]，**平**，无毒。**主安五脏，益精气，长阴令坚，强志倍力，有子。**又

---

① 莘：刘《大观》、柯《大观》作“榛”。

② 栗：柯《大观》作“枣”。

③ 莘：刘《大观》作“华”。

④ 也：柯《大观》无。

⑤ 木：刘《大观》作“大”。

⑥ 木：刘《大观》作“犬”。

⑦ 用：其下，柯《大观》有“之”字。

⑧ 咸：刘《大观》、柯《大观》作白字《本经》文。

疗暴中风，身热大惊。**久服轻身不老。一名覆盆**，一名陵藁，一名阴藁。生荆山平泽及冤句。

成州蓬藁

［陶隐居］云：李云即是人所食莓音茂尔。

［今注］是覆盆苗茎也。陶言蓬藁是根名，乃昌容所服以易颜者。盖根、苗相近尔。李云莓也。按《切韵》莓是覆盆草也。又藁者，藤也。今据蓬藁之名，明其藤蔓也。《唐本》注云：蓬藁、覆盆，一物异名，本谓实，而非根。此亦误矣。亦如蜀漆与常山异条，芎䓖与蘼芜各用。今此附入果部者，盖其子是覆盆也。

［臣禹锡等谨按陈士良］云：诸家本草皆说是覆盆子根，今观采取之家，按草木①类所说，自有②蓬藁，似蚕莓子，红色。其叶似野蔷薇，有刺，食之酸、甘。恐诸家不识，误说是覆盆也。

［图经曰］蓬藁，覆盆苗茎也。生荆山平泽及冤句。覆盆子，旧不著所出州土，今并处处有之，而秦、吴地尤多。苗短不过尺，茎、叶皆有刺。花白，子赤黄，如半弹丸大，而下有茎承如柿蒂状。小儿多食其实。五月采其苗，叶采无时。江南人谓之莓，然③其地所生差晚，三月始有苗，八、九月花开④，十月而实成。功用则同，古方多用。亦榨其子取汁，合膏涂发不白。挼⑤叶绞汁滴目中，去肤赤，有虫出如丝线便效。昌容服之以易颜。其法：四、五月候甘实成采之，暴干，捣筛，水服三钱匕。安五脏，益精，强志，倍力，轻体不老，久久益佳。崔元亮《海上方》著此三名，一名西国草，一名毕楞伽，一名覆盆子。治眼暗不见物，冷泪浸淫不止及青盲、天行目暗等。取西国草，日暴干，捣令极烂，薄绵裹之，以饮男乳汁中浸，如人行八九里久，用点目中，即仰卧。不过三四日，视物如少年。禁酒、油、面。

［◣陈藏器云］变白，不老，佛说云苏蜜那花点灯，正言此花也。榨取汁，合成膏，涂发不白。食其子，令人好颜色，叶挼绞取汁，汁滴目中，去肤赤，有虫出如丝线。其类有三种⑥，四月熟，甘美如覆盆子者是也，余不堪入药，今人取茅莓

---

① 木：柯《大观本草札记》作“本”。

② 异条……自有：以上58字，柯《大观》脱。

③ 然：柯《大观》作“盖”。

④ 八九月花开：柯《大观》作“八月九月开花”。

⑤ 挼：原作“按”，据刘《大观》、柯《大观》改。

⑥ 其类有三种：柯《大观本草札记》云：“《政和》作‘其种有三类’。”

当覆盆误矣。

[唐本余] 耐寒湿，好颜色。

[衍义曰] 蓬蘽，非覆①盆也，自别是一种，虽枯败而枝梗②不散。今人不见用，此即贾山策中所言者，是此也。

覆盆子

味甘，平，无毒。主益气轻身，令发不白。五月采。

[陶隐居] 云：蓬蘽是根名，方家不用，乃昌容所服以③易颜者也。覆盆是实名，李云是莓子，乃似覆盆之形。而以津汁为味，其核微细。药中用覆盆子小异。此未详孰是?

[唐本注] 云：覆盆，蓬蘽，一物异名，本谓实，非根也。李云莓子，近之矣。其根不入药用。然生处不同，沃地则子大而甘，瘠地则子细而酸。此乃子有甘、酸，根无酸味。陶景以根酸、子甘，将根入果，重出子条，殊为孟浪。

[今注] 蓬蘽，乃④覆盆之苗也⑤，覆盆，乃蓬蘽之子也。陶注、唐注皆非⑥。今用覆盆子补虚续绝，强阴健⑦阳，悦泽肌肤，安和脏腑，温中益力，疗劳损风虚，补肝明目。

[臣禹锡等谨按蜀本] 注李云是蓬蘽子也。陶云蓬蘽子津味，与覆盆子小异，而云未审，乃慎⑧之至也。苏云覆盆、蓬蘽一物也，而云剩出此条者，亦非也。今据蓬蘽即莓也。按《切韵》莓，音茂，其子覆盆也。又按：蘽者，藤也。今此云覆盆子，则不言其蔓藤⑨也，前云蓬蘽，则不言其子实也。犹如芎䓖与蘼芜异条，附子与乌头殊用。

[药性论] 云：覆盆子，臣，微热，味甘、辛。能主男子肾精虚竭，女子食之

---

① 覆：原作“复”，据本书药名改。

② 梗：原作“便”，据庆元《衍义》、商务《衍义》改。

③ 以：柯《大观》无。

④ 乃：刘《大观》、柯《大观》作“是”。

⑤ 也：柯《大观》无。

⑥ 皆非：刘《大观》、柯《大观》作“非尔”。

⑦ 健：原作“建”，据医理改。

⑧ 慎：刘《大观》、柯《大观》作“审”。

⑨ 蔓藤：刘《大观》倒置。“藤”，柯《大观》无。

有子。主阴痿，能令坚长。

［孟诜］云：覆盆子，味酸，五月于麦田中得之良。采得及①烈日晒干，免烂不堪。江东亦有，名悬钩子。大小形异②，气味、功力同。北土即无悬钩，南地无覆盆，是土地有前后生，非两种物耳。

［陈藏器］云：榨取汁，合成膏，涂发不白。食其子，令人好颜色。叶挼绞取汁，滴目中，去肤赤，有虫出如丝线。

［陈士良］云：蓬蘽似蚕莓大，覆盆小，其苗各别。

［日华子］云：莓子，安五脏，益颜色，养精气，长发，强志，疗中风身热及惊。又有树莓，即是覆盆子。

［图经③］文具蓬蘽条下。

［🔖雷公云］凡使，用东流水淘去黄叶并皮、蒂④尽了，用酒蒸一宿，以东流水淘两遍，又晒干方用，为妙也。

［衍义曰］覆盆子，长条，四、五月红熟，秦州甚多，永兴华州亦有。及时，山中人采来卖。其味酸甘，外如荔枝。樱桃许大，软红可爱，失采则就枝生蛆。益肾脏，缩小便，服之，当覆其溺器，如此取名。食之多热，收时五六分熟便可采。烈日曝，仍须薄绵蒙之。今人取汁作煎为果，仍少加蜜，或熬为稀汤，点服，治肺虚寒。采时着水则不堪煎。

芰音伎实

味甘，平，无毒。主安中，补五脏，不饥轻身，一名菱音陵。

芰实

［陶隐居］云：庐江间最多，皆取火燔以为米充粮。今多蒸暴，蜜和饵之，断谷长生。水族中又有菰音孤首，性冷，恐非上品。被霜后食之，令阴不强。又不可杂白蜜食，令生虫也。

---

① 得及：柯《大观》作“于”。

② 形异：柯《大观》倒置。

③ 经：其下，柯《大观》有“曰”字。

④ 蒂：刘《大观》、柯《大观》误作“带”。

［唐本注[①]］云：芰作粉，极白润，宜人。

［臣禹锡等谨按蜀本］《图经》云：生水中，叶浮水上，其花黄白色，实有二种：一，四角；一，两角。

［孟诜］云：菱实，仙家蒸作粉，蜜和食之，可休粮。水族之中，此物最不能治病。又云：令人脏冷，损阳气，痿茎。可少食。多食令人腹胀满者，可暖酒和姜饮一两盏，即消矣。

［图经曰］ 芰，菱实也。旧不著所出州土，今处处有之。叶浮水上，花黄白色，花落而实生，渐向水中乃熟。实有二种，一种四角，一种两角。两角中又有嫩皮而紫色者，谓之浮菱，食之尤美。江淮及山东人曝其实仁，以为米，可以当粮。道家蒸作粉，蜜渍食之，以断谷。水果中此物最治病，解丹石毒。然性冷，不可多食。

［▶ 食疗］ 神仙家用，发冷气。人含吴茱萸，咽其津液，消其腹胀矣。

［周礼疏］ 屈到嗜芰。韦注芰[②]：菱角也。

［衍义曰］ 芰，今世俗谓之菱角，所在有。煮熟取仁食之，代粮，不益脾。又有水菱，亦芰也，但大而脆，可生食。和合治疗，未闻其用。有人食生芰多则利及难化，是亦性冷。

橙子皮

味苦、辛，温。作酱醋香美。散肠胃恶气，消食，去胃中浮风气。其瓤，味酸，去恶心，不可多食，伤肝气。又，以瓤洗去酸汁，细切，和盐、蜜煎成煎，食之去胃中浮风。其树亦似橘树而叶大，其形圆，大于橘而香，皮厚而皱。八月熟。今附

［臣禹锡等谨按陈士良］云：橙子，暖，无毒。行风气，发虚热，疗瘿气，发瘰疬，杀鱼虫毒。不与猿[③]肉同食，发头旋、恶心。

［图经］ 文具橘柚条下。

［▶ 食疗］ 温。去恶心，胃风。取其皮和盐贮之。又，瓤，去恶气。和盐、蜜细细食之。

---

① 唐本注：柯《大观》作黑小字。

② 韦注芰：原作“即”，据《周礼疏》改。

③ 猿：刘《大观》、柯《大观》作“槟”。

[**衍义曰**] 橙子皮，今人止为果，或取皮合汤待宾，未见入药。宿酒未醒，食之速醒。

樱桃①

味甘。主调中，益脾气，令人好颜色，美志。

樱桃

[陶隐居] 云：此即今朱樱，味甘、酸，可食，而所主又与前樱桃相似。恐医家滥载之，未必是今者尔。又，胡颓子凌冬不凋，子亦应益人。或云寒热病不可食。

[唐本注] 云：叶捣傅蛇毒。绞叶汁服，防蛇毒内攻。

[臣禹锡等谨按孟诜] 云②：樱桃，热。益气，多食无损。又云：此名樱，非桃也。不可多食，令人发暗风。东行根，疗寸白、蛔虫。

[陈士良] 云：樱桃，平，无毒。

[日华子] 云：樱桃，微毒，多食令人吐。

[**图经曰**] 樱桃，旧不著所出州土，今处处有之，而洛中南都者最胜。其实熟时深红色者，谓之朱樱；正黄明者，谓之蜡樱。极大者，有若弹丸，核细而肉厚，尤难得也。食之，调中益气，美颜色。虽多无损，但发虚热耳。惟有暗风人不可啖，啖之立发。其叶可捣傅蛇毒，亦绞汁服。东行根亦杀寸白③、蛔虫。其木多阴，最先百果而熟，故古多贵之。谨按，书传引《吴普本草》曰：樱桃，一名朱④茱，一名麦甘酣。今本草无此名，乃知有脱漏多矣。又《尔雅》云：楔吉点切，荆桃。郭璞云：今之樱桃。而孟诜以为樱非桃类，未知何据？

[**◣食疗**] 云⑤：温。多食有所损。令人好颜色，美志。此名樱桃，俗名李桃，亦名奈桃者是也。甚补中益气，主水谷痢，止泄精。东引根，治蛔虫。

[**司马相如赋**] 山朱樱，即樱桃也。

[**礼记**] 谓之含桃⑥。

---

① 樱桃：本条和本书卷30有名未用类“婴桃”条，是同名异物。

② 云：柯《大观》作白小字。

③ 寸白：原倒置，据刘《大观》、柯《大观》改。

④ 朱：柯《大观》作“味”。

⑤ 云：柯《大观》作大字。

⑥ 谓之含桃：《礼记·月令》作“仲夏之月，以含桃先荐宗庙”。

[尔雅] 谓之荆桃①。

[衍义曰] 樱桃，孟诜以为樱非桃类。然非桃类，盖以其形肖桃，故曰樱桃，又何疑焉？谓如木猴梨、胡桃之类，亦取其形相似尔。古谓之含桃，可荐宗庙。《礼》云：先荐寝庙者是此。唐·王维诗云：才是寝园春荐后，非干御苑鸟衔残。小儿食之，才过多无不作热。此果在三月末、四月初间熟，得正阳之气，先诸果熟，性故热。今西洛一种紫樱，至熟时正紫色，皮里间有细碎黄点，此最珍也。今亦上供朝廷，药中不甚须。

鸡头实

味甘，平，无毒。**主湿痹，腰脊膝痛，补中除暴疾，益精气，强志，令耳目聪明。久服轻身不饥耐老神仙。一名雁喙实，**一名芡音俭。生雷泽池泽。八月采。

鸡头实

[陶隐居]云：此即今芀音苇子形上花似鸡冠，故名鸡头。仙方取此并莲实合饵，能令小儿不长，正尔。食之亦当益人。

[唐本注]云：此实去皮作粉，与菱音陵粉相似，益人胜菱。

[臣禹锡等谨按蜀本]《图经》云：此生水中，叶大如荷，皱而有刺，花、子若拳大，形似鸡头，实若石榴，皮青黑，肉白，如菱米也。

[孟诜]云：鸡头作粉食之，甚妙。是长生之药，与小儿食，不能长大，故驻年耳。生食动风冷气，蒸之，于烈日晒之，其皮即开。亦可舂作粉。

[陈士良]云：此种虽生于水，而有软根名葰菜。主小腹结气痛，宜食。

[日华子]云：鸡头，开胃助气。根可作蔬菜食。

[图经曰] 鸡头实，生雷泽，今处处有之，生水泽中。叶大如荷，皱而有刺，俗谓之鸡头盘。花下结实，其形类鸡头，故以名之。其茎菽之嫩者，名蒍菽，人采以为菜茹，八月采实。服饵家取其实并中子，捣烂暴干，再捣下筛，熬金樱子煎和丸服之。云补下益人，谓之水陆丹。经传谓其子为芡。

[▌经验后方] 治益精气，强志意，聪利耳目。以鸡头实三合，煮令熟，去壳，研如膏，入粳米一合煮粥，空心食之。

[淮南子云] 鸡头已瘘颈疾。高诱注②：幽人谓之雁头。

---

① 谓之荆桃：《尔雅·释木》作“楔，荆桃”。郭注：今樱桃。

② 高诱注：原脱，据《淮南子·说山训》注文补。

[庄子] 徐无鬼篇有鸡雍。《疏》云：鸡雍，鸡头[1]也，服之延年。

[周礼] 加笾之实，菱、芡、栗脯。

[衍义曰] 鸡头实，今天下皆有之，河北沿溏泺居人采得，舂去皮，捣仁为粉，蒸渫作饼，可以代粮，食多不益脾胃气，兼难消化。

[中　品]

梅实

味酸，平，无毒。**主下气，除热烦满，安心，肢体痛，偏枯不仁，死肌，去青黑痣，恶疾，**止下痢，好唾，口干。生汉中川谷。五月采，火干。

郢州梅实

[陶隐居] 云：此亦是今乌梅也，用当去核，微熬之。伤寒烦热，水渍饮汁。生梅子及白梅亦应相似，今人多用白梅和药，以点痣，蚀恶肉也。服黄精人，云禁食梅实。

[唐本注] 云：《别录》云，梅根，疗风痹，出土者杀人。梅实，利筋脉，去痹。

[臣禹锡等谨按药性论] 云：梅核仁亦可单用，味酸，无毒。能除烦热。

[萧炳] 云：今人多用烟熏为乌梅。

[孟诜] 云：乌梅，多食损齿。又，刺在肉中，嚼白梅封之，刺即出。又，大便不通，气奔欲死。以乌梅十颗置汤中，须臾挼去核，杵为丸如枣大，内下部，少时即通。谨按，擘破水渍，以少蜜相和，止渴，霍乱心腹不安及痢赤。治疟方多用之。

[陈藏器] 云：梅实本功外，止渴。令人膈上热。乌梅去痰，主疟瘴，止渴调中，除冷热痢，止吐逆。梅叶捣碎汤洗，衣易脱也。嵩阳子云：清水揉梅叶，洗蕉[2]葛衣，经夏不脆。余试之验。

[日华子] 云：梅子，暖。止渴。多啖伤骨，蚀脾胃，令人发热。根、叶煎浓汤，治休息痢并霍乱。

[又云] 白梅，暖，无毒。治刀箭，止血，研傅之。

---

① 头：其后，原有“草”字，据《庄子》司马彪注删。

② 蕉：柯《大观》作“焦”。

［又云］乌梅，暖，无毒。除①劳，治骨蒸，去烦闷。涩肠止痢，消酒毒。治偏枯、皮肤麻痹。去黑点。令人得睡。又入建茶、干姜为丸，止休息痢，大验也。

［图经曰］梅实，生汉中川谷，今襄汉、川蜀、江湖、淮岭皆有之。其生实酢②而损齿，伤骨，发虚热，不宜多食之，服黄精人尤不相宜。其叶煮浓汁服之，已休息痢。根，主风痹。出土者不可用。五月采其黄实，火熏干作乌梅。主伤寒烦热及霍乱躁渴。虚劳瘦羸，产妇气痢等方中多用之。南方疗劳疟劣弱③者，用乌梅十四枚，豆豉二合，桃、柳枝各一虎口握，甘草三寸长，生姜一块，以童子小便二升，煎七合，温服。其余药使用之尤多。又以盐杀为白梅，亦入除痰药中用。又，下有杨梅条，亦生江南、岭南。其木若荔枝，而叶细阴厚，其实生青熟红，肉在核上，无皮壳。南人淹④藏以为果，寄至北方甚多，今医方鲜用，故附于此。

［▌圣惠方］主伤寒，下部生䘌疮。用乌梅肉三两，炒令燥，杵为末，炼蜜丸如梧桐子大。以石榴根皮煎汤，食前下十丸。

［又方］治痰厥头痛。以十个取肉，盐二钱，酒一⑤中盏，合煎至七分，去滓，非时温服，吐即佳。

［又方］治痢下积久不差，肠垢已出。以二十个，水一盏，煎取六分，去滓，食前分为二服。《肘后方》同。

［又方］治疮中新努肉出。杵肉以蜜和，捻作饼子如钱许大厚，以贴疮，差为度。

［外台秘要］治下部虫啮。杵梅、桃叶一斛，蒸之，令极热，内小器中，大布上坐⑥，虫死。

［肘后方］治心腹俱胀痛，短气欲死或已绝。乌梅二七枚，水五升，煮一沸，内大钱二七枚，煮取二升半，强人可顿服，羸人可分之再服。

［又方］治伤寒。以三十枚云核，以豉一升，苦酒三升，煮取一升半，去滓服。

［又方］治手指忽肿痛，名为伐指。以乌梅仁杵，苦酒和，以指渍之，须

---

① 除：柯《大观》作“治”。

② 酢：柯《大观》作“酸”。

③ 弱：柯《大观》无。

④ 淹：柯《大观》作“掩”。

⑤ 一：柯《大观》无。

⑥ 坐：柯《大观·礼记》云：“《政和》作‘座’。”

臾差。

［葛氏］治赤白痢，下部疼重。以二十枚打碎，水二升，煮取一升，顿服。

［又方］治折伤。以五斤去核，饴五升合煮，稍稍食之，渐渐自消。

［经验方］治马汗入肉。用乌梅和核，烂杵为末，以头醋和为膏。先将疮口以针刺破，但出紫血，有红血出，用帛拭干，以膏傅上，以帛系定。

［梅师］治伤寒四五日，头痛壮热，胸中烦痛。乌梅十四个，盐五合，水一升，煎取一半服，吐之。

［简要济众］治消渴，止烦①闷。以乌梅肉二两，微炒为末。每服二钱，水二盏，煎取一盏，去滓，入豉二百粒，煎至半盏，去滓，临卧时服。

［鬼遗方］治一切疮肉出。以乌梅烧为灰，杵末傅上，恶肉立尽，极妙。

［吴氏本草］梅核明目，益气不饥。

［毛诗疏云］梅暴干为醋②，置③羹臛齑中，又可含④以香口。

［魏武⑤帝］与军士失道，大渴而无水，遂下令曰：前有梅林，结子甘酸，可以止渴。

［衍义曰］梅实，食梅则津液泄，水生木也。津液泄，故伤齿。肾属水，外为齿，故也。王叔和曰：膀胱、肾合为津府⑥，此语虽鄙，然理存焉。熏之为乌梅，曝干藏密器中，为白梅。

木瓜实

味酸，温，无毒。主湿痹邪气，霍乱大吐下，转筋不止。其枝亦可煮用。

［陶隐居］云：山阴兰亭尤多，彼人以为良果，最疗转筋。如转筋时，但呼其名及书上作木瓜字，皆愈，亦不可解。俗人柱木瓜杖，云利筋胫。又有榠音冥樝音楂，大而黄，可进酒去痰。又，樝子，涩，断痢。《礼》云：樝梨曰欑之。郑公不

---

① 烦：原作“须”，据刘《大观》、柯《大观》、底本校勘表改。

② 醋：原作“腊”，据柯《大观》改。

③ 置：原脱，据陆玑《毛诗疏》补。

④ 可含：原倒置，据改同上。

⑤ 武：原作“文”，据《世说新语·假谲》、柯《大观》改。

⑥ 府：原作“庆”，据《脉经》、底本校勘表改。王叔和《脉经》卷3肾与膀胱部云：“肾象水，与膀胱合为府。”下注云：“膀胱为津液之府。”

识樝，乃云是梨之不臧者。然古亦以樝为果，今则不入例尔①。

蜀州木瓜

［臣禹锡等谨按蜀本］注：其树枝状如柰，花作房生，子形似栝楼，火干甚香。《尔雅》云：楙，木瓜。注云：实如小瓜，酢可食，然多食亦不益人。又《尔雅》注：樝似梨而酢涩。

［陈藏器］云：木瓜本功外，下冷气，强筋骨，消食，止水痢后渴不止，作饮服之。又，脚气冲心，取一颗去子，煎服之，嫩者更佳。又止呕逆，心②膈痰唾。

［又云］按榠樝，一名蛮樝。本功外，食之去恶心。其气辛香，致衣箱中杀虫鱼。食之止心中酸水，水痢。樝子本功外，食之去恶心、酸咽，止酒痰黄水。小于榅桲而相似。北土无之，中都有。郑注《礼》云：樝梨之不臧者。为无功也。

［孟诜］云：木瓜，谨按：枝叶煮之饮，亦治霍乱。不可多食，损齿及骨。又，脐下绞痛。木瓜一两片，桑叶七片，大枣三枚，碎之，以水二升，煮取半升，顿服之，差。

［又云］樝子，平。损齿及筋，不可食。亦主霍乱转筋，煮汁食之，与木瓜功稍等，余无有益人处。江外常为果食。

［日华子］云：木瓜，止吐泻、贲豚及脚气、水肿，冷热痢，心腹痛，疗渴，呕逆，痰唾等。根治脚气。

［又云］榠樝，平，无毒。消痰，解酒毒及治咽酸。煨食止痢。浸油梳头，治发赤并③白。

［图经曰］木瓜，旧不著所出州土。陶隐居云：山阴兰亭尤多，今处处有之，而宣城者为佳。其木状若柰，花生于春末而深红色。其实大者如瓜，小者如拳。《尔雅》谓之楙。郭璞云：实如小瓜，酢，可食，不可多，亦不益人。宣州人种莳尤谨，遍满山谷。始实成，则镞纸花薄其上，夜露日暴，渐而变红，花文如生。本

① 尔：其下，傅《新修》、罗《新修》、尚辑本《新修》有“凡此属多不益人者也”。

② 心：柯《大观》无。

③ 赤并：柯《大观》作“令不”。

州以充上①贡焉。又有一种榠樝，木、叶、花、实，酷类木瓜。陶云大而黄，可进酒去痰者是也。欲辨之，看蒂间，别有重蒂如乳者为木瓜，无此者为榠樝也。木瓜大枝可作杖策之，云利筋脉。根、叶者场淋足胫，可以已蹶。又，截其木，干之作桶以濯足，尤益。道家以榠樝生压汁，合和甘松、玄参末，作湿香，云甚爽神。

[**◣雷公云**] 凡使，勿误用和圆子、蔓子、土伏子，其色样外形真似木瓜，只气味效并向里子各不同。若木瓜，皮薄，微赤黄，香，甘、酸，不涩。调荣卫，助谷气。向里子头尖一面，方是真木瓜。若和圆子，色②微黄，蒂、核③粗，子小圆，味涩、微咸，伤人气。蔓子颗小，亦似木瓜，味绝涩，不堪用。土伏子似木瓜，味绝涩，子如大样油麻，又苦涩，不堪用。若饵之，令人目涩、目赤，多赤筋痛。凡使木瓜，勿令犯铁。用铜刀削去硬皮并子，薄切，于日中晒。却④用黄牛乳汁拌蒸，从巳至未，其木瓜如膏煎，却于日中薄摊，晒干用也。

[**食疗云⑤**] 主呕啘风气。又吐后转筋，煮汁饮之甚良。脚膝筋急痛，煮木瓜令烂，研作浆粥样，用裹痛处。冷即易，一宿三五度，热裹便差。煮木瓜时，入一半酒同煮之。《毛诗》：投我以木瓜，报之以琼琚。注云：木瓜，楙瓜⑥也，可食之木。

[**衍义曰**] 木瓜，得木之正，故入筋。以铅霜涂之，则失醋味，受金之制，故如是。今人多取西京大木瓜为佳，其味和美，至熟止，青白色，入药，绝有功。胜、宣州者味淡。此物入肝，故益筋与血病、腰肾脚膝无力，此物不可阙也。

柿

味甘，寒，无毒。主通鼻耳气，肠澼不足。

[陶隐居] 云：柿有数种，云今乌柿，火熏者，性热，断下、又疗狗啮疮。火焫皮逼切者亦好，日干者性冷。粗心柿尤不可多食，令人腹痛。生柿弥冷。又有椑音卑，色青，惟堪生啖，性冷复甚于柿，散石热家啖之，亦无嫌。不入药用。

[唐本注] 云：《别录》云，火柿主杀毒，疗金疮、火疮，生肉止痛。软熟柿

---

① 上：刘《大观》、柯《大观》作“土”。

② 色：刘《大观》、柯《大观》无。

③ 核：刘《大观》、柯《大视》无。

④ 却：刘《大观》、柯《大观》作“次”。

⑤ 云：原作小字，据刘《大观》、柯《大观》改。

⑥ 瓜：原作“木”，据《毛诗·木瓜》注文改。

解酒热毒，疗金疮、火疮，生肉止痛。软熟柿解酒热毒，止口干，压胃间热。

柿

［臣禹锡等谨按孟诜］云：柿寒。主补虚劳不足。谨按：干柿厚肠胃，涩中，健脾胃气，消宿血。又，红柿补气，续经脉气。又，醂柿涩下焦，健脾胃气，消宿血。作饼及糕与小儿食，治秋痢。又，研柿，先煮粥，欲熟即下柿，更三两沸，与小儿饱食，并奶母吃亦良。又，干柿二斤，酥一斤，蜜半升，先和酥蜜，铛中消之。下柿煎十数沸，不津器贮之。每日空腹服三五枚，疗男子、女人脾虚、腹肚薄，食不消化。面上黑点，久服甚良。

［陈藏器］云：柿本功外，日干者温补，多食去面①皯，除腹中宿血。剡县火干者，名乌柿。人服药口苦及欲吐逆，食少许立止。蒂煮服之，止哕气。黄柿和米粉作糗，蒸与小儿食之，止下痢。饮酒食红柿，令人心痛直至死。亦令易醉。陶云解酒毒，失矣。

［日华子］云：柿，冷。润心肺，止渴，涩肠。疗肺痿心热嗽，消痰，开胃。亦治吐血。

［又云］干柿，平。润声喉，杀虫。火柿，性暖，功用同前。

［图经曰］柿，旧不著所出州土，今南北皆有之。柿之种亦多：黄柿生近京州郡；红柿南北通有；朱柿出华山，似红柿而皮薄，更甘珍；椑音卑柿出宣、歙、荆、襄、闽、广诸州，但可生啖，不堪干。诸柿食之皆美而益人，椑柿更压丹石毒耳。其干柿火干者，谓之乌柿，出宣州、越州。性甚温，人服药口苦欲逆，食少许当止，兼可断下。日干者为白柿，入药微冷。又，黄柿可和米粉作糗，小儿食之止痢。又，以酥蜜煎干柿食之，主脾虚、薄食。柿蒂煮饮，亦止哕。木皮主下血不止，暴干更焙，筛末，米饮和二钱匕服之，不以上冲下脱，两服可止。又有一种小柿，谓之软枣。俚俗暴干货之，谓之牛奶柿。至冷，不可多食。凡食柿，不可与蟹同，令人腹痛大泻。其枯叶至滑泽，古人取以临书。俗传柿有七绝：一寿、二多阴、三无鸟巢、四无虫蠹、五霜叶可玩、六嘉实、七落叶肥火②。

［◣圣惠方］治耳聋鼻塞。以干柿三枚细切，粳米三合，豉少许煮粥，空心

---

① 面：柯《大观》作“皮”。

② 火：柯《大观》作“大”。

食之。

[产宝] 治产后或患妊逆气乱心烦。干柿一个，碎之，以水十分，煮热呷。

[衍义曰] 柿，有着盖柿，于蒂下别生一重。又牛心柿，如牛之心；蒸饼柿，如今之市买蒸饼。华州有一等朱柿，比诸品中最小，深红色。又一种塔柿，亦大于诸柿，性皆凉，不至大寒，食之引痰，极甘，故如是。去皮，挂大木株上，使风日中自干，食之多动风火。干者味不佳，生则涩，以温水养之，需涩去可食，逮至自然红烂，涩亦自去，干则性平。

芋

味辛，平，有毒。主宽肠胃，充肌肤，滑中。一名土芝。

芋

[陶隐居] 云：钱塘最多。生则有毒，莶音杴不可食。性滑，下石，服饵家所忌。种芋三年不采，成梠音吕芋。又别有野芋，名老芋，形叶相似如一根，并杀人。人不识而食之垂死者，他人以土浆及粪汁与饮之，得活矣。

[唐本注] 云：芋有六种：有青芋、紫芋、真芋、白芋、连禅芋、野芋。其青芋细长，毒多，初煮要须灰汁，易水煮熟，乃堪食尔。白芋、真芋、连禅芋、紫芋毒少并正尔。蒸煮啖之。又宜冷啖，疗热止渴。其真、白、连禅三芋，兼肉作羹，大佳。蹲鸱之饶，盖谓此也。野芋大毒，不堪啖也。

[臣禹锡等谨按孟诜] 云：芋白色者，无味；紫色者，破气。煮汁饮之止渴，十月后晒干收之。冬月食，不发病，他时月不可食。又，和鲫鱼、鳢鱼作臛良。久食令人虚劳无力。又，煮汁洗腻衣，白如玉。亦可浴去身上浮风。慎①风半日。

[陈藏器] 云：芋本功外，食之令人肥白。小者极滑，吞之开胃及肠闭。产后煮食之，破血。饮其汁，止血渴。芋有八九种，功用相似。野芋，生溪涧，非人所种者，根叶相类耳。取根醋摩，傅虫疮疥癣，入口毒人。又有天荷，亦相似而大也。

[日华子] 云：芋，冷，破宿血，去死肌。其中有数种，有芽芋、紫芋。园圃中种者可食，余者有大毒，不可容易食。姜芋辛辣，以生姜煮，又换水煮，方可食。和鱼煮，甚下气，调中补虚。叶，裹开了痈疮毒，止痛。又云芋叶，冷，无毒。除烦止泻，疗妊孕心烦迷闷、胎动不安。又盐研傅蛇虫咬并痈肿毒，及署傅

---

① 慎：刘《大观》、柯《大观》作“忌”。

毒箭。

[**图经曰**] 芋，《本经》不著所出州土，陶隐居注云：钱塘最多，今处处有之。闽、蜀、淮、甸尤殖此。种类亦多，大抵性效相近。蜀川①出者，形圆而大，状若蹲鸱，谓之芋魁。彼人莳之最盛，可以当粮食而度饥年。左思《三都赋》所谓徇蹲鸱之沃，则以为济世阳丸②是也。江西、闽中出者，形长而大，叶皆相类。其细者如卵，生于大魁傍，食之尤美，不可过多，乃有损也。凡食芋，并须园圃莳者。其野芋有大毒，不可辄食，食则杀人。惟土浆及粪汁解之。《说文解字》云③：齐人谓芋为梠。陶云：种芋三年，不采成莒。二音相近，盖南北之呼不同耳。古人亦单用作药，唐·韦宙《独行方》疗癖气，取生芋子一斤，压破，酒五升渍二七日，空腹一杯，神良。

[**◣唐本云**] 多食动宿冷。其叶如荷叶而长，根类于薯预而圆。《图经》云：其类虽多，叶盖相似，叶大如扇，广尺余。白芋毒微；青芋多子；真芋、连禅芋、紫芋并毒少，而根俱不堪。生啖，蒸、煮冷啖，大治烦热，止渴。今畿县遍有，诸山南、江左唯有青、白、紫三芋而已。

[**食疗**] 煮汁浴之，去身上浮气。浴了，慎④风半日许。史记蜀卓氏云：汶山之下，沃野有蹲鸱，至死不饥。注：蹲鸱，大芋也。

[**沈存中笔谈**] 处士刘易⑤，隐居王屋山。尝于斋中，见一大蜂，罥于蛛网⑥，蛛缚之，为蜂所螫，坠地。俄顷，蛛鼓腹欲裂，徐徐行入草，啮芋梗微破，以疮就啮处磨之。良久，腹渐消⑦，轻躁如故，自后人有为蜂螫者，挼芋梗傅之则愈。

[**衍义曰**] 芋，所在有之，江、浙、二川者，最大而长。京、洛者，差圆小，而惟东、西京者佳，他处味不及也。当心出苗者为芋头，四边附芋头而生者，为芋子。八、九月已后，可食；至时掘出，置十数日，却以好土匀埋，至春犹好。生则辛而涎，多食，滞气困脾。唐·杜甫诗曰“园收芋栗不全贫”者是此。以梗擦蜂螫处，愈。

---

① 川：柯《大观》作“州”。

② 丸：原作“九”，据成化《政和》、商务《政和》、柯《大观》改。

③ 云：刘《大观》作“云云”。

④ 慎：刘《大观》、柯《大观》作“忌”。

⑤ 易：原作“汤”，据《梦溪笔谈》卷24改。

⑥ 网：原作“蜩”，据文理改。

⑦ 消：柯《大观》无。

乌芋

味苦，甘，微寒，无毒。主消渴，痹热，温①中益气。一名藉姑，一名水萍。二月生叶如芋，三月三日采根，暴干。

［陶隐居］云：今藉姑生水田中，叶有桠乌牙切，状如泽泻，不正似芋。其根黄似芋子而小，煮之亦可啖。疑其有乌者，根极相似，细而美，叶乖异，状如莞草，呼为凫茨，恐此也。

［唐本注］云：此草一名槎牙，一名茨菰音孤。主百毒。产后血闷攻心欲死，产难，衣②不出，捣汁服一升。生水中，叶似錍普兮切箭镞，泽泻之类也。《千金方》云：下石淋。

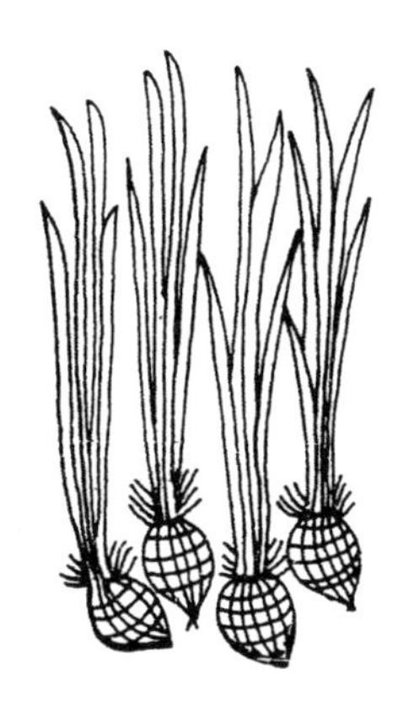

乌芋

［臣禹锡等谨按孟诜］云：茨菰不可多食。吴人常食之，令人患脚。又，发脚气，瘫缓风。损齿，令人失颜色，皮肉干燥。卒食之，令人呕水。

［又云］ 凫茨，冷。下丹石，消风毒，除胸中实热气。可作粉食。明耳目，止渴，消疸黄。若先有冷气，不可食。令人腹胀气满。小儿秋食，脐下当痛。

［日华子］云：凫茨，无毒。消风毒，除胸胃热，治黄疸，开胃下食。服金石药人食之，良。又云③：茨菰，冷，有毒。叶研傅蛇虫咬。多食发虚热及肠风痔瘘，崩中带下，疮疖。煮以生姜御之佳。怀孕人不可食。又名燕尾草及乌芋矣④。

［图经曰］乌芋，今凫茨也。旧不著所出州土。苗似龙须而细，正青色，根黑，如指大，皮厚有毛。又有一种，皮薄无毛者亦同。田中人并食之，亦以作粉，食之厚人肠胃，不饥。服丹石人尤宜，盖其能解，毒耳。《尔雅》谓之芍。

［衍义曰］乌芋，今人谓之葧脐。皮厚，色黑，肉硬白者，谓之猪葧脐；皮薄泽，色淡紫，肉软者，谓之羊葧脐。正、二月人采食之。此二等，药罕用。荒岁，人多采以充粮。

---

① 温：傅《新修》、罗《新修》作“热”。

② 衣：柯《大观》作“胎”衣。

③ 又云：刘《大观》作白小字。

④ 矣：刘《大观》、柯《大观》无。

枇杷叶

味苦，平，无毒。主卒啘不止，下气。

眉州枇杷叶

［陶隐居］云：其叶不暇煮，但嚼食亦差。人以作饮，则小冷。

［唐本注］云：用叶须火炙，布拭去毛，不尔射人肺，令咳不已。又主咳逆，不下食。

［今注］实，味甘，寒，无毒。多食发痰热。

［臣禹锡等谨按蜀本］《图经》云：树高丈余，叶大如驴耳，背有黄毛。子梂生如小李，黄色，味甘、酸。核大如小栗，皮肉薄。冬花春实，四月、五月熟，凌冬不凋。生江南、山南，今处处有。

［孟诜］云：枇杷，温。利五脏，久食亦发热黄。子，食之润肺，热上焦。若和热炙肉及热面食之，令人患热毒黄病。

［药性论］云：枇杷叶，使，味甘。能主胃气冷，呕哕不止。

［日华子］云：枇杷子，平，无毒。治肺气，润五脏，下气，止吐逆并渴疾。又云：叶疗妇人产后口干。

［图经曰］枇杷叶，旧不著所出州郡，今襄、汉、吴、蜀、闽岭皆有之。木高丈余，叶作驴耳形，皆有毛。其木阴密婆娑可爱，四时不凋。盛冬开白花，至三、四月而成实。故谢瞻《枇杷赋》云：禀金秋之青条，抱东阳之和气，肇寒葩之结霜，成炎果乎纤露，是也。其实作梂如黄梅，皮肉甚薄，味甘，中核如小栗。四月采叶暴干，治肺气，主渴疾。用时须火炙，布拭去上黄毛。去之难尽，当用粟秆作刷刷之乃尽。人以作饮，则小冷。其木白皮，止吐逆，不下食。

［◣雷公云①］凡使，采得后秤，湿者一叶重一两，干者三叶重一两者是，气足堪用。使粗布拭上毛令尽，用甘草汤洗一遍，却用绵再拭，令干。每一两以酥一分炙之，酥尽为度。

［食疗］卒呕啘不止，不欲食。又，煮汁饮之，止渴。偏理肺及肺风疮、胸面上疮。

［孙真人］咳嗽，以叶去毛煎汤服之。

---

① 云：原脱，据本书体例补。

[衍义曰] 枇杷叶，江东、西，湖南、北，二川皆有之。以其形如枇杷，故名之。治肺热嗽有功。花白，最先春也。子大如弹丸，四、五月熟，色若黄杏，微有毛，肉薄，性亦平，与叶不同。有妇人患肺热，久嗽，身如炙，肌瘦将成肺劳。以枇杷叶、木通、款冬花、紫菀、杏仁、桑白皮各等分，大黄减半，各如常制。治讫，同为末，蜜丸如樱桃大。食后、夜卧，各含化一丸，未终一剂而愈。

荔枝子

味甘，平，无毒。止渴，益人颜色。生岭南及巴中。其树高一二丈，叶青阴，凌冬不凋。形如松子大，壳朱若红罗纹，肉青白若水精，甘美如蜜。四、五月熟，百鸟食之，皆肥矣。今附

荔枝

[图经曰] 荔枝子，生岭南及巴中，今泉、福、漳、嘉、蜀、渝、涪州、兴化军及二广州郡皆有之。其品闽中第一，蜀川次之，岭南为下。《扶南记》云：此木以荔枝为名者，以其结实时枝弱而蒂牢，不可摘取，以刀斧劙音利取其枝，故以为名耳。其木高二三丈，自径尺至于合抱，颇类桂木、冬青之属。叶蓬蓬然，四时荣茂不凋。其木性至坚劲，工人取其根作阮咸槽及弹棋局。木之大者，子至百斛。其花青白，状若冠之蕤缨。实如松花之初生者。壳若罗文，初青渐红，肉淡白如肪玉，味甘而多汁。五、六月盛熟时，彼方皆燕会其下以赏之，宾主极量取啖，虽多亦不伤人。小①过度，则饮蜜浆一杯便解。荔枝始传于汉世，初②惟出岭南，后出蜀中。《蜀都赋》所云：旁挺龙目，侧生荔枝是也。蜀中之品，在唐尤盛。白居易图序论之详矣。今闽中四郡所出特奇，而种类仅至三十余品，肌肉甚厚，甘香莹白，非广、蜀之比也。福唐岁贡白暴荔枝并蜜煎荔枝肉，俱为上方之珍果。白暴须佳实乃堪，其市货者，多用杂色荔枝入盐、梅暴之成，而皮深红，味亦少酸，殊失本真。凡经暴皆可经岁，好者寄至都下及关、峡，河外诸处，味犹不歇。百果流布之盛，皆不及此。又有焦核荔枝，味更甜美，或云是木生背阳，结实不完就者，白暴之尤佳。又有绿色、蜡色，皆其品之奇者，本土亦自难得。其蜀岭荔枝，初生亦小酢，肉薄不堪暴。花及根亦入药。崔

① 小：柯《大观》作“少”。
② 初：柯《大观》作“时”。

元亮《海上方》治喉痹肿痛，以荔枝花并根，共十二分，以水三升煮，去滓，含，细细咽之，差止。

［◥陈藏器］味酸，子如卵。《广州记》云：荔枝精者，子如鸡卵大，壳朱肉白，核如鸡舌香。《广志》曰：荔枝冬青，实如鸡子，核黄黑似熟莲子，实白如肪脂，甘而多汁，美极，益人也。

［海药云］谨按《广州记》云：生岭南及波斯国。树似青木香。味甘、酸。主烦渴，头重，心躁，背膊劳闷，并宜食之。嘉州已下渝州并有。其实熟[①]，甘美。荔枝熟，人未采，则百虫不敢近。人才采之，乌鸟、蝙蝠之类，无不残伤。故采荔枝者，日中而众采之。荔枝子，一日色变，二日味变，三日色味俱变。古诗云：色味不逾三日变。员安宇荔枝诗云：香味三日变。今泸、渝人食之，多则发热疮。

［食疗］微温。食之通神益智，健气及颜色，多食则发热。

［衍义曰］荔枝，药品中今未见用，惟崔元亮方中收之。果实中为上品，多食，亦令人发虚热。此物喜双实，尤可爱。本朝有蔡君谟《荔枝谱》，其说甚详。唐·杜牧诗云：二骑红尘妃子笑，无人知是荔枝来。此是川蜀荔枝，亦可生置之长安也。以核煨火中，烧存性，为末，新酒调，一枚，末服，治心痛及小肠气。

乳柑子

味甘，大寒。主利肠胃中热毒，解丹石，止暴渴，利小便。多食令人脾冷，发痼癖、大肠泄。又有沙柑、青柑、山柑，体性相类，惟山柑皮疗咽喉痛，效；余者皮不堪用。其树若橘树，其形似橘而圆大，皮色生青、熟黄赤。未经霜时尤酸，霜后甚甜，故名柑子。生岭南及江南。今附

［臣禹锡等谨按萧炳］云：出西戎者佳。

［日华子］云：冷，无毒。皮炙作汤，可解酒毒及酒渴，多食发阴汗。

［图经］文具橘柚条下。

［◥陈藏器］产后肌浮，柑皮为末，酒下。

［圣惠方］治酒毒，或醉昏闷、烦渴，要易醒方：取柑皮二两，焙干为末，以三钱匕，水一中盏，煎三五沸，入盐，如茶法服，妙。

［食疗］寒。堪食之。其皮不任药用，食多令人肺燥、冷中、发痃癖。

---

① 熟：原作“热”，据底本校勘表、柯《大观》改。

[经验后①方] 独醒汤：柑子皮去瓤，不计多少，焙干为末，入盐点半钱。

[衍义曰] 乳柑子，今人多作橘皮，售于人，不可不择也。柑皮不甚苦，橘皮极苦，至熟亦苦。若以皮紧慢，分别橘与柑，又缘方宜各不同，亦互有紧慢者。脾肾冷人食其肉，多致脏寒或泄利。

石蜜②乳糖也

味甘，寒，无毒。主心腹热胀，口干渴，性冷利。出益州及西戎。煎炼沙糖为之，可作饼块，黄白色。

［唐本注］云：用水牛乳、米粉和煎，乃得成块。西戎来者佳。江左亦有，殆胜蜀者。云用牛乳汁和沙糖煎之，并作饼，坚重。

［今注］此石蜜，其实乳糖也。前卷已有石蜜之名，故注此条为乳糖。唐本先附

［臣禹锡等谨按孟诜］云：石蜜，治目中热膜，明目。蜀中、波斯者良。东吴亦有，并不如两处者。此皆煎甘蔗汁及牛乳汁，则易细白耳。和枣肉及巨胜末丸，每食后含一两丸，润肺气，助五脏津。

[图经] 文具甘蔗条下。

[衍义曰] 石蜜，川、浙最佳，其味厚，其他次之。煎炼成，以铏象物，达京都。至夏月及久阴雨，多自消化。土人先以竹叶及纸裹，外用石灰③埋之，仍不得见风，遂免。今人谓乳糖，其作饼黄白色者，今人又谓之捻糖，易消化，入药至少。

甘蔗音柘

味甘，平，无毒。主下气和中，助脾气，利大肠。

［陶隐居］云：今出江东为胜，庐陵亦有好者。广州一种，数年生，皆如大竹，长丈余，取汁以为沙糖，甚益人。又有荻蔗，节疏而细，亦可啖也。

［今按］别本注云：蔗有两种，赤色名昆仑蔗④，白色名荻蔗。出蜀及岭南为

---

① 后：成化《政和》、商务《政和》、柯《大观》无。

② 石蜜：本条“石蜜”和本书卷20虫鱼部“石蜜”是同名异物。虫鱼部“石蜜”是蜂蜜，本条“石蜜”为牛乳制的糖。

③ 灰：原作“夹”，据庆元《衍义》、商务《衍义》改。

④ 蔗：柯《大观》无。

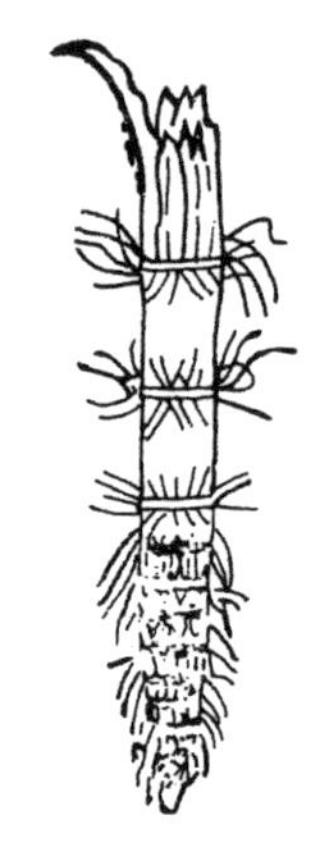
甘蔗

胜，并煎为沙糖。今江东甚多，而劣于蜀者，亦甚甘美，时用煎为①稀沙糖也。今会稽作乳糖，殆胜于蜀。去烦，止渴，解酒毒。

［臣禹锡等谨按蜀本］《图经》云：叶似荻，高丈许，有竹、荻二蔗。竹蔗茎粗，出江南；荻蔗茎细，出江北。霜下后收②茎，榨其汁为沙糖。炼沙糖和牛乳为石蜜并好。

［日华子］云：冷。利大③小肠，下气痢，补脾，消痰，止渴，除心烦热。作沙糖，润心肺，杀虫，解酒毒。腊月窖粪坑中，患天行热狂人，绞汁服，甚良也。

［图经曰］甘蔗，旧不著所出州土。陶隐居云：今江东者为胜，庐陵亦有好者。广州④一种，数年生，皆如大竹，长丈余。今江、浙、闽、广、蜀川所生大者，亦高丈许。叶有二种：一种似荻，节疏而细短，谓之荻蔗；一种似竹，粗长，榨其汁以为沙糖，皆用竹蔗。泉、福、吉、广州多榨⑤之。炼沙糖和牛乳为石蜜即乳糖也，惟蜀川作之。荻蔗但堪啖，或云亦可煎稀糖，商人贩货至都下者，荻蔗多而竹蔗少也⑥。

［■ 食疗］主补气，兼下气。不可共酒食，发痰。

［外台秘要］主发热口干，小便涩。取甘蔗去皮尽，令吃之咽汁。若口痛，捣取汁服之。

［肘后方］主卒干呕不息。甘蔗汁温令热，服半升，日三。又以生姜汁一升服，并差。

［梅师方］主胃反，朝食暮吐，暮食朝吐，旋旋⑦吐者。以甘蔗汁七升，生姜汁一升，二味相和，分为三服。

［食医心镜］理正气，止烦渴，和中补脾，利大肠，解酒毒。削甘蔗去皮，食后吃之。

［张协都蔗赋云］挫斯蔗而疗渴，若漱醴而含蜜。

---

① 为：柯《大观》无。

② 收：刘《大观》、柯《大观》作“取”。

③ 大：刘《大观》、柯《大观》无。

④ 州：其下，柯《大观》有“有”字。

⑤ 榨：原作“作”，据刘《大观》、柯《大观》改。

⑥ 也：柯《大观》无。

⑦ 旋旋：柯《大观》作“漩漩”。

[衍义曰] 甘蔗，今川、广、湖南、北、二浙、江东、西皆有，自八、九月已堪食，收至三、四月方酸坏。石蜜、沙糖、糖霜，皆自此出，惟川、浙者为胜。

沙糖

味甘，寒，无毒。功、体与石蜜同，而冷利过之。笮音诈甘蔗汁，煎作。蜀地、西戎、江东并有之。唐本先附

[臣禹锡等谨按孟诜] 云：沙糖，多食令人心痛。不与鲫鱼同食，成疳虫。又，不与葵同食，生流澼。又，不与笋同食，使笋不消，成癥，身重不能行履耳。

[图经] 文具甘蔗条下。

[▮食疗云] 主心热，口干。多食生长虫，消肌肉，损齿，发疳䘌。不可长食之。

[子母秘录] 治腹紧。白糖以酒二升煮服，不过再差。

[衍义曰] 沙糖，又次石蜜，蔗汁清，故费煎炼，致紫黑色，治心肺大肠热，兼啖驼马。今医家治暴热，多以此物为先导，小儿多食则损齿，土制水也，及生蛲虫。裸虫属土，故因甘遂生。

椑音卑柿

味甘，寒，无毒。主压石药发热，利水，解酒热。久食令人寒中，去胃中热。生江淮南。似柿而青黑。《闲居赋》云：梁侯乌椑之柿是也。今附

[臣禹锡等谨按日华子] 云：椑柿，止渴，润心肺，除腹脏冷热，作漆甚妙。不宜与蟹同食，令人腹疼①并大泻矣。

[图经] 文具柿条下。

[下　品]

桃核仁

味苦、甘，**平**，无毒。**主瘀血，血闭，瘕邪气，杀小虫**，止咳逆上气，消心下坚，除卒暴击血，破癥瘕，通月水，止痛。七月采取仁，阴干。

---

① 疼：刘《大观》、柯《大观》作“痛”。

桃核仁

桃花　杀疰恶鬼，令人好颜色。味苦，平，无毒。主除水气，破石淋，利大小便，下三虫，悦泽人面。三月三日采，阴干。

桃枭[①]　味苦，**微温。主杀百鬼精物，**疗中恶腹痛，杀精魅，五毒不祥。一名桃奴，一名枭景。是实著树不落，实中者，正月采之。

桃毛　主下血瘕，寒热，积聚，无子，带下诸疾，破坚闭，刮取毛用之。

［臣禹锡等谨按本经］月闭通用药[②]云：桃毛，平。

桃蠹　杀鬼辟[③]邪恶不祥。食桃树虫也。

茎白皮　味苦、辛，无毒。除邪鬼中恶腹痛，去胃中热。

叶　味苦、辛[④]，平，无毒。主除尸虫，出疮中虫。

胶　炼之，主保中不饥，忍风寒。

实　味酸，多食令人有热。生太山川谷。

［陶隐居］云：今处处有，京口者亦好，当取解核种之为佳。又有山桃，其仁不堪用。桃仁作酪，乃言冷。桃胶入仙家用。三月三日采花，亦供丹方所须。《方言》：服三树桃花尽，则面色如桃花。人亦无试之者。服术[⑤]人云[⑥]：禁食桃也。

［唐本注］云：桃胶，味苦，平，无毒。主下石淋，破血，中恶疰忤。花，主下恶气，消肿满，利大小肠。

［臣禹锡等谨按药性论］云：桃仁，使。桃符，主中恶。

［孟诜］云：桃仁，温。杀三虫，止心痛。又女人阴中生疮。如虫咬、疼痛者，可生捣叶，绵裹内阴中，日三四易，差。又，三月三日收花晒干，杵末，以水服二钱匕。小儿半钱，治心腹痛。又，秃疮，收未开花，阴干，与桑椹赤者，等分作末，以猪脂和。先用灰汁洗去疮痂，即涂药。又云[⑦]：桃能发丹石，不可食之，

---

① 枭：成化《政和》、商务《政和》误作“皀”。

② 月闭通用药：刘《大观》、柯《大观》作白小字。

③ 辟：原无，据柯《大观》补。

④ 辛：刘《大观》、柯《大观》无。

⑤ 术：柯《大观》作“木”。

⑥ 云：柯《大观》作“大”。

⑦ 又云：刘《大观》、柯《大观》作白小字。

生者尤损人。又，白毛，主恶鬼邪气。胶亦然。又，桃符及奴，主精魅邪气。符，煮[①]汁饮之。奴者，丸、散服之。桃仁，每夜嚼一颗，和蜜涂手、面良。

［日华子］云：桃，热，微毒。益色，多食令人生热。树上自干者，治肺气腰痛，除鬼精邪气，破血，治心痛，酒摩，暖服之。又云[②]：桃叶，暖。治恶气，小儿寒热客忤。桃毛，疗崩中，破癖气。桃蠹，食之肥，悦人颜色也[③]。

［图经曰］桃核仁并花、实等，生泰山，今处处皆有之。京东、陕西出者尤大而美。大都佳果多是圃人以他木接根上栽之，遂至肥美，殊失本性。此等药中不可用之，当以一生者为佳。七月采核，破之取仁，阴干。今都下市贾多取炒[④]货之，云食之亦益人。然亦多杂接实之核，为不堪也。《千金方》桃仁煎，疗妇人产后百病，诸气。取桃仁一千二百枚，去双仁、尖、皮，熬捣令极细，以清酒十斗半，研如麦粥法，以极细为佳。内小项瓷瓶中，密以面封之，内汤中煮一伏[⑤]时，药成。温酒和服一匙，日再。其花三月三日采，阴干。《太清卉木方》云：酒渍桃花饮之，除百疾[⑥]，益颜色。崔元亮《海上方》治面上疮，黄水出，并眼疮，一百五日收取桃花，不计多少，细末之，食后以水半盏，调服方寸匕，日三，甚良。其实已干著木上，经冬不落者，名桃枭。正月采之，以中实者良。胡洽治中恶毒气，蛊疰，有桃奴汤，是此也。其实上毛刮取之，以治女子崩中。食桃木虫名桃蠹，食之悦人颜色。茎白皮，中恶方用之。叶多用作汤导药，标嫩者名桃心，尤胜。张文仲治天行，有支太医桃叶汤熏身法：水一石，煮桃叶，取七斗，以为铺席，自围衣被盖上，安桃汤于床箦下，乘热自熏，停少时，当雨汗，汗遍去汤，待歇，速粉之，并灸大椎，则愈。陈廪丘《蒸法经》云：连发汗，汗不出者死，可蒸之，如中风法。以问张苗，苗曾有疲极汗出，卧单簟，中冷，但苦寒倦。四日凡八过发汗，汗不出。烧地桃叶蒸之，则得大汗，被中傅粉极燥，便差。后用此发汗得出，蒸发者，烧地良久，扫除去火，可以水小洒，取蚕沙，若桃叶、柏叶、糠及麦麸皆可。取[⑦]用易得者，牛、马粪亦可用，但臭耳。取桃叶欲落时，可益收干之。以此等物

---

① 煮：刘《大观》、柯《大观》作“者”。

② 又云：刘《大观》、柯《大观》作白小字。

③ 也：刘《大观》、柯《大观》无。

④ 炒：柯《大观》作“桃”。

⑤ 伏：原作“复”，据柯《大观》改。

⑥ 疾：刘《大观》、柯《大观》作“病”。

⑦ 取：原作“趣”，据文理改。

著火处，令厚二三寸，布席坐上①，温覆。用此汗出，若过热，当审细消息。大热者重席，汗出周身便止。温粉粉之，勿令过。此法旧云出阮河南也。桃皮亦主病，《集验》肺热闷不止，胸中喘急、悸，客热往来欲死，不堪服药。泄胸中喘气，用桃皮、芫花各一升，二物以水四升，煮取一②升五合，去滓，以故布手巾内汁中，薄胸，温四肢，不盈数刻即歇。又，《必效方》主蛊毒，用大戟、桃白皮东引者，以大火烘之，斑猫去足翅熬，三物等分，捣筛为散。以冷水服半方寸匕，其毒即出。不出更一服，蛊并出。此李饶州法，云奇效。若以酒中得，则以酒服；以食中得，以饮服之。桃胶，入服食药，仙方著其法：取胶二十斤，绢袋盛，栎木灰汁一石中，煮三五沸，并袋出，挂高处，候干再煮。如此三度止，暴干筛末，蜜和，空腹酒下梧桐子大二十丸。久服当仙去。又主石淋，《古今录验》著其方云：取桃木胶如枣大，夏以冷水三合，冬以汤三合，和为一服，日三，当下石，石尽即止。其实亦不可多食，喜令人热发③。

[■雷公云] 凡使，须择去皮，浑用白术、乌豆二味，和桃仁同于垍埚子中煮一伏时后，漉出，用手擘作两片，其心黄如金色任用之。花，勿使千叶者，能使人鼻衄不止，目黄。凡用，拣令净，以绢袋盛，于檐下悬令干，去尘了用。鬼髑髅，勿使干桃子。其鬼髑髅，只是千叶桃花结子在树上不落者干。然于十一月内采得，可为神妙。凡修事，以酒拌蒸，从巳至未，焙干，以铜刀切，焙取肉用。

[圣惠方] 补心虚，治健忘，令耳目聪明。用戊子日，取东引桃枝二寸枕之，《千金翼》同。

[又方] 治伏梁气在心下，结聚不散。用桃奴三两为末，空心温酒调二钱匕。

[又方] 治小儿中蛊毒。令腹内坚痛，面目青黄，淋露骨立。病变无常方：以桃树寄生二两末，如茶点服，日四五服。

[外台秘要] 治霍乱腹痛吐痢。取桃叶三升切，以水五升，煮取一升三合，分温二服。

[又方] 治虚热渴，桃胶如弹丸，含之佳。

[又方] 治骨蒸。桃仁一百二十枚，去皮、双仁、留尖，杵和为丸，平旦井花

---

① 坐上：成化《政和》、商务《政和》倒置。

② 一：柯《大观》作“二”。

③ 发：其下，柯《大观》有“也”字。

水顿服。令尽服讫量性饮酒令醉，仍须吃水，能多最精。隔日又服一剂。百日不得①食肉。

［**又方**］治偏风，半身不遂及癖疰方：桃仁一千七百枚，去双仁、尖、皮，以好酒一斗三升浸，经二十一日出，日干，杵令细，作丸。每服二十丸，还将桃酒服之。

［**又方**］治三虫，绞叶取汁一升饮。

［**又方**］酒渍桃花饮之，除百病，好容色。又桃仁服之长生。

［**千金方**］治风，项强不得顾视。穿地作坑，烧令通赤，以水洒之令冷，内生桃叶铺其席下。卧之，令项在药上，以衣着项边，令气上蒸，病人汗出，良久差。

［**又方**］治喉闭，煮桃皮汁三升服之。

［**又方**］治产后遍身如粟粒，热如火者。以桃仁研，腊月猪脂调傅上。日易。

［**又方**］治少小聤耳。桃仁熟末，以縠裹塞耳。

［**又方**］人有食桃病，时已晚，无复校，就桃树间得枭桃烧服之，暂吐，病即愈。

［**千金翼**］延年去风，令光润。桃仁五合去皮，用粳米饭浆研之令细，以浆水杵取汁，令桃仁尽即休，微温，用洗面，极妙。

［**又方**］以五月五日取东向桃枝，日未出时，作三寸木人，着衣带中，令人不忘。

［**肘后方**］尸注鬼注病者。葛云：即是五尸之一注，又挟诸鬼邪为祟。其病变动及有三十六种至九十九种。大略使人寒淋沥，沉沉默默，不的知其所苦，而无处不恶。累年积月，渐就顿滞，以至于死，死后复传傍人，乃至灭门。觉如此候者，便宜急治。桃仁五十枚碎研，以水煮，取四升，一服尽当吐。吐病不尽，三两日不吐。再服也。

［**又方**］卒心痛。东引桃枝一把切，以酒一升，煎取半升，顿服，大效。

［**又方**］治卒心痛。桃仁七枚，去皮、尖，熟研，水一合，顿服，良。亦可治三十年患。

［**又方**］治卒得咳嗽。桃仁三升去皮杵，着器中密封之，蒸一次，日干，绢袋盛，以内二斗酒中，六七日可饮四五合，稍增至一升。

［**葛氏**］卒中瘑疮，瘑疮常对在两脚。杵桃叶，以苦酒和傅。皮亦得。

---

① 得：柯《大观》作“可”。

[**又方**] 治小儿卵癞，杵桃仁傅之。亦治妇人阴肿瘙①痒。

[**又方**] 治肠痔，大肠常血。杵桃叶一斛蒸之，内小口器中，以下部拓上坐，虫自出。

[**又方**] 治胎下血不出。取桃树上干不落桃子烧作灰，和水服，差。又产后阴肿痛，烧桃仁傅之。

[**又方**] 下部疮已决洞者。桃皮、叶杵，水渍令浓，去滓，着盆中渍之，有虫出。

[**梅师方**] 治诸虫入耳。取桃叶熟挼塞两耳，出。

[**又方**] 治热病后下部生疮。浓煮桃白皮如稀饧，内少许熊胆研，以绵蘸药内下部疮上。

[**又方**] 治狂狗咬人。取桃白皮一握，水三升，煎取一升服。

[**孙真人**] 桃，味辛，肺病宜食。又桃味酸，无毒，多食令人有热。

[**又方**] 主大小肠并不通。桃叶取汁，和服半升。冬用桃树皮。

[**又方**] 主卒患瘰疬子，不痛方：取树皮贴上，灸二七壮。

[**又方**] 主卒得恶疮不识者。取桃皮作屑，内疮中。

[**又方**] 凡人好魇。桃仁熬去皮、尖三七枚，以小便下之。

[**又方**] 备急鬼疰②心痛。桃仁一合，烂研煎汤吃。

[**食医心镜**] 主上气咳嗽，胸隔痞③满，气喘。桃仁三两去皮、尖，以水一升研取汁，和粳米二合，煮粥食之。

[**又方**] 主传尸鬼气，咳嗽痃癖注气，血气不通，日渐消瘦。桃仁一两去皮、尖④，杵碎，以水一升半煮汁，着米煮粥，空心食之。

[**又方**] 凡风劳毒，肿疼挛痛或牵引小腹及腰痛。桃仁一升去尖、皮者，熬令黑烟出，热研捣如脂膏，以酒三升，搅令相和，一服取汗。不过三差。

[**伤寒类要**] 治黄疸。身眼皆如金色，不可使妇人、鸡、犬见，取东引桃根，切细如箸⑤，若钗股以下者一握，以水一大升，煎取一小升，适温，空腹顿服。后三五日，其黄离离如薄云散，唯服最后差，百日方平复。身黄散后，可时时饮一盏

---

① 瘙：柯《大观》作“燥”。

② 疰：柯《大观》作“注”。

③ 痞：柯《大观》作“防”。

④ 尖：其下，柯《大观》有“者”字。

⑤ 箸：成化《政和》、商务《政和》误作“筋”。

清酒，则眼中易散，不饮则散迟。忌食热面、猪、鱼等肉。此是徐之才家秘方。

［**又方**］治天行𧏾，下部生疮。浓煎桃枝①如糖，以内②下部中。若口中生③疮，含之。

［**又方**］治温病④，令不相染方：桃树虫⑤矢末，水服方寸匕。

［**又方**］凡天时疫疠者。常以东行桃枝细剉煮，浴，佳。

［**又方**］小儿伤寒，若得时气。桃叶三两杵，和水五升，煮十沸取汁，日五六遍淋之。后烧雄鼠粪二枚服，妙。

［**子母秘录**］治阴肿，桃仁捣傅之。

［**又方**］小儿疮初起，膘浆似火疮，一⑥名烂疮，杵桃仁面脂傅上。

［**又方**］小儿湿癣。桃树青皮为末，和醋傅上。

［**崔氏**］主鬼疰，心⑦腹痛不可忍。取东引桃枝，削去苍皮，取白皮一握，水二升，煮取半升，服令尽，差。如未定，再服。

［**修真秘旨**］食桃讫，入水浴，令人成淋病。

［**抱朴子**］桃胶以桑灰渍之服，百病愈。又服之身轻，有光明在晦夜之地，数月断谷。

［**荆楚岁时记**］谢道通登罗浮山，见数童子以朱书桃板贴户上，道通还，以纸写之贴户上，鬼见畏之。

［**宋王微**］桃饴，越地通天，液首化玉，醢⑧貌定仙，人知暍日，胡不荫年。

［**宋齐丘化书**］李⑨接桃而本强者，其实毛。

［**周礼**］戎右掌戎车之兵革使，诏赞王鼓，传王命于陈中，会同充革车，盟则以王敦辟盟，遂役之，赞牛耳桃茢。注：桃，鬼所畏也。茢，苕帚，所以扫不祥。

［**毛诗**］园有桃，其实之淆。今深山大谷之民，熟以为饭。

---

① 煎桃枝：柯《大观》作“煮桃皮”。

② 内：原作“通”，据柯《大观》改。

③ 生：柯《大观》作“有”。

④ 病：柯《大观》无。

⑤ 虫：柯《大观》作“蛊”。

⑥ 一：柯《大观》无。

⑦ 心：柯《大观》作“小”。

⑧ 醢：原作“体”，据《初学记》卷20改。柯《大观》作“酏”。

⑨ 李：《道藏》《说郛》《道书全集》俱作“梨”。

［典术曰］ 桃者，五木之精也。今之作桃符着门上，厌邪气，此仙木也。

［家语①］ 孔子侍坐②于哀公，赐之桃与黍焉。哀公曰：请用③。孔子先黍而后食桃，左右皆掩口而笑。公曰：黍者，所以雪桃，非为食之也。

［东京赋云］ 度朔作梗，守以④郁垒。神荼副焉，对操索苇。注：上古有神荼与郁垒兄弟二人，桃树下阅百鬼无道理者，缚以苇索而饲虎。今人作桃符板，云左神荼，右郁垒者，以此。

［治疟］ 用桃仁一百个去皮、尖，于乳钵中细研成膏，不得犯生水，候成膏入黄丹三钱，丸如梧桐子大。每服三丸，当发日面北用温酒吞下，如不饮酒，井花水亦得。五月五日午时合，忌鸡、犬、妇人见。

［衍义曰］ 桃核仁，桃品亦多，京畿有油桃，光，小于众桃，不益脾。有小点斑而光如涂油。山中一种，正是《月令》中桃始华者。但花多子少，不堪啖，惟堪取仁。唐《文选》谓山桃发红萼者是矣。又太原有金桃，色深黄。西京有昆仑桃，肉深紫红色。此二种尤甘。又饼子桃，如今之香饼子。如此数种，入药惟以山中自生者为正。盖取走泄为用，不取肥好者。如伤寒八九日间，发热如狂不解，小腹满痛，有瘀血，用桃仁三十个，汤去皮、尖，麸炒赤色，别研，虻虫三十枚，去翅，水蛭二十枚，各炒，川大黄一两，同为末，再与桃仁同捣，令匀，炼蜜丸如小豆大，每服二十丸，桃仁汤下，利下瘀血恶物，便愈，未利，再服。

杏核仁

味甘、苦，**温**、冷利，有毒。**主咳逆上气，雷鸣，喉痹，下气，产乳，金疮，寒心，贲豚，**惊痫，心下烦热，风气去来，时行头痛，解肌，消心下急，杀狗毒。五月采之。其两仁者杀人，可以毒狗。

杏核仁

花　味苦，无毒。主补不足，女子伤中，寒热痹，厥逆。

实　味酸，不可多食，伤筋骨。生晋山川谷。得火良，恶

---

① 家语：柯《大观》无。

② 孔子侍坐：柯《大观》作大字。

③ 用：柯《大观》无。

④ 以：其下，原有“曹”字，据《文选》删。

黄芩、黄耆、葛根，解锡毒，畏蘘草。

［陶隐居］云：处处有，药中多用之，汤浸去尖、皮，熬令黄。

［臣禹锡等谨按药性论］云：杏仁，能治腹痹不通，发汗，主温病，治心下急满痛，除心腹烦闷，疗肺气，咳嗽上①气、喘促，入天门冬煎，润心肺，可和酪作汤，益润声气，宿即动冷气。

［孟诜］云②：杏，热。面皯者取仁，去皮，捣和鸡子白，夜卧涂面，明早以暖清酒洗之。人患卒哑，取杏仁三分，去皮、尖熬，别杵桂一分，和如泥，取李核大绵裹含，细细咽之。日五夜三。谨按：心腹中结伏气，杏仁、橘皮、桂心、诃梨勒皮为丸。空心服三十丸。无忌。又烧令烟尽，研如泥，绵裹，内女人阴中，治虫疽。

［陈藏器］云：杏仁本功外，杀虫，烧令烟未尽，细研③如脂，物裹内④齓齿孔中。亦主产门中⑤虫疮痒不可忍者，去人及诸畜疮，中风。取仁去皮熬令赤，和桂末，研如泥，绵裹如指大，含之，利喉咽，去喉痹，痰唾，咳嗽，喉中热结生疮。杏酪浓煎如膏服之，润五脏，去痰嗽。生熟吃俱得，半生半熟杀人。

［日华子］云：杏，热，有毒。不可多食，伤神。

［图经曰］杏核仁，生晋川山谷，今处处有之，其实亦数种，黄而圆者名金杏。相传云：种出济南郡之分流山，彼人谓之汉帝杏，今近都多种之，熟最早。其扁而青黄者名木杏，味酢，不及金杏。杏子入药，今以东来者为胜，仍用家园种者，山杏不堪入药。五月采，破核去双仁者。古方有单服。杏仁修治如法，自朝蒸之至午而止，便以慢火微烘，至七日乃收贮之。每旦腹空时，不约多少，任意啖之，积久不止，驻颜延年。云是夏姬法，然杏仁能使人血溢，少误之必出血不已。或至委顿。故近人少有服者。又有杏酥法：主⑥风虚，除百病，捣烂杏仁一石，以好酒二石，研滤取汁一石五斗，入白蜜一斗五⑦升，搅匀，封于新瓮中，勿泄气，

---

① 上：刘《大观》、柯《大观》作“止”。

② 云：柯《大观》作白小字。

③ 研：柯《大观本草札记》作“切”。

④ 女人阴中……裹内：以上30字，柯《大观》脱漏。又“裹内”，柯《大观本草札记》作“里”。

⑤ 中：刘《大观》、柯《大观》无。

⑥ 主：原作“去”，据刘《大观》改。

⑦ 五：柯《大观》作“三”。

三十日看酒上酥出即掠取，内瓷器中贮之，取其酒滓，团如梨大，置空屋中，作格安之。候成饴脯状，旦服一枚，以前酒下，其酒任性饮之。杏花，干之亦入药。杏枝，主堕伤，取一握，水一大升煮半，下酒三合，分再服，大效。其实不可多食，伤神，损筋骨。刘禹锡《传信方》治嗽补肺丸，杏仁二大升，山者不中，拣却双仁及陈臭，以童子小便一斗浸之，春夏七日、秋冬二七日，并皮、尖，于砂盆子中，研细滤取汁，煮令鱼眼沸，候软如面糊即成。仍时以柳篦搅，勿令著底，后即以马尾罗或粗布下之。日暴通丸即丸，服之时食前后总须服①三十丸、五十丸。任意茶、酒下。忌白水粥，只是为米泔耳。自初浸至成，当②以纸盖之，以畏尘土也。如无马尾罗，即以粗布袋下之。如取枣穰法。

［**◣雷公云**］凡使，须以③沸汤浸少时，去皮膜，去尖，擘作两片，用白火石并乌豆、杏仁三件，于锅子中④，下东流水煮，从巳至午，其杏仁色褐黄则去尖，然用。每修一斤，用白火石一斤，乌豆⑤三合，水旋添，勿令阙⑥，免反血为妙也。

［**食疗云**］主热风头痛。又，烧令烟尽，去皮，以乱发裹之，咬于所患齿下，其痛便止。熏诸虫出并去风，便差。重者不过再服。

［**外台秘要**］治偏风，半身不遂，兼失音不语。生吞杏仁七枚，不去皮、尖，日别从一七，渐加至七七枚，七七日周而复始。食后即以竹沥下之，任意多少，日⑦料一升取尽。

［**又方**］治耳聋。以杏仁七枚，去皮拍碎为三分，以绵裹，于中着颗盐如小豆许，以器盛于饭甑中蒸之，候饭熟出裹。令患人侧卧，和绵捻一裹，以油汁滴入耳中。久又一裹，依前法。

［**千金方**］治咳嗽旦夕加重，增寒壮热，少喜多嗔，忽进退，面色不润，积渐少食，状若肺脉强紧浮者。杏仁半斤，去皮、尖，入于瓶内，童子小便二斗，浸七日了，漉出，去小便，以暖水淘过，于沙盆内研成泥，别入瓷瓶中。以小便三升，煎之如膏。量其轻重，食上熟水下一钱匕。妇人、室女服之更妙。

---

① 服：柯《大观》无。
② 当：原作“常”，据柯《大观》改。
③ 以：柯《大观》作“用”。
④ 中：柯《大观》作“内”。
⑤ 豆：原作“头”，据刘《大观》、柯《大观》改。
⑥ 阙：刘《大观》、柯《大观》作“少”。
⑦ 日：《外台秘要》卷14疗偏风方同，柯《大观》作“每”。

［又方］主卒中风，头面肿。杵杏仁如膏傅之。

［又方］治一切风虚，常恶头痛欲破者。杏仁去皮、尖，千暴为末，水九升研滤，如作粥法，缓火煎令如麻腐，起取和羹粥酒内一匙服之。每食前不限多少，服七日后，大汗出，慎风、冷、猪、鱼、鸡、蒜、大酢。一剂后，诸风减差。春夏恐酢少作服之，秋九月后煎之，此法神妙，可深秘之。

［又方］治鼻中生疮。杵杏仁，乳汁和傅之。

［又方］治头面风，眼瞤鼻塞，眼暗冷泪。杏仁三升为末，水煮四五沸，洗头。冷汗尽，三度差。

［又方］治破伤风肿。厚傅杏仁膏，燃烛遥炙。

［又方］治㿗虫蚀鼻生疮。烧杏核，压取油傅之。

［又方］治喉痹。杏仁熬熟，杵丸如弹子，含咽其汁。为末帛裹，含之亦得。

［又方］治痔、谷道痛。取杏仁熬熏，杵膏傅之。

［又方］治小儿、大人咳逆上气。杏仁三升去皮、尖，炒令黄，杵如膏，蜜一升，分为三分，内杏仁，杵令得所，更内一分杵如膏。又内一分杵熟止，先食含之，咽汁。

［又方］治诸牙龈疼。杏仁一百枚，去皮、尖、两仁，以盐方寸匕水一升，煮令沫出，含之未尽吐却。更含之，三度差。

［肘后方］治谷道赤痛。熬杏仁杵作膏，傅之良。

［又方］箭镝及诸刀刃在喉咽、胸膈诸隐处不出，杵杏仁傅之。

［梅师方］治食狗肉不消，心下坚或胀，口干，忽发热妄语方：杏仁一升去皮，水三升煎沸，去滓取汁为三服，下肉为度。

［又方］主耳中汁出或痛有脓[①]水。熬杏仁令赤黑为末，薄[②]绵裹内耳中。日三四度易之，或乱发裹塞之，亦妙。

［又方］狗咬，去皮、尖，杵傅之，研汁饮亦佳矣。

［孙真人方］欲好声。杏仁一升，熬去皮、尖，酥一两，蜜少许，为丸如梧桐子大。空心米汤下十五丸。

［又方］杏，味苦，心病宜服。

［又方］杏核仁，伤筋损神，其仁作汤，如白沫不解，食之令气壅身热。

---

① 脓：原作“浓”，据文理改。

② 薄：成化《政和》、商务《政和》作“傅”。

[**食医心镜**] 主气喘促，浮肿，小便涩。杏仁一两去尖、皮，熬研和米煮粥极熟，空心吃二合。

[**又方**] 主五痔下血不止。去尖、皮及双仁，水三升，研滤取汁，煎减半投米煮粥，停冷，空心食之。

[**又方**] 能下气。主嗽，除风，去野鸡病。杏仁一两去皮、尖、双仁①捶碎，水三升，研滤取汁，于铛中煎，以杓搅勿住手，候三分减二，冷呷之。不熟及热呷，即②令人吐。

[**胜金方**] 治久患肺气喘急至效。杏仁去皮、尖二两，童子小便浸，一日一换，夏月一日三四换，浸半月，取焙干，烂研令极细。每服一枣大，薄荷③一叶，蜜一鸡头大，水一中盏同煎，取七分，食后温服，甚者不过三剂差，永不发动。忌腥物。

[**广利方**] 治眼筑损，胬肉出。生杏仁七枚去皮，细嚼吐于掌中，及热以绵裹箸头将点胬肉上。不过四五度差。

[**子母秘录**] 治小儿脐赤肿。杏仁杵如脂，内体中，相和傅脐肿上。

[**必效方**] 治金疮，中风角弓反张。以杏仁碎之，蒸令溜绞取脂。服一小升，兼以疮上摩，效。

[**又方**] 治狐尿刺螫痛。杏仁细研，煮一两沸，承热以浸螫处，数数易之。

[**塞上方**] 治坠马④⑤扑损，瘀血在内，烦闷。取东引杏枝三两，细剉微熬，好酒二升煎十余沸，去滓，分为二服，空心如人行三四里再服。

[**伤寒类要**] 治温病食劳。以杏仁五两，酢二升，煎取一升，服之取汗差。

[**产宝方**] 治卒不得小便。杏仁二七枚，去皮、尖，炒黄，米饮服之差。

[**潞公药准**] 治咽喉痒痛，失音不语。杏仁、桂心各一两同研匀，用半熟蜜和如樱桃大，新绵裹，非时含此咽津，大效。

[**修真秘旨云**] 杏，不用多食，令人目盲。

[**又方**] 服杏仁者，往往二三⑥年或泻或脐中出物，皆不可治。

---

① 人：柯《大观》作“手”。

② 即：柯《大观》无。

③ 大，薄荷：成化《政和》、商务《政和》作“大菟荷”，柯《大观》作“入薄荷”。

④ 坠马：柯《大观》作“马上跌落”。

⑤ 马：柯《大观本草札记》无。

⑥ 二三：柯《大观》倒置。

［左慈秘诀］杏金丹，本出浑皇子，亦名草金丹方。服之寿二千二百年不死。只是以杏仁成丹，轻重如金，软而①可食，因此立名。从三皇后，有得法者服之，无有不得力。奚仲、吕望、彭祖皆炼之。彭祖曰：宁可见此方，不用封王；宁可见此药，不用封侯。老子曰：草金丹是众仙秘要，服皆得力。只为作之者难，世俗之人，皆不信有神验，将圣人妄说作之者，不肯精心洁净，浪有恶物触犯，药即不成，徒劳损废，又何益矣。其造不得，盲聋喑哑，大病及恶心人、女子、小人，知见丹亦不成，丹成无忌。只是夏姬服之，寿年七百，乃仙去。炼草金丹法：从寅月修，杏树人罕到者良。又以寅月钁斸树下地间，图阳气通畅。至二月草生，以锄除草，恐损地力。至三月，离树五步作畦垅，淘成，拟②引天之暴雨，以③须远栽棘遍栏，勿使人迹、畜兽践踏，只亢旱即④泉源水洒润其树下。初春有霜雪，即树下烧火以⑤救之，恐损花苞萼。至五月杏熟，收取当月旬内自落者，去核取仁六斗，以热汤退皮，去双仁，取南流水三石和研，取汁两石八斗，去滓，并小美者亦得。取新铁釜受三石已来，作灶须具五岳三台形，用朱砂图画之，其灶通四脚去地五寸，着镣不得绝稠，恐下灰不得。其釜用酥三斤，以糠火及炭然釜少少磨，三斤酥尽，即内汁釜中。釜上安盆，盆上钻孔，用筝弦悬车辖至釜底，其孔以纸缠塞，勿令泄气。初着糠⑥火并干牛粪火，一日三动车辖，以衮其汁。五日有露液生，十日白霜起，又三日白霜尽，即金花出，若见此候，即知丹霜成。开盆用炭火炙干，以雄鸡翎扫取，以枣肉和为丸，如梧桐子大。釜中独角成者为上，其釜口次也，丹滓亦能治冷疾。服丹法：如人吃一斗酒，醉，即吃五升；吃一升者只吃半升。下药取满日，空心暖酒服三丸。至七日，宿疾除，愈声喑、盲、挛跛、疝气、野鸡、瘿气、风痫、痃气、疮肿，万病皆除。愈头白却黑，齿落更生。张先师云：二两为一剂，一剂延八十年，两剂延二百四十年，三剂通灵不死。若为天仙一万年，永忌房室。若为地仙五千年，三年忌房室。若为人仙一千五百年，百日忌房室。陈居士上表，十月已后，泥炉造为雷息之时，亦不用车马轰阗声。何以十月造？天雷二月起八月息。初造丹时，祭五岳、神仙地祇，亦取童子看火候。二十四气，五星五行，

---

① 软而：柯《大观》无。
② 拟：柯《大观》作“疑”。
③ 以：柯《大观》作“亦”。
④ 即：柯《大观》作“却”。
⑤ 以：柯《大观》作“亦”。
⑥ 糠：原作“糖”，据底本校勘表改。

阴阳十二时，取此气候用火，丹乃成矣。圣所服皆致长生久寿，世人不能常服。或言此药无效，若精心确志，必就神仙长年矣。

[衍义曰] 杏核仁，犬伤人，量所伤大小，烂嚼沃破处，以帛系定，至差，无苦。又汤去皮，研一升，以水一升半，翻复绞取稠汁，入生蜜四两，甘草一茎约一钱，银、石器中，熳火熬成稀膏，瓷器盛。食后、夜卧，入少酥，沸汤点一匙匕服，治肺燥喘热，大肠秘，润泽五脏。如无上证，更入盐点，尤佳。杏实，《本经》别无治疗，日华子言多食伤神。有数种皆热，小儿尤不可食，多致疮痈及上鬲热。晒[1]蓄为干果，其深赭色，核大而褊者为金杏。此等须接，其他皆不逮也。如山杏辈，只可收仁。又有白杏，至熟色青白或微黄，其味甘淡而不酸。

安石榴

味甘、酸，无毒。主咽燥渴，损人肺，不可多食。酸实壳，疗下痢，止漏精。东行根，疗蛔虫、寸白。

安石榴

［陶隐居］云：石榴，以花赤可爱，故人多植之，尤为外国所重。入药惟根、壳而已。其味有甜、醋，药家用醋者。子为服食者所忌。

［臣禹锡等谨按蜀本］《图经》云：子味甘、酸，其酸者尤能止痢。

［药性论］云：石[2]榴皮，使，味酸，无毒。能治筋骨风，腰脚不遂，行步挛急，疼痛[3]。主涩肠，止赤白下痢。一方：取汁止目泪下，治漏精。根青者，入染须方用。

［陈藏器］云：石[2]榴本功外，东引根及皮，主蛔虫，煎服。子止渴。花、叶干之为末，和铁丹服之，一年变毛发色黑如漆。铁丹：飞铁为丹，亦铁粉之属是也。

---

① 晒：原作“煞”，据庆元《衍义》、商务《衍义》改。

② 石：其上，柯《大观》有“安”字。

③ 疼痛：柯《大观》倒置。

［孟诜］云：石榴，温。多食损齿令黑。皮，炙令黄杵末，以枣肉为丸，空腹三[①]丸，日二服。治赤白痢腹痛者。取醋者一枚并子，捣汁顿服。

［段成式酉阳杂俎］云：石榴甜者，谓之天浆，能理乳石毒。

［图经曰］安石榴，旧不著所出州土，或云本生西域。陆玑与弟云[②]书云：张骞为汉使外国十八年[③]，得涂林安石[④]榴是也。今处处有之。一名丹若。《广雅》谓之若榴。木不甚高大，枝柯附干，自地便生，作丛，种极易息，折其条盘土中便生。花有黄、赤二色，实亦有甘、酢二种。甘者可餐[⑤]，酢者入药。多食其实，则损人肺。东行根并壳，入杀虫及染须发口齿等药。其花百叶者，主心热吐血及[⑥]衄血等。干之作末，吹鼻中立差。崔元[⑦]亮《海上方》疗金疮，刀斧伤破血流。以石灰一升，石榴花半斤，捣末，取少许傅上，捺少时，血断便差。又，治寸白虫，取醋石榴根，切一升，东南引者良。水二升三合，煮取八合，去滓，著少米作稀粥，空腹食[⑧]之，即虫下。又一种山石榴，形颇相类而绝小，不作房，生青、齐[⑨]间甚多，不入药。但蜜渍以当果，或寄京下，甚美。

［◣雷公云］凡使皮、叶、根，勿令犯铁。若使石榴壳，不计干湿，先用浆水浸一宿，至明漉出，其水如墨汁。若使枝、根、叶，并用浆水浸一宿，方可用。

［肘后方］治赤白痢，下水谷宿食不消者，为寒，可疗。酸石榴皮烧赤为末，服方寸匕。

［百一方］治丁肿，以针刺四畔，用榴末着疮上，以面围四畔炙，以痛为度。内末傅上急裹，经宿连根自出。

［经验方］治肠滑久痢，神妙无比。以石榴一个劈破，炭火簇烧令烟尽，急取出，不令作白灰，用瓷碗盖一宿出火毒，为末。用醋石榴一瓣，水一盏，煎汤服二钱，泻亦治。

---

① 三：其下，刘《大观》、柯《大观》有“十”字。

② 云：柯《大观》无。

③ 年：刘《大观》、柯《大观》无。

④ 石：刘《大观》作“熟”。

⑤ 餐：柯《大观》作“食”。

⑥ 及：柯《大观》无。

⑦ 元：原作“亢”，据刘《大观》、柯《大观》改。

⑧ 食：刘《大观》、柯《大观》作“服”。

⑨ 齐：柯《大观》作“济”。

[孙真人云] 食之损肺。

[又方] 治耳聋法：以八、九月取石榴一，开上作孔如球子大，留靥子，内米醋满石榴中，却以靥子盖之，然后搜面裹却石榴，无令醋出，煻灰火中烧面熟，药成。入少黑李子、仙沼子末，取水滴点耳内，不得辄转。脑中痛勿惊。如此三①夜，又点别耳，依前法，佳。

[又方] 粪前有血，令人面色黄。石榴皮杵末，茄子枝汤下。

[斗门方] 治女子血脉不通。用根东生者取一握炙干，浓煎一大盏，服之差。妇人赤白带下同治。

[广利方] 治吐血，衄血。以百叶石榴花作末，吹在鼻中差。

[十全方] 治寸白虫。以醋石榴东引根一握，净洗细剉，用水三升，煎取半碗已下，去滓，五更初温服尽，至明取下虫一大团，永绝根本，一日吃粥补。

[古今录验] 治冷热不调，或下带水，或赤白青黄者。酸石榴子五枚，合壳舂，绞取二升汁，每服五合，至二升尽，即断。小儿以意服之二三合。

[衍义曰] 安石榴，有酸、淡两种，旋开单叶花，旋结实，实中子红，孙枝甚多，秋后经雨则自坼裂。道家谓之三尸酒，云三尸得此果则醉。河阴县最多。又有一种，子白，莹澈如水晶者，味亦甘，谓之水晶石榴。惟酸石榴皮合断下药，仍须老木所结及收之陈久者，佳。微炙为末，以烧粟米饭为丸，梧桐子大，食前热米饮下三十至五十丸，以知为度。如寒滑，加附子、赤石脂各一倍。

梨

味甘、微酸，寒。多食令人寒中，金疮，乳妇尤不可食。

[陶隐居]云：梨种复殊多，并皆冷利，俗人以为快果，不入药用，食之多损人也。

[唐本注]云：梨削贴汤火疮，不烂，止痛，易差。又主热嗽，止渴。叶，主霍乱，吐痢不止，煮汁服之。

梨

[今按]别本注云：梨有数种，其消梨，味甘，寒，无毒。主客热，中风不语，又疗伤寒热发②，解石热气，

---

① 三：柯《大观》作“二”。

② 发：刘《大观》、柯《大观》无。

惊邪，嗽，消渴，利大小便。又有青梨、茅梨等，并不任用。又有桑梨，惟堪蜜煮食。主口干，生不益人，冷中，不可多食。

［臣禹锡等谨按孟诜］云：梨除客热，止心烦，不可多食。又卒咳嗽，以一颗刺作五十孔，每孔内以椒一粒，以面裹，于热火灰中，煨令熟，出停冷，去椒食之。又方：去核内酥蜜，面裹，烧令熟，食之。又取梨肉内酥中煎，停冷食之。又捣汁一升，酥一两，蜜一两，地黄汁一升，缓火煎，细细含咽。凡治嗽，皆须待冷，喘息定后方食。热食之，反伤矣，令嗽更极不可救。如此者，可作羊肉汤饼饱食之，便卧少时。又胸中痞塞热结者，可多食好生梨，即通。卒暗风失音，不语者，生捣汁一合，顿服之，日再服止。

［日华子］云：梨，冷，无毒。消风，疗咳嗽，气喘，热狂，又除贼风，胸中热结，作浆吐风痰。

［图经曰］梨，旧不著所出州土，今处处皆有[①]。而种类殊别，医家相承用乳梨、鹅梨。乳梨出宣城，皮厚而肉实，其味极长。鹅梨出近京州郡及北都，皮薄而浆多，味差短于乳梨。其香则过之。咳嗽，热风，痰实药多用之。其余水梨、消梨、紫煤梨、赤梨、甘棠御儿梨之类甚多。俱不闻入药也。梨叶亦主霍乱吐下，煮汁服，亦可作煎治风，《徐王效验方》主小儿腹痛，大汗出，名曰[②]寒疝。浓煮梨叶七合，以意消息，可作三四服饮之，大良。崔元亮《海上方》疗嗽单验方：取好梨去核，捣取[③]汁一茶碗，著椒四十粒，煎一沸去滓，即内黑饧一大两，消讫，细细含咽立定。又治卒患赤目，胬肉，坐卧痛者，取好梨一颗，捣绞取汁，黄连三枝碎之，以绵裹，渍令色变，仰卧注目中。又有紫花梨，疗心热。唐武宗有此疾，百医不效，青城山邢道人以此梨绞汁而进，帝疾遂愈。后复求之，苦无此梨。常山忽有一株，因缄实以进，帝多食之，解烦躁殊效，岁久木枯，不复有种者，今人不得而用之。又，江宁府信州出一种小梨，名鹿梨。叶如茶，根如小拇指，彼处人取其皮，治疮癣及疥癞，云甚效。八月采。近处亦有，但[④]采其实作干，不闻入药[⑤]。

［■食疗云］金疮及产妇不可食，大忌。

---

① 皆有：柯《大观》作“有之”。

② 曰：线装本《政和》作“白”。

③ 取：原脱，据刘《大观》、柯《大观》补。

④ 但：柯《大观》无。

⑤ 药：其下，柯《大观》有“用”字。

［圣惠方］治小儿心脏风热，昏懵躁闷，不能食。用梨三枚切，以水二①升，煮取汁一升，去滓，入粳米一合，煮粥食之。

［梅师方］治霍乱，心痛利，无汗方：取梨叶枝一大握，水一升，煎取一升服。又云：正月、二月勿食梨。

［钱相公］疗蠼螋尿疮，黄水出。嚼梨汁傅之，干即易。

［又方］小儿寒疝腹痛，大汗出。浓煮梨叶汁七合，顿服，以意消息，可作三四度饮之。

［又方］治中水毒。取梨叶一把熟杵，以酒一盏搅服之。

［北梦锁言］有一朝士，见梁奉御，诊之曰：风疾已深，请速归去。朝士复见鄜州马医赵鄂者，复诊之，言疾危，与梁所说同矣。曰：只有一法，请官人试吃消梨，不限多少咀龁不及，绞汁而饮。到家旬日，唯吃消梨，顿爽矣。

［庄子］譬犹樝梨橘柚耶，其味相反，而皆可于口。

［魏文帝②诏曰］真定御③梨，甘若蜜，脆若菱，可以解烦渴。

［衍义曰］梨，多食则动脾，少则不及病，用梨之意须当斟酌。惟病酒烦渴人，食之甚佳，终不能却疾。

林檎

味酸、甘，温。不可多食，发热涩气，令人好睡，发冷痰，生疮疖，脉闭不行。其树似柰树，其形圆如柰。六月、七月熟，今在处有之。今附

［臣禹锡等谨按孟诜］云：林檎，主止消渴。

［陈士良］云④：此有三⑤种，大长者为柰，圆者林檎，夏熟，小者味涩为梣，秋熟。

［日华子］云：林檎无毒，下气，治霍乱肚痛，消痰。

林檎

［图经曰］林檎，旧不著所出州土，今在处有之。或谓

① 二：柯《大观》作“三”。

② 帝：原脱，据《御览》卷969补。

③ 御：原作“郡”，据改同上。

④ 云：刘《大观》、柯《大观》无。

⑤ 三：刘《大观》、柯《大观》作“二”。

之来禽，木似①柰，实比②柰差圆，六、七月熟。亦有甘、酢二种。甘者早熟，而味脆美；酢者差晚，须熟烂乃堪啖。病消渴者，宜食之，亦不可多，反令人心中生冷痰，今俗间医人亦干之。入治伤寒药，谓之林檎散。

［■食疗云］温。主谷痢、泄精。东行根治白虫、蛔虫。消渴，好睡，不可多食。又，林檎味苦、涩，平，无毒。食之闭百脉。

［食医心镜］治水痢。以十枚半熟者，以水一③升，煎取一升，和林檎，空心食。

［子母秘录］治小儿痢。林檎、构子杵取汁服，以意多与服之，差。

［又方］小儿闪癖，头发竖黄，瘰疬羸瘦。杵林檎末，以和醋傅上，癖和移处，就傅之。

李核仁

蜀州李核仁

味苦，平，无毒。主僵仆跻瘀血，骨痛。

根皮　大寒，主消渴，止心烦，逆奔气。

实　味苦，除痼热，调中。

［陶隐居］云：李类又多，京口有麦李，麦秀时熟，小而甜脆，核不入药。今此用姑熟所出南居李，解核如杏子者为佳。凡实熟食之皆好，不可合雀肉食，又不可临水上啖之。李皮水煎含之，疗齿痛佳。

［今按］别本注云：李类甚多④，有绿李、黄李、紫李、朱⑤李、水李，并堪食。味极甘美，其中仁不入药用。有野李，味苦，名郁李子，核仁入药用之。

［臣禹锡等谨按尔雅］云：休，无实李。痤，接虑李。驳，赤李。释曰：李之无实者名休。郭云：一名赵李。痤⑥，接虑李。郭云：今之麦李，与麦同熟，因名云。李之子赤者名驳。

---

① 似：柯《大观》作“佀”。

② 比：原作“北”，据刘《大观》、柯《大观》改。

③ 一：柯《大观》作“二”。

④ 李类甚多：柯《大观》无。

⑤ 朱：原作“生”，据刘《大观》、柯《大观》改。

⑥ 痤：成化《政和》、商务《政和》作“座”。

［药性论］云：李核仁，臣。治女子小腹肿满①。主踒折骨疼肉伤，利小肠，下水气，除肿满。

［又云］李根皮，使。苦李者入用，味咸。治脚下气，主热毒烦躁。根煮汁，止消渴。

［孟诜］云：李，主女人卒赤白下，取李树东面皮，去皴②皮，炙令黄香，以水三升，煮汁去滓服之。日再验。谨按：生子亦去骨节间劳热，不可多食。临水食③令人发痰疟。又牛李，有毒。煮汁使浓含之。治䘌齿，脊骨有疳虫，可后灌此汁，更空腹服一盏。其子中仁，主鼓胀。研和面作饼子，空腹食之，少顷当泻矣。

［日华子］李，温，无毒。益气，多食令人虚热。又云李树根，凉，无毒。主赤白痢，浓煎服。华，平，无毒。治小儿壮热，痁疾，惊痫，作浴汤。

［图经曰］李核仁，旧不著所出州土，今处处有之。李之类甚多，见《尔雅》者有：休，无实李。李之无实者，一名赵李④。痤祖和切，接虑李，即今之麦李，细实有沟道，与麦同熟，故名之。驳，赤李。其子赤者是也。又有青李、绿李、赤李、房陵李、朱仲李、马肝李、黄李，散见书传。美其味之可食。陶隐居云：皆不入药用。用姑熟所出南居李，解核如杏子者为佳。今不复识此，医家但用核若杏子形者。根皮亦入药用⑤。崔元亮《海上方》治面䵟黑子，取李核中仁，去皮细研，以鸡子白和如稀饧涂，至晚每以淡浆洗之后涂胡粉，不过五六日有效。慎⑥风。

［■ 孙真人］肝病宜食。

［食医心镜］李，味酸，无毒。主除固热调中。黄帝云：李不可和蜜食，食之损五脏。

［衍义曰］李核仁，其窠大者高及丈，今医家少用。实合浆水食，令人霍乱，涩气。而然今畿内小窑镇一种最佳，堪入贡。又有御李，子如樱桃许大，红黄色，先诸李熟。此李品甚多，然天下皆有之。所以比贤士大夫盛德及天下者，如桃李无处不芬芳也。别本注云：有野李，味苦，名郁李子，核仁入药。此自是郁李仁，别是一种，在木部中第十四卷，非野李也。

---

① 满：柯《大观》作“痛”。

② 皴：刘《大观》、柯《大观》作“外”。

③ 食：其下，柯《大观》有“之”字。

④ 李：原作“李李”，据柯《大观》删一“李”字。

⑤ 药用：柯《大观》倒置。

⑥ 慎：刘《大观》、柯《大观》作“避”。

杨梅

味酸，温，无毒。主去痰，止呕哕，消食，下酒，干作屑，临饮酒时服方寸匕，止吐酒。多食令人发热。其树若荔枝树，而叶细阴青。其形似水杨子，而生青熟红。肉在核上，无皮壳。生江南、岭南山谷。四月、五月采。今附

［臣禹锡等谨按孟诜］云：杨梅，和五脏，能涤肠胃，除烦愦[①]恶气，切不可多食。甚能损齿及筋，亦能治痢。烧灰服之。

［日华子］云：杨梅，热，微毒。疗呕逆吐酒。皮、根煎汤洗恶疮疥癞[②]。忌生葱。

［图经］文具梅实条下。

［■ 陈藏器］止渴。张司空云：地瘴无不生杨梅者。信然矣。

［食疗］温。和五脏腹胃，除烦愦恶气，去痰实。亦不可久食，损齿及筋也，甚能断下痢。又，烧为灰，亦断下痢。甚酸美，小有胜白梅。又，白梅未干者，常含一枚，咽其[③]液，亦通利五脏，下少气。若多食之，损人筋骨。其酸醋之物，自是土使然。若南方人北居，杏亦不食；北地人南住，梅乃啖多。岂不是地气郁蒸，令人烦愦，好食斯物也。

［经验后方］主一切伤损不可者疮，止血生肌，无瘢痕，绝妙。和盐核杵之如泥，成挺子，竹筒中收。遇破即填，小可[④]即傅之，此药之功神圣。

［宋齐丘化书］梅接杏而本强者，其实甘。

胡桃

味甘，平，无毒。食之令人肥健，润肌，黑发。取瓤烧令黑，末，断烟，和松脂研，傅瘰疬疮。又，和胡粉为泥，拔[⑤]白须发，以内孔中，其毛皆黑。多食利小便，能脱人眉，动风故也。去五痔。外青皮染髭及帛皆黑。其树皮止水痢，可染

---

① 愦：柯《大观》作“燥”。

② 癞：成化《政和》、商务《政和》作“癣”。

③ 其：柯《大观》无。

④ 可：柯《大观》作“丁”。

⑤ 拔：刘《大观》、柯《大观》无。

胡桃

褐。仙方取青皮压油，和詹糖香涂毛发，色如漆。生北土。云张骞从西域将来。其木，春斫皮，中出水①，承取沐头至黑。今附

［臣禹锡等谨按孟诜］云：胡桃，不可多食，动痰饮，除风，令人能食，不得并，渐渐食之，通经脉，润血脉，黑鬓发。又，服法：初日一颗，五日加一颗，至二十颗止之②。常服，骨肉细腻光润，能养一切老痔疾。

［日华子］云：润肌肉，益发，食酸齿䶗，细嚼解之。

［图经曰］胡桃，生北土，今陕、洛间多有之。大株厚叶多阴。实亦有房，秋冬熟时采之。性热，不可多食，补下方亦用之。取肉合破故纸捣筛，蜜丸。朝服梧桐子大③三十丸。又疗压扑损伤④。捣肉和酒，温顿服便差。崔元亮《海上方》疗石淋，便中有石子者。胡桃肉一升，细米煮浆粥一升，相和顿服即差。实上青皮，染发及帛皆黑。其木皮中水，春斫取沐头，至黑。此果本出羌胡，汉·张骞使西域还，始得其种，植之秦中，后渐生东土。故曰陈仓胡桃，薄皮多肌。阴平胡桃，大而皮脆，急捉则碎，江表亦尝有之。梁《沈约集》有《谢赐乐游园胡桃启》，乃其事也。今京东亦有其种，而实不佳。南方则无⑤。

［■孙真人］食，动疾吐水。

［梅师方］治火烧疮。取胡桃穰，烧令黑，杵如脂，傅疮上。

［衍义曰］胡桃，发风。陕、洛之间甚多，外有青皮包之，胡桃乃核也。核中穰为胡桃肉。须如此说，用时须以汤剥去肉上薄皮，过夏至，则不堪食。有人患酒楂风，鼻上赤，将橘子核，微炒为末，每用一钱匕，研，胡桃肉一个，同以温酒调服，以知为度。

猕猴桃

味酸，甘，寒，无毒。止暴渴，解烦热，冷脾胃，动泄⑥辟，压丹石，下石

---

① 出水：柯《大观》倒置。

② 之：柯《大观》无。

③ 朝服梧桐子大：柯《大观》作“梧子大朝服”。

④ 损伤：柯《大观》倒置。

⑤ 无：其下，柯《大观》有“此”字。

⑥ 泄：柯《方观》作“溲”。

淋。热壅反胃者，取汁和生姜汁服之。一名藤梨，一名木子，一名猕猴梨。生山谷。藤生著树，叶圆有毛。其形似鸡卵大，其皮褐色，经霜始甘美可食。枝、叶杀虫，煮汁饲狗，疗瘑也。今附

［■陈藏器］味咸，温，无毒。主骨节风，瘫缓不随，长年变白，野鸡肉痔病，调中下气。皮中作纸①，藤中汁至滑，下石淋，主胃闭②，取汁和生姜汁，服之佳③。

［食疗］候熟收之，取瓤和蜜煎作煎④。去人烦热。久食亦得。令人冷，能止消渴。

［衍义曰］猕猴桃，今永兴军南山甚多，食之解实热，过多则令人脏寒泄。十月烂熟，色淡绿，生则极酸，子繁细，其色如芥子，枝条柔弱，高二三丈，多附木而生。浅山傍道则有存者，深山则多为猴所食。

海松子

味甘，小温，无毒。主骨节风，头眩，去死肌，变白，散水气，润五脏，不饥。生新罗。如小栗，三角，其中仁香美，东夷食之当果，与中土松子不同。今附

［臣禹锡等谨按日华子］云：松子，逐风痹寒气，虚羸少气，补不足，润皮肤，肥五脏，东人以代麻腐食⑤用。

［海药云］去皮食之，甚香美，与云南松子不同，云南松子似巴豆，其味不厚，多餐发热毒。松子，味甘美，大温，无毒。主诸风，温肠胃。久服轻身，延年不老。味与卑占⑥国偏桃仁相似，其偏桃仁，用与北⑦桃仁无异是⑧也。

柰

味苦，寒。多食令人胪音闾胀，病人尤甚。

---

① 纸：柯《大观》作“药”。

② 闭：成化《政和》、商务《政和》作“开”。

③ 佳：柯《大观》作“立差”。

④ 煎：柯《大观》作“膏”。

⑤ 食：柯《大观》无。

⑥ 占：刘《大观》作“古”，柯《大观》作“方”。

⑦ 北：刘《大观》、柯《大观》作“此”。

⑧ 是：柯《大观》无。

［陶隐居］云：江南①乃有，而北国最丰，皆作脯，不宜人。有林檎相似而小，亦恐非益人也。

［今注］有小毒，主耐饥，益心气。

［臣禹锡等谨按孟诜］云：柰，主补中焦诸不足气，和脾。卒患食后气不通，生捣汁服之。

［日华子］云：柰，冷，无毒。治饱食多肺壅②气胀。

［图经］文具林檎条下。

［▌食医心镜］柰子，味苦，寒，涩，无毒。主忍饥，益心气，多食虚胀。

庵罗果

味甘，温。食之止渴，动风气。天行病后及饱食后，俱不可食之。又，不可同大蒜辛物食，令人患黄病。树生状若林檎而极大。今附

［臣禹锡等谨按陈士良］云：微寒，无毒。主妇人经脉不通，丈夫营卫中血脉不行，久食令人不饥。叶似茶叶，可以作汤，疗渴疾。

［衍义曰］庵罗果，西洛甚多，亦梨之类也。其状亦梨，先诸梨熟，七夕前后已堪啖，色黄如鹅梨，才熟便松软，入药，绝希用。

橄音敢榄音览

味酸、甘，温，无毒。主消酒，疗鯸音侯鲐音怡毒。人误食此鱼肝迷闷者，可煮汁服之，必解。其木作楫拨，著鱼皆浮出，故知物有相畏如此也。

核中仁　研傅唇吻燥痛。其树似木槵子树而高，端直，其形似生诃子，无棱瓣。生岭南。八月、九月采。又有一种，名波斯橄榄，色类亦相似。其形、核作二瓣，可以蜜渍食之。生邕州。今附

［臣禹锡等谨按孟诜］云：橄棪③，主鯸鱼毒，汁服之。

泉州橄榄

---

① 南：刘《大观》、柯《大观》作“东”。

② 壅：刘《大观》、柯《大观》作“拥”。

③ 棪：成化《政和》、商务《政和》作“榄”。

中此鱼肝、子毒，人立死，惟此木能解。生①岭南山谷。树大②数围，实长寸许。其子先生者向下，后生者渐高③。八月熟，蜜藏极甜。

［日华子］云：橄榄，开胃，下气，止渴④。

［图经曰］橄榄，生岭南，今闽、广诸郡皆有之。木似⑤木槵而高，且端直可爱，秋晚实成，南人尤重之。咀嚼之，满口香久不歇，生啖及煮饮并解诸毒，人误食鯸鲐肝，至迷闷者，饮其汁立差。山野中生⑥者，子繁而木峻，不可梯缘，但刻其根下方寸许，内盐于中一夕，子皆落，木亦无损。其枝节间，有脂膏如桃胶⑦，南人采得，并⑧其皮、叶煎之如黑饧，谓之榄糖，用胶船，著水益干，牢于胶漆。邕州又有一种波斯橄榄，与此无异，但其核作三瓣⑨，可蜜渍食之。

［▌陈藏器云］树大，圆实长寸许，南方人以为果，生实味酸，《南州异物志》曰⑩：橄榄子，缘海浦屿间生，实大如轴头，皆反垂向下，实先生者向下⑪，后生者渐高。《南方草木状》曰：橄榄子，大如枣，八月熟，生交趾。海药⑫谨按《异物志》云：生南海浦屿间。树高丈余。其实如枣，二月有花，生至八月乃熟，甚香，橄榄木高大难采，以盐擦木身，则其实自落。

［衍义曰］橄榄，味涩，食久则甘，嚼汁咽，治鱼鲠。

榅桲

味酸、甘，微温，无毒。主温中，下气，消食，除心间醋水，去臭，辟衣鱼。生北土，似樝子而小。今附

---

① 生：柯《大观》作“出”。

② 树大：柯《大观》作“大树阔”。

③ 高：其下，柯《大观》有“至”字。

④ 渴：原作“泻”，据刘《大观》、柯《大观》改。

⑤ 似：柯《大观》作“相”。

⑥ 生：成化《政和》、商务《政和》作“主”。

⑦ 胶：柯《大观》作“膏”。

⑧ 并：柯《大观》无。

⑨ 三瓣：本条正文作“二瓣”。《纲目》卷31“橄榄”条引“志曰”亦作“两瓣”。《图经》所云“三瓣”或为“二瓣”讹误。

⑩ 曰：柯《大观》作“云”。

⑪ 实先生者向下：柯《大观》无。

⑫ 药：其下，柯《大观》有“云”字。

榅桲

［臣禹锡等谨按陈士良］云：发毒热，秘大小肠，聚胸中痰壅。不宜多食，涩血脉。

［日华子］云：除烦渴，治气。

［图经曰］榅桲，旧不著所出州土，今关、陕有之，沙苑出者更佳。其实大抵类樝，但肤慢而多毛，味尤甘。治胸膈中积食，去醋水，下气，止渴。欲卧，啖一两枚①而寝，生熟皆宜。樝子，处处有之，孟州特多。亦主霍乱转筋，并煮汁饮之，可敌木瓜。常食之，亦去心间醋、痰。皮，捣末傅疮，止黄水。实，初熟时，其气氛馥，人将致衣笥中亦香。

［◣陈藏器云］树如林檎，花白绿色。

［衍义曰］榅桲，食之须净去上浮毛，不尔损人肺。花亦香，白色，诸果中惟此多生虫，少有不蚛者。《图经》言，欲卧，啖一两枚而寝。如此，恐太多痞塞胃脘。

棒子

味甘，平，无毒。主益气力，宽肠胃，令人不饥②，健行。生辽东山谷。树高丈许，子如小栗，军行食之当粮，中土亦有。郑注《礼》云：榛似栗而小，关中鄜坊甚多。今附

［臣禹锡等谨按日华子云］新罗榛子肥白，人止饥，调中开胃甚验。

［图经］文具栗条下。

一十三种陈藏器余

灵床上果子

主人夜卧讝语，食之差也。

无漏子

味甘，温，无毒。主温中益气，除痰嗽，补虚损，好颜色，令人肥健。生波斯

---

① 枚：成化《政和》、商务《政和》误作“收”。

② 饥：原作“肌”，据医理改。

国，如枣。一云波斯枣。

[■海药云] 树若栗木，其实如橡子，有三角，消食，止咳嗽，虚羸，悦人。久服无损也。

都角子

味酸、涩，平，无毒。久食益气，止泄。生南方。树高丈余，子如卵。徐表《南方记》云：都角树，二月花，花连著实也。

[■海药云] 谨按，徐表《南州记》云：生广南山谷。二月开花，至夏末结实如卵。主益气，安神，遗泄，痔，温肠。久服无所损也。

文林郎

味甘，无毒。主水痢，去烦热，子如李，或如林檎。生渤海间，人食之。云：其树从河中浮来，拾得人身，是文林郎。因以此为名也。

[■海药云] 又南山亦出，彼人呼榅桲是。味酸，香，微温，无毒。主水泻肠虚，烦热，并宜生食，散酒气也。

木威子

味酸，平，无毒。主心中恶水，水气。生岭南山谷。树叶似楝，子如橄榄而坚，亦似枣也。

摩厨子

味甘，香，平，无毒。主益气，润五脏，久服令人肥健。生西域及南海。子如瓜，可为茹。《异物志》云：木有摩厨，生自斯调。厥汁肥润，其泽如膏。馨香馥射，可以煎熬。彼州之人，仰以为储。斯调，国名也。

[■海药云] 谨按《异物志》云：生西域。二月开花，四月、五月结实如瓜许。益气安神，养血生肌。久服健人也。

悬钩根

皮，味苦，平，无毒。主子死腹中不下，破血，杀虫毒，卒下血，妇人赤带下，久患痢，不问赤白，脓血，腹痛。并浓煮服之。子如梅酸美，人食之醒酒，止渴，除痰唾，去酒毒。茎上有刺如钩，生江淮林泽。取茎烧为末服之，亦主喉中塞也。

钩栗

味甘，平。主不饥，厚肠胃，令人肥健。子似栗而圆小。生江南山谷。树大数围，冬月不凋。一名巢钩子。又有雀子，小圆、黑，味甘。久食不饥。生高山。子小圆黑。又有槠音诸子，小于橡子，味苦，涩。止泄痢，破血，食之不饥，令健行。木皮、叶煮取汁，与产妇饮之，止血。皮树知栗，冬月不凋。生江南。子能除恶血，止渴也。

石都念子

味酸，小温，无毒。主痰嗽，哕气。生岭南。树高丈余，叶如白杨，花如蜀葵，正赤，子如小枣，蜜渍为粉，甘美益人，隋朝植于西苑也。

君迁子

味甘，平，无毒。主止渴，去烦热，令人润泽。生海南。树高丈余，子中有汁如乳汁。《吴都赋》云：平，仲君迁。

[◣海药云] 谨按刘斯《交州记》云：其实中有乳汁，甜美香好。微寒，无毒。主消渴烦热，镇心。久服轻身，亦得悦人颜色也。

韶子

味甘，温，无毒。主暴痢，心腹冷。生岭南。子如栗，皮、肉，核如荔枝。《广志》云：韶叶似栗，有刺，斫皮，内白脂如猪，味甘、酸，亦云核如荔枝也。

棎子

味甘、涩，平，无毒。生食主水痢，熟者和蜜食之去嗽。子似梨，生江南。《吴都赋》云：棎榴御霜是也。

诸果有毒

桃、杏仁双有毒。五月食未成核果，令人发痈疖[1]及寒热。又秋夏果落地为恶虫缘，食之令人患九漏。桃花食之，令人患淋。李仁不可和鸡子食之，患内结不消。

重修政和经史证类备用本草卷第二十三

① 疖：原作“节”，据医理改。

重修政和经史证类备用本草卷第二十四

己酉新增衍义

重修政和经史证类备用本草卷第二十四 己①酉新增衍义

成　都　唐　慎　微　续　证　类

中卫大夫康州防御使句当龙德宫总辖修建明堂所医药

提举入内医官编类圣济经提举太医学臣曹孝忠奉敕校勘

米谷部上品总七种

三种神农本经　白字

二种名医别录　墨字

一种新补

一种新分条

凡墨盖子已②下并唐慎③微续证类

胡麻　叶附　　**青蘘**音箱　　**麻蕡**　子附

胡麻油　元附胡麻条下　今分条　　白麻油　新补　　饴糖

灰藋　自草部今移

① 己：原作“巳”，据底本书首牌记改。

② 已：原作“巳”，据文理改。

③ 慎：刘《大观》作“谨”。

胡[1]**麻**

晋州胡麻

味甘，平，无毒。**主伤中，虚羸，补五内，益气力，长肌肉，填髓脑，**坚筋骨，疗金疮，止痛及伤寒，温疟，大吐后虚热羸困。**久服轻身不老，**明耳目，耐饥渴，延年。以作油，微寒，利大肠，胞衣不落。生者摩疮肿，生秃发。一名巨胜，一名狗[2]虱，一名方茎，一名鸿藏。**叶名青蘘。**生上党川泽。

［陶隐居］云：八谷之中，惟此为良。淳[3]黑者名巨胜。巨者，大也，是为大胜。本生大宛，故名胡麻。又，茎方名巨胜，茎圆名胡麻。服食家当九蒸九暴，熬捣饵之。断谷，长生，充饥。虽易得，俗中学者，犹不能常服，而况余药耶！蒸不熟，令人发落，其性与茯苓相宜。俗方用之甚少，时以合汤、丸尔。

［唐本注］云：此麻以角作八棱者为巨胜，四棱者名胡麻。都以乌者良，白者劣尔。生嚼涂小儿头疮及浸淫恶疮，大效。

［臣禹锡等谨按吴氏］云：胡麻一名方金。神农、雷公：甘，平，无毒。秋采青蘘，一名梦神。

［抱朴子］云：巨胜一名胡麻，饵服之，不老，耐风湿。

［广雅］云：狗虱，巨胜；藤弦，胡麻也。

---

① 胡：其上，柯《大观》有“上品”2字。

② 狗：柯《大观》笔误为“徇”。

③ 淳：柯《大观》作“淳”。

［药性论］云：叶，捣汁沐浴，甚良。又牛伤热，捣汁灌之，立差。又患崩中血凝疰者，生取一升，捣，内热汤中，绞取半升，立愈。巨胜者，仙经所重，白蜜一升，子一升①，合之，名曰静神丸。常服之，治肺气，润五脏。其功至多，亦能休粮，填人骨髓，甚有益于男子。患人虚而吸吸，加胡麻用。

［陈藏器］云：花阴干，渍取汁，溲面至韧，易滑。

［陈士良］云：胡麻仁，生嚼涂小儿头疮，亦疗妇人阴疮。初食利大小肠，久食即否，去陈留新。

［日华子］云：胡麻，补中益气，养五脏，治劳气，产后羸困，耐寒暑，止心惊。子，利大小肠②，催生落胞，逐风温气、游风、头风，补肺气，润五脏，填精髓。细研涂发令长③。白蜜蒸为丸服，治百病。叶作汤沐润毛发，滑皮肤，益血色。

［图经曰］胡麻，巨胜也。生上党川泽。青蘘音箱，巨胜苗也。生中原川谷，今并处处有之。皆园圃所种，稀复野生。苗梗如麻，而叶圆锐光泽。嫩时可作蔬，道家多食之。谨按《广雅》云：狗虱，巨胜也；藤弦，胡麻也。陶隐居云：其茎方者名巨胜，圆者名胡麻。苏恭云：其实作角八棱者，名巨胜；六棱、四棱者名胡麻。如此巨胜、胡麻为二物矣。或云本生胡中，形体类麻，故名胡麻。又八谷之中，最为大胜，故名巨胜④。如此似一物二名也。然则仙方乃有服食胡麻、巨胜二法，功用小别。疑本一物而种之有二。如天雄、附子之类。故葛稚川亦云：胡麻中，有一叶两荚者为巨胜是也。食其实，当九蒸暴，熬捣之，可以断谷。又以白蜜合丸，曰静神丸，服之益肺，润五脏。压取油，主天行热秘肠结，服一合则快利。花，阴干渍汁⑤溲面，至韧而滑。叶可沐头，令发长。一说今人用胡麻，叶如荏而狭尖，茎方，高四五尺。黄花，生子成房，如胡麻角而小。嫩叶可食，甚甘滑，利大肠。皮亦可作布，类大麻，色黄而脆，俗亦谓之黄麻。其实黑色，如韭子而粒细，味苦如胆，杵末略无膏油。又，世人或以为胡麻乃是今之油麻，以其本出大

---

① 升：刘《大观》、柯《大观》作“斗”。

② 肠：刘《大观》、柯《大观》作“便”。

③ 令长：原作“长头”，据本条《图经》文改。又《纲目》亦作“令长”。

④ 故名巨胜：“名”，原作“多”，据刘《大观》、柯《大观》改。“巨”，成化《政和》、商务《政和》作“户”。“胜”，柯《大观本草札记》云：“‘胜’《政和》误‘户’，实乃‘巨’误‘户’。”

⑤ 汁：柯《大观》无。

宛，而谓之胡麻也。皆以乌者良，白者劣。本草注：服胡麻油，须生笮者，其蒸炒作者正可食及然尔，不入药用。又序例谓细麻即胡麻也，形扁扁尔，其方茎者名巨胜。其说各异，然胡麻今服食家最为要药。乃尔差误，岂复得效也。

［▶新注云］胡麻、白大豆、枣三物同九蒸九暴，作团食，令人不饥，延年断谷。又合苍耳子为散，服之治风癞。

［**雷公云**］凡使，有四件。八棱者，两头尖、色紫黑者，又呼胡麻，并是误也。其巨胜有七棱，色赤，味涩酸是真。又呼乌油麻，作巨胜，亦误。若修事一斤，先以水淘，浮者去之，沉者漉出，令干，以酒拌蒸，从巳至亥，出，摊晒干，于臼中，舂令粗皮一重尽，拌小豆相对同炒①，小豆熟即出，去②小豆用之。上有薄皮，去，留用，力在皮③壳也。

［**食疗**］润五脏，主火灼。山田种，为四棱。土地有异，功力同。休粮人重之。填骨髓，补虚气。

［**圣惠方**］治五脏虚损，羸瘦，益气力，坚筋骨。巨胜蒸暴各九遍，每取二合，用汤浸布裹，挼去皮再研，水滤取汁煎饮，和粳煮粥食之。

［**外台秘要**］治手脚酸疼兼微肿。乌麻五升熬碎之，酒一升，浸一宿。随多少饮之。

［**又方**］沸汤所淋，火烧烂疮。杵生胡麻如泥，厚封之。

［**千金方**］常服明目洞视。胡麻一石，蒸之三十遍，末酒服，每日一升。

［**又方**］治腰脚疼痛。胡麻一升，新者熬令香杵筛。日服一小④升，计服一斗即永差。酒饮、羹汁、蜜汤皆可服之，佳。

［**又方**］治白发还黑。乌麻九蒸九暴，末之，以枣膏丸，服之。

［**肘后方**］治阴痒生疮，嚼胡麻傅之。

［**又方**］治齿痛。胡麻五升，水一斗，煮取五升。含漱吐之，茎、叶皆可用之。姚云神良，不过二剂，肿痛即愈。

［**经验后方**］治暑毒。救生散：新胡麻一升，微⑤炒令黑色，取出摊冷碾末，

---

① 同炒：刘《大观》、柯《大观》作“炒待”。

② 去：柯《大观》作“大”。

③ 皮：成化《政和》、商务《政和》作“彼”。

④ 小：柯《大观》作“大”。

⑤ 微：柯《大观》作“内”。

新汲水调三钱，又①或丸如弹子，新水化下。凡着热，外不得以冷物逼，外得冷即死。

[梅师方] 治蚰蜒入耳。胡麻杵碎，以袋盛之为枕。

[孙真人] 胡麻三升，去黄黑者，微熬令香，杵为末。下白蜜三升，和调煎，杵三百杵，如梧桐子大丸。旦服三十丸，肠化为筋。年若过四十已上，服之效。

[修真秘旨] 神仙服胡麻法：服之能除一切痼病，至一年面光泽、不饥，三年水火不能害，行及奔马，久服长生。上党者尤佳。胡麻三斗，净淘入甑蒸，令气遍出，日干，以水淘去沫，却蒸，如此九度。以汤脱去皮，簸令净，炒令香，杵为末，蜜丸如弹子大。每温②酒化下一③丸，忌毒鱼、生菜等。

[丹房镜源云] 巨胜煮丹砂。

[梁简文帝劝医文] 胡麻止救头痛。今人云：灰涤菜者，恐未是，盖今之藜也。又韩保云：灰涤菜愈谬矣。

[神仙传] 鲁女④生篇：鲁女生服胡麻饵术，绝谷八十余年，甚少壮，一日行三百里，走及獐鹿。

[本事诗云] 胡麻好种无人种，正是归时君不归。俗传云：胡麻，夫妇同种即生而茂熟，故诗句不取他物，唯以胡麻为兴也。

[续齐谐记] 汉明帝永平十五年中，剡县有刘晨、阮肇二人，入天台山采药，迷失道路，忽逢一溪，过之、过⑤遇二女，以刘、阮姓名呼之，如旧识耳。曰：郎等来何晚耶？遂邀之过家，设胡麻饭以延之。故唐诗有云：御羹和石髓，香饭进胡麻。

[衍义曰] 胡麻，诸家之说参差不一，止是今脂麻，更无他义。盖其种出于大宛，故言胡麻。今胡地所出者。皆肥大，其纹鹊，其色紫黑，故如此区别，取油亦多。故诗云：松下飰胡麻，此乃是所食之谷无疑，与白油麻为一等，如川大黄、川当归、川升麻、上党人参、齐州半夏之类，不可与他土者更为二物。盖特以其地之所宜立名也。是知胡麻与白油麻为一物，尝官于顺安军，雄、霸州之间，备见之。又二条皆言无毒，治疗大同。今之用白油麻，世不可一日阙也。然亦不至于大寒，

---

① 又：柯《大观》作“匕”，属上句。

② 温：柯《大观》作“服”。

③ 一：成化《政和》、商务《政和》作“十”。

④ 女：原作“支”，据《神仙传》卷10改。

⑤ 过：柯《大观》作“道”。

宜两审之。

青蘘音箱

味甘，寒，无毒。**主五脏邪气，风寒湿痹，益气，补脑髓，坚筋骨。久服耳目聪明，不饥，不老，增寿。巨胜苗也。**生中原川谷。

［陶隐居］云：胡麻叶也。甚肥滑，亦可以沐头，但不知云何服之。仙方并无用此法，正当阴干，捣为丸散尔。既服其实，故不复假苗。五符巨胜丸方亦云：叶名青蘘。本生大宛，度来千年尔。

［唐本注］云：青蘘，《本经》在草部上品中，既堪啖，今从胡麻条下。

［图经曰[①]］文具胡麻条下。

［◣ 食疗］生杵汁，沐头[②]发良。牛伤热亦灌之，立愈。

［衍义曰］青蘘音箱，即油麻叶也。陶隐居注亦曰：胡麻叶也。胡地脂麻鹊色，子颇大。日华子云：叶作汤沐，润毛发，乃是今人所取胡麻叶。以汤浸之，良久涎出，汤遂稠黄色，妇人用之梳发。由是言之，胡麻与白油麻，今之所谓脂麻者是矣。青蘘即其叶无疑。

麻蕡音坟

味辛，平，有毒。**主五劳七伤，利五脏，下血寒气，**破积，止痹，散脓，**多食令[③]见鬼狂走。久服通神明，轻身。一名麻勃，**此麻花上勃勃者。七月七日采，良。

麻子　味甘，平，无毒。主补中益气，中风汗出，逐水，利小便，破积血，复血脉，乳妇产后余疾，长发，可为沐药。久服**肥健不老，**神仙。九月采，入土者损人。生太山川谷。畏牡蛎、白薇，恶茯苓。

麻蕡、麻子

［陶隐居］云：麻蕡即牡麻，牡麻则无实，今人作布及履用之。麻勃，方药亦少用，术家合人参服，令逆知未来事。其子中仁，合丸药并酿酒，大善，然而其性滑利。麻根

① 曰：刘《大观》、柯《大观》无。

② 头：刘《大观》、柯《大观》无。

③ 令：其下，柯《大观》有“人”字。

汁及煮饮之，亦主瘀血，石淋。

［唐本注］云：蕡，即麻实，非花也。《尔雅》云：蕡，枲实。《礼》云：苴，麻之有蕡者。注云：有子之麻为苴。皆谓子尔。陶以一名麻勃，谓勃勃然如花者，即以为花，重出子条，误矣。既以麻蕡为米之上品，今用花为之，花岂为堪食乎？根主产难衣不出，破血壅胀，带下，崩中不止者，以水煮服之，效。沤麻汁，主消渴。捣叶水绞取汁，服五合，主蛔虫，捣傅蝎毒，效。

［今按］《陈藏器本草》云：麻子，下气，利小便，去风痹皮顽。炒令香，捣碎，小便浸取汁服。妇人倒产，吞二①七枚即正。麻子去风，令人心欢，压为油，可以油物。早春种为春麻，子小而有毒；晚春种为秋麻，子入药佳。

［臣禹锡等谨按尔雅］云：黂，枲实。释曰：枲，麻也；黂，麻子也。《仪礼》注：苴，麻之有黂者。又《禹贡》青州厥贡岱畎丝枲是也。又曰莩麻。释曰：苴，麻之盛子者也。一名莩，一名麻母。

［药性论］云：麻花，白麻是也。味苦，微热，无毒。方用②能治一百二十种恶风，黑色遍身苦痒，逐诸风恶血。主女人经候不通，䗪虫为使。又叶沐发，长润。青麻汤淋瘀血，又主下血不止。麻青根一十七枚，洗去土，以水五升，煮取三升，冷，分六服。

［又云］大麻仁，使。治大肠风热结涩及热淋。又麻子二升，大豆一升，熬令香，捣末，蜜丸，日二服，令不饥，耐老益气。子五升研，同叶一握捣相和，浸三日去滓，沐发，令白发不生，补下焦，主治渴。又子一升，水三升，煮四五沸，去滓，冷服半升，日二服，差。

［陈士良］云：大麻仁，主肺脏，润③五脏，利大小便，疏风气。不宜多食，损血脉，滑精气，痿阳气，妇人多食发带疾。

［日华子］云：大麻，补虚劳，逐一切风气，长肌肉，益毛发，去皮肤顽痹，下水气及下乳，止消渴，催生，治横逆产。

［图经曰］麻黂、麻子，生泰山川谷，今处处有。皆田圃所莳，绩④其皮以为布者，麻蕡一名麻勃，麻上花勃勃者，七月七日采，麻子九月采，入土者不用。陶

---

① 二：其下，柯《大观》有“十”字。

② 方用：柯《大观》无。

③ 润：原作“闰”，据文理改。

④ 绩：成化《政和》、商务《政和》作“续”。

隐居以麻蕡为牡麻，牡麻则无实。苏恭以为蕡即实，非花也。又引《尔雅》蕡，枲实。及《礼》云：苴，麻之有蕡者，皆谓蕡为子也。谓陶重出子条为误。按《本经》麻蕡，主七伤，利五脏，多食令人狂走。观古今方书，用麻子所治亦尔。又麻花，非所食之物。如苏之论似当矣。然朱字云：麻蕡味辛，麻子味甘，此又似二物。疑本草与《尔雅》《礼记》有称谓不同者耳。又古方亦有用麻花者，云味苦，主诸风及女经不利，以䗪虫为使。然则蕡也、子也、花也，其三物乎？其叶与桐叶合捣，浸水沐发，令长润。皮青①淋汤濯瘀血。根煮汁冷服，主下血不止。今用麻仁，极难去壳，医家多以水浸，经三两日，令壳破，暴干，新瓦上擂取白用。农家种麻法：择其子之有斑文者，谓之雌麻，云用此则结实繁，它子则不然。葛洪主消渴，以秋麻子一升，水三升，煮三四沸，饮汁不过五升便差。唐·韦宙《独行方》主踠折骨痛不可忍。用大麻根及叶，捣取汁一升饮之，非时即煮干麻汁服亦同。亦主挝打瘀血，心腹满，气短，皆效。《箧中方》单服大麻仁酒，治骨髓风毒，疼痛不可运动者。取大麻仁水中浸，取沉者一大升，漉出暴干，于银器中旋旋炒，直须慢火，待香熟，调匀，即入木臼中，令三两人更互捣一二数，令及万杵，看极细如白粉即止，平分为十贴，每用一贴，取家酿无灰酒一大瓷汤碗，以砂盆、柳木槌子点酒，研麻粉，旋滤，取白酒直令麻粉尽，余壳即去之，都合酒一处，煎取一半，待冷热②得所，空腹顿服，日服一贴，药尽全差。轻者止于四五贴则见效。大抵甚者，不出十贴，必失所苦耳。其效不可胜纪。杂它物而用者，张仲景治脾③约，大便秘，小便数。麻子丸：麻子二升，芍药半斤，厚朴一尺，大黄、枳实各一斤，杏仁一升，六物熬捣筛，蜜丸，大如梧桐④子。以浆水饮下十丸，食后服之，日三，不知益加之。唐方七宣麻仁丸，亦此类也。

［**◣唐本余**］主五劳。麻子，寒。肥健，人不老。

［**食疗云**］微寒。治大小便不通，发落，破血，不饥，能寒。取汁煮粥，去五脏风，润肺，治关节不通，发落，通血脉，治气。青叶，甚长发。研麻子汁，沐发即生长。麻子一升，白羊脂七两，蜡五两，白蜜一合，和杵，蒸食之，不饥。《洞神经》又取大麻，日中服子末三升；东行茱萸根剉八升，渍之。平旦服之二升，至

---

① 皮青：成化《政和》、商务《政和》倒置。

② 热：柯《大观》作“温”。

③ 脾：柯《大观》误作“痹”。

④ 桐：刘《大观》、柯《大观》无。

夜虫下。要见鬼者，取生麻子、昌蒲、鬼臼等分，杵为丸，弹子大。每朝向日服一丸，服满百日即见鬼也。

[圣惠方] 治生眉毛。用七月乌麻花，阴干为末。生乌麻油浸，每夜傅之。

[又方] 主妊娠心痛烦闷。用麻子一合研，水一盏，煎取六分，去滓，非时温服。

[外台秘要] 治瘰疬。七月七日出时收麻花，五月五日收叶，二件作炷子，于疬上灸百壮。

[又方] 治虚劳，下焦虚热，骨节烦疼，肌肉急，小便不利，大便数少，吸吸口燥少气，淋石热。大麻仁五合研，水二升，煮去半分，服四五剂差。

[又方] 治呕。麻仁三两杵熬，以水研取汁，着少盐，吃立效。李谏议尝用，极妙。

[千金方] 治发落不生，令长。麻子一升，熬黑压油以傅头，长发妙。

[又方] 治风癞及百病。麻仁四升，水六升，猛火煮令牙生去滓，煎取七升。旦空心服，或发或不发，或多言语，勿怪之。但人摩手足须定，凡进三剂愈。

[又方] 主产后血不去。麻子五升，酒一升，渍一宿，明旦去滓，温服一升，先食。不差，夜再服一升，不吐不下，不得与男子通，一月将养如初。

[肘后方] 葛氏：大便不通，研麻子相和为粥食。

[又方] 治淋下血。麻根十枚，水五升，煮取二升。一服血止，神验①。

[又方] 大渴，日饮数斗，小便赤涩者。麻子一升，水三升，煮三四沸。取汁饮之，无限日，过九升麻子愈。

[又方] 卒被②毒箭。麻仁数升，杵饮汁差。

[食医心镜] 治风水腹大，脐腰重痛，不可转动。冬麻子半升碎，水研滤取汁，米二合，以麻子汁煮作稀粥，着葱、椒、姜、豉，空心食之。

[又方] 主五淋，小便赤少，茎中疼痛。冬麻子一升，杵研滤取汁二升，和米三合煮粥，着葱、椒及熟煮，空心服之。

[又方] 主妊娠损动后腹痛。冬麻子一升，杵碎熬，以水二升煮，取汁热沸，分为三四服。

[新续十全方] 令易产。大麻根三茎，水一升，煎取半升，顿服立产。衣不下

---

① 验：柯《大观》作“效”。

② 被：原作“备”，据柯《大观》改。

服之亦下。

[子母秘录] 产后秽污不尽，腹满。麻子三两，酒五升，煮取二升。分温二服，当下恶物。

[又方] 治小儿赤白痢，多体弱不堪，大困重者。麻子一合，炒令香熟，末服一钱匕，蜜浆水和服，立效。

[又方] 治小儿疳疮。嚼麻子傅之，日六七度。

[周礼典枲职疏] 枲，麻也。案《丧服传》云：牡麻者，枲麻也。则枲是雄麻，对苴是麻之有蕡实[①]者也。《毛诗》九月叔[②]苴，疏云：谓采麻实以供羹食。

[诗云] 桃之夭夭，有蕡其实，蕡即实也。麻蕡则知麻实也，非花也，麻亦花而后有实也。

[龙鱼河图曰] 岁暮夕四更中，取二七豆子，二七麻子。家人头发少许[③]，合麻子、豆著井中，祝敕井，使[④]其家竟年不遭伤寒，辟五温鬼。

[衍义曰] 大麻子，海东来者最胜，大如莲[⑤]实，出毛罗岛。其次出上郡北地，大如豆，南地者子小。去壳法：取麻子帛包之，沸汤中浸，汤冷出之，垂井中一夜，勿令着水。次日日中暴干，就新瓦上挼去壳，簸扬取仁，粒粒皆完。张仲景麻仁丸，是用此大麻子。

胡麻油

微寒，利大肠，胞衣不落，生者摩疮肿，生秃发。

［陶隐居］云[⑥]：麻油生笮者，若蒸炒正可供作食及[⑦]燃尔，不入药用也。

［药性论］云：胡麻生油，涂头[⑧]生毛发。

［陈藏器］云：胡麻油，大寒，主天行热秘，肠内结热。服一合，取利为度。

---

① 实：原脱，据《周礼·典枲职》补。

② 叔：原作“菽”，据《毛诗》改。“叔”即采收。

③ 发少许：原作“少许发”，据《黄氏逸书考》《艺文类聚》《御览》改。

④ 井，使：“井”，原作“并”，据《艺文类聚》卷85改，又“使”，成化《政和》、商务《政和》作“吏”。

⑤ 莲：原作“连”，据庆元《衍义》、商务《衍义》改。

⑥ 云：柯《大观》作“胡”。属下句。

⑦ 及：柯《大观》无。

⑧ 头：柯《大观》无。

食油损声，令体重。生油杀虫，摩恶疮。

［图经曰①］文具胡麻条下。

［▮食疗云］主喑哑，涂之生毛发。

［野人闲话］杜天师升遐篇：以麻油傅两足，缯帛裹之，可日行万里。

白油麻

大寒，无毒。治虚劳，滑肠胃，行风气，通血脉，去头浮风，润肌。食后生啖一合，终身不辍。与乳母食，其孩子永不病生。若客热，可作饮汁服之。停久者，发霍乱。又生嚼傅小儿头上诸疮良。久食抽人肌肉。生则寒，炒则热。又叶，捣和浆水，绞去滓，沐发，去风润发。其油冷，常食所用也。无毒，发冷疾，滑骨髓，发脏腑渴，困脾脏，杀五黄，下三焦热毒气，通大小肠，治蛔心痛，傅一切疮疥癣，杀一切虫。取油一合，鸡子两颗，芒消一两，搅服之，少时即泻，治热毒甚良。治饮食物，须逐日熬熟用，经宿即动气。有牙齿并脾胃疾人，切不可吃。陈者煎膏，生肌长肉，止痛，消痈肿，补皮裂。新补见孟诜及陈藏器、陈士良、日华子。

油麻

［图经曰］油麻，《本经》旧不著条。然古医方多用之，无毒，滑肠胃，行风气，久食消人肌肉，生则寒，炒熟则热。仙方蒸以辟谷，压笮为油，大寒，发冷疾，滑精髓，发脏腑渴，令人脾困，然治痈疽，热病。《近效方》婆罗门僧疗大风疾，并压②丹石热毒，热风，手脚不遂。用消石一大两，生乌麻油二大升，合内铛中，以土墼③盖口，以纸泥固济，勿令气出，细进火煎之，其药未熟时气腥④，候香气发即熟，更以生油麻油二大升和合，又微火煎之，以意斟量得所，即内不津器中。服法：患大风者，用火为使，在室中重作小纸屋子，外然火，令患人在纸屋中发汗，日服一大合，病人力壮，日二服，服之三七日，头面疱疮皆灭。若服诸丹石药，热发不得食热物，著厚衣，卧厚床者，即两人共服一剂。服法同前，不用火为

① 曰：刘《大观》、柯《大观》无。

② 压：刘《大观》作“坚”。

③ 墼：《大观》作“擊”。

④ 腥：原作“醒”，据刘《大观》、柯《大观》改。

使，忌风二七日。若丹石发，即不用此法，但取一匙内口中，待消咽汁，热除，忌如药法。刘禹锡《传信方》：蚰蜒入耳，以油麻油作煎饼枕卧，须臾[①]蚰蜒自出而差。李元淳[②]尚书在河阳日，蚰蜒入耳，无计可为，半月后脑中洪洪有声，脑闷不可彻，至以头自击门柱，奏疾状危极，因发御药以疗之，无差者。其为受苦不念生存，忽有人献此方，乃愈。

［■外台秘要］治胸喉间觉有癥虫上下，偏闻葱、豉食香，此是发虫。油煎葱、豉令香，二日不食，开口而卧，将油、葱、豉致口边。虫当渐出，徐徐以物引去之。

［又方］治伤寒。三五日忽有黄，则宜服此。取生乌麻油一盏，水半盏，鸡子白一枚和之，熟搅令相匀，一服令尽。

［又方］《近效》治呕。白油麻一大合，清酒半升，煎取三合，看冷热得所，去油麻顿服之。

［又方］治小儿急疳疮，嚼油麻令烂傅之。

［又方］治发癥。欲得饮油一升，香泽煎之。大沙锣贮，安病人头边，口鼻临油上，勿令得饮及傅之鼻面，并令香气，叫唤取饮不得，必当疲极眠睡，发癥当从口出。煎油人等守视之，并石灰一裹，见癥出，以灰粉手捉取癥抽出，须臾抽尽，即是发也。初从腹出，形如不流水中浓菜，随发长短，形亦如之，无忌。

［肘后方］治卒心痛。生油半合，温服差。

［又方］治豌豆疮。服油麻一升，须利，即不生白浆，大效。

［经验后方］治蚰蜒、蜘蛛子咬人。用油麻研傅之差。孙真人同。

［孙真人］《枕中记》云：麻油一升，薤白三斤，切内油中，微火煎之，令薤黑，去滓，合酒服之半升三合，百脉血气充盛。服金石人，先宜服此方。

［斗门方］治产后脱肠不收。用油五斤炼熟，以盆盛后温却，令产妇坐油盆中，约一[③]顿饭久。用皂角炙令脆，去粗皮为末。少许吹入鼻中令作嚏，立差，神效。

［博物志］积油满百石则生火。武帝泰[④]始中，武库火灾积油所致。

---

① 臾：成化《政和》、商务《政和》作“史”。

② 淳：柯《大观》作“湻”。

③ 一：柯《大观》无。

④ 泰：原作“大”，据《博物志》卷4改。

[塞上方] 治心痛，无问冷热。一合生麻服。

[谭氏小儿方] 治小儿软疖。焦炒油麻，从铫子中取，乘热嚼吐傅之止。宋明帝宫人患腰痛牵心，发则气绝。徐文伯视之曰：发癥①。以油灌之，吐物如发，引之长三尺，头已成蛇，能动摇，悬之滴尽，唯一发。

[衍义曰] 白油麻，与胡麻一等，但以其色言之，此胡麻差淡，亦不全白。今人止谓之脂麻，前条已具。炒熟乘热压出油，而谓之生油，但可点照。须再煎炼，方谓之熟油，始可食，复不中点照。亦一异也。加铁自火中出而谓之生铁，亦此义耳。

饴音贻糖

味甘，微温。主补虚乏，止渴，去血。

[陶隐居]云：方家用饴糖，乃云胶饴，皆是湿糖如厚蜜者，建中汤多用之。其凝强及牵白者，不入药。今酒曲、糖用蘖，犹同是米麦，而为中上之异。糖当以和润为优，酒以醺乱为劣也。

[臣禹锡等谨按蜀本]《图经②》云：饴即软糖也，北人谓之饧。粳米③、粟米、大麻、白术、黄精、枳音止椇音矩子等并堪作之，惟以糯米作者入药。

[孟诜]云：饧糖，补虚，止渴，健脾胃气，去留血，补中。白者以蔓菁④汁煮，顿服之。

[日华子]云：益气力，消痰止嗽并润五脏。

[■食疗] 主吐血，健脾。凝强者为良。主打损瘀血，熬令焦，和酒服之，能下恶血。又，伤寒大毒嗽，于蔓菁、薤汁中煮一沸，顿服之。

[外台秘要] 误吞钱。取饴糖一斤，渐渐尽食之，环及钗便出。

[肘后方] 鱼骨哽在喉中，众法⑤不能去。饴糖丸如鸡子黄大吞之。不出，大作丸用，妙。

[衍义曰] 饴糖，即饧是也，多食动脾风，今医家用以和药。糯与粟米作者

---

① 癥：原作“瘕”，据《南史》卷33改。

② 图经：刘《大观》、柯《大观》作白小字。

③ 米：成化《政和》、商务《政和》作“未”。

④ 菁：原作“青”，据柯《大观》改。

⑤ 法：成化《政和》、商务《政和》作“治”。

佳，余不堪用，蜀黍米亦可造。不思食人少食之，亦使脾胃气和。唐·白乐天诗“一碟胶牙饧”者是此。

灰藋

味甘，平，无毒。主恶疮，虫、蚕、蜘蛛等咬。捣碎和油傅之，亦可煮食。亦作浴汤去疥癣风瘙。烧为灰，口含及内齿孔中，杀齿䘌甘疮。取灰三四度淋取汁，蚀息肉，除白癜风，黑子面皯，著肉作疮，子炊为饭，香滑，杀三虫。生熟地叶心有白粉，似藜。而藜心赤，茎大堪为杖，亦杀虫，人食为药，不如白藋也。新补见陈藏器。

[**雷公云**①] 金锁天，时呼为灰藋，是金锁天②叶，扑蔓翠上，往往有金星，堪用也。若白青色，是忌女茎，不入用也。若使金锁天叶，茎高低二尺五寸，妙也③。若长若短，不中使。凡用，勿令犯水，先去根，日干，用布拭上肉毛令尽，细剉，焙干用之。

重修政和经史证类备用本草卷第二十四

① 云：原无，据本书体例及刘《大观》、柯《大观》补。

② 天：成化《政和》、商务《政和》无。

③ 也：柯《大观》无。

重修政和经史证类备用本草卷第二十五

己酉新增衍义

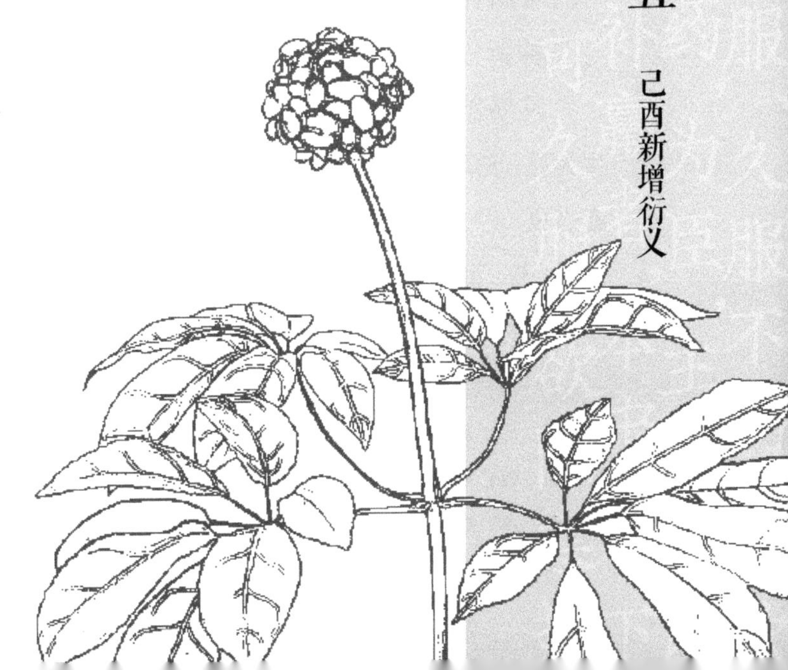

重修政和经史证类备用本草卷第二十五 己[①]酉新增衍义

成 都 唐 慎 微 续 证 类

中卫大夫康州防御使句当龙德宫总辖修建明堂所医药提举入内医官编类圣济经提举太医学臣曹孝忠奉敕校勘

米谷部中品总二十三种

二种神农本经 白字

一十六种名医别录 墨字

一种今附 皆医家尝用有效。注云今附

三种新补

一种新分条

凡墨盖子已[②]下并唐慎[③]微续证类

生大豆 元[④]附大豆黄卷条下 今分条 稆豆附

赤小豆 **大豆黄卷** 酒 甜糟、社坛馀胙酒 续注

粟米 粉、泔、糗 续注 秫米 粳米

① 己：原作"巳"，据底本书首牌记改。

② 已：原作"巳"，据文理改。

③ 慎：刘《大观》作"谨"。

④ 元：成化《政和》、商务《政和》作"先"。

青粱米　黍米　丹黍米 秬黍 续注

白粱米　黄粱米　糵米　舂杵头糠 自草部今移

小麦 面、麸、麦苗 续注　大麦 麸① 续注　曲 新补

穬麦　荞麦 新补　藊音扁豆 叶附　豉

绿豆 今附　白豆 新补

① 麸：刘《大观》作“面糵”。

生大豆①

大豆

味甘，平。**涂痈肿，煮汁饮杀鬼毒，止痛**，逐水胀，除胃中热痹，伤中，淋露，下瘀血，散五脏结积、内寒，杀乌头毒。久服令人身重。炒为屑，味甘。主胃中热，去肿，除痹，消谷，止腹胀。生太山平泽。九月采。恶五参、龙胆，得前胡、乌喙、杏仁、牡蛎良。

［今按］《陈藏器本草》云：大豆，炒令黑，烟未断，及热投酒中，主风痹，瘫缓，口噤，产后诸风，食罢，生服半两②，去心胸烦热，热风恍惚，明目，镇心，温补。久服好颜色，变白，去风，不忘。煮食，寒。下热气肿，压丹石烦热。汁解诸药毒，消肿。大豆炒食极热，煮食之及作豉极冷③。黄卷及酱，平。牛食温，马食冷，一体之中，用之数变④。

［臣禹锡等谨按蜀本］注⑤云：煮食之，主温毒水肿。

［陈藏器］云：梠音吕豆，味甘，温，无毒。炒令黑，及热投酒中，渐渐饮之，去贼风风痹，妇人产后冷血。堪作酱。生田野，小黑。《尔雅》云：戎菽一名驴豆，一名萤豆。

---

① 生大豆：刘《大观》、柯《大观》作白字《本经》文。

② 两：刘《大观》、柯《大观》作“掬”。

③ 冷：成化《政和》、商务《政和》误作“令”。

④ 变：成化《政和》、商务《政和》误作“爱”。

⑤ 注：柯《大观》作白小字。

［孟诜］云：大豆，寒。和饭捣涂一切毒肿。疗男女阴肿，以绵裹内之。杀诸药毒。谨按：煮饮服之，去一切毒气，除胃中热痹，肠中淋露，下淋血，散五脏结积内寒。和桑柴灰汁煮之①，下水鼓腹胀。其豆黄，主湿痹膝痛，五脏不足气，胃气结积，益气，润肌肤。末之收成，炼②猪膏为丸，服之能肥健人。又，卒失音，生大豆一升，青竹筭子四十九枚，长四寸，阔一分，和水煮熟，日夜二服，差。又，每食后，净磨拭，吞鸡子大，令人③长生。初服时似身重，一年已后，便觉身轻。又益阳道。

［日华子］云：黑豆，调中下气，通关脉，制金石药毒，治牛、马温毒。

［图经曰］大豆黄卷及生大豆，生泰山平泽，今处处有之。黄卷是以生豆为糵，待其芽出便暴干取用，方书名黄卷皮，今蓐妇药中用之。大豆有黑白二种：黑者入药；白者不用。其紧小者为雄豆，入药尤佳。豆性本平，而修治之便有数等之效。煮其汁甚凉，可以压丹石毒及解诸药毒；作腐则寒而动气；炒食则热；投酒主风；作豉极冷；黄卷及酱皆平。牛食之温，马食之凉，一体而用别，大抵宜作药使耳。杀乌头毒尤胜。仙方修制黄末，可以辟谷度饥岁。然多食令人体重，久则如故矣。古方有紫汤，破血去风，除气防热，产后两日，尤宜服之。乌豆五升，选择令净，清酒一斗半，炒豆令烟向绝，投于酒中，看酒赤紫色乃去豆，量性服之，可日夜三盏。如中风口噤，即加鸡屎白二升和熬，投酒中，神验。江南人作豆豉，自有一种刀豆，甚佳。古今方书用豉治病最多。葛洪《肘后方》云：疗伤寒有数种，庸人不能分别，今取一药兼疗。若初觉头痛肉热，脉洪起一二日，便作此加减葱豉汤。葱白一虎口，豉一升，绵裹，以水三升，煮取一升，顿服取汗。若不汗，更作，加葛根三两，水五升，煮取二升，分再服，必得汗，即差。不汗更作，加麻黄三两，去节。诸名医方皆用此。更有加减法甚多。今江南人凡得时气，必先用此汤服之，往往便差。

［▶唐本云］煮食之，主温毒，水肿。复④有白大豆，不入药用也。

［食疗云］微寒。主中风脚弱，产后诸疾。若和甘草煮汤饮之，去一切热毒气。善治风毒脚气，煮食之，主心痛，筋挛，膝痛，胀满。杀乌头、附子毒。大豆

---

① 之：柯《大观》作“服”。

② 炼：柯《大观》误作“练”。

③ 人：柯《大观》无。

④ 复：柯《大观》误作“腹”。

黄屑忌猪肉。小儿不得与炒豆食之。若食了，忽食猪肉，从必壅气致死，十有八九。十岁已上，不畏①。

［千金方］治头项强不得顾视。蒸大豆一升，令变色，内囊中枕之。

［又方②］治喉痹卒不语，煮大豆汁含之。

［又方］从高坠下，头破脑出血，中风口噤。豆一升，熬去腥，勿使太热，杵末，蒸之气遍，令甑下盆中，以酒一升淋之。温服一升，覆取汗。傅膏疮上。

［又方］中恶。大豆二七枚，鸡子黄，酒半升，和，顿服。

［又方］治身肿浮。乌豆一升，水五升，煮取三升汁，去滓，内酒五升，更取三升，分温三服。不差再合，服之。

［又方］治头风头痛。大豆三升，炒令无声，先以盛一斗二升瓶一只，盛九升清酒，乘豆热即投于酒中，密泥封之七日，温服之。

［又方］治口㖞。大豆面三升，炒令焦，酒三升淋取汁，顿服，日一服。

［又方］令发鬓乌黑。醋煮大豆，黑者去豆煎令稠，傅发。

［又方］被打头青肿，豆黄末傅之。

［肘后方］治卒风不得语。煮豆煎汁如饴含之，亦浓煮饮之佳。

［又方］治胁③痛如打。豆半升熬令焦，酒一升煮之，令④沸熟取醉。

［又方］从早夜连时不得眠。暮以新布火炙以熨目，并蒸大豆，更番囊盛枕，枕冷后更易热，终夜常枕热豆，即立愈，证如前。

［又方］治消渴得效。取乌豆置牛胆中，阴干百日，吞之即差。

［又方］治腰胁卒痛，背痛。大豆二升，酒三升，煮取二升，顿服佳。

［又方］矾⑤石中毒，豆汁解之良。

［又方］阴痒汗出，嚼生大豆黄，傅之佳。

［经验方］治小儿、大人多年牙齿不生。用黑豆三十粒，牛粪火内烧令烟尽，细研，入麝香少许，一处研匀。先以针挑不生齿处，令血出，用末少许揩。不得见风，忌酸、碱物。

［又方］治秋夏之交，露坐夜久，腹中痞，如群石在腹方：大豆半升，生姜八

① 十岁已上，不畏：柯《大观》作“十岁已上者不畏也”。

② 方：刘《大观》作“云”。

③ 胁：原作“肠”，据《肘后方》改。

④ 令：原作“合”，据柯《大观》改。

⑤ 矾：其上，柯《大观》有“取”字。

分，水二升，煎取一升已来，顿服差。

[又方] 治赤痢，脐下痛。黑豆、茱萸子二件，搓摩，吞咽之，宜良。

[又方] 治破伤风神效。黑豆四十个，朱砂二十文，同研为末。以酒半盏，已上调一字下。

[食医心镜] 治风毒攻心，烦躁恍惚。大豆半升净淘，以水二升，煮取七合，去滓，食后服。

[又方] 大豆末，理胃中热，去身肿，除痹，消谷止胀。大豆一升，熬令熟，杵末饮服之。

[又方] 主妊娠腰中痛。大豆一升，以酒三升，煮取七合，去滓，空心服之。

[又方] 治产后风虚，五缓六急，手足顽痹，头旋眼眩，血气不调。大豆一升，炒令熟，热投三升酒中，密封，随性饮之。

[广利方] 治脚气冲心，烦闷乱，不识人。大豆一升，水三升，浓煮取汁，顿服半升。如未定，可更服半升，即定。

[又方] 治蛇咬方：取黑豆叶，剉杵傅之，日三易，良。

[伤寒类要] 辟温病。以新布盛大豆一斗，内井中一宿出，服七粒佳。

[子母秘录] 主产后中风困笃，或背强口噤，或但烦热苦渴，或身头皆重，或身痒极，呕逆，直视，此皆虚热中风。大豆三升，熬令极熟，候无声，器盛，以酒五升沃之，热投可得二升，尽服之，温覆令少汗出，身润即愈。产后得依常稍服之，以防风气，又消结血。

[又方] 治小儿斑疮，豌豆疮。熟煮大豆，取汁服之佳。

[又方] 治小儿汤火疮。水煮大豆汁涂上，易差，无斑。

[又方] 治小儿尿灰疮，黑豆皮熟嚼傅之。

[杨氏产乳] 疗有孕月数未足，子死腹中不出，母欲闷绝。取大豆三升，以醋煮浓汁三升。顿服，立出。

[产书] 治产后犹觉有余血水气者，宜服豆淋酒。黑豆五升熬之，令烟绝出，于瓷器中，以酒一升淬之。

[又方] 治胞衣不下。以大豆大半升，醇酒三升，煮取折半，分三服。

[博物志云] 左元亮荒年法：择大豆粗细调匀，必煮①熟挼之，令有光，暖气

---

① 煮：原作“生”，据《博物志》卷5改。

彻豆心①内，先不②食一日，以冷水顿服讫。其鱼肉菜果，不得复经口。渴即饮水，慎不可暖饮。初小困，十数日③后，体力壮健，不复思食。

［抱朴内篇云］相国张公文蔚，庄在东都柏坡，庄内有鼠狼穴，养四子为蛇所吞。鼠狼雄雌情切，乃于穴外坋土，恰容蛇头俟其出穴。果入所坋处出头，度其回转不及，当腰咬断而劈蛇腹，衔出四子，尚有气。置于穴外，衔豆叶嚼而傅之，皆活。

［衍义曰］生大豆，有绿、褐、黑三种，亦有大小两等。其大者出江、浙、湖南、北，黑小者生他处。今用小者，力更佳。炒熟，以枣肉同捣之，为麸，代粮。又治产后百病、血热，并中风、疾痱、止痛、背强、口噤，但烦热、瘈疭、若渴、身背肿、剧呕逆，大豆五升，急水淘净，无灰酒一斗，熬豆令微烟出，倾入酒瓶中沃之。经一日已上，服酒一升，取差为度。如素不饮酒，即量多少服。若口噤，即加独活半斤，微微捶破同沃，仍增酒至壹斗贰升。暑月旋作，恐酸坏，又可硙为腐④食之。

赤小豆

味甘、酸，平，无毒。**主下水，排痈肿脓血**，寒热，热中，消渴，止泄，利小便，吐逆，卒澼，下胀满。

［陶隐居］云：大、小豆共条，犹如葱、薤义也。以大豆为蘖芽⑤，生便干之，名为黄卷。用之亦熬，服食所须。煮大豆，主温毒水肿殊效。复有白大豆，不入药。小豆性逐津液，久服令人枯燥矣。

赤小豆

［唐本注］云：《别录》云，叶名藿，止小便数，去烦热。

［今按］《陈藏器本草》云：赤小豆和桑根白皮煮食之，主湿⑥气痹肿。小豆和通草煮食之，当下气无限，名脱气丸。驴食脚轻，人食体重。

---

① 心：原作“则”，据《博物志》卷5改。

② 不：原作“下”，据改同上。

③ 日：原作“月”，据改同上。

④ 腐：原作“腑”，据庆元《衍义》、商务《衍义》改。

⑤ 蘖芽：原作“蘖牙”，据文理改。

⑥ 湿：原作“温”，据医理改。

［臣禹锡等谨按蜀本］注①云：病酒热饮汁即愈。

［药性论］云：赤小豆，使，味甘。能消热毒痈肿，散恶血不尽，烦满，治水肿，皮肌胀满。捣薄涂痈肿上，主小儿急黄烂疮。取汁令洗之，不过三度差。能令人美食。末与鸡子白调，涂热毒痈肿差。通气，健脾胃。

［陈士良］云：赤小豆，微寒。缩气行风，抽肌肉。久食瘦人，坚筋骨，疗水气。解小麦热毒。

［日华子］云：赤豆粉，治烦解热毒，排脓，补血脉，解油衣粘缀甚妙。叶食之明目。

［图经曰］赤小豆，旧与大豆同条，苏恭分之。今江淮间尤多种莳。主水气，脚气方最急用。其法用此豆五合，葫一头，生姜一分，并碎破，商陆根一条，切，同水煮豆烂，汤成，适寒温，去葫等。细嚼豆，空腹食之，旋旋啜汁令尽，肿立消便止。韦宙《独行方》疗水肿，从脚起入腹则杀人。亦用赤小豆一斗，煮令极烂，取汁四五升，温渍膝以下。若已入腹，但服小豆，勿杂食，亦愈。李绛《兵部手集方》亦著此法，云曾得效。昔有人患脚气，用此豆作袋置足下，朝夕展转践踏之，其疾遂愈。亦主丹毒。《小品方》以赤小豆末和鸡子白，如泥涂之，涂之不已，逐手即消也。其遍体者，亦遍涂如上法。又诸肿毒欲作痈疽者，以水和涂，便可消散毒气。今人往往用之有效②。

［◣食疗云］和鲤鱼烂煮食之，甚治脚气及大腹水肿。别有诸治，具在鱼条中。散气，去关节烦热。令人心孔开，止小便数。绿、赤者并可食。暴痢后，气满不能食，煮一顿服之即愈。

［千金方］主产后不能食。烦满方：小豆三七枚，烧作屑，筛，冷水顿服之佳。

［肘后方］辟温病。取小豆，新布囊盛之，置井中，三日出。举家服，男十枚，女二十枚。

［又方］治肠痔，大便常血。小豆一升，苦酒五升，煮豆熟，出干，复内法③酒中，候酒尽止，末，酒服方寸匕，日三度。

［又方］舌上忽出血如簪孔。小豆一升，杵碎，水三升和，搅取汁饮。

---

① 注：刘《大观》、柯《大观》作白小字。

② 效：其下，柯《大观》有“也”字。

③ 复内法：柯《大观》作“腹内苦”。

［**又方**］产后心闷目不开。生赤小豆杵末，东流水服方寸匕。不差更服。

［**梅师方**］治热毒下血，或因食热物发动。以赤小豆杵末，水调下方寸匕。

［**又方**］治妇人乳肿不得消。小豆、莽草等分，为末，苦酒和傅之，佳。

［**孙真人云**］赤、白豆合鱼鲊食之成消渴，小豆酱合鱼鲊食之成口疮。

［**食医心镜**］理脚肿满转上入腹杀人。豆一升，水五升，煮令极熟，去豆，适寒温浸脚，冷即重暖之。

［**又方**］主小便数。小豆叶一斤，于豉汁中煮，调和作羹食之，煮粥亦佳。

［**广利方**］治小儿火丹热如火，绕腰即损人，救急。杵赤小豆末，和鸡子白傅之，干即易。

［**必效方**］治水谷痢。小豆一合，和蜡三两，顿服愈。

［**又方**］治卒下血。小豆一升，捣碎，水三升，绞汁饮之。小品治疽初作。以小豆末，醋傅之亦消。

［**产宝**］治难产方：赤小豆生吞七枚出，若是女，二七枚佳。

［**产书云**］下乳汁。煮赤小豆取汁饮，即下。

［**修真秘旨云**］理淋方：椎赤小豆三合，慢火炒熟为末，煨葱一茎细剉，暖酒调二钱匕服。男子、女人，热淋、血淋并疗。

［**衍义曰**］赤小豆，食之行小便，久则虚人，令人黑瘦、枯燥，关西河北、京东、西多食之。花治宿酒，渴病。

大豆黄卷

味甘，平，无毒。**主湿痹，筋挛，膝痛，**五脏胃气结积，益气，止毒，去黑皯，润泽皮毛。

［**图经**］文具生大豆条下。

［**🅺 唐本注云**］以大豆为蘖芽①，生便干之，名为黄卷。用亦服食。

［**食疗云**］卷，蘖②长五分者，破妇人恶血良。

［**食医心镜**］理久风湿痹，筋挛膝痛，除五脏胃气结聚，益气，止毒，去黑痣面皯③，润皮毛。宜取大豆黄卷一升，熬令香，为末，空心暖酒下一匙。

---

① 蘖芽：原作“芽蘖”，据文理改。

② 蘖：原作“蘗”，据柯《大观》改。

③ 皯：柯《大观》作“皯”。

酒

味苦、甘、辛，大热，有毒。主行药势，杀百邪恶毒气。

［陶隐居］云：大寒凝海，惟酒不冰，明其性热独冠群物。药家多须①以行其势。人饮之，使体弊神昏，是其有毒故也。昔三人晨行触雾，一人健，一人病，一人死。健者饮酒，病者食粥，死者空腹。此酒势辟恶，胜于作食。

［唐本注］云：酒，有葡萄、秫、黍、粳、粟、曲、蜜等，作酒醴以曲为。而葡萄、蜜等，独不用曲。饮葡萄酒能消痰破癖。诸酒醇醨②不同，惟米酒入药用。

［臣禹锡等谨按陈藏器］云：酒，本功外，杀百邪，去恶气，通血脉，厚肠胃，润皮肤，散石气，消忧发怒，宣言畅意。《书》曰：若作酒醴，尔惟曲蘖。苏恭乃广引葡③萄、蜜等为之。此乃以伪乱真，殊非酒本称。至于入药，更亦不堪。凡好酒欲熟，皆能候风潮而转，此是合阴阳矣。

［又云］诸米酒有毒。酒浆照人④无影，不可饮。酒⑤不可合乳饮之，令人气结。白酒食牛肉，令腹内生虫。酒后不得卧，黍穰⑥食猪肉，令人患大风。凡酒忌诸甜物。

［又云］甜糟，味咸，温，无毒。主温中，冷气，消食，杀腥，去草菜毒，藏物不败，糅物能软，润皮肤，调腑脏，三岁已下有酒以物承之，堪磨风瘙，止呕哕，及煎煮鱼菜。取腊月酒糟，以黄衣和粥成之。

［孟诜］云：酒，味苦。主百邪毒，行百药。当酒卧，以扇扇，或中恶风。久饮伤神损寿。谨按：中恶疰忤，热暖姜酒一碗，服即止。又，通脉，养脾气，扶肝。陶隐居云：大寒凝海，惟酒不冰。量其热性故也。久服之，厚肠胃，化筋。初服之时，甚动气痢。与百药相宜。只服丹砂人饮之，即头痛吐热。又，服丹石人，胸背急闷热者，可以大豆一升，熬令汗出，簸去灰尘，投二升酒中。久时顿服之，少顷即汗出差。朝朝服之，甚去一切风。妇人产后诸风，亦可服之。又，熬鸡屎如豆淋酒法作，名曰紫酒。卒不语口偏者，服之甚效。昔有人常服春酒，令人肥

---

① 须：成化《政和》、商务《政和》作“有”。

② 醇醨：刘《大观》、柯《大观》作“醴性”。

③ 葡：原作“蒲”，据柯《大观》改。

④ 人：刘《大观》、柯《大观》无。

⑤ 不可饮酒：柯《大观》无。

⑥ 穰：成化《政和》、商务《政和》作“稷”。

白矣。

［陈士良］云：凡服食丹砂、北庭、石亭脂、钟乳石、诸礜石、生姜，并不可长久以酒下，遂引石药气入四肢，滞血化为痈疽。

［日华子］云：酒，通血脉，厚肠胃，除风及下气。

［又云］社坛馀胙酒，治孩儿语迟。以少许吃，吐酒喷屋四角，辟蚊子。

［又云］糟署扑损瘀血，浸洗冻疮及傅蛇、蜂叮毒。

［又云］糟下酒，暖。开胃下食，暖水脏，温肠胃，消宿食，御风寒。杀一切蔬菜毒，多食微毒。

［**■食疗云**］紫酒，治角弓风。姜酒，主偏风中恶。桑椹酒，补五脏，明耳目。葱豉酒，解烦热，补虚劳。蜜酒，疗风疹。地黄、牛膝、虎骨、仙灵脾、通草、大豆、牛蒡、枸杞等，皆可和酿作酒，在别方。蒲桃子酿酒，益气调中，耐饥强志，取藤汁酿酒亦佳，狗肉汁酿酒，大补。

［**外台秘要**］治水下，或不下则满溢，下之则虚竭，虚竭还腹，十无一活。以桑椹并心皮两物细剉，重煮煎，取四斗以酿米，四升酿酒，一服一升。

［**又方**］治痔，下部啮方：掘地作小坑，烧令赤，酒沃中，杵吴茱萸三升，内中极热，板覆开小孔子，以下部坐上，冷乃下，不过三度良。

［**又方**］治牛马六畜水谷疫病。酒和麝香少许，灌之。

［**千金方**］断酒方：以酒七升，着瓶中，朱砂半两，细研着酒中，紧闭塞瓶口，安猪圈中，任猪摇动，经七日，顿饮之。

［**又方**］正月一日酒五升，淋碓头杵下，取饮。

［**又方**］治耳聋。酒三升，渍牡荆子一升，碎之，浸七日去滓，任性饮尽，三十年聋差。

［**肘后方**］鬼击之病，得之无渐，卒着人，如刀刺状，胸胁腹内疠结①切痛，不可抑按，或吐血、鼻血出，或下血，一名鬼排。以淳酒吹两鼻内。

［**又方**］中风，体角弓反张，四肢不随，烦乱欲死。清酒五升，鸡屎白一升杵末，合和之，捣千遍乃饮，大人服一升，日三，少小五合，差。

［**又方**］人体上先有疮，因乘马，马汗、马毛入疮中，或为马气所蒸，皆致肿痛烦热，入腹则杀人。多饮醇酒，以醉即愈。

［**经验后方**］孙真人：催产，以铁器烧赤淬酒吃，便令分解。

---

① 疠结：柯《大观本草札记》云："今本《肘后》作'绞急'。"

[梅师方] 治虎伤人疮。但饮酒，常令大醉，当吐毛出。

[又方] 治产后有血，心烦腹痛。清酒一升，生地黄汁和煎二十沸，分三服。

[孙真人] 空腹饮酒醉，必患呕逆。

[又方] 治风瓣。暖酒以蜜中搅之，饮一杯即差。

[又方] 治腰膝疼痛久不已。糟底酒摩腰脚及痛处、筋挛处。

[广利方] 治蛇咬疮。暖酒淋洗疮上，日三易。

[兵部手集] 治蜘蛛遍身成疮。取上好春酒饮醉，使人翻不得一向卧，恐酒毒腐人，须臾虫于肉中小如米自出。

[伤寒类要] 天行病毒攻手足，疼痛欲断。作坑令深三尺，大小容足，烧令中热，以酒灌坑中，著屐踞坑上，衣壅勿令泄气。

[衍义曰] 酒，《吕氏春秋》曰：仪狄造酒。《战国策》曰：帝女仪狄造酒，进之于禹。然本草中已著酒名，信非仪狄明矣。又读《素问》首言以妄为常，以酒为浆①，如此则酒自黄帝始，非仪狄也。古方用酒，有醇酒、春酒、社坛馀胙酒、糟下酒、白酒、清酒、好酒、美酒、葡萄②酒、秫黍酒、粳酒、蜜酒、有灰酒、新熟无灰酒、地黄酒。今有糯酒、煮酒、小豆曲酒、香药曲酒、鹿头酒、羔儿等酒。今江、浙、湖南、北，又以糯米粉入众药，和合为曲，曰饼子酒。至于官务中，亦用四夷酒，更别中国不可取以为法。今医家所用酒，正宜斟酌。但饮家惟取其味，不顾入药如何尔。然久之未见不作疾者，盖此物损益兼行，可不慎欤！汉赐丞相上樽酒，糯为上，稷为中，粟为下者。今入药佐使，专以糯米，用清水白面曲所造为正。古人造曲，未见入诸药合和者，如此则功力和厚，皆胜余酒。今人又以麦蘖造者，盖止是醴尔，非酒也。《书》曰：若作酒醴，尔为曲蘖。酒则须用曲，醴故用蘖。盖酒与醴，其气味甚相辽，治疗岂不殊也。

粟米

味咸，微寒，无毒。主养肾气，去胃脾中热，益气。陈者味苦，主胃热，消渴，利小便。

［陶隐居］云：江东所种及西间皆是，其粒细于粱米，熟舂令白，亦以当白粱呼为白粱粟。陈者谓经三五年者，或呼为粢音咨米，以作粉尤解烦闷，服食家亦将

---

① 浆：原作“酱”，据庆元《衍义》、商务《衍义》改。

② 萄：原作“卜”，据庆元《衍义》、商务《衍义》改。

食之。

[唐本注]云：粟类多种，而并细于诸梁，北土常食，与粱有别。陶云当白粱，又云或呼为粢，粢则是稷，稷乃穄音祭之异名也。其米泔汁，主霍乱，卒热，心烦渴，饮数升立差。臭泔，止消渴尤良。米麦麨，味甘、苦，寒，无毒。主寒中，除热渴，解烦，消石气。蒸米麦熬磨作之，一名糗也。

[臣禹锡等谨按孟诜]云：粟米，陈者止痢，其压丹石热。颗粒小者是。今人间①多不识耳。其粱米粒粗大，随色别之。南方多畲田，种之极易。舂粒细，香美，少虚怯，只为灰中种之，又不锄治故也。得北田种之，若不锄之，即草翳死，若锄之，即难舂。都由土地使然耳。但取好地，肥瘦得所由，熟犁。又细锄，即得滑实。

[陈藏器]云：粉解诸毒，主卒得鬼打，水搅服之。亦主热腹痛，鼻衄，并水煮服之。粳②粟总堪为粉，粟强浸米至败者损人。

[又云]泔，主霍乱，新研米清水和滤取汁服，亦主转筋入腹。胃冷者不宜多食。酸泔，洗皮肤疮疥，服主五野鸡病及消渴。下淀酸者，杀虫及恶疮，和臭樗皮煎服，主疳痢。樗皮一名武目树。

[又云]糗，一名麨昌少切，味酸，寒。和水服之，解烦热，止泄，实大肠，压石热，止渴。河东人以麦为之，粗者为干糗粮，东人以粳米为之，炒干磨成也。

[陈士良]云：粳粟米，五谷中最硬，得浆水即易化解。小麦虚热。

[图经]文具青粱米条下。

[◣千金方]治反胃，食即吐。捣粟米作粉，和水丸如梧桐③子大。七枚烂煮内醋中，细吞之，得下便已。面亦得用之。

[食医心镜]主脾胃气弱，食不消化，呕逆反胃，汤饮不下。粟米半升杵如粉，水和丸如梧子，煮令熟，点少盐，空心和汁吞下。

[又方]主消渴口干，粟米炊饭食之，良。

[又方]主胃中热，消渴，利小便，以陈粟米炊饭食。

[兵部手集]治孩子赤丹不止，研粟米④傅之。

---

① 间：成化《政和》、商务《政和》误作“闻”。

② 粳：柯《大观》误作“秕”。

③ 桐：柯《大观》无。

④ 米：柯《大观》无。

[姚和众] 小孩初生七日，助谷神以导达肠胃。研粟米煮粥饮，厚薄如乳，每日研与半粟谷。

[子母秘录] 治小儿重舌，用粟哺之。

[产宝方] 粢米粉熬令黑。以鸡子白和如泥，以涂帛上贴之，帛作穴，以泄痈毒气，易之，效。

[博物志云] 雁食，翼①重不能飞。

[丹房镜源云②] 禾草灰抽锡晕。

[衍义曰] 粟米，利小便，故益脾胃。

秫米

味甘，微寒。止寒热，利大肠，疗漆疮。

[陶隐居] 云：此人以作酒及煮糖者，肥软易消。方药不正用，惟嚼以涂漆疮③及酿诸药醪。

[唐本注] 云：此米功用是稻秫也。今大都呼粟糯为秫稻，秫为糯矣。北土④亦多以粟秫酿酒，而汁少于黍米。粟秫应有别功，但本草不载。凡黍稷、粟秫、秔糯，此三谷之秈音仙秫也。

[臣禹锡等谨按颜师古刊谬正俗] 云：今之所谓秫米者，似黍米而粒小者耳，亦堪作酒。

[孟诜] 云：秫米，其性平。能杀疮疥毒热，拥五脏气，动风，不可常食。北人往往有种者，代米作酒耳。又，生捣和鸡子白，傅毒肿良。根，煮⑤作汤，洗风。又，米一石，曲三斗⑥，和地黄一斤，茵陈蒿一斤，炙令黄，一依酿酒法。服之治筋骨挛急。

[日华子] 云：无毒，犬咬，冻疮并嚼傅。

[图经] 文具黍⑦米条下。

---

① 翼：原作“足”，据《博物志》卷4改。

② 云：柯《大观》无。

③ 疮：原脱，据尚辑本《新修》补。

④ 土：成化《政和》、商务《政和》误作“主”。

⑤ 煮：刘《大观》、柯《大观》误作“主”。

⑥ 斗：柯《大观》作“升”。

⑦ 黍：其上，柯《大观》有“丹”字。

[▶ 圣惠方] 治食鸭肉成病，胸满面赤，不下食。用秫米汁服一中盏。

[肘后方] 卒得浸淫疮有汁，多发于心，不早治，周身则杀人。熬秫米令黄黑，杵以傅之。

[梅师方] 治妊娠忽下黄水如胶，或如小豆汁。秫米、黄芪各一两，细剉，以水七升，煎取三升，分服。

[食医心镜] 主寒热，利大肠，治漆疮。秫米饭食之良。

[衍义曰] 秫米，初捣出淡黄白色，经久色如糯，用作酒者是。此米亦不堪为飦，最粘，故宜酒。

粳米

味甘、苦，平，无毒。主益气，止烦，止泄。

[陶隐居] 云：此即人常所食米，但有白、赤、小、大异族四五种，犹同一类也。前陈廪米亦是此种，以廪军人，故曰廪尔。

[唐本注] 云：传称食廪为禄。廪，仓也。前陈仓米曰廪，字误作廪，即廪军米也。若廪军新米，亦为陈乎？

[臣禹锡等谨按蜀本] 云：断下痢，和胃气，长肌肉，温中。

[孟诜] 云：粳米，平。主益气，止烦泄。其赤则粒大而香，不禁水停。其黄绿即实中。又，水渍有味，益人。都大新熟者动气。经再年者亦发病。江南贮仓人皆多收火稻。其火稻宜人，温中益气，补下元。烧之去芒，舂舂米食之，即不发病耳。

[又云] 仓粳米，炊作干饭食之，止痢。又补中益气，坚筋，通血脉，起阳道。北人炊之，瓮中水浸令酸，食之暖五脏六腑气。久陈者蒸作饭，和醋封毒肿，立差。又，研服之，去卒心痛。白①粳米汁，主心痛，止渴，断热毒痢。若常食干饭，令人热中，唇口干。不可和苍耳食之，令人卒心痛，即急烧仓米灰，和蜜浆服之，不尔即死。不可与马肉同食之，发痼疾。

[日华子] 云：补中，壮筋骨，补肠胃。

[图经] 文具稻米条下。

[▶ 食疗云] 淮泗之间米多。京都、襄州土粳米亦香，坚实。又，诸处虽多，但充饥而已。

---

① 白：原作“曰”，据刘《大观》、柯《大观》改。

[外台秘要] 蛟龙子生在芹菜上①，食之入腹，变成龙子，须慎之。饧粳米、杏仁、乳饼煮粥。食之三升，日三服，吐出蛟龙子，有两头。开皇元②年，贾桥有人吐出蛟龙，大③验，无所忌。

[肘后方] 若遇荒年，谷贵，无尽以充粮，应须药济命者。粳米一升，酒三升渍之，出暴干之。又渍酒次出，稍食之，渴饮，辟三十日，足一斗三升，辟周年。

[又方] 小儿新生三日，应开肠胃，助谷神，碎米浓作汁饮，如乳酪，与儿大豆许，数合④饮之，频与三豆许。二⑤七日可与哺，慎⑥不得取次与杂药，红雪少少得也。

[食医心镜] 止烦，断下利，平胃气，温中，长肌。粳米饭及粥食之。

[衍义曰] 粳米，白晚米为第一，早熟米不及也。平和五脏，补益胃气，其功莫逮。然稍生则复不益脾，过熟则佳。

青粱米

味甘，微寒，无毒。主胃痹，热中，消渴，止泄痢，利小便，益气补中，轻身长年。

粱米

[陶隐居] 云：凡云粱米，皆是粟类，惟其牙头色异为分别尔。青粱出此⑦，今江东少⑧有。汜音泛胜之书云：粱是秫粟，今俗用则不尔。

[唐本注] 云：青粱壳穗有毛，粒青，米亦微青而细于黄、白粱也。谷粒似青稞而少粗。夏月食之，极为清凉，但以味短色恶，不如黄、白粱，故人少种之。此谷早熟而收少

---

① 上：柯《大观》无。

② 元：柯《大观》作“二”。

③ 大：柯《大观》作“子”。

④ 合：柯《大观》作“含”。

⑤ 二：柯《大观》作“三”。

⑥ 慎：刘《大观》、柯《大观》作“谨”。

⑦ 此：刘《大观》、柯《大观》作“北”。柯《大观本草札记》云：“青粱出北，‘北’原误‘比’，据《政和》订。”

⑧ 少：柯《大观》误作“小”。

也①，作饧，清白胜余米。

［臣禹锡等谨按孟诜］云：青粱米，以纯苦酒一斗渍之，三日出，百蒸百暴，好裹藏之。远行一餐，十日不饥。重餐，四百九十日不饥。又方：以米一斗，赤石脂三斤，合以水渍之，令足相淹。置于暖处二②三日。上青③白衣，捣为丸，如李大。日服三丸，不饥。谨按《灵宝五符经》中，白鲜米九蒸九暴，作辟谷粮。此文用青粱米，未见有别出处，其米微寒，常作飦食之，涩于黄④、白米，体性相似。

［日华子］云：健脾，治泄精。醋拌百蒸百暴，可作糗粮。

［图经曰］粱米，有青粱、黄粱、白粱，皆粟类也。旧不著所出州土。陶隐居⑤云：青粱出北方，黄粱出青、冀州，白粱处处皆有。苏恭云：黄粱出蜀、汉，商、浙间亦种之，今惟京东、西，河、陕间种莳，皆白粱耳，青、黄乃稀有。青粱壳穗有毛，粒青，米亦微青而细于黄白米也。黄粱穗大毛长，壳米俱粗于白粱而收子少，不耐水旱，襄阳有竹根⑥者是也。白粱穗亦大，毛多而长，壳粗扁长，不似粟圆也。大抵人多种粟而少种粱，以其损地力而收获少。而⑦诸粱食之，比他谷最益脾胃，性亦相似耳。粟米比粱乃细而圆，种类亦多，功用则无别矣。其泔汁及米粉皆入药。近世作英粉，乃用粟米，浸累日令败，研澄取之。今人用去痱疮尤⑧佳。

［◣外台秘要］主消渴，煮汁饮之差。

［食医心镜］主胃脾热中，除渴，止痢，利小便，益气力，补中，轻身长年。以粱米炊饭食之。

［衍义曰］青、黄、白粱米，此三种，食之不及黄粱。青、白二种，性皆微凉，独黄粱性甘平，岂非得土之中和气多邪？今黄、白二种，西洛间农家多种，为飦尤佳，余用则不相宜。然其粒尖小于他谷，收实少，故能种者亦稀，白色

---

① 也：柯《大观》作“堪”。

② 二：成化《政和》、商务《政和》作“一”。

③ 青：原作“清”，据文理改。

④ 黄：其下，柯《大观》有“如”字。

⑤ 陶隐居：柯《大观》作白小字。

⑥ 根：柯《大观本草札记》云：“‘根’《政和》误‘粮’。”

⑦ 而：刘《大观》、柯《大观》作“耳”。

⑧ 尤：柯《大观》作“为”。

者味淡。

黍米

味甘，温，无毒。主益气补中，多热，令人烦。

［陶隐居］云：荆、郢州及江北皆种此。其苗如芦①而异于粟，粒亦大。粟而多是秫，今人又呼秫粟为黍，非也。北人作黍饭，方药酿黍米酒，则皆用秫黍也。又有穄米与黍米相似，而粒殊大，食不宜人，言发宿病。

［唐本注］云：黍有数种，已备注前条，今此通论丹黑黍米尔，亦不似芦，虽似粟而非粟也。穄即稷也，其释后条。

［臣禹锡等谨按孟诜］云：黍米，性寒。患鳖瘕者，以新熟赤黍米淘取泔汁，生服一升，不过三两度愈。谨按：性寒，有少毒。不堪久服，昏五脏，令人好睡。仙家重此。作酒最胜余粮②。又，烧为灰，和油涂杖疮，不作瘢，止痛。不得与小儿食之，令不能行。若与小猫、犬食之，其脚便踻曲，行不正。缓人筋骨，绝血脉。

［◣食疗云］合葵菜食之，成痼疾。于黍米中藏干脯通。《食禁》云：牛肉不得和黍米、白酒食之，必生寸白虫。

［千金方］治人、六畜天行时气病，豌豆疮方：浓煮黍穰汁洗之。一茎是穄穰则不差。疮若黑者，杵蒜封之。亦可煮干芸苔洗之。

［又方］小儿鹅口，不能饮乳。以黍米汁傅之。

［又方］妊娠尿血。黍穰茎烧灰，酒服方寸匕。

［肘后方］食苦瓠中毒。煮黍穰汁解之，饮数升止。

［又方］治汤火所灼未成疮。黍米、女曲等分，各熬令焦杵，下以鸡子白傅之。

［经验方］治四十年心痛不差。黍米淘汁，温服，随多少。

［孙真人］黍米，肺之谷也。肺病宜食。主③益气。

［又方］米合葵，食之成痫。

［食医心镜］益气安中，补不足，宜脉，不可久食，多热令人烦闷。白黍饭

---

① 芦：成化《政和》、商务《政和》作“蘆”。

② 粮：刘《大观》、柯《大观》作“米”。

③ 主：成化《政和》、商务《政和》误作“生”。

食之。

丹黍米

味苦，微温，无毒。主咳逆，霍乱，止泄，除热，止烦渴。

丹黍米

［陶隐居］云：此即赤黍米也，亦出北间，江东时有种，而非土所宜，多入神药用。又，黑黍名秬，供[1]酿酒祭祀用之。

［臣禹锡等谨按尔雅］云：秬，黑黍。秠，一稃二米。释曰：按《诗·生民》云，诞降嘉种，维秬维秠。李巡云：黑黍一名秬黍。秬，即墨[2]黍之大名也。秠，是黑黍中一稃有二米者，别名为秠。若然秬、秠皆黑黍矣。而《春官·鬯人》注云：酿秬为酒，秬如黑黍，一秠二米。言如者，以黑黍一米者多，秬为正二米。则秬中之异，故言如以明秬有二等，则一米者亦可为汁。又[3]云：秠即皮，其稃亦皮也。秠、稃，古今语之异耳。汉和帝时，任城县生黑黍、或三四实，实二米，得黍三斛八斗是也。

［日华子］云：赤黍米，温。下气，止咳嗽，除烦，止渴，退热。不可合蜜并葵同食。

［图经曰］丹黍米，旧不载所出州土。陶隐居[4]云：出北间，江东亦时有种，而非土所宜，今京东西、河、陕间皆种之。然有二种米：粘者为秫，可以酿酒；不粘者为黍，可食。如稻之有粳、糯耳。谨按《尔雅》云：虋，赤苗。秬，黑黍。秠，一稃二米。释者引《生民诗》云：诞降嘉种，维秬维秠，维糜与虋同维芑。虋即嘉谷赤苗者。李巡云：秬即黑黍之大者名也。秠是黑黍中一稃有二米者，别名为秠。若然秬、秠皆黑黍矣。《周礼·鬯人》注：亦以一秠二米者为秬，一米者为黑黍。后汉和帝时，任城县生黑黍，或三四实，实二米，得三斛八斗是也。古之定律，以上党黑牡秬黍之中者累之，以生律度量衡。后之人取此黍定之，终不能说协

---

① 供：原作“共”，据文理改。

② 黍一名……即墨：以上8字，柯《大观》无。又“墨”，刘《大观》作“黑”。

③ 又：柯《大观》作“一”。

④ 陶隐居：柯《大观》作白小字。

律。一说：秬，黍之中者，乃一稃二米之黍也。此黍得天地中和之气乃生，盖不常有。有则一穗皆同二米，米粒皆匀无大小，得此，然后可以定钟律。古今所以不能协声律者，以无此黍也。他黍则不然，地有腴瘠，岁有凶穰，则米之大小不常，何由知其中者，此说为信然矣。今上党民间或值丰岁，往往得二米者，皆如此说，但稀阔而得之，故不以充贡耳。北人谓秫为黄米，亦谓之黄糯，酿酒比糯稻差劣也。

［■ **食医心镜**］主除烦热，止[①]泄痢并渴，丹黍米饭食之。

［**伤寒类要**］伤寒后，男子阴易。米三两煮薄饮，酒和饮之。发汗出愈，随人加减。

［**子母秘录**］小儿鹅口不乳，丹黍米汁傅[②]上。

［**衍义曰**］丹黍米，黍皮赤，其米黄，惟可为糜，不堪为饭。粘着难解，然亦动风。

白粱米

味甘，微寒，无毒。主除热，益气。

［陶隐居］云：今处处有，襄阳竹根者最佳。所以夏月作粟餐，亦以除热。

［唐本注］云：白粱穗大，多毛且长。诸粱都相似，而白粱谷粗扁长，不似粟圆也。米亦白而大，食之香美，为黄粱之亚矣。陶云竹根，竹根乃黄粱，非白粱也。然粱虽粟类，细论则别，谓作粟餐，殊乖的称也。

［臣禹锡等谨按孟诜］云：白粱米，患胃虚并呕吐食及水[③]者，用米汁二合，生姜汁一合，服之。性微寒，除胸膈中客热，移五脏气，续筋骨。此北人长食者是，亦堪作粉。

［**图经**］文具青粱米条下。

［■ **千金方**］主霍乱不吐。白粱米五合，水一升，和之顿服如粥食。

［**肘后方**］手足忽发疣。取粱粉，铁铛熬令赤以涂之，以众人唾和涂上，厚一寸，即消。

［**食医心镜**］治虚热，益气和中，止烦满。以白粱米炊饭食之。

［**衍义**］文已具青粱米条下。

---

① 止：成化《政和》、商务《政和》作“主”。

② 傅：柯《大观》误作“付”。

③ 水：原作“冰”，据刘《大观》、柯《大观》改。

黄粱米

味甘，平，无毒。主益气和中，止泄。

［陶隐居］云：黄粱，出青、冀州，此间不见有尔。

［唐本注］云：黄粱，出蜀、汉，商、浙间亦种之。穗大毛长，谷米俱粗于白粱，而收子少，不耐水旱。食之香美，逾于诸粱，人号为竹根黄。而陶注白粱云：襄阳竹根者是。此乃黄粱，非白粱也。

［臣禹锡等谨按日华子］云：去客风，治顽痹。

［图经］文具青粱米条下。

［◣外台秘要］小儿面身[1]生疮如火烧。以一升末，蜜水和傅之，差为度。

［又方］治霍乱烦躁。以黄粱米粉半升，水一升半，和绞如白饮，顿服。糯米亦得。

［肘后方］治霍乱吐下后，大渴多饮则杀人。黄粱米五升，水一斗，煮取三升清澄，稍稍饮之。

［食医心镜］主益气和中，止泄痢，去当风卧湿，遇冷所中等病。以作饮食之。

［兵部手集］治孩子赤丹不止。土[2]番黄米粉、鸡子白和傅之。

［衍义］文已具青粱米条下。

糵米

味苦，无毒。主寒中，下气，除热。

［陶隐居］云：此是以米为糵尔，非别米名也。末其米脂和傅面，亦使皮肤悦泽，为热不及麦糵也。

［唐本注］云：糵者，生不以理之名也，皆当以可生之物为之。陶称以米为糵，其米岂更能生乎？止当取糵中之米尔。按《食经》称用稻糵，稻即穬谷之名，明非米作。

［臣禹锡等谨按日华子］云：糵米，温。能除烦，消宿食，开胃。又名黄子。可作米醋。

---

① 身：柯《大观》作“上”。

② 土：柯《大观》作“上”。

[▶ 唐本余] 取半生者作之。

[衍义曰] 蘖米，此则粟蘖也，今谷神散中用之，性又温于大麦蘖。

春杵头细糠

主卒噎。

［陶隐居］云：食卒噎不下，刮取含之即去，亦是舂捣义尔。天下事理，多有相影响如此也。自草部今移。

［臣禹锡等谨按日华子］云：平，治噎煎汤呷。

[▶ 圣惠方] 治膈气，咽喉噎塞，饮食不下。用碓觜上细糠，蜜丸如弹子大，非时含一丸咽津。

[子母秘录] 令易产。以糠烧末，服方寸匕。

[丹房镜源] 糠火力①倍常。

[庄子云] 瞽者爱其子，不免以糠枕枕之，以损其目。

[衍义] 文已附陈廪米条下。

小麦

味甘，微寒，无毒。主除热，止躁渴咽干，利小便，养肝气，止漏血、唾血。以作曲，温，消谷，止痢。以作面，温，不能消热止烦。

［陶隐居］云：小麦合汤皆完用之，热家疗也。作面则温，明穬麦亦当如此。今服食家啖面，不及大穬麦，犹胜于米尔。

小麦

［唐本注］云：小麦汤用，不许皮坼，云坼则温，明面不能消热止烦也。小麦曲止痢，平胃，主小儿痫，消食痔。又有女曲、黄蒸。女曲，完小麦为之，一名䴬音桓子；黄蒸，磨小麦为之，一名黄衣。并消食，止泄痢，下胎，破冷血也。

［今按］《陈藏器本草》云：小麦，秋种夏熟，受四时气足，自然兼有寒温，

① 力：其下，柯《大观》有“要”字。

面热麸冷，宜其然也。河、渭已西，白麦面凉，以其春种阙二时气，使之然也。

［臣禹锡等谨按蜀本］云：以作麨，微寒。主消渴，止烦；以作曲，止痢，平胃，主小儿痫，消食痔。

［萧炳］云：麦酱和鲤鱼食之，令人口疮。

［药性论］云：小麦，臣，有小毒。能杀肠中蛔虫，熬末服。

［陈藏器］云：麸，味甘，寒，无毒。和面作饼，止泄利，调中，去热，健人，蒸热袋盛，熨人。马冷失腰脚，和醋蒸，抱所伤折处，止痛散血。人作面，第三磨者凉，为近麸也。小麦，皮寒肉热。又云①：麦苗，味辛，寒，无毒。主酒疸目黄，消酒毒暴热。麦苗上黑霉名麦奴，主热烦，解丹石，天行热毒。

［又云］面，味甘，温。补虚，实人肤体，厚肠胃，强气力，性拥热，小动风气。又云①：女曲，一名䴷子。按䴷子与黄蒸不殊。黄蒸，温补，消诸生物。北人以小麦，南人以秫米，皆六、七月作之。

苏［又云］磨破之，谓当完作之，亦呼为黄衣，尘绿者佳。

［孟诜］云：小麦，平，服之止渴。又，作面有热毒，多是陈裛之色。作粉补中益气，和五脏，调脉。又，炒粉一合，和服断下痢。又，性主伤折，和醋蒸之，裹所伤处便定。重者，再蒸裹之，甚良。

［日华子］云：面，养气，补不足，助五脏，久食实人。

［又云］麦黄，暖。温中下气，消食除烦。麸，凉。治时疾，热疮，汤火疮烂，扑损伤折瘀血，醋炒贴罯。麦苗，凉。除烦闷，解时疾狂热，消酒毒，退胸膈热。患黄疸人绞汁服，并利小肠，作齑吃，甚益颜色。

［图经曰］麦有大麦、小麦、穬麦、荞麦，旧②不著所出州土。苏③云大麦出关中，今南北之人皆能种莳。屑之作面，平胃，止渴，消食。水渍之生芽为糵，化宿食，破冷气，止心腹胀满。今医方用之最多。穬麦有二种：一种类小麦，一种类大麦，皆比大、小麦差大。凡麦秋种冬长，春秀夏实，具四时中和之气，故为五谷之贵。大、小麦，地暖处亦可春种之，至夏便收。然比秋种者，四气不足，故有毒。小麦性寒，作面则温而有毒，作曲则平胃止利。其皮为麸，性复寒，调中去热，亦犹大豆作酱、豉，性便不同也。荞麦实肠胃，益气力，然不宜多食，亦能动

---

① 又云：刘《大观》、柯《大观》作白小字。

② 旧：其下，刘《大观》、柯《大观》有“并”字。

③ 苏：刘《大观》、柯《大观》作“苏恭”。

风气，令人昏眩也。药品不甚用之。

[■食疗云] 平。养肝气，煮饮服之良。又云：面有热毒者，为多是陈黦之色。又，为磨中石末在内，所以有毒，但杵食之即良。又宜作粉食之，补中益气，和五脏，调经络，续气脉。

[圣惠方] 治烦热，少睡多渴。用小麦作饭，水淘食之。

[又方] 主妇人乳痈不消。右用白面半斤，炒令黄色，用醋煮为糊，涂于乳上，即消。

[外台秘要] 治痢，色白不消者，为寒下。方：好面炒，右一味，捣筛煮米粥，内面方寸匕。又云：此疗泻百行，师不救者。

[千金方] 治黄疸。取小麦苗，杵绞取汁，饮六七合，昼夜三四饮之，三四日便愈。

[又方] 治火疮。熬面入栀子仁末，和油傅。已成疮者，筛白糖灰粉之或[①]掺，差。

[肘后方] 主食过饱烦闷，但欲卧而腹胀。熬面令微香[②]，杵，服方寸匕。以大麦生面佳，无面以蘖亦得。

[又方] 一切伤折。寒食蒸饼，不限多少，末，酒服之，验。

[经验方] 治鼻衄。以冷水调面浆，服之立差。

[又方] 治吹奶。以水调面煮如糊，欲熟即投无灰酒一盏，共搅之，极热，令如稀粥，可饮即热吃。仍令人徐徐按之，药行即差。

[梅师方] 治头上皮虚肿，薄如蒸饼，状如裹水。以口嚼面傅之，差。

[孙真人] 麦，心之谷也，心病宜食。主除热止渴，利小便，养心气。

[又方] 治酒黄。取小麦三升杵，和少水取汁，服五合。

[又方] 治黄疸，皮肤、眼睛如金色，小便赤。取小麦杵取汁，服一合。

[食医心镜] 主消渴口干。小麦用炊作饭及煮粥食之。

[兵部手集] 治呕哕。面、醋和作弹丸二三十个，以沸汤煮别盛浆水二斗已来，弹丸汤内漉出于浆中，看外热气稍减，乘热吞三两个。其哕定，即不用吞余者。加至七八丸尚未定，晚后飦前再作吞之。

[鬼遗方] 治金疮腹肠出，不能内之。小麦五升，水九升，煮取四升，去滓绵

① 或：柯《大观》作“即”。

② 香：柯《大观》作“黄”。

滤，使极冷。令人含噀之，疮肠渐渐入，冷噀其背。不宜多人见，不欲傍人语，又不须令病人知，肠不即入。取病人卧席四角，合病人举摇，稍须臾便肠自入。十日中，食不饱，数食须使少。勿使惊，即杀人。

［别说云］ 谨按：小麦，即今人所磨为面，日常食者。八、九月种，夏至煎熟。一种春种，作面不及经年者良。大麦，今以粒皮似稻者为之，作飦滑，饲马良。穬麦，今以似小麦而大粒，色青黄，作面脆硬①，食多胀人。京东、西，河北近京，又呼为黄颗。关中又有一种青颗，比近道者粒微小，色微青，专以饲马，未见入药用。然大麦、穬麦二种，其名差互，今之穬麦与小麦相似而差大，宜为之大麦。今之大麦不与小麦相似，而其皮矿脆，宜为之穬麦。用此恐传记因俗而差之尔，不可不审也。

［衍义曰］ 小麦，暴淋煎汤饮，为面作糊。入药水调，治人中暑。马病肺卒热，亦以水调灌愈。生嚼成筋，可以粘禽虫。

大麦

味咸，温、微寒，无毒。主消渴，除热，益气调中。又云：令人多热，为五谷长。蜜为之使。

［陶隐居］云：今稞麦，一名麰音牟麦，似穬麦，惟皮薄尔。

［唐本注］云：大麦出关中，即青稞麦是。形似小麦而大，皮厚，故谓大麦，殊不似穬麦也。大麦面，平胃，止渴，消食，疗胀。

［臣禹锡等谨按药性论］云：大麦蘖，使，味甘，无毒。能消化宿食，破冷气，去心腹胀满。

［孟诜］云：大麦，久食之，头发不白。和针沙、没石子等染发黑色。暴食之，亦稍似脚弱，为下气及腰肾故。久服甚宜人，熟即益人，带生即冷损人。

［陈士良］云：大麦，补虚劣，壮血脉，益颜色，实五脏，化谷食。久食令人肥②白，滑肌肤。为面胜小麦，无躁热。

［又云］蘖，微暖，久食消肾，不可多食。

［日华子］云：麦蘖，温中下气，开胃，止霍乱，除烦，消痰，破癥结，能催生落胎。

---

① 硬：原作“鞕”，据文理改。

② 肥：柯《大观》作“色”。

［**图经**］文具小麦条下。

［**▌陈藏器云**］不动风气，调中止泄，令人肥健。大麦、穬麦，《本经》前后两出。苏云：青稞麦是大麦，《本经》有条，粳一稻二米，亦如大。穬两麦。苏云：稻是谷之通名，则穬是麦之皮号，麦之穬，犹米之与稻。《本经》于米麦条中重出皮壳两件者，但为有壳之与无壳也。苏云：大麦是青稞，穬麦是大麦。如此则与米注不同，自相矛盾，愚谓大麦是麦米，穬麦是麦谷，与青稞种子不同，青稞似大麦，天生皮肉离。秦陇已西种之，今人将当本麦米粜之，不能分也。

［**圣惠方**］治妊娠欲去胎。以麦糵二两，水一盏半，煎至一盏，分温三服。

［**外台秘要**］治妊娠得病去胎方：麦糵一升，和蜜一升，服之即下，神验。

［**孙真人**］麦芒入目，煮大麦汁洗之。

［**兵部手集**］治产后腹中鼓胀不通转，气急，坐卧不安，供奉辅太初与崔家方：以麦糵末一合，和酒服食，良久通转。崔郎中云神验。

［**伤寒类要**］治诸黄，杵苗汁服之。

［**又方**］蠼螋尿疮。嚼大麦以傅之，日三上。

［**衍义曰**］大麦，性平，凉，有人患缠喉风，食不能下，将此面作稀糊，令咽之，既滑腻容易下咽，以助胃气。三伏中，朝廷作麨，以赐臣下，作糵造饧。

曲

味甘，大暖。疗脏腑中风气，调中下气，开胃消宿食。主霍乱，心膈气，痰逆，除烦，破癥结及补虚，去冷气，除肠胃中塞，不下食，令人有颜色，六月作者良。陈久者入药，用之当炒令香，六畜食米胀欲死者，煮曲汁灌之立消，落胎并下鬼胎。又，神曲，使，无毒。能化水谷宿食癥气，健脾暖胃。新补见陈藏器、孟诜、萧炳、陈士良、日华子。

［**▌雷公云**］曲，凡使，捣作末后，掘地坑，深二尺，用物裹，内坑中至一宿，明出，焙干用。

［**千金方**］治产后运绝。曲末，水服方寸匕。不差，更服即差。

［**又方**］治小腹坚大如盘，胸中满，能食而不消。曲末服方寸匕，日三。

［**肘后方**］治赤白痢下，水谷食不消。以曲熬粟米粥，服方寸匕，日四五止。

［**又方**］妊娠卒胎动不安，或腰痛，胎转抢心，下血不止。生曲半饼碎末，水和绞取汁，服三升。

［**古今录验**］治狐刺。取曲末和独头蒜，杵如帽簪头，内疮孔中，虫出愈。

［子母秘录］ 妊娠胎动上迫，心痛如折。以生曲半饼碎，水和绞取汁服。

［伤寒类要］ 治伤寒饮食劳复。以曲一饼，煮取汁饮之。

［杨氏产乳］ 疗胎上迫，心痛兼下血。取曲半饼，捣碎，水和绞取汁。

［梁简文帝］ 劝医文，麦曲，止河鱼之腹疾。

［贾相公］ 进过牛经，牛生衣不下。取六月六曲末三合，酒一升，灌，便下。

［蜀本云］ 温，消谷，止痢，平胃。主小儿痫，消食痔。

穬麦

味甘，微寒，无毒。主轻身，除热。久服令人多力健行，以作糵，温，消食和中。

［陶隐居］云：此是今马所食者，性乃热而云微寒，恐是作屑与合壳异也。服食家并食大、穬二麦，令人轻健。

［唐本注］云：穬麦性寒，陶云性热，非也。复云：作屑与合壳异。此皆江东少有，故斟酌言之。

［臣禹锡等谨按萧炳］云：穬麦，补中，不动风气，先患冷气人，即不相当。大麦之类，西川人种食之。山东、河北人正月种之，名春穬，形状与大麦相似。

［孟诜］云：穬麦，主轻身补中，不动疾。

［日华子］云：作饼食不动气，若暴食时间似动气，多食即益人。

［图经］ 文具小麦条下。

荞麦

味甘，平、寒，无毒。实肠胃，益气力。久食动风，令人头眩。和猪肉食之，患热风，脱人眉须，虽动诸病，犹挫丹石，能炼五脏滓秽，续精神。作饭与丹石人食之良。其饭法可蒸，使气馏，于烈日中暴令口开，使春①取仁作饭。叶作茹，食之下气，利耳目，多食即微泄。烧其穰作灰，淋洗六畜疮，并驴、马躁蹄。新补见陈藏器、孟诜、萧炳、陈士良、日华子。

［图经］ 文具小麦条下。

［■孙真人］ 荞麦合猪、羊肉食，成风癞。

---

① 春：原作“春”，据文理改。

[兵部手集] 孩子赤丹不止。荞麦面、醋和傅之，差。

[又方] 治小儿油丹赤肿。荞麦面、醋和傅之，良。

[杨氏产乳] 疮热油赤肿，取荞麦面、醋和涂之。

[丹房镜源] 荞麦灰煮粉霜。

藊音扁豆

味甘，微温。主和中下气。

叶　主霍乱吐下不止。

藊豆

[陶隐居] 云：人家种之于篱援，其荚蒸食甚美，无正用取其豆者。叶乃单行用之。患寒热病者，不可食。

[唐本注] 云：此北人名鹊豆，以其黑而白间故也。

[臣禹锡等谨按孟诜] 云：藊豆，疗霍乱吐痢不止，末和醋服之，下气。又，吐痢后转筋，生捣叶一把，以少酢浸[1]汁，服之立差。其豆如绿豆，饼食亦可。

[药性论] 云：白藊豆，亦可单用。主解一切草木毒，生嚼及煎汤服，取效。

[日华子] 云：平，无毒。补五脏。叶傅蛇虫咬。

[图经曰] 藊豆，旧不著所出州土，今处处有之。人家多种于篱援间，蔓延而上，大叶细花，花有紫、白二色，荚生花下。其实亦有黑、白二种，白者温而黑者小冷，入药当用白者。主行风气，女子带下，兼杀一切草木及酒毒，亦解河豚毒。花亦主女子赤白下，干末米[2]饮和服。叶主吐痢后转筋，生捣，研以少酢，浸取汁饮之，立止。黑色者亦名鹊豆，以其黑间而有白道如鹊羽耳。

[▶ 食疗云] 微寒。主呕逆，久食头不白。患冷气人勿食。其叶治瘕，和醋煮。理转筋，叶汁醋服效。

[衍义曰] 藊豆，有黑、白、鹊三等，皆于豆脊有白路。白者治霍乱筋转。

豉

味苦，寒，无毒。主伤寒，头痛寒热，瘴气恶毒，烦躁满闷，虚劳喘吸，两脚疼冷。又杀六畜胎子诸毒。

---

① 浸：其下，柯《大观》有“取”字。

② 米：成化《政和》、商务《政和》、线装本《政和》作“采”。

［陶隐居］云：豉，食中之常用。春夏天气不和，蒸炒以酒渍服之，至佳。依康伯法：先以醋酒溲蒸暴燥，以麻油和，又蒸暴之，凡三过，乃末椒、干姜屑合和，以进食，胜今作油豉也。患脚人常将其酒浸，以滓傅脚皆差。好者出襄阳、钱塘，香美而浓，取中心者弥善。

［臣禹锡等谨按药性论］云：豆豉，得醯良，杀六畜毒，味苦、甘。主下血痢如刺者，豉一升，水渍才令相淹，煎一两沸，绞[①]汁顿服。不差可再服。又伤寒暴痢腹痛者，豉一升，薤白一握切，以水三升，先煮薤，内豉更煮，汤色黑去豉，分为二服。不差再服。熬末能止汗，主除烦躁。治时疾热病，发汗。又治阴茎上疮痛烂，豉一分，蚯蚓湿泥二分，水研和涂上，干易，禁热食酒、菜、蒜。又寒热风，胸中疮，生者可捣为丸服，良。

［陈藏器］云：蒲州豉，味咸，无毒。主解烦热，热毒，寒热，虚劳，调中，发汗，通关节，杀腥气，伤寒鼻塞。作法与诸豉不同，其味烈。陕州又有豉汁，经年不败，大除烦热，入药并不如今之豉心，为其无盐故也。

［孟诜］云：豉，能治久盗汗患者，以一[②]升微炒令香，清酒三升渍，满三日取汁，冷暖任人服之，不差，更作三两剂即止。

［日华子］云：治中毒药，蛊气，疟疾，骨蒸，并治犬咬。

［图经］文具大豆黄卷条下。

［■食疗云］陕府豉汁，甚胜于常豉。以大豆为黄蒸，每一斗加盐四升，椒四两，春三日，夏两日，冬五日即成。半熟，加生姜五两，既洁且精，胜埋于马粪中。黄蒸，以好豉心代之。

［圣惠方］治口舌生疮，胸膈疼痛。用焦豉细末，含一宿便差。

［外台秘要］治虫刺螫人方：好豉心以足为限，但觉刺即熟嚼豉以傅之，少顷见豉中毛即差。不见，又嚼傅之，昼夜勿绝，见毛为度。

［千金方］治酒病。豉、葱白各半升，水二升，煮取一升，顿服。

［又方］治喉痹卒不语。煮豉汁一升服，覆取汗；亦可末桂著舌下，渐咽。

［又方］治被殴[③]伤瘀血聚腹满。豉一升，水三升，煮三沸，分服，不差再作。

---

① 绞：其下，刘《大观》、柯《大观》有“取”字。

② 一：柯《大观》作“二”。

③ 殴：原作“欧”，据文理改。

［又方］四肢骨破及筋伤蹉跌。以①水二升，豉三升渍之，搅取汁饮，止心闷。

［又方］蠼螋尿疮，杵豉傅之。

［又方］治发背痈肿已溃、未溃方：香豉三升，少与水和，熟捣成泥，可②肿处作饼子，厚三分已上。有孔勿覆，孔上布豉饼，以艾烈其上灸之，使温温而热，勿令破肉。如热痛，即急易之，患当减。快得分稳，一日二度灸之。如先有疮孔中汁出即差。

［肘后方］中缓风，四肢不收者。豉三升，水九升，煮取三升。分为三服，日二作。亦可酒渍饮之。

［葛氏方］治重下，此即赤白痢也。熬豉令小焦，捣③服一合，日三，无比。又，豉熬令焦，水一升，淋取汁令服，冷则酒淋，日三服，有验。

［又方］舌上出血如针孔。取豉三升，水三升，煮之沸，去滓，服一升，日三。

［梅师方］治伤寒，汗出不解，已三四日，胸中闷吐方：豉一升，盐一合，水四升，煎取一升半，分服当吐。

［又方］辟温疫法：熬豉和白术浸酒，常服之。

［又方］治伤寒，服药抢心烦热。以豉一升，栀子十四枚剉，水三升，煎取一升，分三服。

［孙真人］治头风痛。以豉汤洗头，避风即差。

［食医心镜］主风毒，脚膝挛急，骨节痛。豉心五升，九蒸九暴，以酒一斗取浸经宿，空心随性缓饮之。

［又方］小儿寒热，恶气中人。以湿豉为丸如鸡子大，以摩腮上及手足心六七遍，又摩心、脐上，旋旋祝之了，破豉丸看有细毛，弃道中即差。

［胜金方］治小儿头上生恶疮。以黄泥聚豉煨熟，冷后取出豆豉为末，以莼菜油傅之，差。

［王氏博济］治脏毒，下血不止。用豉、大蒜等分，一处杵匀，丸如梧子大。每服盐汤下三十丸，血痢亦治。

［简要济众］主伤寒后毒气攻手足及身体虚肿豉酒方：豉五合微炒，以酒一升

① 以：其上，柯《大观》有“或”字。

② 可：柯《大观》作“炤”。

③ 捣：柯《大观》作“杵”。

半，同煎五七沸，任性稍热服之。

［姚和众］ 治小儿丹毒，破作疮，黄水出。焦炒豉令烟绝，为末，油调傅之。

［伤寒类要］ 治伤寒热病后攻目生翳者。烧豉二七枚，末，以管吹之。

［子母秘录］ 华[①]佗安胎，豉汁服之妙。

［又方］ 治堕胎血下尽烦满。豉一升，水三升，三沸煮，末鹿角服方寸匕。

［杨氏产乳］ 疗恶疮。熬豉为末傅之，不过三四次。

［茆亭客话］ 虾蟆小者有毒，主人小便秘涩，脐下憋，疼痛至死者。以生豉一合，投新汲水半碗中[②]，浸令豉[③]水浓，顿饮之，愈。

绿豆

味甘，寒，无毒。主丹毒，烦热，风疹，药石发动，热气奔豚，生研绞汁服。亦煮食，消肿，下气，压热，解石。用之勿去皮，令人小壅，当是皮寒肉平。圆小绿者佳。又有稹音陟豆，苗子相似，主霍乱吐下。取叶捣绞汁，和少醋温服，子[④]亦[⑤]下气。今附

［臣禹锡等谨按孟诜］云：绿豆[⑥]，平。诸食法：作饼炙食之佳。谨按：补益，和五脏，安精神，行十二经脉，此最为良。今人食皆挞去皮，即有少拥[⑦]气。若愈病，须和皮，故不可去。又，研汁煮饮服之，治消渴。又，去浮风，益气力，润皮肉，可长食之。

［日华子］云：绿豆，冷。益气，除热毒风，厚肠胃，作枕明目，治头风头痛。

白豆

平，无毒。补五脏，益中，助十二经脉，调中[⑧]，暖肠胃。叶，利五脏，下

---

① 华：柯《大观》作“庄”。

② 中：原脱，据四库本《茅亭客话》补。

③ 令豉：“令”，柯《大观》作“之”；“豉”，原脱，据四库本《茅亭客话》补。

④ 子：柯《大观本草札记》云：“《政和》‘子’下有‘亦气’二字。”

⑤ 亦：柯《大观》无。

⑥ 绿豆：柯《大观》作“豆苗”。

⑦ 拥：柯《大观》作“许”。

⑧ 中：柯《大观》作“和”。

气。嫩者可作菜食，生食之亦佳①，可常食。新补见孟诜及日华子。

［■ 孙真人食忌］白豆，味咸。肾之谷，肾病宜食，煞鬼气。

重修政和经史证类备用本草卷第二十五

① 佳：柯《大观》作“妙”。

重修政和经史证类备用本草卷第二十六

己酉新增衍义

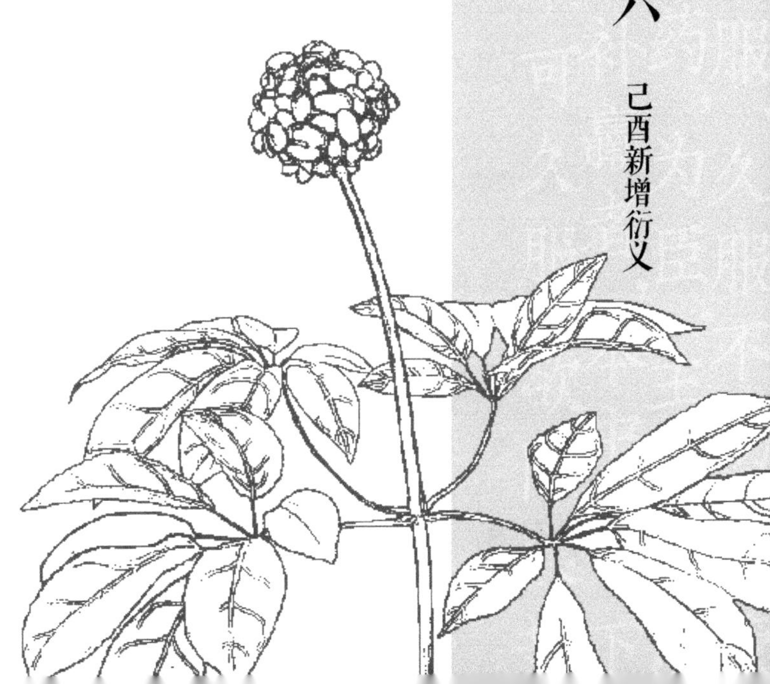

重修政和经史证类备用本草卷第二十六 己①酉新增衍义

成都唐慎微续证类

中卫大夫康州防御使句当龙德宫总辖修建明堂所医药提举入内医官编类圣济经提举太医学臣曹孝忠奉敕校勘

米谷下品总一十八种

一种神农本经 白字

五种名医别录 墨字

一种今附 皆②医家尝用有效。注云今附

一十一种陈藏器余

凡墨盖子已③下并唐慎④微续证类

醋　稻米 稻穣、稻秆 续注

稷米 雕胡、乌米 续注

腐婢　酱　陈廪米　罂子粟 今附

一十一种陈藏器余

① 己：原作“巳”，据底本书首牌记改。

② 皆：刘《大观》无。

③ 已：原作“巳”，据文理改。

④ 慎：刘《大观》作“谨”。

师草实	寒食飰	茵米	狼尾草
胡豆子	东墙	麦苗	糟笋中酒
社酒	蓬草子	寒食麦仁粥①	

① 仁粥：刘《大观》无。

醋

味酸，温，无毒。主消痈肿，散水气，杀邪毒。

［陶隐居］云：醋酒为用，无所不入，逾以逾良，亦谓之醯。以有苦味，俗呼为苦酒。丹家又加余物，谓为华池左味，但不可多食之，损人肌脏。

［唐本注］云：醋有数种，此言米醋。若蜜醋、麦醋、曲醋、桃醋、葡萄、大枣、蘡薁音燠等诸杂果醋及糠糟等醋，会意者亦极酸烈。止可啖之，不可入药也。

［臣禹锡等谨按陈藏器］云：醋，破血运，除癥块坚积，消食，杀恶毒，破结气，心中酸水，痰饮。多食损筋骨。然药中用之，当取二三年米酢良。苏云葡萄、大枣皆堪作酢，缘渠是荆楚人，土地俭啬，果败犹取以酿醋，糟醋犹不入药，况于果乎。

［孟诜］云：醋，多食损人胃。消诸毒气，能治妇人产后血气运。取美清醋，热①煎，稍稍含之即愈。又，人口有疮，以黄檗皮醋渍，含之即愈。又，牛②马疫病，和灌之。服诸药，不可多食。不可与蛤肉同食，相反。又，江外人多为米醋，北人多为糟醋。发诸药，不可同食。研青木香服之，止卒心痛、血气等。又，大黄涂肿，米醋飞丹用之。

［日华子］云：醋，治产后妇人并伤损及金疮血运，下气，除烦，破癥结。治妇人心痛，助诸药力，杀一切鱼、肉、菜毒。

［又云］米醋功用同醋，多食不益男子，损人颜色。

---

① 热：刘《大观》、柯《大观》无。

② 牛：柯《大观》作“治”。

[食疗] 治痃癖，醋煎大黄，生者甚效。用米醋佳，小麦醋不及，糟多妨忌。大麦醋，微寒。余如小麦也。气滞风壅，手臂、脚膝痛。炒醋糟裹之，三两易，当差。人食多，损腰肌脏。

[外台秘要] 治转筋。取古绵以酽醋浸，甑中蒸及热用，裹病人脚，冷更易，勿停，差止。

[又方] 治风毒肿，白虎病。以三[①]年酽醋五升，热煎三五沸，切葱白二三升，煮一沸许漉出，布帛热裹，当病上熨之，差为度。

[又方] 疬疡风，酢磨硫黄傅之止。

[又方] 主狐臭，以三年酽醋和石灰傅之。

[千金方] 治耳聋。以醇酢微火煎附子，削令尖塞耳效。

[又方] 治鼻血出不止，以酢和胡粉半枣许服。

[又方] 治舌肿。以酢和釜底墨，厚傅舌上下，脱皮更傅，须臾即消。若洗决出血汁，竟知弥佳。

[又方] 蠼螋尿，以酢和粉傅之。

[又方] 治霍乱，心腹胀痛，烦满短气，未得吐下。饮好苦酒三升，小、老、羸者可[②]饮一二升。

[又方] 治身体手足卒肿大，醋和蚯蚓屎傅之。

[又方] 治单服硫黄发为痈。以醋和豉研如膏，傅痈上，燥则易之。

[肘后方] 治痈已有脓当坏。以苦酒和雀屎，傅痈头上如小豆大，即穿。

[又方] 齿痛漱方：大醋一升煮枸杞白皮一升，取半升，含之即差。

[又方] 治面多皯䵳[③]或似雀卵色者。苦酒渍术，常以拭面，即渐渐除之。

[经验后方] 治汗不溜，瘦却腰脚并耳聋。米醋浸荆三棱，夏浸四日，冬浸六日，杵为末。醋汤调下三钱匕。

[食医心镜] 醋，主消痈肿，散水气，杀邪气。扁鹊云：多食醋损人骨，能理诸药毒热。

[又方] 治蝎螫人，以醋磨附子傅之。

[钱相公箧中方] 治百节、蚰蜒并蚁入耳。以苦醋注之，起行即出。

---

① 三：柯《大观》作“二”。

② 可：成化《政和》、商务《政和》误作“何”。

③ 䵳：成化《政和》、商务《政和》作“黯”。

［又方］治蜈蚣、蜘蛛毒，以醋磨生铁傅之。

［北梦琐[①]言］云：有少年眼中常见一镜子。赵卿诊之曰：来晨以鱼脍奉候。及期延于阁内，从容久饥，候客退方得攀接，俄而台上施一瓯芥醋，更无他味，少年饥甚，闻芥醋香，轻啜之，逡巡再啜，遂觉胸中豁然，眼花不见。卿云：君吃鱼脍[②]太多，非[③]芥醋不快，故权诳而愈其疾也。

［又云］孙光宪家婢抱小儿，不觉落炭火上，便以醋泥傅之，无痕。

［子母秘录］治妊娠月未足，胎死不出。醋煮大豆，服三升，死儿立便分解。如未下再服。又云：醋二升，格口灌之。

［丹房镜源］米醋煮四黄，化[④]诸药丹砂、胆矾味。蜀本：酢、酒有数种，此米酢也。

［衍义曰］醋，酒糟为之，乞邻者是此物。然有米醋、麦醋、枣醋。米醋最酽，入药多用。谷气全也，故胜糟醋。产妇房中常得醋气则为佳，酸益血也。磨雄黄涂蜂虿，亦取其收而不散也。今人食酸则齿软，谓其水生木，水气弱，木气盛，故如是。造靴皮须得此而纹皱，故如其性收敛，不负酸收之说。

稻米

味苦。主温中，令人多热，大便坚。

［陶隐居］云：道家方药有俱用稻米、粳米，此则是两物矣。云稻米白如霜。又，江东无此，皆通呼粳为稻尔。不知其色类，复云何也。

［唐本注］云：稻者，穬谷通名。《尔雅》云：稌音渡，稻也。秔者不糯之称，一曰籼。氾胜之云：秔稻、秫稻，三月种秔稻，四月种秫稻，即并稻也。今陶为二事，深不可解也。

稻米

［今按］李含光《音义》云：按字书解粳字云：稻也。解秔字云：稻属也，不粘。解粢音慈字云：稻饼也。明稻米

---

① 琐：原作“锁”，据本书经史方书目改。

② 脍：其下原重“脍”字，据《北梦琐言》卷10删。

③ 非：原脱，据《北梦琐言》卷10补。

④ 化：成化《政和》、商务《政和》误作“花”。

作粢，盖糯米尔。其细糠白如霜，粒大小似秔①米，但②体③性粘殢④为异⑤。然今通呼秔、糯谷为稻，所以惑之。新旧注殆是臆说，今此稻米即糯米也。

［又按⑥］秔、粳二字同音，盖古人常分别二米为殊尔。

［臣禹锡等谨按尔雅］云：稌，稻。释曰：别二名也。郭云：今沛国呼稌。《诗·周颂》云：丰年多黍多稌。《礼记·内则》云：牛宜稌。《豳风·七月》云：十月获稻。是一物也。《说文》云：沛国为⑦稻为糯。秔，稌属也。《字林》云：糯，粘稻也。秔，稻不粘者。然秔、糯甚相类，粘不粘为异耳。依《说文》稻即糯也。江东呼稬及乱切。

［颜师古刊谬正俗］云：本草所谓稻米者，今之糯米耳。陶以糯为秫，不识⑧稻是糯，故说之不晓。许氏《说文解字》曰：秫，稷之粘者。稻，稌也。沛国谓稻为稌。又《急就篇》云：稻、黍、秫、稷。左太冲《蜀都赋》云：粳稻漠漠。益知稻即糯，共粳并出矣。然后⑨以稻是有芒之谷，故于后或通呼粳稬，总谓之稻。孔子曰：食夫稻。周官有稻人之职，汉置稻田使者。此并指属稻、糯之一色，所以后人混糯，不知稻本是糯耳。

［陈藏器］云：糯米，性微寒，妊身与杂肉食之不利子，作糜食一斗，主消渴。久食之，令人身软。黍米及糯，饲小猫、犬，令脚屈不能行，缓人筋故也。又云稻穰，主黄病，身作金色，煮汁浸之。又稻谷芒，炒令黄，细研作末，酒服之。

［孟诜］云：糯米，寒。使人多睡。发风，动气，不可多食。又，霍乱后吐逆不止，清水研一碗，饮之即止。

［陈士良］云：糯米，能行荣⑩卫中血，积久食，发心悸及痈疽疮疖中痛。不可合酒共食，醉难醒，解芫青毒。

［萧炳］云：糯米，拥诸经络气，使四肢不收，发风昏昏。主痔疾，骆驼脂作

---

① 秔：即粳，原作“糠”，据刘《大观》、柯《大观》改。

② 但：成化《政和》、商务《政和》作“曰”。

③ 体：刘《大观》作“躰”。

④ 殢：刘《大观》、柯《大观》作“滞”。

⑤ 异：其下，刘《大观》、柯《大观》有“尔”字。

⑥ 按：原作“捡”，据柯《大观》改。

⑦ 为：柯《大观》作“谓”。

⑧ 识：成化《政和》、商务《政和》作“知”。

⑨ 后：柯《大观》无。

⑩ 荣：刘《大观》作“营”。

煎饼服之。空腹与服，勿令病人知。

［日华子］云：糯米，凉，无毒。补中益气，止霍乱。取①一合，以水研服，煮粥。稻穣，治蛊毒，浓煎汁服。稻秆，治黄病通身，煮汁服。

［图经曰］稻米，有秫与粳同稻，有糯稻。旧不载所出州土，今有水田处皆能种之。秫、糯既通为稻，而《本经》以秫为粳米，糯为稻米者。谨按《尔雅》云：稌音渡，稻。释曰：别二名也。郭璞云：沛国呼稌。《诗·颂》云：多黍多稌。《礼记·内则》云：牛宜稌。《豳诗》云：十月获稻，是一物也。《说文解字》云：沛国谓稻为糯。秫，稌属也。《字林》云：糯，粘稻也。秫，稻不粘者。今人呼之者，如《字林》所说也。《本经》称号者，如《说文》所说也。前条有陈廪米，即秫米以廪军人者，是也。入药最多，稻秆灰亦主病。见刘禹锡《传信方》云：湖南李从事治马坠扑损，用稻秆烧灰，用新熟酒未压者，和糟入盐和合，淋前灰，取汁，以淋痛处，立差。直至背损亦可淋用。好糟淋灰亦得，不必新压酒也。糯米性寒，作酒则热，糟乃温平，亦如大豆与豉、酱不同之类耳。

［◣唐本云］无毒。

［外台秘要］治渴方：糯米二升，淘取泔，饮讫则定。若不渴，不须。一方：渴者服当饱，研糯米取白汁恣饮之，以差为度。

［梅师方］治霍乱，心悸热，心烦渴。以糯米水清研之，冷熟水混取米泔汁，任意饮之。

［孙真人］糯米味甘，脾之谷，脾病宜食，益气止泄。

［食医心镜］糯米饩食之，主温中，令人多热，利大便。

［简要济众］治鼻衄不止，服药不应。独圣散：糯米微炒黄，为末。每服二钱，新汲水调下。

［灵苑方］治金疮水毒及竹木签刺，痈疽热毒等。糯三②升，拣去粳米，入瓷盆内，于端午前四十九日，以冷水浸之。一日两度换水，轻以手淘转，逼去水，勿令搅碎。浸至端午日，取出阴干，生绢袋盛，挂通风处。旋取少许，炒令焦黑，碾为末，冷水调如膏药，随大小裹定疮口，外以绢帛包定，更不要③动，直候疮愈。若金疮误犯生水，疮口作脓，洪肿渐甚者，急以药膏裹定，一二食久，其肿处已

---

① 取：成化《政和》、商务《政和》作“服”。

② 三：柯《大观》作“二”。

③ 要：成化《政和》、商务《政和》作“恶”。

消，更不作脓，直至疮①合。若痈疽毒疮初发，才觉焮肿赤热，急以药膏贴之，明日揭看，肿毒一夜便消。喉闭及咽喉肿痛，吒腮，并用药贴项下及肿处。竹木签刺者，临卧贴之，明日看其刺出在药内。若贴肿处，干即换之，常令湿为妙。惟金疮及水毒不可换，恐伤动疮口。

［伤寒类要］治天行热病，手肿欲脱者。以稻穰灰汁渍之，佳。

［杨氏产乳］疗霍乱，心烦闷乱，渴不止。糯米三合，以水五升细研，和蜜一合，研滤取汁，分两服。

［博物志］马食谷，足重不行②。

［衍义曰］稻米，今造酒者是此，水田米皆谓之稻。前既言粳米，即此稻米，乃糯稻无疑。温，故可以为酒，酒为阳，故多热。又令人大便坚，非糯稻孰能与于此。《西域记》：天竺国土溽热，稻岁四熟，亦可验矣。

稷米

味甘，无毒。主益气，补不足。

稷米

［陶隐居］云：稷米亦不识，书多云黍与稷相似。又有稌音渡，亦不知是何米。《诗》云：黍、稷、稻、粱、禾、麻、菽、麦，此即八谷也，俗人莫能证辨，如此谷稼尚弗能明，而况芝英乎？按氾胜之《种植书》有黍，即如前说。无稷有稻，犹是粳谷，粱是秫，禾即是粟。董仲舒云：禾是粟苗，麻是胡麻，枲是大麻，菽是大豆，大豆有两种。小豆一名荅丁合切，有三四种。麦有大、小穬，穬即宿麦，亦谓种麦。如此，诸谷之限也。菰米一名雕胡，可作饼。又，汉中有一种名枲粱，粒如粟而皮黑亦可食，酿为酒，甚消玉。又有乌禾，生野中如稗步卖切，荒年代粮而杀虫，煮以沃地，蝼蚓皆死。稗亦可食。凡此之类，复有数种尔。

［唐本注］云：《吕氏春秋》云：饭之美者，有阳山之穄。高诱曰：关西谓之䵚，冀州谓之鋻音捽。《广雅》云：鋻，穄也。《礼记》云：祭宗庙，稷曰明粢。《穆天子传》云：赤乌之人献穄百载音在。《说文》云：稷，五谷长，田正也，自商已来，周弃主之。此官名，非谷号也。又按先儒以为粟类，或言粟之上者。《尔

① 疮：其下，柯《大观》有“口”字。

② 不行：《博物志》卷4作“不能行”。

雅》云：粢，稷也。《传》云：粢盛，解云黍稷为粢。汜胜之《种植书》又不言稷。陶云八谷者，黍、稷、稻、粱、禾、麻、菽、麦，俗人尚不能辨，况芝英乎？即有稷禾，明非粟也。本草有稷，不载穄，稷即①穄也。今楚人谓之稷，关中谓之糜，呼其米为黄米，与黍为仙秫，故其苗与黍同类。陶引《诗》云：稷，恐与黍相似斯并得之矣。儒家但说其义，而不知其实也。寻郑玄注《礼》：王瓜云是菝葜，谓祖为梨之不臧者。周官疡人主祝药，云祝当为注，义如附著，此尺有所短尔。

［臣禹锡等谨按陈藏器］云：雕胡，是菰蒋草米，古今所贵。雕胡，性冷，止渴。《内则》云：鱼宜菰、臬粱。按臬粱，亦粱之类，消玉未闻。按糜、穄一物，性冷，塞北最多。《广雅》云：穄也，如黍黑色。稗有二种：一黄白，一紫黑。其紫黑者，芑有毛，北人呼为乌禾。

［又云］五谷，烧作灰爇，主恶疮疥癣，虫瘘疽螫毒。涂之，和松脂、雄黄，烧灰更良。作法如甲煎为之。

［孟诜］云：稷，益诸不足。山东多食。服丹石人发热，食之热消也。发三十六种冷病气。八谷之中，最为下苗。黍乃作酒，此乃作饭，用之殊途。不与瓠子同食，令冷病发。发即黍酿汁，饮之即差。

［日华子］云：稷米，冷。治热，压丹石毒，多食发冷气，能解苦瓠毒，不可与川附子同服。

［图经曰］稷米，今所谓穄米也。旧不著所出州土，今出粟米处皆能种之。书传皆称稷为五谷之长，五谷不可遍祭，故祀其长以配社。《吕氏春秋》云：饭之美者，有阳山之穄。高诱云：关西谓之糜，冀州谓之鑿音捽，皆一物也。《广雅》解云：如黍黑色，稗有二种：一黄白，一紫黑。其紫黑者，其芑有毛，北人呼为乌禾，是也。今人不甚珍此，惟祠事则用之。农家种之，以备他谷之不熟，则为粮耳。

［◣食疗］黍之茎穗，人家用作提拂，以将扫地。食苦瓠毒，煮汁饮之即止。又，破提扫，煮取汁，浴之去浮肿。又，和小豆煮汁服之，下小便。

［外台秘要］治脚气冲心闷。洗脚渍脚汤：以糜穰一石内釜中，多煮取浓汁，去滓，内椒目一斗，更煎十余沸，渍脚三两度，如冷，温渍洗，差。

［食医心镜］益气力，安中补不足，利胃宜脾。稷米飦食之良。

---

① 即：柯《大观》无。

［曹子建］《七启》：芳菰精粺[①]。注云：粺[②]，稗草名，其实如细米，可以为飦。

［衍义曰］ 稷米，今谓之穄米，先诸[③]米熟。又其香可爱，故取以供祭祀。然发故疾，只堪为飦，不粘着，其味淡。

腐婢

腐婢

味辛，平，无毒。**主痎**音皆**疟寒热，邪气，泄痢，阴不起，**止消渴，**病酒头痛。**生汉中，即小豆花也。七月采，阴干。

［陶隐居］云：花用异实，故其类不得同品，方家都不用之，今自可依其所主以为疗也。但未解何故有腐婢之名？《本经》不云是小豆花，后医显之尔。未知审是否？今海边有小树，状似栀子，茎条多曲，气作腐臭，土人呼[④]为腐婢，用疗疟有效，亦酒渍皮疗心腹。恐此当是真。若尔，此条应在木部下品卷中。

［唐本注］云：腐婢，山南相承，以为葛花。《本经》云小豆花，陶复称海边小树，未知孰是？然葛花消酒，大胜豆花，葛根亦能消酒，小豆全无此效。校量葛、豆二花，葛为真也。

［今按］别本注云：小豆花亦有腐气。《经》云[⑤]病酒头痛，即明其疗同矣。葛根条中见其花并小豆花，干末服方寸匕，饮酒不知醉。唐注证葛花是腐婢，非也。陶云海边有小树，土人呼为腐婢，其如《经》称小豆花是腐婢。二家所说证据并非。

［臣禹锡等谨按药性论］云：赤小豆，花名腐婢。能消酒毒，明目，散气满不能食。煮一顿服之。又下水气，并治小儿丹毒热肿。

［图经曰］ 腐婢，小豆花也。生汉中，今处处有之。陶隐居以为海边有小木，状似栀子，气作臭腐，土人呼为腐婢，疑是此。苏恭云：山南相承，呼[⑥]为葛花是也。今注云：小豆花，亦有腐气。按《本经》云：主病酒头痛。海边小木，自主

---

① 粺：原作“稗”，据《文选》卷34改。

② 粺：原作“菰”，据改同上。

③ 诸：原作“谓”，据庆元《衍义》、商务《衍义》改。

④ 呼：其下，柯《大观》有“以”字。

⑤ 云：其下，刘《大观》、柯《大观》有“主”字。

⑥ 呼：其下，刘《大观》、柯《大观》有“以”字。

疟及心腹痛。葛花不言主酒病。注云：并小豆花末，服方寸匕，饮酒不知醉。然则三物皆有腐婢名，是异类同名耳。《本经》此比甚多也。一说赤小豆花，亦主酒病。

[■外台秘要] 治渴，小便利复非淋。小豆藿一把，捣取汁，顿服。

[食医心镜] 主瘖疟，寒热邪气，泄痢，阴气不足，止渴及病酒头痛。以小豆花于豉中煮，五味调和，作羹食之。

[别说云] 谨按：腐婢，今既收在此，乃是[①]小豆花，设有别物同名，自从所说，不必多辨。《外台》小豆，治失血尤多，功用殊胜。

酱

味咸、酸，冷利。主除热，止烦满，杀百药、热汤及火毒。

[陶隐居] 云[②]：酱多以豆作，纯麦者少。今此当是豆者，亦以久久者弥好[③]又有肉酱、鱼酱、皆呼为醢，不入药用。

[唐本注] 云：又有榆仁酱，亦辛美，利大小便。芜荑酱大美，杀三虫，虽有少臭，亦辛好也。

[臣禹锡等谨按日华子] 云：酱，无毒。杀一切鱼、肉、菜蔬、蕈毒。并治蛇、虫、蜂、虿等毒。

[■食疗] 主火毒，杀百药。发小儿无辜，小麦酱，不如豆。又，榆仁酱，亦辛美，杀诸虫，利大小便，心腹恶气。不宜多食。又，芜荑酱，功力强于榆仁酱。多食落发。獐、雉[④]、兔及鳢鱼酱，皆不可多食。为陈久故也。

[圣惠方] 治飞蛾入耳，酱汁灌入耳即出。又，击铜器于耳傍。

[千金方] 治指掣痛。以酱清和蜜，任多少，温傅之愈。

[肘后方] 汤火烧灼未成疮，豆酱汁傅之。

[杨氏产乳] 妊娠，不得豆酱合雀肉食之，令儿面黑。

[衍义曰] 酱，圣人以谓不得即不食，意欲五味和、五脏悦而受之。此亦安乐之一端。

---

① 此，乃是：柯《大观》作“谷部直宜为”。

② 云：柯《大观》作白小字。

③ 好：刘《大观》、柯《大观》作“妙”。

④ 雉：柯《大观》无。

陈廪米

味咸、酸，温，无毒。主下气，除烦渴，调胃，止泄。

［陶隐居］云：此今久入仓陈赤者，汤中多用之。人以作醋，胜于新粳米也。

［臣禹锡等谨按陈士良］云：陈仓米，平胃口，止泄泻，暖脾，去惫气，宜作汤食。

［日华子］云：陈仓米，补五脏，涩肠胃。

［◥陈藏器云］和马肉食之，发痼疾。凡热食即热，冷食即冷，假以火气也，体自温平。吴人以粟为良，汉地以粳为善，亦犹吴纻郑缟，盖贵远贱近之义焉。确论其功，粟居前也。

［食疗］炊作干饭食之，止痢。补中益气，坚筋骨，通血脉，起阳道。又，毒肿恶疮，久陈者，蒸作饭，和酢封肿上，立差。卒心痛，研取汁服之。北人炊之，于瓮中水浸令酸，食之暖五脏六腑之气。

［食医心镜］除烦热，下气，调胃，止泄痢，作饭食之。

［衍义曰］陈廪米，今《经》与诸家注说，皆不言是秔米，为复是粟米，然秔、粟二米，陈者性皆冷，频食之令人自利，与《经》所说稍戾。煎煮亦无膏腻。入药者，今人多用新粟米。至如舂杵头细糠，又复不言新、陈、粳、粟，然皆不及新稻、粟，二糠陈，则是气味已腐败。

罂子粟

罂子粟

味甘，平，无毒。主丹石发动，不下食，和竹沥煮作粥食之，极美。一名象谷，一名米囊，一名御①米。花红白色，似髇音哮箭头，中有米，亦名囊子②。今附③

［臣禹锡等谨按陈藏器］云④：罂子粟，嵩阳子曰：其⑤花四

① 御：柯《大观》作“卸”。

② 花红……囊子：以上17字，柯《大观》作双行小字注文。

③ 今附：柯《大观》无。

④ 臣禹锡……云：以上10字，柯《大观》作“陈藏器”。

⑤ 嵩阳子曰其：柯《大观》无。

叶，有浅红晕子也。

[图经曰] 罂子粟，旧不著所出州土①，今处处有之，人家园庭多莳以为饰。花②有红、白二种，微腥气。其实作瓶子，似髇音哮箭头，中有米极细③，种之甚难。圃人④隔年粪地，九月布子，涉冬⑤至春始生，苗极繁茂矣。不尔种之多不出，出亦不茂。俟其⑥瓶焦黄则⑦采之。主行风气，驱逐邪热，治反胃，胸中痰滞⑧及丹石发动，亦可合竹沥作粥，大佳。然性寒，利大小肠，不宜⑨多食，食过度则⑩动膀胱气耳。《南唐食医方⑪》疗反胃不下饮食。罂粟粥法：白⑫罂粟米⑬二合，人参末三大钱，生山芋五寸长，细切，研。三物以⑭水一升二合，煮取⑮六合，入生姜汁及⑯盐花少许，搅匀⑰，分二服，不计⑱早晚，食之亦不妨别服汤丸⑲。

[衍义曰] 罂子粟，其花亦有多叶者，其子一罂数千万粒，大小如葶苈子，其色白。隔年种则佳。研子，以水煎，仍加蜜为罂粟汤，服石人甚宜饮。

---

① 罂子粟……州土：以上10字，柯《大观》无。

② 以为饰。花：柯《大观本草札记》云："《大观》无'以为饰'三字，有'花'字。"

③ 细：柯《大观》作"红"。

④ 甚难。圃人：柯《大观》无。

⑤ 涉冬：柯《大观》无。

⑥ 不尔……俟其：以上13字，柯《大观》无。

⑦ 则：柯《大观》无。

⑧ 滞：刘《大观》作"滞"。

⑨ 宜：刘《大观》、柯《大观》作"可"。

⑩ 食过度则：柯《大观》无。

⑪ 南唐食医方：柯《大观》作"食医方"，并作大黑字。

⑫ 法：白：柯《大观》无。

⑬ 米：柯《大观》无。

⑭ 三物以：柯《大观》无。

⑮ 取：柯《大观》无。

⑯ 及：柯《大观》无。

⑰ 匀：柯《大观》作"和"。

⑱ 不计：柯《大观》无。

⑲ 亦不妨别服汤丸：柯《大观》作"罂粟壳去穰蒂，醋炒入痢药用"。

一十一种陈藏器余

师草实

味甘，平，无毒。主不饥轻身。出东海州岛，似大麦，秋熟，一名禹馀粮，非石之余粮也。

[■海药]其实如球子，八月收之。彼常食之物①。主补虚羸乏损，温肠胃，止呕逆。久食健人。一名然谷。中国人未曾见也②。

寒食飰

主灭瘢痕，有旧瘢及杂疮，并细研傅之。饭灰，主病后食劳③。

[■外台秘要]治蛟龙瘕。寒食饧三升，每服五合④，一日三服，遂吐出蛟龙，有两头及尾也。

茵米

味甘，寒，无毒。主利肠胃，益气力，久食不饥，去热，益人，可为饭。生水田中，苗子似小麦而小，四月熟。《尔雅》云：皇，守田。似燕麦，可食。一名守气也⑤。

狼尾草

子作黍食之，令人不饥。似茅，作穗，生泽地。《广志》云：可作黍。《尔雅》云：孟，狼尾。今人呼为狼茅子。蒯草子，亦堪食，如秔米，苗似茅⑥。

---

① 彼常食之物：柯《大观》无。

② 其实……见也：此段小字注文，柯《大观》作大黑字。

③ 劳：成化《政和》、商务《政和》作“疠”。

④ 三升，每服五合：柯《大观》无。

⑤ 尔雅云……守气也：以上16字，柯《大观》作小字注文。

⑥ 尔雅云……苗似茅：以上25字，柯《大观》作小字注文。

胡豆子

味甘，无毒。主消渴，勿与盐煮[1]食之。苗似豆，生野田间，米中往往有之。

东墙

味甘，平，无毒。益气轻身，久服不饥，坚筋骨，能步行。生河西，苗似蓬，子似葵，可为饭。《魏书》曰：东墙生焉，九月、十月熟。《广志》曰：东墙之子，似葵，青色。并凉间有之。河西人语，贷我东墙，偿尔田粱。墙疾羊切。

麦苗

味辛，寒，无毒。主蛊，煮取汁，细绢滤，服之稳与本反，即芒秕也。

糟笋中酒

味咸，平，无毒。主哕气，呕逆，小儿乳和少牛乳饮之，亦可单服。少许磨疬疡风，此糟笋节中水也。

社酒

喷屋四壁去蚊子[2]，内小儿口中令速语。此祭祀社余者酒也。

蓬草子

作饭食之，无异粇米，俭年食之也。

寒食麦仁粥

有小毒。主咳嗽，下热气，调中。和杏仁作之佳也。

[◣千金方] 治蛟龙病，寒食强饧。开皇六年，有人正月食芹得之，其病发似痫，面色青黄，服寒食强饧二升，日三，吐出蛟龙有两头，大验。

重修政和经史证类备用本草卷第二十六

---

① 煮：柯《大观》无。

② 子：柯《大观》作“虫”。

重修政和经史证类备用本草卷第二十七

己酉新增衍义

重修政和经史证类备用本草卷第二十七 己[①]酉新增衍义

成　都　唐　慎　微　续　证　类
中卫大夫康州防御使句当龙德宫总辖修建明堂所医药
提举入内医官编类圣济经提举太医学臣曹孝忠奉敕校勘

菜部上品总三十种

五种神农本经 白字

七种名医别录 墨字

二种唐本先附 注云唐附

二种今附 皆医家尝用有效。注云今附

一十种新补

一种新定

三种陈藏器余

凡墨盖子已[②]下并唐慎[③]微续证类

冬葵子 根、叶附　**苋实**　胡荽 子附 新补　邪蒿 新补

① 己：原作“巳”，据底本书首牌记改。

② 已：原作“巳”，据文理改。

③ 慎：刘《大观》作“谨”。

同蒿 新补　罗勒 新补　石胡荽 新补　芜菁 即蔓菁也①

瓜蒂 花附 茎 续注　白冬瓜　**白瓜子**

甜瓜 叶附 新补　胡瓜叶 亦呼黄瓜② 实附 新补

越瓜 今附　白芥 子附 今附　芥　莱菔 即萝卜也③ 唐附

菘 紫花菘 续注　**苦菜** 苦蘵 续注　荏子 叶附

黄蜀葵花 新定　蜀葵 花附 新补　龙葵 唐附　苦耽 新补

苦苣 新补　苜蓿　荠④

三种陈藏器余

蕨　翘摇　甘蓝

---

① 即蔓菁也：刘《大观》无。

② 亦呼黄瓜：刘《大观》无。

③ 即萝卜也：刘《大观》无。

④ 冬葵子……荠：以上27药目录，刘《大观》与本书排列次序不同，文繁从略。

冬葵子

味甘，寒，无毒。**主五脏六腑寒热，羸瘦，五癃，利小便，**疗妇人乳难内闭。**久服坚骨，长肌肉，轻身延年。**生少室山。十二月采之。黄芩为之使。

葵根　味甘，寒，无毒。主恶疮，疗淋，利小便，解蜀椒毒。

叶　为百菜主，其心伤人。

冬葵子

［陶隐居］云：以秋种葵，覆养经冬，至春作子，谓之冬葵，多入药用，至滑利，能下石。春葵子亦滑，不堪余药用。根，故是常葵尔。叶尤冷利，不可多食。术家取此葵子，微炒令烨音毕烆音咤，散著湿地，遍踏之。朝种暮生，远不过宿。又云取羊角、马蹄烧作灰，散著于湿地，遍踏之，即生罗勒，俗呼为西①王母菜，食之益人。生菜中，又有胡荽、芸苔、白苣、邪蒿，并不可多食，大都服药通忌生菜尔。佛家斋，忌食薰渠，不的知是何菜？多言今芸苔，憎其臭矣。

［唐本注］云：罗勒，北人谓之兰香，避石勒讳故也。又薰渠者，婆罗门云阿魏是，言此草苗根似白芷，取根汁暴之如胶，或截根日干，并极臭。西国持咒人禁食之。常食中用之，云去臭气。戎人重此，犹俗中贵胡椒、巴人重负蠜音樊等，非芸苔也。

［臣禹锡等谨按药性论］云：冬葵子，臣，滑，平。能治五淋，主奶肿，能下乳汁。根，治恶疮，小儿吞钱不出，煮饮之，即出，神妙。若患天行病后食之，顿丧明。又，叶烧灰及捣干叶末，治金疮。煮汁能滑小肠。单煮汁，主治时行黄病。

---

① 西：柯《大观》无。

［孟诜］云：葵，冷。主疳疮生身面上，汁黄者。可取根作灰，和猪脂涂之。其性冷，若热食之，令①人热闷。甚动风气。久服丹石人，时吃一顿佳也。冬月葵菹汁。服丹石人发动，舌干，咳嗽，每食后饮一盏，便卧少时。其子，患疮者吞一粒，便作头。女人产时，可煮顿服之，佳。若生时困闷，以子一合，水二升，煮取半升，去滓，顿服之，少时便产。

［日华子］云：冬葵，久服坚筋骨。秋葵即是种早者，俗呼为葵菜。

［图经曰］冬葵子，生少室山，今处处有之。其子是秋种葵，覆养经冬至春作子者，谓之冬葵子，古方入药用最多。苗、叶作菜茹，更甘美。大抵性滑利，能宣导积壅，服丹石人尤相宜。煮汁单饮亦佳，仍利小肠，孕妇临产煮叶食之，则胎滑易产。暴干叶及烧灰同作末，主金疮。根主恶疮，小儿吞钱，煮汁饮之立出。凡葵有数种，有蜀葵，《尔雅》所谓菺古田切，戎葵者是也。郭璞云：似葵，华如槿华，戎、蜀盖其所自出，因以名之，花有五色。白者主痎疟及邪热，阴干末服之，午日取花，挼手亦去疟。黄者主疮痈，干末水调涂之立愈。小花者名锦葵，功用更强。黄葵子主淋涩，又令妇人易产。又有终葵，大茎小叶，紫黄色，吴人呼为繁露，即下品落葵。《尔雅》所谓终葵，繁露者是也。一名承②露，俗呼曰胡燕脂，子可作③妇人涂面及作口脂。又有莵葵，似葵而叶小，状若藜，有毛，汋而啖之甚滑。《尔雅》所谓莃，莵葵是也。亦名天葵，叶主淋沥热结，皆有功效，故并载之。

［◣唐本注］此即常食者葵根也。《左传》能卫其足者是也。据此有数种，多不入药用。

［食疗］主患肿未得④头破者，三日后，取葵子一百粒，吞之，当日疮头开。又，凡有难产，若生未得者，取一合捣破，以水二升，煮取一升已下，只⑤可半升，去滓顿服之，则小便与儿便出。切须在意，勿上厕。昔有人如此，立扑儿入厕中。又细剉，以水煎服一盏食之，能滑小肠。女人产时，煮一顿食，令儿易生。天行病后，食一顿，便失目。吞钱不出，煮汁，冷饮之，即出。无蒜勿食。四季月食生葵，令饮食不消化，发宿疾。又，霜葵生食，动五⑥种留饮。黄葵尤忌。

---

① 令：其上，柯《大观》有“亦”字。

② 承：成化《政和》、商务《政和》作“豕”。

③ 作：原无，据文理补。

④ 得：刘《大观》、柯《大观》作“有”。

⑤ 只：柯《大观》作“曰”。

⑥ 五：柯《大观》作“三”。

[圣惠方] 小儿发斑，散恶毒气。用生葵菜叶绞取汁，少少与服之。

[外台秘要] 天行班疮，须臾遍身，皆戴白浆，此恶毒气。永徽四年，此疮自西域东流于海内。但煮葵菜叶，以蒜齑啖之，则止。

[又方] 治消渴利。葵根五大斤切，以水五升，煮取三升。宿不食，平旦一服三升。

[又方] 治口吻疮。掘经年葵根，烧灰傅之。

[千金方] 小儿死腹中。葵子末，酒服方寸匕。若口噤不开，格口灌之，药下即活。《肘后方》同。

[又方] 治妊娠卒下血。葵子一升，水五升，煮取二升，分三[1]服差。

[又方] 妊振患淋。葵子一升，水三升，煮取二升，分为二服。无葵子，用葵根一把。

[肘后方] 大便不通十日至一月。葵子三升，水四升，煮取一升，去滓服。不差更作。

[又方] 治卒关格，大小便不通，支满欲死。葵子二升，水四升，煮取一升，顿服。内猪脂如鸡子一丸则弥佳。

[经验后方] 治一切痈肿无头。以葵菜子一粒，新汲水吞下，须臾即破。如要两处破，服两粒。要破处逐粒加之，验。

[孙真人食忌] 葵，能充脾气。又，霜葵多食吐水。葵合鲤鱼食，害人矣。

[必效方] 治诸瘘。先以泔清温洗，以绵拭水，取葵菜微火暖，贴之疮引脓，不过二三百叶，脓尽即肉生。忌诸杂鱼、蒜、房室等。

[子母秘录] 小儿蓐疮，烧葵根末傅之。

[产宝] 治妒乳及痈。葵茎及子为末，酒服方寸匕，愈。

[产书] 治[2]倒生，手足冷，口噤。以葵子炒令黄捣末，酒服二钱匕，则顺。

[衍义曰] 冬葵子，葵菜子也，四方皆有。苗性滑利，不益人。患痈疖，毒热内攻，未出脓者，水吞三五枚，遂作窍，脓出。

苋实

味甘，寒、大寒，无毒。**主青盲**，白翳[3]，**明目，除邪，利大小便，去寒热，**

---

① 三：柯《大观》作“二”。

② 治：其下，柯《大观》有“产”字。

③ 白翳：柯《大观》作白字《本经》文。

杀蛔虫。**久服益气力，不饥轻身。一名马苋**，一名莫实，细苋亦同。生淮阳川泽及田中，叶如蓝，十一月采。

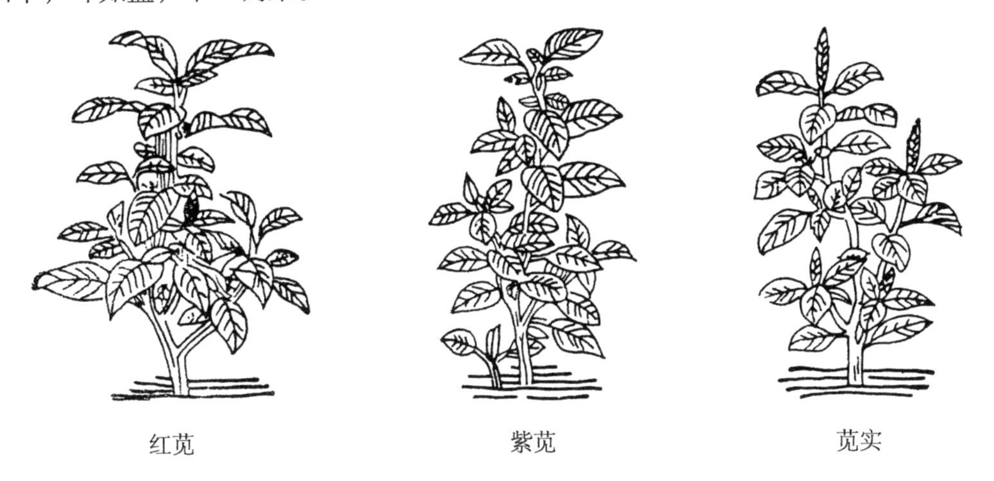

红苋　　紫苋　　苋实

［陶隐居］云：李云即苋菜也。今马苋别一种，布地生，实至微细，俗呼为马齿苋，亦可食，小酸，恐非今苋实。其苋实当是白苋，所以云细苋亦同，叶如蓝也。细苋即是糠苋，食之乃胜，而并冷利，被霜乃熟，故云十一月采。又有赤苋，茎纯紫，能疗赤下，而不堪食。药方用苋实①甚稀，断谷方中时用之。

［唐本注］云②：赤苋，一名蕢音匮。今苋实一名莫实，疑莫字误矣。赤苋，味辛，寒，无毒。主赤痢，又主射工、沙虱，此是赤叶苋也。马苋，一名马齿草，味辛③，寒④，无毒。主诸肿瘘、疣目，捣揩之饮汁，主反胃，诸淋，金疮，血流，破血，癥癖，小儿尤良。用汁洗紧唇，面疱、马汗⑤、射工毒，涂之差。

［今按］《陈藏器本草》云：忌与鳖同食。今以鳖细剉，和苋于近水湿处置之，则变为生鳖。紫苋杀虫毒。

［臣禹锡等谨按蜀本］注云：《图经》说有赤苋、白苋、人苋、马苋、紫苋、五色苋，凡六种。惟人、白二苋实入药用。按人苋小，白苋夫，马苋如马齿，赤苋味辛，俱别有功，紫及五色二苋不入药。

［孟诜］云：苋，补气，除热。其子明目。九月霜后采之。叶亦动气，令人烦闷，冷中损腹。

---

① 实：成化《政和》、商务《政和》作“菜”。

② 云：柯《大观》无。

③ 辛：刘《大观》、柯《大观》作“酸”。

④ 寒：成化《政和》、商务《政和》作“温”。

⑤ 汗：原作“汁”，据刘《大观》、柯《大观》改。

［日华子］云：苋菜，通九窍，子益精。

［图经曰］苋实，生淮阳川泽及田中，今处处有之。即人苋也。《经》云细苋亦同，叶如蓝是也。谨按，苋有六种：有人苋、赤苋、白苋、紫苋、马苋、五色苋。马苋即马齿苋也，自见后条。入药者，人、白二苋，俱大寒，亦谓之糠苋，亦谓之胡苋，亦谓之细苋，其实一也。但人苋小而白苋大耳，其子霜后方熟，实细而黑，主翳目黑花，肝风客热等。紫苋，茎、叶通紫，吴人用染菜瓜者，诸苋中此无毒，不寒，兼主气痢。赤苋亦谓之花苋，茎、叶深赤。《尔雅》所谓蕢，赤苋是也。根茎亦可糟藏，食之甚美。然性微寒，故主血痢。五色苋，今亦稀有。细苋，俗谓之野苋，猪好食之，又名猪苋。《集验方》治众蛇螫人。取紫苋捣绞汁，饮一升，滓以水和涂疮上。又射工毒中人，令寒热发疮，偏在一处，有异于常者，取赤苋合茎、叶捣绞汁，饮一升，日再，差。

［▌陈藏器云］陶以马齿与苋同类，苏亦于苋条出马齿功用。按此二物，厥类既殊，合从别品。

［食疗］叶，食动气，令人烦闷，冷中损腹。不可与鳖肉同食，生鳖癥。又取鳖甲如豆片大者，以苋菜封裹之，置于土坑内，上以土盖之，一宿尽变成鳖儿也。又，五月五日采苋菜，和马齿苋为末，等分调，与妊娠服之，易产。

［衍义曰］苋实，入药亦稀，苗又谓之人苋，人多食之。茎高而叶红、黄二色者，谓之红人苋，可淹菜用。

胡荽

味辛，温一云微寒，微毒。消谷，治五脏，补不足，利大小肠，通小腹气，拔四肢热，止头痛，疗沙疹、豌豆疮不出，作酒喷之，立出，通心窍。久食令人多忘，发腋臭，脚气，根发痼疾。

子　主小儿秃疮，油煎傅之。亦主蛊，五痔及食肉中毒下血。煮，冷取汁服。并州人呼为香荽，入药炒用。

［▌陈藏器］胡荽①，防风注苏云：防风子似胡荽①，味辛，温。消谷，久食令人多忘，发腋臭，根发痼疾。子主小儿秃疮，油煎傅之。亦主蛊②毒，五野鸡病及食肉中毒下血。煮令子折，服汁。石勒讳胡，并、汾人呼为香荽也。

---

① 荽：原作“妥”，据刘《大观》、柯《大观》改。

② 蛊：原作“虫”，据刘《大观》、柯《大观》改。

[**食疗**] 平。利五脏，补筋脉。主消谷能食。若食多则令人多忘。又，食着诸毒肉，吐、下血不止①，顿痞②黄者，取净胡荽子一升，煮令腹破，取汁停冷，服半升，一日一夜二服即止。又，狐臭，䘌齿病人不可食，疾更加。久冷人食之，脚弱。患气，弥不得食。又，不得与斜蒿同食。食之③令人汗臭，难差。不得久食，此是薰菜，损人精神。秋冬捣子，醋煮熨肠头出，甚效。可和生菜食，治肠风。热饼裹食甚良。

[**外台秘要**] 主齿疼。胡菜子五升，应是胡荽子也。以水五升，煮取一升，含之。

[**经验后方**] 治小儿胗豆，欲令速出。宜用胡荽三二两切，以酒二大盏煎令沸沃胡荽，便以物合定，不令泄气。候冷去滓，微微从项已下喷，一身令遍，除面不喷。

[**孙真人**] 食之令人多忘，发痼疾，胡臭，䘌齿，口气臭，金疮。

[**兵部手集**] 治孩子赤丹不止，以汁傅之差。谭氏方同。

[**必效方**] 治蛊毒神验。以根绞汁半升，和酒服之，立下。又治热气结癖，经年数发。以半斤，五月五日采，阴干，水七升，煮取一升半，去滓分服。未差更服，春夏叶、秋④冬茎、根⑤并用，亦可预备之。

[**子母秘录**] 治肛带出。切一升烧，以烟薰肛，即入。

邪蒿

味辛，温、平，无毒。似青蒿细软。主胸膈中臭烂恶邪气，利肠胃，通血脉，续不足气。生食微动风气，作羹食良，不与胡荽同食，令人汗臭气。

[**■ 食医心镜**] 治五脏邪气厌谷者，治脾胃肠澼，大渴热中，暴疾恶疮。以煮令熟，和酱、醋食之。

同蒿

平。主安心气，养脾胃，消水饮。又动风气，熏人心，令人气满，不可多食。

---

① 止：成化《政和》、商务《政和》误作“土”。

② 痞：刘《大观》、柯《大观》作“痨”。

③ 之：刘《大观》、柯《大观》无。

④ 秋：其下，柯《大观》有“及”字。

⑤ 茎根：柯《大观》倒置。

罗勒

味辛，温，微毒。调中消食，去恶气，消水气，宜生食。又疗齿根烂疮，为灰用甚良。不可过多食，壅关节，涩荣卫，令血脉不行。又动风，发脚气，患啘，取汁服半合定。冬月用干者煮之。子，主目翳及物入目，三五颗致目中，少顷当湿胀，与物俱出。又疗风赤眵泪。根，主小儿黄烂疮，烧灰傅之，佳。北人呼为兰香，为石勒讳也。

此有三种：一种堪作生菜；一种叶大，二十步内闻香；一种似紫苏叶。

[陶隐居] 术家取羊角、马蹄烧作灰；撒于湿地，遍踏之，即生罗勒。俗呼为西王母菜，食之益人。

[外台秘要] 治面上灭瘢方：木兰香一斤，以三岁米醋浸令没，百日出暴干，为末，以傅之。用醋浆渍，百日出，日干，末服方寸匕。

石胡荽

寒，无毒。通鼻气，利九窍，吐风痰。不任食，亦去翳，熟挼内鼻中，翳自落。俗名鹅不食草。已上五种新补见孟诜、陈藏器、萧炳、陈士良、日华子。

芜菁及芦菔

味苦，温，无毒。主利五脏，轻身益气，可长食之。芜菁子，主明目。

芜菁

[陶隐居] 云：芦菔是今温菘，其根可食，叶不中啖。芜菁根乃细于温菘，而叶似菘，好食。西川惟种此，而其子与温菘甚相似，小细尔。俗方无用，服食家亦炼饵之，而不云芦菔子，恐不用也。俗人蒸其根及作菹，皆好，但小熏臭尔。又有荸①根，细而过辛，不宜服之②。

[唐本注] 云：芜菁，北人名蔓菁，根、叶及子，乃是菘类，与芦菔全别，至于体用亦殊。今言芜菁子似芦菔，

① 荸：柯《大观》作"茎"。

② 之：刘《大观》、柯《大观》作"也"。

或谓芦菔叶不堪食，兼言小薰体，是江表不产二物，斟酌注詺，理[①]丧其真尔。其蔓菁子，疗黄疸，利小便。水煮三[②]升，取浓汁服，主癥瘕积聚；少饮汁，主霍乱，心腹胀；末服，主目暗。其芦菔别显后条。

［今按］《陈藏器本草》云：芜菁，主急黄、黄疸及内[③]黄，腹结不通。捣为末，水绞汁服，当得嚏，鼻中出黄水及下痢。《仙经》云：长服可断谷，长生。和油傅蜘蛛咬，恐毒入肉，亦[④]捣为末酒服。蔓菁园中无蜘蛛，是其相畏也。为油入面膏，令人去黑皯[⑤]。今并、汾、河朔间，烧食其根，呼为芜根，犹是芜菁之号，芜菁，南北之通称也。塞北种[⑥]者，名九英蔓菁，根大，并将为军粮。菘菜，南土所种多是也。

［臣禹锡等谨按尔雅］云：须，葑苁。释曰：《诗·谷风》云采葑采菲。毛云：葑，须也。先儒即以须葑苁当之。孙炎云：须，一名葑苁。郭注云：葑苁似羊蹄，叶细，味酢，可食。《礼·坊记》注云：葑，蔓菁也。陈、宋之间谓之葑。陆玑云：葑、芜菁，幽州人谓之芥。《方言》云：蘴、荛，芜菁也。陈、楚谓之蘴，齐、鲁谓之荛，关[⑦]西谓之芜菁，赵、魏之部谓之大芥。蘴、葑音同，然则葑也，须也，芜菁也，蔓菁也，葑苁也，荛[⑧]也，芥也，七者一物也。

［孟诜］云：蔓菁，消食下气。其子，九蒸九暴，捣为粉，服之长生。压油涂头，能变蒜发。又，研子入面脂，极去皱。又，捣子，水和服，治热黄，结实不通。少顷当泻，一切恶物、沙石、草、发并出。又利小便。又，女子妒[⑨]乳肿，取其根生捣后，和盐、醋、浆水煮，取汁洗之，五六度差。又捣和鸡子白封之，亦妙。

［萧炳］云：蔓菁子，别入丸药用，令人肥健，尤宜妇人。

［刘禹锡嘉话录］云：诸葛亮所止，令兵士独种蔓菁者，取其才出甲，可生

① 理：成化《政和》、商务《政和》作“埋”。
② 三：柯《大观》作“二”。
③ 内：柯《大观》作“肉”。
④ 亦：成化《政和》、商务《政和》作“赤”。
⑤ 皯：柯《大观》作“点”。
⑥ 种：柯《大观》作“出”。
⑦ 关：成化《政和》、商务《政和》误作“开”。
⑧ 荛：成化《政和》、商务《政和》误作“荒”。
⑨ 妒：柯《大观》误作“垢”。

啖，一也；叶舒可煮食，二也；久居则随以滋长，三也；弃不令惜，四也；回则易寻而采，五也；冬有根可斸而食，六也。比诸蔬属，其利不亦博矣①。三蜀之人，今呼蔓菁为诸葛菜，江陵亦然。

［日华子］云：蔓菁，梗短叶大，连地上生，阔叶红色者，是蔓菁。

［图经曰］芜菁及芦菔，旧不著所出州土，今南北皆通有之。芜菁即蔓菁也，芦菔即下菜②菔音卜，今俗呼萝蔔是也。此二菜，北土种之尤多。芜菁，四时仍有，春食苗，夏食心，亦谓之苔子，秋食茎，冬食根，河朔尤多种，亦可以备饥岁。菜中之最有益者惟此耳。常食之，通中益气，令人肥健。《嘉话③录》云：诸葛亮所止，令兵士独种蔓菁者，取其才出甲，可生啖，一也；叶舒可煮食，二也；久居则随以滋长，三也；弃不令惜，四也；回即易寻而采之，五也；冬有根可斸食，六也。比诸蔬属，其利不亦博乎。刘禹锡曰：信矣。三蜀、江陵之人，今呼蔓菁为诸葛菜是也。其实夏秋熟时采之。仙方亦单服。用水煮三过④，令苦味尽，暴干，捣筛，水服二钱匕，日三。久增服，可以辟谷。又治⑤发黄，下小肠药⑥用之。又主青盲。崔元亮《海上方》云：但瞳子不坏者，疗十得九愈。蔓菁子六升，一物蒸之，看气遍，合甑下，以⑦釜中热汤淋之，乃暴令干，还淋，如是三遍，即取杵筛为末。食上清酒服二寸匕，日再。涂面膏亦有用者。又疗乳痈痛寒热者，取蔓菁根并叶，净择去土，不用水洗，以盐捣傅乳上，热即换，不过三五易之，即差。冬月无叶，但空用根，亦可，切须避风耳。南人取北种种之，初年相类，至二三岁则变为菘矣。莱菔功用亦同，然力猛更出其右。断下方亦用其根烧熟⑧入药，尤能制面毒。昔有婆罗门僧东来，见食麦面者云：此大热，何以食之。又见食中有芦菔，云赖有此以解其性，自此相传，食面必啖芦菔。凡人饮食过度饱，宜生嚼之，佳。子，研水服，吐风涎甚效。此有大、小二种，大者肉坚宜蒸食，小者白而脆宜生啖。《尔雅》所谓葖，芦肥。郭璞云：紫花菘也。俗呼温菘，似芜菁，大根。一名

---

① 矣：柯《大观》作“乎”。

② 菜：成化《政和》、商务《政和》误作“莱”。

③ 话：柯《大观本草札记》云：“《政和》作‘语’。”

④ 过：柯《大观》作“遍”。

⑤ 又治：柯《大观》无。

⑥ 药：其下，刘《大观》有“多”字。

⑦ 以：刘《大观》、柯《大观》无。

⑧ 熟：柯《大观》作“热”。

葖，俗呼雹突。然则紫花菘、温菘，皆南人所呼也。吴人呼楚菘，广南人呼秦菘。河朔芦菔极有大者，其说旧矣，而江南有国时有，得安州、洪州、信阳者甚大，重至五六斤，或近一秤，亦一时种莳之力也。又今医以治消①渴，其方：出了子萝卜三枚，净洗，薄切，暴干，一味捣罗为散。每服二②钱，煎猪肉汤澄清调下，食后临卧，日三服，渐增至三钱，差。

[▌食疗] 温。下气，治黄疸，利小便。根主消渴，治热毒风肿。食令人气胀满。

[圣惠方] 治风疹入腹，身体强，舌干躁硬。用蔓菁子三两为末，每服温酒下一钱匕。

[外台秘要] 治心腹胀。蔓菁子一大合，拣净捣熟，研水一升，更和研，滤取汁，可得一盏，顿服之。少顷自得转利，或亦自吐，腹中自宽，或得汗，愈。

[又方] 阴黄，汗染衣，涕唾黄。取蔓菁子捣末，平旦以井花水服一匙，日再，加至两匙，以知为度。每夜小便重浸少许帛子，各书记日色，渐退白则差，不过服五升已来。

[又方] 轻身益气，明目。芜菁子一升，水九升，煮令汁尽，日干。如此三度，捣末。水服方寸匕，日三。

[又方] 治瘭③疽着手足肩背，累累如米起，色白，刮之汁出，复发热。芜菁子熟捣，帛裹傅之，烂④止。

[千金方] 治头秃。芜菁子末⑤，酢和傅之，日三。

[又方] 治血皯面皱。取子烂研，入常用面脂中良。

[又方] 常服明目，洞视，肥肠。芜菁子三升，以苦酒三升，煮令熟，日干，末下筛。以井花水服方寸匕，加至三匕，日三，无所忌。

[肘后方] 治豌豆疮。蔓菁根捣汁，挑疮破，傅在⑥上，三食顷，根出。

[又方] 犬咬人重发。治之，服蔓菁汁佳。

[葛氏方] 卒肿毒起，急痛。芜菁根大者，削去上皮熟捣，苦酒和如泥，煮三

---

① 消：原作“痟”，据柯《大观》改。

② 二：柯《大观》作“三”。

③ 瘭：原作“瘰”，据柯《大观》改。

④ 烂：柯《大观》作“匀”。

⑤ 末：成化《政和》、商务《政和》误作“味”。

⑥ 在：柯《大观》无。

沸，急搅之，出傅肿，帛裹上，日再三易。

［经验后方］治虚劳眼暗。采三月蔓菁花，阴干为末。以井花水每空心调下二钱匕。久服长生，可夜读书。

［孙真人食忌］治黄疸，皮肤、眼睛如[1]金色，小便赤。生蔓菁子末，熟水调下方寸匕，日三。

［又方］主一切热肿毒。取生蔓菁根一握，盐花入少讫[2]和捣，傅肿上，日三易。

［集疗］男子阴肿如斗大，核痛，人所不能治者，芜菁根捣傅之。

［兵部手集］治奶痈，疼痛，寒热，傅救十余人方：蔓菁根、叶，净择去土，不用洗，以盐捣傅乳上。热即换，不过三五度。冬无叶即用根，切须避风。

［伤寒类要[3]］神仙教子法：立春后有庚子日，温芜菁汁，合家大小并服，不限多少，可理时疾。

［又方］急黄。服蔓菁子油一盏，顿服之。临时无油，则蔓菁子杵汁，水和之服亦[4]得。候颜色黄，或精神急，用之有效。

［子母秘录］治妊娠小便不利。芜菁子末，水服方寸匕，日二。《杨氏产乳》同。

［抱朴子］大醋煮芜菁子令熟，日干为末，井花水服方寸匕，日三，尽一斗，能夜视有所见。

［荆楚岁时记］采经霜者干之。《诗》云：我有旨蓄，可以御冬。

［衍义曰］芜菁、芦菔，二菜也。芦菔，即萝卜也。芜菁，今世俗谓之蔓菁。夏则枯，当此之时，蔬圃中复种之，谓之鸡毛菜。食心，正在春时。诸菜之中，有益无损，于世有功。采撷之余，收子为油。根过食动气。河东、太原所出极大，他处不及也，又出吐谷浑。后于莱菔条中，《尔雅》释：但名芦菔，今谓之萝卜是也。则芜菁条中，不合更言及芦菔二字，显见重复。从《尔雅》为正。

---

① 如：原作“加”，据成化《政和》、商务《政和》改。

② 讫：柯《大观》作“许”。

③ 类要：原倒置，据《宋史艺文志·医书类》改。

④ 亦：原作“可”，据《毛诗·谷风》改。

瓜蒂

瓜蒂

味苦，寒，有毒。**主大水，身面、四肢浮肿，下水，杀蛊**①**毒，咳逆上气，及食诸果病在胸腹中，皆吐下之。**去鼻中息肉，疗黄疸。

花　主心痛，咳逆。生嵩高平泽。七月七日采，阴干。

[陶隐居] 云：瓜蒂，多用早青蒂，此云七月采，便是甜瓜蒂也。人亦有用熟瓜蒂者，取吐乃无异，此止于论其蒂所主尔。今瓜例皆冷利，早青者尤甚。熟瓜乃有数种，除瓤食之不害人，若觉多，即人水自渍便即消。永嘉有寒瓜甚大，今每取藏经年食之。亦有再熟瓜，又有越瓜，人作菹食之，亦冷，并非药用尔。

[今注] 甜瓜有青、白二种，入药当用青瓜蒂。前条白瓜子，唐注云甘瓜子，主腹内结聚，破溃脓血，最为肠胃脾内壅要药，正是此甜瓜子之功。前条便以白瓜子为甘瓜子，非也。

[臣禹锡等谨按药性论] 云：瓜蒂，使。茎主鼻中息肉，齆鼻。和小豆、丁香吹鼻，治黄。

[日华子] 云：无毒。治脑塞，热齆，眼昏，吐痰。

[图经曰] 瓜蒂，即甜瓜蒂也。生嵩高平泽，今处处有之，亦园圃所莳。旧说瓜有青、白二种，入药当用青瓜蒂，七月采，阴干。方书所用，多入吹鼻及吐膈散中。茎亦主鼻中息肉，齆鼻等。叶主无发，捣汁涂之即生。花主心痛，咳逆。肉主烦渴，除热，多食则动痼疾。又有越瓜，色正白，生越中。胡瓜黄色，亦谓之黄瓜，别无功用，食之亦不益人，故可略之。

[■雷公] 凡使，勿用白瓜蒂，要采取青绿色瓜，待瓜气足，其瓜蒂自然落在蔓茎上。采得未用时，使榔榔叶裹，于东墙有风处，挂令吹干用。瓜子，凡使，勿用瓜子实，恐误。采得后，便于日中曝令内外干，便杵，用马尾筛筛过，成粉末了用。其药不出油，其效力短。若要出油，生杵作膏，用三重纸裹，用重物覆压之，取无油用。

---

① 蛊：柯《大观》作“虫”。

[食疗] 瓜蒂，主身面、四肢浮肿，杀蛊①，去鼻中息肉，阴黄黄疸及暴急黄。取瓜蒂、丁香各七枚，小豆七粒，为末，吹黑豆许于鼻中，少时黄水出，差。其子，热。补中，宜人。瓜有毒。止渴，益气，除烦热，利小便，通三焦壅塞②气。多食令人阴下湿痒，生疮。动宿冷病。癥癖人不可食之③。若食之饱胀，入水自消。多食令人惙惙虚弱，脚手无力。叶生④捣汁生发。又，补中，打损折，碾末酒服去瘀血，治小儿疳。《龙鱼河图》云：瓜有两鼻者杀人；沉水者杀人；食多腹胀，可食盐，花成水。

[圣惠方] 治时气，三日外忽觉心满坚硬，脚手心热，变黄，不治杀人。以瓜蒂七枚杵末，如大豆许吹两鼻中，令黄水出，残末水调服之，得吐黄水一二升，差。

[又方] 治鼻中息肉。陈瓜蒂一分为末，羊脂和少许，傅息肉上，日三。

[经验方] 治遍身如金色。瓜蒂四十九个，须是六月六日收者，丁香四十九个，用甘锅子烧烟尽为度，细研为末。小儿用半字，吹鼻内及揩牙，大人只用一字，吹鼻内，立差。

[经验后方] 治大人、小儿久患风痫，缠喉风，㗋嗽，遍身风疹，急中涎潮等。此药不大吐逆，只出涎水。小儿服一字，瓜蒂不限多少，细碾为末，壮年一字，十五已下，老怯半字，早晨井花水下。一食顷，含沙糖一块。良久涎如水出，年深涎尽，有一块如涎布，水上如鉴矣。涎尽食粥一两日。如吐多困甚，即咽麝香汤一盏，即止矣。麝细研，温水调下。昔天平尚书觉昏眩，即服之取涎，有效。

[伤寒类要] 治急黄，心上坚硬，渴欲得水吃，气息喘粗，眼黄。但有一候相当，则以瓜蒂二小合，熬赤小豆二合，为末。暖浆水五合，服方寸匕。一炊久当吐，不吐再服五分匕，亦减之。若吹鼻中，两三黑豆许，黄水出歇。

[又方] 治黄疸，目黄不除。瓜丁散：瓜丁细末，如大豆许内鼻中。令病人深吸，取鼻中黄水出。

[衍义曰] 瓜蒂，此即甜瓜蒂也。去瓜皮，用蒂，约半寸许，暴极干，不限多少，为细末。量疾，每用一二钱匕，腻粉一钱匕，以水半合同调匀，灌之，治风涎

---

① 蛊：刘《大观》、柯《大观》作“虫”。

② 塞：刘《大观》、柯《大观》作“寒”。

③ 之：柯《大观》无。

④ 生：柯《大观》误作“上”。

暴作，气塞倒卧。服之，良久，涎自出，或觉有涎，用诸药行化不下，但如此服，涎即出。或服药良久涎未出，含沙糖一块，下咽即涎出。此物甚不损人，全胜石绿、硇砂辈。

白冬瓜

味甘，微寒。主除小腹水胀，利小便，止渴。

［陶隐居］云：被霜后合取，置经年，破取核，水洗，燥，乃擂取仁用之。冬瓜性冷利，解毒，消渴，止烦闷，直捣、绞汁服之。

［今注］此物经霜后，皮上白如粉涂，故云白冬瓜也。前条即冬瓜子之功，此乃说皮肉之效尔。陶注为子仁，非也。

［臣禹锡等谨按药性论］云①：冬瓜练，亦可单用，味甘，平。汁，止烦躁热。练②，压丹石毒，止热渴，利小肠，能除消渴，差五淋。

［孟诜］云：冬瓜，益气耐老，除胸心满，去头面热。热者食之佳，冷者食之瘦人。

［日华子］云：冬瓜，冷，无毒。除烦，治胸膈热，消热毒痈肿，切摩痱子甚良。叶，杀蜂，可修事蜂儿，并焮肿毒及蜂丁。藤烧灰，可出绣点黯，洗黑皯③，并洗疮疥。湿穰，亦可漱练白缣。

［■食疗］益气耐④老，除心胸满。取瓜子七升，下同白瓜条。压丹石。又，取瓜一颗，和桐⑤叶与猪肉食之。一冬更不要与诸物食，自然不饥，长三四倍矣。又，煮食之，练五脏，为下气故也。欲得瘦轻健者，则可长食之。若要肥，则勿食。孟诜说：肺热消渴，取濮瓜去皮，每食后嚼吃三二两，五七度良。

［千金方］治小儿渴利，单捣冬瓜汁饮之。

［肘后方］发背欲死方：取冬瓜，截去头，合疮上。瓜当烂，截去更合之。瓜未尽，疮已敛小矣。即用膏养之。

［小品方］食鱼中毒，冬瓜汁最验。

---

① 云：柯《大观》无。

② 练：柯《大观》作“炼”。

③ 皯：原作“皯”，据刘《大观》、柯《大观》改。

④ 耐：原作“能”，据柯《大观》改。

⑤ 桐：成化《政和》、商务《政和》作“相”。

［**孙真人**］九月勿食被霜瓜，食之令人成反胃病。

［**古今录验**］治伤寒后痢，日久津液枯竭，四肢浮肿，口干。冬瓜一枚，黄土泥厚裹五寸，煨令烂熟，去土绞汁服之。

［**兵部手集**］治水病初得危急。冬瓜不限多少，任吃，神效无比。

［**子母秘录**］小儿生一月至五个月，乍寒乍热。炮冬瓜，绞汁服。

［**杨氏产乳**］疗渴不止。烧冬瓜，绞取汁。细细饮之尽，更作。

［**丹房镜源**］冬瓜蔓灰煮汞①及丹砂，淬铜、锡。

［**衍义曰**］白冬瓜，一二斗许大，冬月收为菜，压去汁，蜜煎，代果。患发背及一切痈疽，削一大块置疮上，热则易之，分散热毒气，甚良。

白瓜子

味甘，平、寒，无毒。**主令人悦泽，好颜色，益气不饥。久服轻身耐老。**主除烦满不乐，久服寒中。可用面脂，令面②悦泽。**一名水芝，**一名白爪③侧绞切子。生嵩高平泽。冬瓜仁也，八月采。

白瓜子

［唐本注］云：《经》云冬瓜仁也，八月采之④。已下为冬瓜仁说，非谓冬瓜别名。据《经》及下条瓜蒂，并生嵩高平泽，此即一物，但以甘字似白字，后人误以为白也。若其不是甘瓜，何因一名白瓜？此即甘瓜不惑。且朱书论白瓜之效，墨书说冬瓜之功，功异条同，陶为深误。按《广雅》：冬瓜一名地芝，与甘瓜全别，墨书宜附冬瓜科⑤下。瓜蒂与甘瓜共条。《别录》云：甘瓜子，主腹内结聚，破溃脓血，最为肠胃脾内壅要药。本草以为冬瓜，但用蒂，不云子也。今肠痈⑥汤中用之。俗人或用冬瓜子也。又按诸本草云：瓜子或云甘瓜子，今此本误作白字，当改从甘也。

［今按］此即冬瓜子也。唐注称是甘瓜子。谓甘字似白字，后人误以为白。此

---

① 汞：成化《政和》、商务《政和》误作“永”。

② 面：原作“而”，据刘《大观》、柯《大观》、底本《校勘表》改。

③ 爪：柯《大观》作“瓜”。

④ 之：柯《大观》无。

⑤ 科：柯《大观》作“条”。

⑥ 痈：刘《大观》、柯《大观》误作“壅”。

之所言，何孟浪之甚耶？且《本经》云：主①令人悦泽。《别录》云：可作面脂，令人悦泽。而又面脂方中多用冬瓜仁，不见用甘瓜子，按此即是冬瓜子明矣。故陶于后条注②中云：取核水洗，燥乃擂取仁用之。且此物与甘瓜全别。其甘瓜有青、白二种，子色皆黄，主疗与白瓜子有异③。而冬瓜皮虽青，经霜亦有白衣，其中子白，白瓜子之号，因斯而得。况陶隐居以《别录》白冬瓜附于白瓜子之下，白瓜子更不加注，足明一物而不能显辨尔。《别录》④ 爪字，侧绞切，今以⑤读作瓜字。唐注谬误，都不可凭。

［臣禹锡等谨按蜀本］注：苏云是甘瓜子也。《图经》云：别有胡瓜，黄赤，无味。今据此两说，俱不可凭矣。《本经》云：即冬瓜仁也。苏注盖以冬瓜色青，乃云是甘瓜者。且甘瓜自有青、白二种，只合云白甘瓜也。今据《本经》云：白瓜子即冬瓜仁无疑也。按冬瓜虽色青，而其中子甚白，谓如白瓜子者，犹如虫部有白龙骨焉，人但看骨之白而不知龙之色也。若以甘瓜子为之，则甘瓜青、白二种，其子并黄色，而《千金》面⑥药方，只用冬瓜仁，信苏注为妄，《图经》难凭矣！

［孟诜］云：取冬瓜仁七升，以绢袋盛之，投三沸汤中，须臾出暴干，如此三度止。又，与清苦酒渍，经一宿，暴干为末，日服之方寸匕。令人肥悦，明目，延年不老。又，取子三五升，退去皮，捣为丸。空腹服⑦三十丸，令人白净如玉。

［日华子］云：冬瓜仁，去皮肤风剥⑧，黑皯，润肌肤。

［图经曰］ 白瓜子，即冬瓜仁也。生嵩高平泽，今处处有之，皆园圃所莳。其实生苗蔓下，大者如斗而更长，皮厚而有毛，初生正青绿，经霜则白如涂粉。其中肉及⑨子亦白，故谓之白瓜仁。家多藏蓄弥年，作菜果。入药须霜后合取，置之经年，破出核洗，燥乃擂取仁用之。亦堪单作服饵。又有末作汤饮，又作面药，并令人颜色光泽。宗懔《荆楚岁时记》云：七月采瓜犀，以为面脂。犀，瓣⑩也。瓤亦

---

① 主：成化《政和》、商务《政和》误作“生”。

② 注：成化《政和》、商务《政和》误作“主”。

③ 异：成化《政和》、商务《政和》误作“益”。

④ 白冬瓜……《别录》：以上 29 字，柯《大观》无。

⑤ 以：刘《大观》、柯《大观》作“亦”。

⑥ 面：柯《大观》无。

⑦ 服：刘《大观》、柯《大观》无。

⑧ 剥：成化《政和》、商务《政和》误作“利”。

⑨ 及：柯《大观》无。

⑩ 瓣：原作“辨”，据文理改。

堪作澡豆。其肉主三消渴疾，解积热，利大小肠，压丹石毒。《广雅》一名地芝是也。皮可作丸服，亦入面脂中，功用与上等。

［**■外台秘要**］补肝散：治男子五劳七伤，明目。白瓜子七升，绢袋盛，绞沸汤中，三遍讫，以酢五升，渍一宿，暴干，捣下筛，酒服方寸匕，日三，久服差。

［**孙真人**］治多年损伤不差。熬瓜子末，温酒服之。

［**衍义曰**］白瓜子实，冬瓜仁也，服食中亦稀用。

甜瓜

寒，有毒。止渴，除烦热，多食令人阴下湿痒生疮，动宿冷病，发虚热，破腹。又令人惙惙弱，脚手无力。少食即止渴，利小便，通三焦间①拥塞气，兼主口鼻疮。

［臣禹锡等谨按日华子］云：无毒。

叶　治人无发，捣汁涂之，即生。

［**图经**］文具瓜蒂条下。

［**■陈藏器序云**］甘瓜子，止月经太过，为末去油，水调服。

［**千金方**］治口臭。杵干甜瓜子作末，蜜和丸，每旦洗净漱，含一丸如枣核大。亦用傅齿。

［**孙真人食忌**］患脚气人勿食甜瓜，其患永不除。又，五月甜瓜沉水者杀人。又，多食发黄疸病，动冷疾，令人虚羸，解药力。两蒂者杀人。

［**食医心镜**］治热，去烦渴。甜②瓜去皮，食后吃之，煮皮作羹亦佳。

［**衍义曰**］甜瓜，暑月服之，永不中暑气，多食未有不下利者。贫下多食，至深秋作痢为难治，为其消损阳气故也。亦可以如白甜瓜煎渍收。

胡瓜叶

味苦，平，小毒。主小儿闪癖，一岁服一叶已上，斟酌与之。生挼绞汁服，得吐下。根捣傅胡刺毒肿。其实味甘，寒，有毒。不可多食，动寒热，多疟病，积瘀热，发疰气，令人虚热，上逆少气，发百病及疮疥，损阴血脉气，发脚气。天行后不可食，小儿切忌，滑中，生疳虫。不与醋同餐。北人亦呼为黄瓜，为石勒讳，因

① 间：柯《大观》作“开”。

② 甜：其上，柯《大观》有“取”字。

而不改。已上二种新补见《千金方》及孟诜、陈藏器、日华子。

[图经] 文具瓜蒂条下。

[〓千金髓] 水病肚胀至四肢肿。胡瓜一个破作两片，不出子，以醋煮一半，水煮一半俱烂，空心顿服，须臾下水。

[孙真人] 主蛇咬。取胡瓜傅之，数易良。

越瓜

味甘，寒。利肠胃，止烦渴。不可多食，动气，发诸疮，令人虚弱不能行，不益小儿，天行病后不可食。又不得与牛乳、酪及鲊同餐，及空心食，令人心痛。今附

[臣禹锡等谨按陈藏器] 云：越瓜，大者色正白，越人当果食之。利小便，去烦热，解酒毒，宣泄热气。小者糟藏之，为灰，傅口吻疮及阴茎热疮。

[图经] 文具瓜蒂条下。

[〓食疗] 小儿夏月不可与食。又，发诸疮。令人虚弱，冷中。常令人脐下为癥，痛不止。又，天行病后不可食。

[食医心镜] 越瓜鲊，久食益肠胃，和饭作鲊并齑菹之并得。

白芥

味辛，温，无毒。主冷气。色白，甚辛美，从西戎来。子，主射工及疰气，上气发汗，胸膈痰冷，面黄。生河东。今附

[臣禹锡等谨按陈藏器] 云：白芥，生太原。如芥而叶白，为茹食之，甚美。

[日华子] 云：白芥，能安五脏，功用与芥颇同。子，烧及服，可辟邪魅①。

[图经] 文具芥条下。

[〓陈藏器云] 主冷气。子主上气，发汗，胸膈痰冷，面目黄赤，亦入镇宅用之。

[外台秘要] 治气。小芥子一升，捣碎以绢袋盛。好酒二升浸七日。空心温服三合，日二服。

[千金方] 治反胃，吐食上气。小芥子日干为末，酒服方寸匕。

① 魅：柯《大观》无。

[又方] 三种射工即水弩子。以芥子杵令熟，苦酒和，厚傅上。半日痛即便止。

[又方] 治游肿诸痈。以芥子末、猪胆，和如泥傅上，日三易之。

[肘后方] 治中风，卒不得语。以苦酒煮芥子，傅颈一周，以帛苞之，一日一夕乃差。

芥①

味辛，温，无毒。归鼻。主除肾邪气，利九窍，明耳目，安中，久食温中。

[陶隐居] 云：似菘而有毛，味辣，好作菹，亦生食。其子可藏冬瓜。又有莨音郎，以作菹，甚辣快。

[唐本注] 云：此芥有三种：叶大粗者，叶堪食，子入药用，熨恶疰至良；叶小子细者，叶不堪食，其子但堪为齑尔；又有白芥，子粗大白色，如白粱米，甚辛美，从戎中来，《别录》云：子主射工及疰气②发无当常处，丸服之，或捣为末，醋和涂之，随手有验。

蜀州芥

[臣禹锡等谨按蜀本] 图经云：一种叶大，子白且粗，名曰胡芥。啖之及药用最佳，而人间未多用之。

[孟诜] 云：芥，煮食之亦动气，生食发丹石，不可多食。

[日华子] 云：除邪气，止咳嗽上气，冷气疾。子，治风毒肿及麻痹，醋研傅之。扑损瘀血，腰痛肾冷，和生姜研，微暖，涂贴。心痛，酒、醋服之。

[图经曰] 芥，旧不著所出州土，今处处有之。似菘而有毛，味极辛辣，此所谓青芥也。芥之种亦多：有紫芥，茎、叶纯紫，多作齑者，食之最美；有白芥，子粗大色白，如粱③米，此入药者最佳。旧云从西戎来，又云生河东，今近处亦有。其余南芥、旋芥、花芥、石芥之类，皆菜茹之美者，非药品所须，不复悉录。大抵南土多芥，亦如菘类。相传岭南无芜菁，有人携种至彼，种之皆变作芥，言地气暖使然耳。《续传信方》：主腹冷夜起，以白芥子一升，炒熟，勿令焦，细研，以汤

---

① 芥：本条和本书卷30有名未用类的“芥”条，是同名异物。

② 气：成化《政和》、商务《政和》误作“食”。

③ 粱：原作“梁”，据本书药名改。

浸蒸饼，丸如赤小豆，姜汤吞七①丸，甚效。

［■食疗］主咳逆下气，明目，去头面风。大叶者良。煮食之动气，犹胜诸菜。生食发丹石，其子，微熬研之，作酱香美，有辛气，能通利五脏。其叶不可多食。又，细叶有毛者杀人。

［**圣惠方**］治走注风毒疼痛。用小芥子末，和鸡子白，调傅之。

［**又方**］妇人中风，口噤，舌本缩。用芥子一升，细研，以醋三升，煎取一升。用傅颔颊下，立效。

［**外台秘要**］治聋。芥子捣碎，以人乳调和，绵裹塞耳，差。

［**孙真人**］芥菜合兔肉食之成恶疮。

［**广济方**］治瘘有九种，不过此方。取芥子捣碎，以水及蜜和滓，傅喉上下，干易之。

［**子母秘录**］小儿紧唇。捣马芥子汁，令先揩唇血出，傅之，日七遍。马芥即刺芥也。

［**左传**］季氏与郈氏斗鸡，季氏金其距，郈氏芥其羽。注云：施芥于羽令辛。

［**衍义曰**］芥，似芜菁，叶上纹皱起，色尤深绿为异。子与苗皆辛，子尤甚，多食动风。一品紫芥，与此无异，紫色可爱，人多食之，然亦动风。又白芥子，比诸芥稍大，其色白，入药用。

莱菔音卜根

味辛、甘，温，无毒。散服及炮煮服食，大下气，消谷，去痰癖，肥健人。生捣汁服，主消渴，试大有验。

莱菔

［唐本注］云：陶谓温菘是也。其嫩叶为生菜食之。大叶熟啖，消食和中。根效在芜菁之右。

［今注］俗呼为萝卜。唐本先附

［臣禹锡等谨按蜀本］《图经》云：名芦卜，生江北，秦、晋最多。

［尔雅］云：葖，芦萉，释曰：紫花菘也。俗呼温菘，似芜菁，大根，一名葖，俗呼雹葖，一名芦菔，今谓之萝卜是也。

---

① 七：柯《大观》作“十”。

[萧炳] 云：萝卜根，消食，利关节，理颜色，练五脏恶气，制面毒。凡人饮[①]食过度，生嚼咽之，便消。研如泥制[②]面，作馎饦佳，饱食亦不发热。亦主肺嗽吐血。酥煎食，下气。

[孟诜] 云：萝卜，性冷。利五脏，轻身。根，服之令人白净肌细。

[日华子] 云：萝卜，平，能消痰止咳，治肺痿吐血。温中，补不足，治劳瘦，咳嗽，和羊肉、鲫鱼煮食之。子，水研服，吐风痰。醋研消肿毒。不可以[③]地黄同食[④]。

[图经] 文具芜菁条下。

[■[⑤]孙真人] 久服涩荣卫，令人发早白。

[食医心镜] 治消渴口干。萝卜绞汁一升，饮之则定。

[又方] 主积年上气咳嗽，多痰喘促，唾脓血。以子一[⑥]合，研煎汤，食上服之。

[又方] 下气，消谷，去痰癖，肥健，作羹食之。生绞汁服，理消渴。

[简要济众] 治消渴独胜散：出子了萝卜三枚，净洗薄切，日干为末。每服二钱，煎猪肉汁澄清调下，食后并夜卧，日三服。

[胜金方] 治风痰。以萝卜子为末，温水调一匙头，良久吐出涎沫。如是摊缓风，以此吐后，用紧疏药服，疏后服和气散，差。

[又方] 治肺疾咳嗽。以子半升，淘择洗[⑦]，焙干，于铫子内，炒令黄熟，为末。以沙糖丸如弹，绵裹含之。

[洞微志] 萝卜解面毒。

[杨文公谈苑] 江东居民，岁课种艺，初年种芋三十亩，计省米三十斛。次年种萝卜三十亩，计益米三十斛。可知[⑧]萝卜消食也。《尔雅》：葖[⑨]，芦葩。郭璞注

---

① 饮：成化《政和》、商务《政和》作“欲”。

② 制：刘《大观》、柯《大观》作“和”。

③ 以：柯《大观》作“与”。

④ 食：其下，柯《大观》有“也”字。

⑤ ■：刘《大观》脱。

⑥ 一：柯《大观》作“二”。

⑦ 洗：柯《大观》作“净”。

⑧ 知：成化《政和》、商务《政和》作“和”。

⑨ 葖：原作“突”，据《尔雅》改。

葩为菔，芜菁属，紫花大根，俗呼雹突。更始败掖庭中宫女数百人，幽闭殿门内，掘庭中芦菔根食之。今萝卜是也。

[偏头疼] 用生萝卜汁一蚬壳，仰卧注之鼻，左痛注左，右痛注右，左右俱注亦得，神效。

[衍义曰] 莱菔根，即前条所谓芦菔，今人止谓之萝卜，河北甚多，登、莱亦好。服地黄、何首乌人食之，则令人髭发白。世皆言草木中，惟此下气速者，为其辛也。不然如生姜、芥子又辛也，何止能散而已。莱菔辛而又甘，故有散缓而又下气速也。散气用生姜，下气用莱菔。

菘音嵩

味甘，温，无毒。主通利肠胃，除胸中烦，解酒渴。

菘菜

[陶隐居] 云：菜中有菘，最为常食，性和利人，无余逆忤，今人多食。如似小冷，而又①耐霜雪。其子可作油，傅头长发；涂刀剑，令不锈音秀。其有数种，犹是一类，正论其美与不美尔。服药有甘草而食菘，即令病不除。

[唐本注] 云：菘②菜不生北土，有人将子北种，初一年半为芜菁，二年菘种都绝，将芜菁子南种，亦二年都变。土地所宜，颇③有此例。其子亦随色变，但粗细无异尔。菘子黑，蔓菁子紫赤，大小相似。惟④芦菔⑤子黄赤色，大数倍，复不圆也。其菘有三种：有牛肚菘，叶最大厚，味甘；紫菘，叶薄细，味少苦；白菘似蔓菁也。

[臣禹锡等谨按陈藏器] 云：去鱼腥，动气发病，姜能制其毒。叶大多毛者是。

[萧炳] 云：北人居南方，不胜土地⑥之宜，遂病足，尤宜忌菘菜。又云：消食下气，治瘴气，止热气嗽，冬汁尤佳。

---

① 又：刘《大观》、柯《大观》作“交”。

② 菘：原作“松”，据柯《大观》改。

③ 颇：成化《政和》、商务《政和》误作“头”。

④ 惟：原作“推”，据刘《大观》、柯《大观》、底本《校勘表》改。

⑤ 菔：原作“菔”，据刘《大观》、柯《大观》、底本《校勘表》改。

⑥ 土地：刘《大观》、柯《大观》倒置。

［日华子］云：凉，微毒。多食发皮肤风瘙痒。梗长，叶瘦，高者为菘，叶阔厚短肥而痹及[①]梗细者，为芜菁菜也。

［陈士良］云：紫花菘，平，无毒。行风气，去邪热气。花可以糟下酒藏，甚美。

［尔雅］云：芑荬菜，吴人呼楚菘，广南人呼秦菘，此菘苔不毒，宜食之。

［图经曰］菘，旧不载所出州土，今南北皆有之。与芜菁相类，梗长叶不光者为芜菁；梗短叶阔厚而肥痹[②]者为菘。旧说菘不生北土，人有将子北土种之，初一年半为芜菁，二年菘种都绝，犹南人之种芜菁而今京都种菘，都类南种，但肥厚差不及耳。扬州一种菘，叶[③]圆而大，或若箑，啖之无滓，绝胜他土者，此所谓白菘也。又有牛肚菘，叶最大厚，味甘，疑今扬州菘近之。紫菘，叶薄细，味小苦。北[④]土无有菘，比芜菁有小毒，不宜多食，然能杀鱼腥，最相宜也。多食过度，惟生姜可解其性。

［▶食疗］温。治消渴。又发诸风冷。有热人食之亦不发病，即明其性冷。本草云温，未[⑤]解。又，消食，亦少下气。九英菘，出河西，叶极[⑥]大，根亦粗长。和羊肉甚美。常食之，都不见发病。其冬月作菹，煮作羹食之，能消宿食，下气治嗽。诸家商略，性冷，非温，恐误也。又，北无菘菜，南无芜菁。其蔓菁子细，菜子粗也。

［圣惠方］治酒醉不醒。用菘菜子二合，细研，井华水一盏调，为二服。

［食医心镜］主通利肠胃，除胸中烦热，解酒渴。菘菜二斤，煮作羹啜之，止渴。作齑菹食亦得。

［伤寒类要[⑦]］辟温病。菘菜如粟米，酒服方寸匕，日三，辟五年温。

［又方］治发背。杵地菘汁一升，日再服，以差止。

［子母秘录］主小儿赤游，行于上下，至心即死。杵菘菜傅上。

［衍义曰］菘菜，张仲景《伤寒论》，凡用甘草皆禁菘菜者，是此菘菜也。叶

---

① 及：刘《大观》、柯《大观》作“又”。

② 痹：柯《大观》作“厚”。

③ 叶：柯《大观》误作“菜”。

④ 北：刘《大观》作“此”。

⑤ 未：原作“末”，据文理改。

⑥ 极：原作“及”，据柯《大观》改。

⑦ 类要：原倒置，据《宋史艺文志·医书类》改。

如芜菁，绿色，差淡，其味微苦，叶嫩、稍阔，不益中，虚人食之觉冷。

苦菜

味苦，寒，无毒。**主五脏邪气，厌**于协切，伏也**谷胃痹，**肠澼，渴热中疾，恶疮。**久服安心益气，聪察，少卧，轻身耐老，**耐饥寒，高气不老。**一名荼草，一名选，**一名游冬。生益州川谷，山陵道傍，凌冬不死。三月三日采，阴干。

［陶隐居］云：疑此即是今茗。茗一名荼，又令人不眠，亦凌冬不凋，而嫌其止生益州。益州乃有苦菜，正是苦蘵音式尔。上卷上品白英下已注之。《桐君录》云：苦菜，三月生扶疏，六月华从叶出，茎直黄，八月实黑；实落根复生，冬不枯。今茗极似此，西阳、武昌及庐江、晋熙皆好，东人正作青茗。茗皆有浡，饮之宜人。凡所饮物，有茗及木叶、天门冬苗，并菝葜，皆益人，余物并冷利。又巴东间别有真茶①，火煏作卷结，为饮亦令人不眠，恐或是此。俗中多煮檀叶及大皂李作茶①饮，并冷。又南方有瓜芦木，亦似茗，苦涩。取其叶作屑，煮饮汁，即通夜不睡。煮盐人惟资此饮，而交、广最所重，客来先设，乃加以香芼音耄辈。

［唐本注］云：苦菜，《诗》云：谁谓荼苦。又云：堇荼如饴，皆苦菜异名也。陶谓之茗，茗乃木类，殊非菜流。茗，春采为苦荼。音迟遐反，非途音也。按《尔雅·释草》云：荼，苦菜。释木云：槚、苦荼②，二物全别，不得为例。又《颜氏家训》按《易通卦验玄图》曰：苦菜，生于寒秋，经冬历春，得夏乃成。一名游冬。叶似苦苣而细，断之有白汁，花黄似菊。此则与桐君略同，今所在有之。苦蘵乃龙葵尔，俗亦名苦菜，非荼也。

［臣禹锡等谨按蜀本］《图经》云：春花夏实，至秋复生，花而不实，经冬不凋。

［陈藏器］云：苦蘵，味苦，寒，有小毒。捣叶傅小儿闪癖，煮汁服，去暴热目黄，秘塞。叶极似龙葵，但龙葵子无壳，苦蘵子有壳，苏云是龙葵，误也。人亦呼为小苦耽。崔豹《古今注》云：苦蘵，一名蘵子，有实形如皮弁，子圆如珠。

［■月令］王瓜生，苦菜秀。

［衍义曰］苦菜，四方皆有，在北道则冬方雕瘁，生南方则冬夏常青。此《月令》小满节后，所谓苦菜秀者是此。叶如苦苣，更狭，其绿色差淡，折之白乳汁出，

---

① 茶：刘《大观》、柯《大观》作“荼”。

② 荼：原作“茶”，据刘《大观》、柯《大观》改。

常常点瘊子，自落。味苦，花与野菊相似，春、夏、秋皆旋开花。去中热，安心神。

荏子

味辛，温，无毒。主咳逆，下气，温中，补体。

叶　主调中，去臭气。九月采，阴干。

［陶隐居］云：荏状如苏，高大白色，不甚香。其子研之，杂米作糜，甚肥美，下气，补益。东人呼蕫音鱼，以其似苏字，但除禾边故也。笮其子作油，日[1]煎之，即今油帛及和漆所用者，服食断谷亦用之，名为重油。

［唐本注］云：《别录》荏叶，人常生食，其子故不及苏也[2]。

［今按］《陈藏器本草》云：荏叶，捣傅虫咬及男子阴肿。江东以荏子为油，北[3]土以大麻为油，此二油俱堪油物，若其和漆，荏者为强尔。

［臣禹锡等谨按孟诜］云：荏子，其叶性温。用时捣之。治男子阴肿，生捣和醋封之。女人绵裹内，三四易。

［萧炳］云：又有大荏，形似野荏高大，叶大小荏一倍，不堪食。人收其子，以充油绢帛，与大麻子同。其小荏子欲熟，人采其角[4]食之，甚香美。大荏叶不堪食。

［日华子］云：荏，调气，润心肺，长肌肤，益颜色，消宿食，止上气咳嗽，去狐臭，傅蛇咬。子，下气，止嗽，补中，填精髓。

［■食疗］主咳逆下气。其叶杵之，治男子阴肿。谨按：子，压作油用，亦少破气，多食发心闷。温。补中益气，通血脉，填精髓。可蒸令熟，烈日干之，当口开。舂[5]取米食之，亦可休粮。生食，止渴润肺。

［梅师方］治虺中人。以荏叶烂杵，猪脂和，薄傅上[6]。

---

① 日：成化《政和》、商务《政和》作“月”。

② 也：其下，傅《新修》、罗《新修》有“言为重油入漆及油绢帛，此乃用大麻子油，非用此也。漆及油帛，江左所无，故陶为谬误也”。

③ 北：原作“比”，据柯《大观》改。

④ 角：柯《大观》作“用”。

⑤ 舂：刘《大观》、柯《大观》作“桩”。

⑥ 上：柯《大观》无。

黄蜀葵花

治小便淋及催生。又主诸恶疮脓水，久不差者，作末傅之即愈。近道处处有之。春生苗、叶，与蜀葵颇相似，叶尖狭，多刻缺，夏末开花，浅黄色，六、七月采之，阴干用。新定

黄蜀葵

［图经］ 文具冬葵条下。

［▶ 经验后方］ 治临产催产。以黄蜀葵子焙干为末，井华水下三钱匕。如无子，以根细切，煎汁令浓滑，待冷服①。

［衍义曰］ 黄蜀葵花，与蜀葵别种，非为蜀葵中黄者也。叶心下有紫檀色，摘之，剔为数处，就日干之；不尔，即浥烂，疮家为要药。子，临产时，取四十九粒，研烂，用温水调服，良久，产。

蜀葵

味甘，寒，无毒。久食钝人性灵。根及茎并主客热，利小便，散脓血恶汁。叶烧为末，傅金疮。煮食，主丹石发，热结。捣碎，傅火疮。又叶炙煮，与小儿食，治热毒下痢及大人丹痢。捣汁服亦可，恐腹痛，即暖饮之。

红蜀葵

花　冷，无毒。治小儿风疹。子，冷，无毒。治淋涩，通小肠，催生落胎，疗水肿，治一切疮疥并瘢疵、土靥。花有五色，白者疗痎疟，去邪气。阴干末食之。小花者名锦葵，一名茙葵，功用更强。

《尔雅②》云：菺，戎葵。释曰：菺，一名戎葵。郭曰：蜀葵也，似葵，华如槿华。戎、蜀盖其所自也，因以名之。新补见陈藏器、日华子。

---

① 服：柯《大观本草札记》云：“‘服’《政和》作‘用’。”

② 尔雅：柯《大观》作白小字。

[图经] 文具冬葵条下。

[■圣惠方] 治妇人白带下，脐腹冷痛，面色痿黄，日渐虚困。以白葵花一两，阴干为末，空心温酒下二钱匕。如赤带下，用赤花。

[千金方] 治横生倒产。末葵花，酒服方寸匕。

[经验后方] 治痈毒无头，杵蜀葵末傅之。

[孙真人] 食之，狗咬疮不差。又能钝人①情性。

[衍义曰] 蜀葵，四时取红单叶者，根阴干。治带下，排脓血恶物，极验。

龙葵

味苦，寒，无毒。食之解劳少睡，去虚热肿。其子，疗丁肿，所在有之。

[唐本注] 云：即关、河间谓之苦菜者，叶圆花白，子若牛李子，生青熟黑，但堪煮食，不任生啖。唐本先附

[臣禹锡等谨按药性论] 云：龙葵，臣。能明目，轻身。子甚良。其赤珠者名龙珠，服之变白令黑，耐老。若能生食得苦者，不食它菜，十日后则有灵异，不与葱、薤同啖。

龙葵

[孟诜] 云：其味苦，皆挼去汁食之。

[图经曰] 龙葵，旧云所在有之，今近处亦稀，惟北方有之，北人谓之苦葵。叶圆似排风而无毛，花白，实若牛李子，生青熟黑，亦似排风子，但堪煮食，不任生啖。其实赤者名赤珠，服之变白令黑，不与葱、薤同食，根亦入药用。今医以治发背痈疽成疮者。其方：龙葵根一两，剉，麝香一分，研。先捣龙葵根，罗为末，入麝香，研令匀，涂于疮上，甚善。

[■食疗] 主疔肿。患火丹疮，和土杵，傅之尤良。

[经验方] 治痈无头，捣龙葵傅之。

[食医心镜] 主解劳少睡，去热肿。龙葵菜煮作羹粥，食之并得。

① 人：柯《大观》无。

苦耽

苗、子，味苦，寒，小毒。主传尸伏连，鬼气疰忤邪气，腹内热结，目黄不下食①，大小便涩，骨热咳嗽，多睡劳乏，呕逆痰壅，痃癖痞满。小儿无辜疬子，寒热，大腹，杀虫，落胎，去蛊毒。并煮汁服，亦生捣绞汁服，亦研傅小儿闪癖。生故墟垣堑间，高二三尺，子作角，如撮口袋，中有子如珠，熟则赤色。人有骨蒸多服之。关中人谓之洛神珠，一名王母珠，一名皮弁草。又有一种小者，名苦谟。新补

苦苣

味苦，平一云寒。除②面目及舌下黄，强力不睡。折取茎中白汁，傅丁肿，出根。又取汁滴痈上，立溃。碎茎、叶傅蛇咬。根主赤白痢及骨蒸，并煮服之。今人种为菜，生食之。久食轻身，少睡，调十二经脉，利五脏，霍乱后胃气逆烦。生捣汁饮之，虽冷，甚益人。不可同血食一本作蜜，食作痔疾，苦苣即野苣也，野生者，又名褊苣。今人家常食为白苣。江外、岭南、吴人无白苣，尝植野苣，以供厨馔。新补

［衍义曰］苦苣，捣汁傅丁疮，殊验。青苗阴干，以备冬月，为末，水调傅。

苜蓿

味苦，平，无毒。主安中，利人，可久食。

［陶隐居］云：长安中乃有苜蓿园，北人甚重此，江南人不甚食之，以无味故也。外国复别有苜蓿草，以疗目，非此类也。

［唐本注］云：苜蓿茎、叶平，根寒。主热病，烦满，目黄赤，小便黄，酒疸。捣取汁，服一升，令人吐利，即愈。

［臣禹锡等谨按孟诜］云：患疸黄人，取根生捣，绞汁服之，良。又，利五脏，轻身，洗去脾胃间邪气，诸恶热毒。少食好，多食当冷气入筋中，即瘦人。亦能轻身健人，更无诸益。

［日华子］云：凉，去腹脏邪气，脾胃间热气，通小肠。

---

① 食：柯《大观》作“令”。

② 除：柯《大观》作“主”。

[■ 食疗] 彼处人采根，作土①黄耆也。又，安中，利五脏，煮和酱食之，作羹亦得。

[衍义曰] 苜蓿，唐·李白诗云“天马常衔苜蓿花”，是此。陕西甚多，饲牛、马。嫩时，人兼食之，微甘淡，不可多食，利大小肠。有宿根，刈讫又生。

荠

味甘，温，无毒。主利肝气，和中。其实，主明目，目痛。

[陶隐居] 云：荠类又多，此是今人可食者，叶作菹羹亦佳。《诗》云：谁谓荼苦，其甘如荠。是也。

[臣禹锡等谨按药性论] 云：荠子，味甘，平。患气人食之，动冷疾，主②青盲病不见物，补五脏不足。其根、叶烧灰，能治赤白痢，极效。

[孟诜] 云：荠子，入治眼方中用。不与面同食，令人背闷。服丹石人不可食。

[陈士良] 云：实，亦呼菥蓂子。主壅，去风毒邪气，明目，去障翳，解热毒，久食，视物鲜明。四月八日收实，良。其花捋去席下辟虫。

[日华子] 云：荠菜，利五脏。根，疗③目疼。

[■ 圣惠方] 治暴赤眼，疼痛碜涩，荠菜根汁点目中。

三种陈藏器余

蕨

叶似老蕨，根如紫草。按蕨，味甘，寒，滑。去暴热，利水道，令人睡，弱阳。小儿食之，脚弱不行。生山间，人作茹食之。四皓食之而寿，夷、齐食蕨而夭，固非良物。《搜神记》曰：郗鉴镇丹徒，二月出猎。有甲士折一枝，食之，觉心中淡淡成疾。后吐一小蛇，悬屋前，渐干成蕨，遂明此物不可生食之也。

[■ 食疗] 寒。补五脏不足。气壅经络筋骨间，毒气。令人脚弱不能行。消阳事，令眼暗，鼻中塞，发落，不可食。又，冷气人食之，多腹胀。

---

① 土：成化《政和》、商务《政和》误作“士”。

② 主：其下，柯《大观》有“目”字。

③ 疗：柯《大观》作“治”。

［**毛诗**］陟彼南山，言采其蕨。又曰：言采其薇。是蕨、薇俱可食。

［**伯夷叔齐**］采薇而食，恐蕨非薇也。今永康道江居民，多以醋淹而食之。

翘摇

味辛，平，无毒。主破血，止血，生肌。亦充生菜食之。又主[①]五种黄病，绞汁服之。生平泽，紫花，蔓生，如劳豆。《诗义疏》云：苕饶，幽州人谓之翘饶。《尔雅》云：柱夫，摇车也。

［**◣食疗**］疗五种黄病。生捣汁，服一升，日二，差。甚益人，利五脏，明耳目，去热风，令人轻健。长食不厌，煮熟吃，佳。若生吃，令人吐水。

甘蓝

平，补骨髓，利五脏六腑，利关节，通经络中结气，明耳目，健人，少睡，益心力，壮筋骨。此者是西土蓝，阔叶，可食。治黄毒煮[②]作菹，经宿渍色黄，和盐食之，去心下结伏气。

［**◣食医心镜**］甘蓝菜作齑菹，煮食并得。

［**壶居士**］陇西多种食之，汉地少有，多食令人少睡。

重修政和经史证类备用本草卷第二十七

① 主：柯《大观》作“疗”。

② 煮：原作“者”，据底本校勘表、刘《大观》、柯《大观》改。

重修政和经史证类备用本草卷第二十八

己酉新增衍义

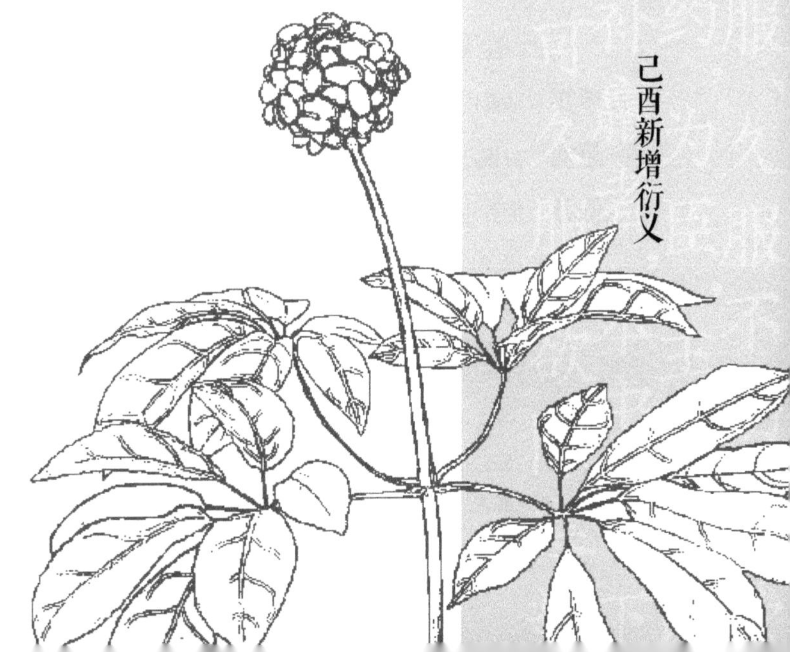

重修政和经史证类备用本草卷第二十八己①酉新增衍义

成　都　唐　慎　微　续　证　类
中卫大夫康州防御使句当龙德宫总辖修建明堂所医药
提举入内医官编类圣济经提举太医学臣曹孝忠奉敕校勘

菜部中品总一十三种

五种神农本经　白字

五种名医别录　墨字

二种唐本先附　注云唐附

一种唐慎②微续补　墨盖子下是

凡墨盖子已③下并唐慎②微续证类

蓼实　马蓼附　水蓼、赤蓼　续注

葱实　白根汁附　　韭　子、根附　　**薤**　　菾音甜菜④

假苏　荆芥也　　白蘘荷　　苏　紫苏也　　**水苏**

---

① 己：原作“巳”，据底本书首牌记改。

② 慎：刘《大观》作“谨”。

③ 已：原作“巳”，据文理改。

④ 菾菜：刘《大观》置“薄荷条”下。

香薷　　　　　　　　　　　薄荷 唐附　胡荽菌　续注

秦荻梨 唐附　五辛菜　续注　　　　　　　◣ 醍醐菜

蓼实

味辛，温，无毒。**主明目，温中，耐风寒，下水气，面目浮肿，痈疡。**叶，归舌，除大小肠邪气，利中益志。

蓼实

马蓼　去肠中蛭虫，轻身。生雷泽川泽。

［陶隐居］云：此类又多，人所食有三种。一是紫蓼，相似而紫色；名[①]香蓼，亦相似而香，并不甚辛而好食；一是青蓼，人家常有，其[②]叶有圆者、尖者，以圆者为胜，所[③]用即是此。干之以酿酒，主风冷，大良。马蓼，生下湿地，茎斑，叶大有黑点。亦有两三种，其最大者名笼薣音鼓，即是荭草，已在上卷中品。

［唐本注］云：《尔雅》云，荭，一名茏薣，大者名蘬丘轨切。则最大者不名笼薣，陶误呼之。又有水蓼，叶大似马蓼而味辛。主被蛇伤，捣傅之；绞取汁服，止蛇毒入腹心闷者。又水煮渍脚捋之，消脚气肿。生下湿水傍。

［今按］《陈藏器本草》云：蓼，主痃癖。每日取一握煮服之，人[④]霍乱转筋，多取煮汤及热捋脚。叶，捣傅狐刺疮，亦主小儿头疮。又云：蓼、蕺俱弱阳。人为蜗牛虫所咬，毒遍身者，以蓼子浸之，立差。不可近阴，令弱也。诸蓼并冬死，惟香蓼宿根重生。人为生菜，最能入腰脚也。

---

① 名：其上，柯《大观》有“一”字。

② 其：柯《大观》无。

③ 所：其上，柯《大观》有“而”字。

④ 人：柯《大观》作“又”。

［臣禹锡等谨按蜀本］《图经》云：蓼类甚多，有紫蓼、赤蓼、青蓼、马蓼、水蓼、香蓼、木蓼等，其类有七种。紫、赤二蓼，叶小狭而厚；青、香二蓼，叶亦相似而俱薄；马、水二蓼，叶俱阔大，上有黑点。木蓼一名天蓼，蔓生，叶似柘叶，诸蓼花皆①红白，子皆赤黑；木蓼，花黄白，子皮青滑。

［尔雅］云：蔷，虞蓼。释曰：蔷，一名虞蓼，即蓼之生水泽者也。《周颂·良耜》云：以薅，荼蓼。《毛传》曰：蓼，水草是也。

［药性论］云：蓼实，使，归鼻。除肾气，兼能去疬疡。叶主邪②气。又云：食之多发心痛，令人寒热，损骨髓。小儿头疮，捣末和白蜜一云③和鸡子白涂上，虫出不作瘢。若霍乱转筋，取子一把，香豉一升，先切叶，以水三升，煮取二升，内豉汁中，更煮取一升半，分三服。又与大麦面相宜。

［孟诜］云：蓼子，多食令人吐水。亦通五脏拥气，损阳气。

［日华子］云：水蓼，性冷，无毒。蛇咬捣傅，根茎并用。又云：赤蓼，暖，暴脚软人，烧灰淋汁浸，持④以蒸桑叶罯，立愈。

［图经曰］蓼实，生雷泽川泽，今在处有之。蓼类甚多，有紫蓼、赤蓼一名红蓼、青蓼、香蓼、马蓼、水蓼、木蓼等，凡七种。紫、赤二种，叶俱小狭而厚；青、香二种，叶亦相似而惧薄；马、水二种，叶俱阔大，上有黑点。此六种花皆黄⑤白，子皆青黑。木蓼一名天蓼，亦有大、小二种，蔓生，叶似柘叶，花黄白，子皮青滑。陶隐居以青蓼入药，然其蓼俱堪食，又以马蓼为荭草，已见上条，余亦无用。苏恭以水蓼亦入药，水煮捋脚者，多生水泽中。《周颂》所谓以薅大羔切，荼⑥蓼。《尔雅》所谓蔷，虞蓼是也。又《三茅君传》有作⑦白蓼酱方。白蓼，《药谱》无闻，疑即青蓼也。或云红蓼亦可作酱。

［◼ 圣惠方］治肝虚转筋。用赤蓼茎、叶切三合，水一盏，酒三⑧合，煎至四合去滓，温分二服。

---

① 皆：成化《政和》、商务《政和》误作“背”。

② 邪：刘《大观》、柯《大观》有“下”。

③ 一云：原作“六”，据刘《大观》、柯《大观》改。

④ 持：刘《大观》、柯《大观》作“捋”。

⑤ 黄：刘《大观》、柯《大观》无。

⑥ 荼：刘《大观》作“茶”。

⑦ 有作：柯《大观》无，刘《大观》无“作”字。

⑧ 三：柯《大观》作“二”。

［又方］ 治热暍心闷。用浓煮蓼汁一大盏，分为二服饮之。

［外台秘要］ 治夏月暍死，取浓煮汁三升灌之。

［经验方］ 治脚痛成疮。先剉浆蓼煮汤，令温热得所，频频淋洗，候疮干自安。

［孙真人食忌］ 二月勿食水蓼，食之伤肾。合鱼脍食之，则令人阴冷疼，气欲绝。

［斗门方］ 治血气攻心，痛不可忍。以蓼根细剉，酒浸服之，差。

［古今录验］ 治霍乱转筋。取蓼一手把，去两头，以水二升半，煮取一升半，顿服之。

［文选］ 习蓼虫之忘辛。是知物莫辛于蓼也①。

［衍义曰］ 蓼实，即《神农本经》第十一卷中水蓼之子也。彼言蓼则用茎，此言实即用子，故此复论子之功，故分为二条。春初以葫芦盛水浸湿，高挂于火上，昼夜使暖，遂生红芽，取以为蔬，以备五辛盘。又一种水红，与此相类，但苗茎高及丈。取子，微炒，碾为细末，薄酒调二三钱服，治瘰疬。久则效，效则已。

葱实

味辛，温，无毒。**主明目，补中不足。其茎**葱白，平，**可作汤，主伤寒，寒热，出汗，中风，面目肿**，伤寒骨肉痛，喉痹不通，安胎，归目，除肝邪气，安中，利五脏，益目睛，杀百药毒。

葱根　主伤寒头痛。

葱汁　平，温。主溺血，解藜芦毒。

葱实

［唐本注］云：葱有数种，山葱曰茖葱，疗病以胡葱，主诸恶载七吏切，狐尿刺毒，山溪中沙虱、射工等毒。煮汁浸或捣傅大效，亦兼小蒜、茱萸辈，不独用也。其人间食葱，又有二种：有冻葱，即经冬不死，分茎栽莳而无子也；又有汉葱，冬即叶枯。食用入药，冻葱最善，气味亦佳。

［臣禹锡等谨按蜀本］《图经》云：葱有冬葱、汉葱、胡葱、茖葱，凡四种。冬葱夏衰冬盛，茎叶俱软美。山南、江左有之。汉葱冬枯，其茎实硬而味薄。胡葱茎叶粗短，根若金蒆，能疗肿毒。茖葱生于山谷，不入药用。

---

① 是知物莫辛于蓼也：据李善引王逸注："言蓼虫处辛辣食苦恶，不徙葵、藿食甘美。"

［尔雅］云：茖，山葱。释曰：《说文》云葱生山中者名茖，细茎大叶者是也。

［孟诜］云：葱，温。根主疮中有水，风肿疼痛者。冬葱最善，宜冬月食，不宜多。虚人患气①者，多食发气，上冲人，五脏闭绝，虚人胃。开骨节，出汗，故温尔。

［日华子］云：葱，治天行时疾，头痛，热狂，通大小肠，霍乱转筋及贲豚气，脚气，心腹痛，目眩及止心迷闷。取其茎叶，用盐研，罯蛇虫伤并金疮。水入皲肿，煨研罯②傅。中射工溪毒，盐研罯傅。子，温中，补不足，益精，明目。根，杀一切鱼肉毒，不可以蜜同食③。

楼葱

［图经曰］葱实，《本经》不载所出州土，今处处有之。葱有数种：入药用山葱、胡葱；食品用冻葱、汉葱。山葱生山中，细茎大叶，食之香美于常葱。一名茖古白切葱④。《尔雅》所谓茖，山葱是也。胡葱类食葱而根茎皆细白。又云：茎叶微⑤短如金灯者是也。旧别有条云：生蜀郡山谷，似大蒜而小，形圆皮赤，稍长而锐⑥。冻葱，冬夏常有，但分茎栽莳而无子，气味最佳，亦入药用，一名冬葱。又有一种楼葱，亦冬葱类也，江南人呼龙角⑦葱，言其苗有八角，故云尔。淮、楚间多种之。汉⑧葱茎实硬而味薄，冬即叶枯。凡葱皆能杀鱼肉毒，食品所不可阙也。唐·韦宙《独行方》主水病两足肿者，剉葱叶及茎，煮令烂，渍之，日三五作乃佳。煨葱治打扑损，见刘禹锡《传信方》，云得于崔给事，取葱新折者，便人煻灰火煨，承热剥皮擘开，其间有涕，便将罯损处。仍多⑨煨，取续续易热者。崔云：顷在⑩泽潞，与李抱真作⑪判官，李相方以球杖按球子，其军将以杖相格，便乘势

---

① 气：柯《大观本草札记》云："'气'《政和》作'风'。"

② 罯：柯《大观》作"署"。

③ 食：其下，柯《大观》有"也"字。

④ 葱：柯《大观》作"胡葱类"。

⑤ 微：柯《大观》作"粗"。

⑥ 锐：柯《大观》误作"说"。

⑦ 角：刘《大观》作"鱼"。

⑧ 汉：其下，柯《大观》有"其"字。

⑨ 多：柯《大观》作"令"。

⑩ 在：柯《大观》作"平"。

⑪ 作：柯《大观》作"及"。

不能止，因伤李相拇指并爪甲擘裂，遽索金创药裹①之，强坐，频索酒吃②，至数盏已过量，而③面色愈青，忍痛不止。有军吏言此方，遂用之，三易，面色却赤，斯须云已不痛。凡十数度用热葱并涕缠裹其指，遂毕席笑语。又葱花亦入药，见崔元亮《海上方》，治脾心痛，痛则腹胀如锥刀刺者。吴茱萸一升，葱花一升，以水一大升八合，煎七合，去滓，分二④服，立效。

［**◣食疗**］叶，温。白，平。主伤寒壮热，出汗，中风，面目浮肿，骨节头疼，损发鬓。葱白及须，平。通气，主伤寒头痛。又，治疮中有风水，肿疼⑤。取青叶⑥、干姜、黄檗相和，煮作汤，浸洗之，立愈。冬月食不宜多，只可和五味用之，上冲人⑦，五脏闭绝。虚人患气者，多食发气。为通和关节，出汗之故也。少食则得，可作汤饮。不得多食，恐拔气上冲人⑦，五脏闷绝。切不得⑧与蜜相和，食之促人气，杀人。又，止血衄，利小便。

［**外台秘要**］治肠痔，大便常血。取葱白三五斤，煮作汤，盆中坐，立差。

［**又方**］治大小肠不通。捣葱白以酢和，封小腹上。

［**又方**］治急气淋，阴肾肿。泥葱半斤煨过，烂捣贴脐上。

［**千金方**］治中恶，葱心黄刺鼻孔中血出，良。

［**肘后方**］脑骨破及骨折。葱白细研和蜜，厚封损处，立差。

［**经验方**］治小便淋涩，或有血。以赤根楼葱近根截一寸许，安脐中上，以艾灸七壮。

［**梅师方**］治胎动不安，以银器煮葱白羹服之。

［**又方**］治惊⑨，金疮出血不止。取葱炙令热，挼取汁，傅疮上，即血止。

［**又方**］治霍乱后烦躁，卧不安稳。葱白二十茎，大枣二十枚，以水三升，煎取二升，分服。

---

① 裹：柯《大观》作“傅”。

② 吃：刘《大观》、柯《大观》作“饮”。

③ 而：柯《大观》作“不觉”。

④ 二：成化《政和》、商务《政和》作“三”。

⑤ 疼：其下，刘《大观》有“痛可”2字，柯《大观》有“秘涩”2字。

⑥ 叶：其下，刘《大观》有“及”字，柯《大观》有“同”字。

⑦ 人：柯《大观》作“入”。

⑧ 得：柯《大观》作“可”。

⑨ 惊：成化《政和》、商务《政和》误作“警”。

[孙真人食忌] 正月勿多食生葱，食之发面上游风。若烧葱和蜜食，杀人。

[食医心镜] 主赤白痢。以葱一握细切，和米煮粥，空心食之。

[又方] 理眼暗，补不足。葱实大半升为末，每度取一匙头，水二升，煮取一升半，滤取滓，茸米煮粥食，良久食之。又捣葱实，丸蜜和，如梧子大，食后饮汁服一二十丸，日二三服，亦甚明目。

[又方] 主伤寒寒热，骨节碎痛，出汗。治中风，面目浮肿，喉咽不通，安胎，归目，除肝脏邪气，安中，利五脏，益目睛，杀百药。叶作羹粥，炸作齑食之，良。

[胜金方] 治鼻衄血。以葱白一握，捣裂汁，投酒少许，抄三两滴入鼻内，差。

[兵部手集] 治蜘蛛咭，遍身成疮。青葱叶一茎，去小尖头作孔子，以蚯蚓一条①入葱叶中，紧捏两头，勿令通气，但摇动，即化为水，点咬处，即差。

[杜壬] 治喉中疮肿。葱须阴干为末，蒲州胆矾一钱，葱末二钱，研匀一字，入竹管中②，吹病处。

[伤寒类要] 治妇人妊娠七月，若伤寒壮热，赤斑变为黑斑，溺血。以葱一把，水三升，煮令热服之，取汗，食葱令尽。

[杨氏产乳] 主③胎动，五六个月，困笃难较者。葱白一大握，水三升，煎取一升，去滓顿服。

[又方] 主③胎动，腰痛抢心，或下血。取葱白不限多少，浓煮汁饮之。

[三洞要录] 神仙消金玉浆法：葱者，菜之伯，虽臭而有用，消金、玉、锡、石也。又以冬至日，取葫芦盛葱汁，根茎埋于庭中，到夏至发之，尽为水，以渍金、玉、银、青石，各三分，自消矣。曝令干如饴，可休粮，久服神仙，亦曰金浆也。

[衍义曰] 葱实，葱初生名葱针，至夏则有花。于秋月植，作高沟垅，旋壅起，以备冬用，曰冬葱，其实一也。又有龙角葱，每茎上出歧如角。皮赤者名楼葱，可煎汤渫下部。子皆辛，色黑，有皱纹，作三瓣。此物大抵以发散为功，多食昏人神。

---

① 条：柯《大观》无。

② 中：柯《大观》作“内”。

③ 主：柯《大观》作“疗”。

韭

韭

味辛、微酸，温，无毒。归心，安五脏，除胃中热，利病人，可久食。

子　主梦泄精，溺白。

根　主养发。

［陶隐居］云：韭子入棘刺诸丸，主漏精；用根，入生发膏；用叶，以煮鲫鱼鲊，断卒下痢多验。但此菜殊辛臭，虽煮食之，便出犹奇薰灼，不如葱、薤熟即无气，最是养性所忌也。

［今按］《陈藏器本草》云：韭，温中下气，补虚，调和脏腑，令人能食，益阳，止泄白脓，腹冷痛，并煮食之。叶及根，生捣绞汁服，解药毒。疗狂狗咬人欲发者，亦杀诸蛇、虺、蝎、恶虫毒。取根捣和酱汁，灌马鼻虫颡。又捣根汁多服，主胸痹骨痛不可触者。俗云韭叶是草钟乳，言其宜人，信然也。

［臣禹锡等谨按尔雅］云：藿①，山韭。释曰：《说文》云菜名，一种而久者，故谓之韭。山中生者名藿①。《韩诗》云：六月食郁及藿②是也。

［孟诜］云：热病后十日，不可食热韭，食之即发困。又，胸痹，心中急痛如锥刺，不得俯仰，自③汗出；或痛彻背上，不治或至死。可取生韭或根五斤，洗，捣汁灌少许，即吐胸中恶血。

［萧炳］云：韭子合龙骨服，甚补中。小儿初生，与韭根汁灌之，即吐出恶水，令无病。

［日华子］云：韭，热，下气，补虚④，和腑脏，益阳，止泄精，尿血，暖腰膝，除心主腹痼冷，胸中痹冷，痃癖气及腹痛等食之。肥白人中风失音，研汁服。心脾骨痛甚，生研服。蛇、犬咬并恶疮，捣傅。多食昏神暗目，酒后尤忌，不可与蜜同食。

---

① 藿：原作“藿”，据《尔雅》改。

② 藿：原作“薁”，据刘《大观》、柯《大观》改。柯《大观本草札记》云：“《政和》从《毛诗》作‘薁’。”按“薁”是千岁藁、野葡萄、薁李等异名，而“藿”是山韭的异名。前者与本条“韭”不合，故据以改。

③ 自：原作“白”，据医理改。

④ 虚：其下，刘《大观》、柯《大观》有“乏”字。

［又云］子暖腰膝，治鬼交甚效，入药炒用。

［图经曰］韭，旧不著所出州土，今处处有之。谨按许慎[①]《说文解字》云：菜名，一种而久者，故谓之韭。故圃人种莳，一岁而三四割之，其根不伤，至冬壅培之，先春而复生，信乎一种而久者也。在菜中，此物最温而益人，宜常食之。《易稽览图》云：政道得则阴物变为阳。郑康成注云：若葱变为韭是也。然则葱冷而韭温，可验矣。又有一种山韭，形性亦相类，但根白，叶如灯心苗。《尔雅》所谓藿羊六切，山韭。《韩诗》云：六月食郁及藿[②]，皆谓此也。山中往往有之，而人多不识耳。韭子得桑螵蛸、龙骨，主漏精。葛洪、孙思邈皆有方。崔元亮《海上方》治腰脚，韭子一升，拣择，蒸两炊已来，暴干，簸去黑皮，炒令黄，捣成粉。安息香二大两，水煮一二百沸，讫，缓火炒令赤色，二物相和，捣为丸，如干，入蜜亦得。每日空腹以酒下二十丸以来讫，以饭三五匙[③]压之，大佳。根亦入药用。

［〖陈藏器］注云：取子生吞三十粒，空心盐汤下，止梦泄精及溺白，大效。

［食疗］亦可作菹，空心食之，甚验。此物炸熟，以盐、醋空心吃一碟，可十顿已上。甚治胸膈咽[④]气，利胸膈，甚验。初生孩子，可捣根汁灌之，即吐出胸中恶血，永无诸病。五月勿食韭。若值时馑之年，可与米同功[⑤]，种之一亩，可供十口食。

［圣惠方］治虚劳肾损，梦中泄精。用韭子二两，微炒为散。食前酒下二钱匕。

［外台秘要］治虚劳尿精。新韭子二升，十月霜后采，好酒八合渍一宿。明旦[⑥]日色好，童子向南捣一万杵。平旦温酒服方寸匕，日再[⑦]服，立差，佳[⑧]。

［千金方］治百虫入耳。捣韭汁灌耳中，即差。

［又方］治喉肿不下食。以韭一把，捣熬傅之，冷即易之。

---

① 慎：刘《大观》作“避御名”，柯《大观》作“氏”。

② 藿：原作“莫”，据刘《大观》、柯《大观》改。

③ 以来……五匙：以上8字，刘《大观》、柯《大观》作“然后以少饮”。

④ 咽：原作“因”，据刘《大观》、柯《大观》改。

⑤ 功：原作“地”，据刘《大观》、柯《大观》改。

⑥ 旦：成化《政和》、商务《政和》误作“但”。

⑦ 再：柯《大观》作“正”。

⑧ 佳：柯《大观》无。

[肘后方] 卧忽不寤，勿以火照之，杀人，但痛啮拇指甲际而唾其面，则活。取韭捣汁吹鼻孔，冬月用韭根取汁，灌于口中。

[又方] 卒上气鸣息，便欲绝。捣韭绞汁，饮一升愈。

[又方] 男女梦与人交，精便泄出，此内虚邪气感发。熬韭子捣末酒渍，稍稍服。

[经验方] 治五般疮癣。以韭根炒存性，旋捣末，以猪脂油调傅之，三①度差。

[食医心镜] 止水谷痢，立羹、粥、炸、炒，任食之。

[又云] 韭能充肝气。

[又云] 正月之节，食五辛以辟厉气。蒜、葱、韭、薤、姜。

[又方] 卒中恶，捣韭汁灌鼻中。

[斗门方] 治漆咬，用韭叶研傅之。《食医心镜》同。

[子母秘录] 治小儿患黄。捣韭根汁，滴儿鼻中，如大豆许。

[又方] 治小儿腹胀。韭根捣汁，和猪脂煎服一合。

[又方] 卒刺水肿。捣韭及蓝置上，以火炙，热彻即差。

[黄帝云] 霜韭冻，不可生食，动宿饮，令人②必吐水出。五月勿食，损人滋味，令人②乏气力。

[秦运副云] 有人消渴，引饮无度，或令食韭黄，其渴遂止。法要日吃三五两，或炒或作羹，无入盐，极效。但吃得十斤即佳，过清明勿吃，入酱无妨。

[衍义曰] 韭，春食则香，夏食则臭，多食则昏神。子，止精滑甚良。未出粪土为韭黄，最不益人，食之滞气。盖含噎郁未之气，故如是。孔子曰不时不食，正为此辈。花，食之动风。

薤

味辛、苦，温③，无毒。**主金疮疮败，轻身，不饥耐老**，归于骨。菜芝也。除寒热，去水气，温中，散结，利病人。诸疮，中风寒水肿，以涂之。生鲁山平泽。

[陶隐居] 云：葱、薤异物，而今共条。《本经》既无韭，以其同类故也，今亦取为副品种数。方家多用葱白及叶中涕，名葱苒音冉，无复用实者。葱亦有寒

---

① 三：柯《大观》作“二”。

② 令人：柯《大观》作“食之”。

③ 温：刘《大观》、柯《大观》作白字《本经》文。

热，白冷，青热，伤寒汤不得令有青也。能消桂为水，亦化五石，仙方所用。薤又温补，仙方及服食家皆须之，偏入诸膏用，不可生啖，荤辛为忌。

［唐本注］云：薤乃是韭类，叶不似葱，今云同类，不识所以然。薤有赤、白二种：白者补而美；赤者主金疮及风，苦而无味，今别显条于此也。

［今按］《陈藏器本草》云：薤，调中，主久痢不差，腹内常恶者，但多煮食之。赤痢取薤致黄檗煮服之，差。

［臣禹锡等谨按蜀本］《图经》云：形似韭而无实。山薤一名葝，茎叶相似，体性亦同。叶皆冬枯，春秋分莳。

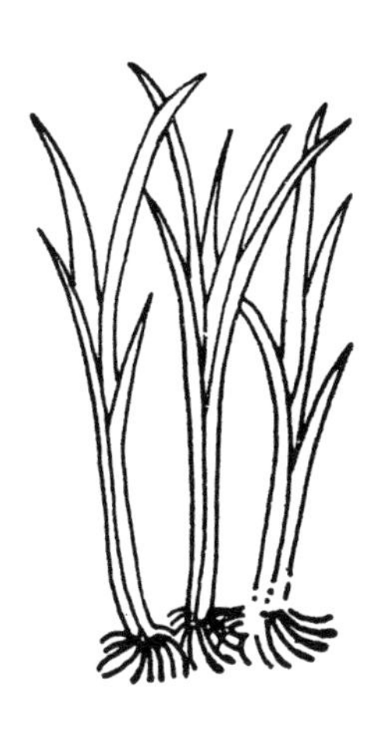
薤

［尔雅］云：葝，山䪥。释曰：《说文》云，䪥，菜[①]也。生山中者名葝。又云：䪥，鸿荟。释曰：䪥一名鸿荟。

［孟诜］云：薤，疗诸疮中风水肿，生捣，热涂上，或煮之。白色者最好。虽有辛不荤五脏。学道人长服之，可通神，安魂魄，益气，续筋力。

［日华子］云：轻身，耐寒，调中，补不足。食之能止久[②]痢冷泻，肥健人。生食引涕唾。不可与牛肉同食，令人作癥瘕。四月不可食也。

［图经曰］薤，生鲁山平泽，今处处有之。似韭而叶阔，多白无实。人家种者，有赤、白二种，赤者疗疮生肌，白者冷补。皆春分莳之，至冬而叶枯。《尔雅》云：䪥与薤同，鸿荟乌外切。又云：葝目盈切，山䪥。山䪥茎叶亦与家薤相类，而根长，叶差大，仅若鹿葱，体性亦与家薤同，然今少用。薤虽辛而不荤五脏，故道家长饵之，兼补虚，最宜人。凡用葱、薤，皆去青留白，云白冷而青热也，故断赤下方，取薤白同黄檗煮服之，言其性冷而解毒也。唐·韦宙《独行方》主霍乱，干呕不息。取薤一虎口，以水三升，煮取半，顿服，不遇三作即已。又卒得胸痛差而复发者，取薤根五斤，捣绞汁，饮之，立止。

［▮食疗］轻身耐老。疗金疮，生肌肉。生捣薤白，以火封之。更以火就炙，令热气彻疮中，干则易之。白色者最好。虽有辛气，不荤人五脏。又，发热病，不宜多食。三月勿食生者。又，治寒热，去水气，温中，散结气。可作羹。又，治女人赤白带下。学道人长服之，可通神，安魂魄，益气，续筋力。骨鲠在咽不去者，

---

① 菜：成化《政和》、商务《政和》误作“叶”。

② 久：柯《大观》作“人”。

食之即下。

［**肘后方**］救死，或先病，或常居寝卧奄忽而绝，皆是中恶。以薤汁鼻中灌。

［**又方**］手指赤，随月生死。以生薤一把，苦酒中煮沸，熟出以傅之，即愈。

［**葛氏方**］治疥疮。煮薤叶洗亦佳，捣如泥傅之亦得①。

［**又方**］诸鱼骨鲠。小嚼薤白令柔，以绳系中，吞薤到鲠处引之，鲠即随出。

［**又方**］误吞钗。取薤白曝令萎黄，煮使熟，勿切，食一大束，钗即随出。

［**又方**］若已中水及恶露风寒，肿痛。杵薤以傅上，炙热拓疮上，便愈。

［**又方**］虎、犬咬人。杵汁傅，又饮一升，日三，差。

［**又方**］食郁肉脯，此并有毒。杵汁服二三升。

［**梅师方**］有伤手足而犯恶露，杀人，不可治。以薤白烂捣，以帛囊之，着煻火使薤白极热，去帛，以薤傅疮，以帛急裹之，冷即易；亦可捣作饼子，以艾灸之，使热气入疮中，水下，差。

［**又方**］灸疮肿痛。薤白切一升，猪脂一升②细切，以苦酒浸经宿，微火煎三上三下，去滓傅上。

［**食医心镜**］主赤白痢下。薤白一握，切，煮作粥食之。

［**又方**］治诸疮败。能生肌，轻身，不饥，耐老。宜心归骨，菜芝也。除寒热，去气，温中散结气，利病人。诸疮中风寒水肿，生杵傅之。鲠骨在咽，煮食佳，作羹粥食之，炸③作齑菹，炒食并得。黄帝云：薤不可共牛肉食之，成瘕疾。冬月勿食生薤，多涕唾。

［**范汪**］治目中风肿痛。取薤白截，仍以肤上令遍膜，皆差。头卒痛者，止之。

［**又方**］产后诸痢。宜煮薤白食之，惟多益好。用肥羊肉去脂，作炙食之；或以羊肾脂炒薤④白食，尤佳。

［**杨氏产乳**］疗疳痢。薤白二⑤握，生捣如泥，以粳米粉二物蜜调相和，捏⑥作饼，炙取熟与吃，不过三两服。

---

① 得：柯《大观》作“可”。

② 升：柯《大观》作“斤”。

③ 炸：柯《大观》作“煠”。

④ 薤：原作“齑”，据药名改。

⑤ 二：柯《大观》作“一”。

⑥ 捏：柯《大观》误作“捍”。

［衍义曰］薤，叶如金灯叶，差狭而更光。故古人言薤露者，以其光滑难伫之义。《千金》治肺气喘急，用薤白，亦取其滑泄也。与蜜同捣，涂汤火伤，其效甚速。

菾音甜菜

味甘、苦，大寒。主时行壮热，解风热毒。

［陶隐居］云：即今以作鲊蒸者。菾，作甜音，亦作忝。时行热病初得，便捣汁皆饮[①]得除差。

［唐本注］云：此菜似升麻苗，南人蒸炰音缶食之，大香美。

［今按］别本注云：夏月以其菜研作粥解热，又止热毒痢。捣傅炙[②]疮，止[③]痛，易差。

［又按］《陈藏器本草》云：菾菜，捣绞汁服之，主冷热痢，又止血生肌。人及禽兽有伤折，傅之立愈。又收取子，以醋浸之，揩面，令润泽有光。

［臣禹锡等谨按蜀本］《图经》云：高三四尺，茎若蒴藋，有细棱，夏盛冬枯。

［孟诜］云：菾菜，又，捣汁与时疾人服，差。子，煮半生，捣取汁，含，治小儿热。

［陈士良］云：菾菜，叶似紫菊而大，花白，食之宜妇人。

［日华子］云：甜菜，冷，无毒。炙作熟水饮，开胃，通心膈。

假苏

味辛，温，无毒。**主寒热鼠瘘，瘰疬生疮，破结聚气，下瘀血，除湿痹。一名鼠蓂，**一名姜芥。生汉中川泽。

［陶隐居］云：方药亦不复用。

［唐本注］云：此药即菜中荆芥是也，姜、荆声讹耳。先居草部中，今人食之，录在菜部也。

［今按］《陈藏器本草》云：荆芥，去邪，除劳渴，出汗，除冷风，煮汁服之。捣和醋，傅丁肿。

---

① 皆饮：刘《大观》、柯《大观》倒置。

② 炙：原误“炙”，据病名改。

③ 止：成化《政和》、商务《政和》作“上”。

［臣禹锡等谨按蜀本］注引吴氏本草云：名荆芥，叶似落藜而细，蜀中生啖之。

［药性论］云：荆芥，可单用。治恶风贼风，口面㖞邪，遍身𤸷痹，心虚忘事，益力添精，主辟邪毒气，除劳。久食动渴疾，治丁肿。取一握，切，以水五升，煮取二升，冷，分二服。主通利血脉，传送五脏不足气，能发汗，除冷风。又捣末和醋封毒肿。

［孟诜］云：荆芥，多食熏人五脏神。

［陈士良］云：荆芥，主血劳，风气壅满，背脊疼痛，虚汗，理丈夫脚气，筋骨烦疼及阴阳毒，伤寒头痛，头旋目眩，手足筋急。本草呼为假苏，假苏又别。按假苏叶锐圆，多野生，以香气似苏，故呼为苏。

［日华子］云：荆芥，利五脏，消食下气，醒酒。作菜生、熟食。并煎茶，治头风并出汗。豉汁煎，治暴伤寒。

［图经曰］假苏，荆芥也。生汉中川泽，今处处有之。叶似落藜而细，初生香辛可啖，人取作生菜。古方稀用。近世医家治头风，虚劳，疮疥，妇人血风等为要药。并取花实成穗者，暴干入药，亦多单用，效甚速。又以一物治产后血晕，筑心眼倒，风缩欲死者。取干荆芥穗，捣筛，每用末二钱匕，童子小便一酒盏，调热服，立效。口噤者，挑齿，闭者灌鼻中，皆效。近世名医用之，无不如神云。医官陈巽处，江左人，谓假苏、荆芥实两物。假苏叶锐圆，多野生，以香气似苏，故名之。苏恭以《本经》一名姜芥，姜、荆声近，便为荆芥，非也。又以胡荆芥俗呼新罗荆芥。石荆芥，体性相近，入药亦同。

［🔖陈藏器］一名姜芥，即今之荆芥是也，姜、荆语讹耳。按张鼎《食疗》云：荆芥一名析蓂。《本经》既有荆芥，又有析蓂，如此二种，定非一物。析蓂是大荠，大荠是葶苈子，陶、苏大误，与假苏又不同，张鼎亦误尔。荆芥本功外，去邪，除劳渴，主丁肿，出汗，除风冷，煮汁服之。杵和酢傅丁肿。新注云：产后中风，身强直，取末，酒和服，差。

［食疗］性温。辟邪气，除劳，传送五脏不足气，助脾胃。多食熏五脏神。通利血脉，发汗，动渴疾。又，杵为末，醋和，封风毒肿上。患丁肿，荆芥一把，水五升，煮取二①升，冷，分二服。

［经验方］产后中风，眼反折，四肢搐搦，下药可立待应效。如圣散：荆芥穗

① 二：柯《大观》作“三”。

子为末，酒服二钱，必效。《集验方》同。

［经验后方］ 治一切风，口眼偏斜。青荆芥一斤，青薄荷一斤，一处砂盆内研，生绢绞汁于瓷器内，看厚薄煎成膏，余滓三分去一分，漉滓不用，将二分滓，日干为末，以膏和为丸，如梧桐子大。每服二十丸，早至暮可三服。忌动风物。

［孙真人］ 荆芥，动渴疾。

［衍义曰］ 假苏，荆芥也，只用穗。治产后血晕及中风，目带上，四支强直。为末二三钱，童子小便一小盏，调下咽，良久，即活，甚有验。又治头目风，荆芥穗、细辛、川芎等为末，饭后汤点二钱。风搔遍身，浓煎汤淋渫或坐汤中。

白蘘荷

微温。主中蛊及疰。

［陶隐居］云：今人乃呼赤者为蘘荷，白者为覆菹，叶同一种尔。于人食之，赤者为胜。药用白者。中蛊者服其汁，并卧其叶，即呼蛊主姓名。亦主诸溪毒、沙虱辈，多食损药势，又不利脚。人家种白蘘荷，亦云辟蛇。

白蘘荷

［唐本注］云：根主诸①恶疮，杀蛊毒。根心主稻、麦芒入目中不出者，以汁注目中，即出。

［臣禹锡等谨按蜀本］《图经》云：叶似初生甘蔗，根似姜牙，其叶冬枯。

［药性论］云：白蘘荷，亦可单用。味辛，有小毒。

［图经曰］ 白蘘荷，旧不著所出州土，今荆襄、江湖间多种之，北地亦有。春初生叶似甘蔗，根似姜而肥，其根茎堪为菹。其性好阴，在木下生者尤美。潘岳《闲居赋》云：蘘荷依阴，时藿向阳是也。宗懔《荆楚岁时记》曰：仲冬以盐藏蘘荷，以备冬储，又以防蛊。史游《急就篇》云：蘘荷冬日藏，其来远矣。干②宝《搜神记》云：其外姊夫蒋士先得疾下血，言中蛊，家人密以蘘荷置其席下。忽大笑曰：蛊我者，张小也。乃收小小走。自此解蛊药多用之。《周礼·庶③氏》以嘉

---

① 诸：柯《大观》无。

② 干：成化《政和》、商务《政和》误作“于”。

③ 庶：原作“蔗”，据《十三经注疏》之《周礼注疏》上895页改。

草除蛊毒。宗懔以谓嘉草即蘘荷是也。陈藏器云蘘荷、茜根，为主蛊之最。然有赤、白二种：白者入药，昔人呼为覆菹；赤者堪啖，及作梅果多用之。古方亦干末水服，主喉痹。

［◣雷公云］ 凡使，勿用革牛草，真相似，其革牛草腥、涩。凡使白蘘荷，以铜刀刮上粗皮一重了，细切，入砂盆中研如膏，只收取自然汁，炼作煎，却于新盆器中摊令冷，如干胶煎，刮取，研用。

［圣惠方］ 治风冷失声，咽喉不利。以蘘荷根二两，研，绞取汁，酒一大盏，相和令匀，不计时候，温服半钱。《肘后方》同。

［外台秘要］ 喉中及口舌生疮烂。酒渍蘘荷根半日，含漱其汁，差。

［肘后方］ 治伤寒时气温病，头痛壮热，脉盛。可①取生蘘荷根、叶合捣，绞汁，服三四升已。

［又方］ 治卒吐血，亦治蛊毒及痔血，妇人患腰痛。向东者蘘荷根一把，捣绞汁三升，服之。

［经验方］ 治月信滞。蘘荷根细切，煎取二升，空心酒调服②。

［梅师方］ 治卒中蛊毒，下血如鸡肝，昼夜不绝，脏腑败坏待死。叶密安病人席下，亦自说之，勿令病人知觉，令病者自呼蛊姓名。

［又方］ 治喉中似物吞吐不出，腹胀羸瘦。取白蘘荷根绞汁服，虫立出。

［荆楚岁时记］ 蒋士先得疾下血，言蛊，密以根布席下。忽自笑曰：蛊食我者张小也。乃收小小走。

［衍义曰］ 白蘘荷，八、九月间淹贮之，以备冬月作蔬果，治疗只用白者。

苏

味辛，温。主下气，除寒中，其子尤良。

［陶隐居］云：叶下紫色而气甚香。其无紫色不香似荏者，名③野苏，不堪用。其子主下气，与橘皮相宜同疗。

［今注］今俗呼为紫苏。

［臣禹锡等谨按尔雅］云：苏，桂荏。释曰：苏，荏类之草也。以其味辛类

---

① 可：柯《大观》无。

② 服：其下，柯《大观》有“之”字。

③ 名：原作“多”，据刘《大观》、柯《大观》改。

荏，故一名桂荏也。

［药性论］云：紫苏子，无毒，主上气咳逆，治冷气及腰脚中湿风结气。将子研汁煮粥良，长服令人肥白身香。和高良姜、橘皮等分，蜜丸，空心下十丸。下一切宿冷气及脚湿风。叶可生食，与一切鱼肉作羹，良。

［孟诜］云：紫苏，除寒热，治冷气。

［日华子］云：紫苏，补中益气，治心腹胀满，止霍乱转筋，开胃下食并一切冷气，止脚气，通大小肠。子主调中，益五脏，下气，止霍乱，呕吐，反胃，补虚劳，肥健人，利大小便，破癥结，消五膈，止嗽，润心肺，消痰气。

简州苏

［图经曰］苏，紫苏也。旧不著所出州土，今处处有之。叶下紫色而气甚香，夏采茎叶，秋采实。其茎并叶，通心经，益脾胃，煮饮尤胜，与橘皮相宜，气方中多用之。实主上气咳逆，研汁煮粥[①]尤佳，长食之，令人肥健。若欲宣通风毒，则单用茎，去节大良。谨按《尔雅》[②] 谓苏为桂荏。盖以其味辛而形类荏，乃名之。然而苏有数种，有水苏、白苏、鱼苏、山鱼苏，皆是荏类。水苏别条见下。白苏方茎，圆叶不紫，亦甚香，实亦入药。鱼苏似茵陈，大叶而香，吴人以煮鱼者，一名鱼蓉。生山石间者名山鱼苏，主休息痢，大小溲[③]频数，干末，米饮调服之，效。又苏主鸡瘕。《本经》不著，南齐褚澄善医，为吴都[④]太守，百姓李道念以公事到郡，澄见谓曰：汝有重病。答曰：旧有冷病，至今五年，众医不差。澄为诊曰：汝病非冷非热，当是食白瀹鸡子过多所致，令取苏一升，煮服，仍[⑤]吐一物如升，涎裹之，能动，开看[⑥]是鸡雏，羽翅、爪距[⑦]具足，能行走[⑧]。澄曰：此未尽，更服所余药，又吐得如向者鸡十三头，而病都差，

无为军苏

① 粥：刘《大观》、柯《大观》作“用”

② 雅：其下，刘《大观》、柯《大观》有“云”字。

③ 溲：柯《大观》作“便”。

④ 都：刘《大观》、柯《大观》作“郡”。

⑤ 仍：柯《大观》作“乃”。

⑥ 开看：柯《大观》无。

⑦ 距：其下，柯《大观》有“皆”字。

⑧ 走：其下，柯《大观》空1格。

当时称妙。一说乃是用[①]蒜煮服之。

［**雷公云**］凡使，勿用薄荷根茎，真似紫苏茎，但叶不同。薄荷茎性燥，紫苏茎和。凡使，刀刮上青薄皮，剉用也。

［**圣惠方**］治风，顺气，利肠。以紫苏子一升微炒杵，以生绢袋盛，内于三斗清酒中，浸三宿，少少饮之。

［**又方**］治脚气及风寒湿痹，四肢挛急，脚踵[②]不可践地。用紫苏二两，杵碎，水二升，研取汁，以苏子汁煮粳米二[③]合，作粥，和葱、豉、椒、姜食之[④]。

［**外台秘要**］治梦失精。以子一升，熬杵为末，酒服方寸匕，日再服。

［**斗门方**］治失血。紫苏不限多少，于大锅内水煎，令干后去滓，熬膏，以赤豆炒熟杵为末，调煎为丸如梧[⑤]子大。酒下三十丸至五十丸，常服，差。

［**金匮方**］治食蟹中毒。紫苏煮汁饮之三升，以子汁饮之亦治。凡蟹未经霜者[⑥]多毒。

［**丹房镜源**］紫苏油，柔朱金润八[⑦]石。

［**衍义曰**］苏，此紫苏也，背面皆紫者佳，其味微辛、甘，能散，其气香。令人朝暮汤其汁饮，为无益。医家以谓芳草致豪贵之疾者，此有一焉。脾胃寒人饮之多泄滑，往往人不觉。子，治肺气喘急。

水苏

味辛，微温，无毒。主下气[⑧]，杀谷，除饮食[⑨]，**辟口臭，去毒，辟恶气。久服通神明，轻身耐老。**主吐血、衄血、血崩。一名鸡苏，一名劳祖，一名芥葅音祖，一名芥苴七余切。生九真池泽。七月采。

［陶隐居］云：方药不用，俗中莫识。九真辽远，亦无能访之。

---

① 用：刘《大观》无。

② 踵：柯《大观本草札记》云："当为'肿'之误。"

③ 二：柯《大观》作"三"。

④ 之：其下，柯《大观》有"止"字。

⑤ 梧：其下，柯《大观》有"桐"字。

⑥ 者：柯《大观》无。

⑦ 八：原作"入"，据《纲目》改。

⑧ 主下气：刘《大观》作白字《本经》文。

⑨ 主下气，杀谷，除饮食：柯《大观》作白字《本经》文。

水苏

［唐本注］云：此苏[1]生下湿水侧，苗似旋复，两叶相当，大香馥。青、齐、河间人名为水苏，江左名为荠苧，吴会谓之鸡苏。主吐血、衄血，下气，消谷，大效。而陶更于菜部出鸡苏，误矣。今以鸡苏之一名，复申吐血、衄血、血崩六字也。

［臣禹锡等谨[2]按蜀本］《图经》云：叶似白薇，两叶相当，花生节间，紫白色，味辛而香，六月采茎叶，日干。

［陈藏器］云：荠苧，叶上有毛，稍长，气臭，除蚁瘘，挼[3]碎傅之。亦主冷气泄痢，可为生菜，除胃间酸水。

［孟诜］云：鸡苏，一名水苏。熟捣生叶，绵裹塞耳，疗聋。又，头风目眩者，以清酒煮汁一升服。产后中风，服之弥佳。可烧作灰汁及以煮汁，洗头令发香，白屑[4]不生。又，收讫[5]酿酒及渍酒，常服之佳。

［日华子］云：鸡苏，暖。治肺痿[6]，崩中，带下，血痢，头风目眩，产后中风及血不止。又名臭苏、青白苏。

［图经曰］水[7]苏，生九真池泽，今处处有之。多生水岸傍，苗似旋覆，两叶相当，大香馥，青、济[8]间呼为水苏，江左名为荠苧，吴会谓之鸡苏。南人多以作菜。主诸气疾及脚肿。江北甚多，而人不取食。又江左人谓鸡苏、水苏是两种。陈藏器谓荠苧自是一物，非水苏。水苏叶有雁齿，香薷气辛，荠苧叶上有毛，稍长，气臭。主冷气泄痢，可为生菜。除胃间酸水，亦可捣傅蚁瘘[9]。亦有石上生者，名石荠苧，紫花细叶，高一二尺，味辛，温，无毒。主风血冷气，并疮疥，痔漏下血，并煮汁服，山中人多用之。

［▌梅师方］治吐血及下血并妇人漏下。鸡苏茎、叶煎取汁，饮之。

［又方］治鼻衄血不止。生鸡苏五合，香豉二合，合杵研，搓如枣核大，内鼻

---

① 苏：柯《大观》作“药”。

② 谨：其下，刘《大观》、柯《大观》有“按此菜部也，而唐注云：‘陶更于菜部出鸡苏，误矣。’不知何者为误，又”。

③ 挼：原作“按”，据刘《大观》、柯《大观》改。

④ 屑：成化《政和》、商务《政和》作“眉”。

⑤ 讫：刘《大观》、柯《大观》作“干”。

⑥ 痿：成化《政和》、商务《政和》误作“瘘”。

⑦ 水：成化《政和》、商务《政和》作“凡”。

⑧ 济：刘《大观》、柯《大观》作“齐”。

⑨ 瘘：原作“蝼”，据医理改。

中，止①。

［又方］ 卒漏血欲死，煮一升服之。

［衍义曰］ 水苏，气味与紫苏不同，辛而不和，然一如苏，但面不紫，及周围槎牙如雁齿，香少。

香薷音柔

味辛，微温。主霍乱腹痛吐下，散水肿。

［陶隐居］云：家家有此，惟供生食。十月中取，干之，霍乱煮饮，无不差。作煎，除水肿尤良。

［臣禹锡等谨按萧炳］云：今新定、新安有石上者，彼人名石香葇，细而辛，更绝佳。

［孟诜］云：香葇，温。又云香戎，去热风。生菜中食，不可多食。卒转筋，可煮汁顿服半升，止。又，干末止鼻衄，以水服之。

［日华子］云：无毒。下气，除烦热，疗呕逆，冷气。

香薷

［图经曰］ 香薷音柔，旧不著所出州土。陶隐居云：家家有之。今所在皆种，但北土差少，似白苏而叶更细。十月中采，干之，一作香葇，俗呼香茸。霍乱转筋，煮饮服之，无不差者。若四肢烦冷，汗出而渴者，加蓼子同切，煮饮。胡洽治水病洪肿，香葇煎：取干香葇五十斤，一物剉，内釜中，以水淹之，水出香葇上一寸，煮使气力都尽，清澄之，严火煎，令可丸。一服五丸如梧子，日渐增之，以小便利好。寿春及新安有。彼间又有一种石上生者，茎、叶更细，而辛香弥甚，用之尤佳。彼人谓之石香薷。《本经》出草部中品，云生蜀郡、陵、荣、资、简州及南中诸山②岩石缝中生。二月、八月采苗、茎、花、实俱亦主调中，温胃，霍乱吐泻，今人罕用之，故但附于此。

［◣雷公］ 云③：凡采得，去根，留叶，细剉，曝干。勿令犯火。服至十两，一生不得食白山桃也。

［外台秘要］ 治水病洪肿，气胀，不消食。干香薷五十斤焙，用湿者亦得，细

---

① 止：柯《大观》无。

② 诸山：柯《大观》作“诸处山中”。

③ 云：刘《大观》、柯《大观》作黑大字。

剉内釜中，水浸之，出香薷上数寸，煮使气尽，去滓清澄之，渐微火煎令可丸。服五丸如梧子大，日三，稍加之，以小便利为度。

［千金方］ 治口臭，香薷一把，以水一斗，煮取三升，稍稍含之。

［肘后方］ 舌上忽出血如钻孔者。香薷汁，服一升，日三①。

［食医心镜］ 主心烦，去热。取煎汤作羹煮粥及生食并得。

［子母秘录］ 小儿白秃发不生，汁出，惨痛。浓煮陈香薷汁，少许脂和胡粉，傅上②。

［衍义曰］ 香薷，生山野，荆湖南、北，二川皆有。两京作圃种，暑月亦作蔬菜，治霍乱不可阙也，用之无不效。叶如茵陈，花茸紫，在一边成穗。凡四五十房为一穗，如荆芥穗，别是一种香，余如《经》。

薄荷

味辛、苦，温，无毒。主贼风伤寒发汗，恶气，心腹胀满，霍乱，宿食不消，下气。煮汁服，亦堪生食。人家种之，饮汁发汗，大解劳乏。

南京薄荷

［唐本注］云：茎、叶似荏而尖长，根经冬不死，又有蔓生者，功用相似。唐本先附

［臣禹锡等谨按药性论］云：薄荷，使。能去愤气，发毒汗，破血，止痢，通利关节。尤③与薤作菹相宜。新病差人勿食，令人虚汗不止。

［陈士良］云：胡④菝蔺，能引诸药入荣卫，疗阴阳毒，伤寒头痛，四季宜食。

［又云］胡菝蔺，主风气，壅并攻胸膈，作茶服之，立效。俗呼为新罗菝蔺。

［日华子］云：治中风失音，吐痰，除贼风，疗心腹胀，下气，消宿食及头风等。

［图经曰］ 薄荷，旧不著所出州土，而今处处皆有之。茎、叶似荏而尖长，经冬根不死，夏秋采茎叶，暴干。古方稀用，或与薤作齑食。近世医家治伤风，头脑

---

① 三：其下，刘《大观》、柯《大观》有“服”字。

② 上：柯《大观》作“之”。

③ 尤：原作“九”，据刘《大观》、柯《大观》改。

④ 胡：原作“吴”，据本条《图经》文改。

风，通关格及小儿风涎，为要切之药，故人家园庭间多莳之。又有胡薄荷，与此相类，但味少甘为别。生江浙间，彼人多以作茶饮之，俗呼新罗薄荷。生京僧寺亦[1]或植一二本者。《天宝方》名[2]连钱草者是。石薄荷，生江南山石上，叶微小，至冬而紫色，此一种不闻有别功用。凡新大病差人，不可食薄荷，以其能发汗，恐虚人耳。字书作菝蔄。

岳州薄荷

[▮ **食疗**] 平。解劳，与薤相宜。发汗，通利关节。杵汁服，去心脏风热。

[**外台秘要**] 治蜂螫。挼贴之，差。

[**经验方**] 治水入耳。以汁点，立效。

[**食医心镜**] 煎豉汤，暖酒和饮、煎茶、生食之并宜。

[**衍义曰**] 薄荷，世谓之南薄荷，为有一种龙脑薄荷，故言南以别之。小儿惊风，壮热，须此引药，猫食之即醉，物相感尔。治骨蒸热劳，用其汁与众药熬为膏。

秦荻梨

味辛，温，无毒。主心腹冷胀，下气，消食。人所啖者，生下湿地，所在有之。唐本先附

[臣禹锡等谨按孟诜] 云：秦荻梨，于生菜中最香美，甚破[3]气。又，末之和酒服，疗卒心痛，悒悒塞满气。又，子，末和大[4]醋，封肿气，日三易。

[陈藏器] 云：五辛菜，味辛，温。岁朝食之，助发五脏气，常食温中，去恶气，消食，下气。《荆楚岁时记》亦作此说，热病后不可食之，损目。

[▮ **食医心镜**] 秦荻梨，取和酱、醋食之，理心腹冷胀，下气[5]消食，空腹食之最佳[6]。

---

① 亦：柯《大观》无。

② 名：成化《政和》、商务《政和》误作“连”。

③ 破：成化《政和》、商务《政和》作“血”。

④ 和大：刘《大观》、柯《大观》作“以和”。

⑤ 下气：柯《大观本草札记》云：“‘下气’在‘佳’字之下。”

⑥ 空腹食之最佳：刘《大观》、柯《大观》无。

醍醐菜

[**雷公云**] 凡使，勿用诸件。草形似牛皮蔓，掐之有乳汁出，香甜入顶。采得，用苦竹刀细切，入砂盆中研如膏，用生稀绢裹，挼取汁出，暖饮[①]。

[**千金方**] 治伤中崩绝赤。醍醐杵汁，拌酒煎沸，空心服一盏。

[**又方**] 治月水不利。以菜绞汁，和酒煎，服一盏。

重修政和经史证类备用本草卷第二十八

① 饮：其下，刘《大观》、柯《大观》有“并用每修事去根子用”。

重修政和经史证类备用本草卷第二十九

己酉新增衍义

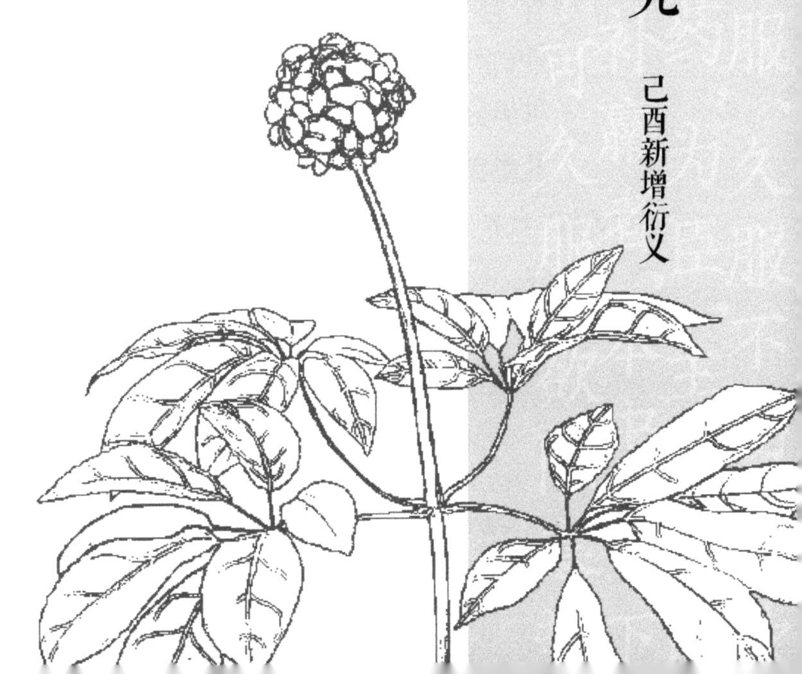

重修政和经史证类备用本草卷第二十九己[①]酉新增衍义

成都唐慎微续证类
中卫大夫康州防御使句当龙德宫总辖修建明堂所医药
提举入内医官编类圣济经提举太医学臣曹孝忠奉敕校勘

菜部下品总二十二种

二种神农本经 白字

七种名医别录 墨字

三种唐本先附 注云唐附

四种今附 皆医家尝用有效。注云今附

五种新补

一种新分条

凡墨盖子已[②]下并唐慎[③]微续证类

苦瓠 瓠子 续注　　**葫** 大蒜也　　**蒜** 小蒜也　　**胡葱** 今附

莼 石莼、丝莼 续注　　**水蘄** 音芹　　**马齿苋** 今附[④]

---

① 己：原作“巳”，据底本书首牌记改。

② 已：原作“巳”，据文理改。

③ 慎：刘《大观》作“谨”。

④ 马齿苋 今附：刘《大观》置“苦瓠条”下。

茄子 今附 根附　蘩蒌　鸡肠草 自草部今移

白苣 莴苣附① 元附苦苣条下，今分条

落葵　堇 唐附　蕺　马芹子 唐附

芸苔 唐附　雍菜 新补　菠薐 新补　苦荬 新补

鹿角菜 新补　莙荙 新补　东风菜 今附

① 莴苣附：刘《大观》无。

苦瓠

味苦，寒，有毒。**主大水，面目、四肢浮肿，下水，令人吐。**生晋地川泽。

[陶隐居]云：瓠与冬瓜气类同辈，而有上下之殊，当是为其苦尔。今瓠自忽有苦者如胆，不可食，非别生一种也。又有瓠瓤音娄，亦是瓠类，小者名瓢，食之乃胜瓠。凡此等，皆利水道，所以在夏月食之，大理自①不及冬瓜也。

[唐本注]云：瓠与冬瓜、瓠瓤全非类例，今此论性，都是苦瓠瓤尔。陶谓瓠中苦者，大误矣。瓠中苦者，不入药用。冬瓜自依前说，瓠瓤与瓠，又须辨之。此三②物苗、叶相似，而实形有异，瓠味皆甜，时有苦者，而似越瓜，长者尺余，头尾相似。其瓠瓤，形状大小非一。瓠，夏中便熟，秋末并枯；瓠瓤，夏末始实，秋中方熟，取其为器，经霜乃堪。瓠与甜瓠瓤体性相类，但味甘冷，通利水道，止渴消热，无毒，多食令人吐。苦瓠瓤为疗，一如《经》说，然瓠苦者不堪啖，无所主疗，不入方用。而甜瓠瓤与瓠子，啖之俱胜冬瓜，陶言不及，乃是未悉。此等元种各别，非甘者变而为苦也。其苦瓠瓤，味苦，冷，有毒。主水肿，石淋，吐呀嗽，囊结，疰蛊，痰饮。或服之过分，令人吐利③不止者，宜以黍穰灰汁解之。又煮汁渍阴，疗小便不通也。

[今按]《陈藏器本草④》云：苦瓠，煎取汁，滴鼻中出黄水，去伤寒，鼻塞，黄疸。又取一枚，开口，以水煮中搅取汁，滴鼻中，主急黄。又取未破者，煮令

---

① 自：成化《政和》、商务《政和》无。

② 三：刘《大观》、柯《大观》作“二”。

③ 利：柯《大观》作“痢”。

④ 陈藏器本草：柯《大观》作白小字。

热，解开熨①小儿闪癖。

［臣禹锡等谨按蜀本］注②云：陶云瓠小者名瓢，按《切韵》瓢，注云：瓠也。又语曰：吾岂匏瓜也哉。是则此为瓜匏之瓠也。今据瓜匏之瓠，非但不能疗病，亦少见有苦者。谨按：瓠，固匏也。但匏字合作瓟，盖音同字异尔，且瓟似瓠，可为饮器。有甘、苦二种：甘者大，苦者小。则陶云：小者名瓢是也，今人以苦瓠疗水肿，甚效。亦能令人吐。此又与上说正同尔。《药性论》③云：苦瓠瓤，使。治水浮肿，面目肢节肿胀，下大水④气疾。

［孟诜］云：瓠，冷。主消渴，恶疮。又，患脚气及虚胀，冷气人不可食之，尤甚。又压热，服丹石人方可食，余人不可辄食。

［日华子］云：瓠，无毒，又云微毒。除烦止渴，治心热，利小肠，润心肺，治石淋，吐蛔虫。

［■ 圣惠方］治蠵齿疼痛。用葫芦半升，水五升，煮取三升，去滓，含漱吐之。茎、叶亦可用，不过二剂差。

［又方］治鼠瘘。用瓠花曝干为末，傅之。

［外台秘要］治卒患肿满。曾有人忽脚趺，肿渐上至膝，足不可践地，主大水，头面遍身大肿胀满。苦瓠白瓤实，捻如大豆粒，以面裹，煮一沸，空心服七枚。至午当出水一斗。二日水自出不止，大瘦乃差。三年内慎⑤口味也。苦瓠须好者，无黡翳，细理，研净者，不尔，有毒不用。

［千金方］治眼暗。取七月七日苦瓠瓤白，绞取汁一合，以酢一升，古钱七文，和渍，微火煎之减半。以沫内眼眦中，神验⑥。

［肘后方］疗中蛊毒，吐血或下血，皆如烂肝者。苦瓠一枚，水二升，煮取一升服，立吐即愈。又方：用苦酒一升，煮令消，服，神验。

［孙真人］甜瓠，患脚肿气及虚肿者，食之永不差。

［伤寒类要］治黄疸。苦胡芦瓤，如大枣许大，以童子小便二合，浸之三两食顷。取两酸枣许，分内两鼻中，病人深吸气，及黄水出，良。

---

① 熨：成化《政和》、商务《政和》误作“慰”。

② 注：柯《大观》作白小字。

③ 药性论：刘《大观》、柯《大观》作白小字。

④ 水：柯《大观》作“消”。

⑤ 慎：柯《大观》作“忌”。

⑥ 神验：柯《大观》无。

[又方] 治黄疸。以瓠子白瓢子熬令黄，捣为末，每服半钱匕，日一服，十日愈。用瓠瓢有吐者，当先[①]详之。

[丹房镜源] 苦瓠煮汞[②]。

葫蒜也

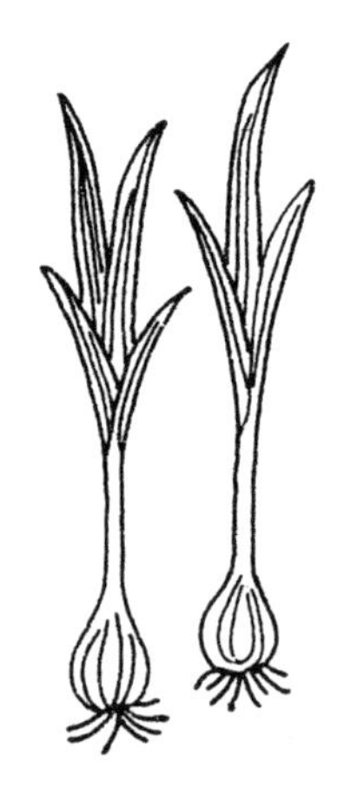
葫

味辛，温，有毒。主散痈肿，䘌疮，除风邪，杀毒气。独子者亦佳。归五脏。久食伤人，损目明。五月五日采。

[陶隐居] 云：今人谓葫为大蒜，谓蒜为小蒜，以其气类相似也。性最熏臭，不可食。俗人作齑以啖脍肉，损性伐命，莫此之甚。此物惟生食，不中煮，以合青鱼鲊食，令人发黄。取其条上子，初种之，成独子葫，明年则复其本也。

[唐本注] 云：此物煮为羹臛，极俊美，熏气亦微。下气，消谷，除风，破冷，足为馔中之俊。而注云不中煮，自当是未经试尔。

[今按]《陈藏器本草》云：大蒜，去水恶瘴气，除风湿，破冷气，烂痃癖，伏邪恶，宣通温补。无以加之。初食不利目，多食却明，久食令人血清，使毛发白，疗疮癣，生食去蛇、虫、溪、蛊等毒。昔患痃癖者，尝梦人教每日食三颗大蒜，初时依梦，遂至瞑眩，口中吐逆，下部如火，后有人教令取数片合皮，截却两头吞之，名为内炙，依此大效。又鱼骨鲠不出，以蒜内鼻中即出。独颗者杀鬼，去痛，入用最良。

[臣禹锡等谨按蜀本]《图经》云：大蒜，今出梁州者最美而少辛，大者径二寸，泾阳者皮赤甚辣，其余并相似也。

[孟诜] 云：蒜，久服损眼伤肝。治蛇咬疮，取蒜去皮一升，捣，以小便一升，煮三四沸通人，即入渍损处，从夕至暮。初被咬未肿，速嚼蒜封之，六七易。又，蒜一升去皮，以乳二升，煮使烂。空腹顿服之，随后饭压之。明日依前进服，下一切冷毒风气。又，独头者一枚，和雄黄、杏仁研为丸，空腹饮下三丸，静坐少时，患鬼气者当汗[③]出，即差。

---

① 先：成化《政和》、商务《政和》无。

② 汞：成化《政和》、商务《政和》误作“永”。

③ 汗：原作“毛”，据刘《大观》、柯《大观》改。

［日华子］云：蒜，健脾，治肾气，止霍乱转筋，腹痛，除邪，辟温，去蛊毒，疗劳疟，冷风，痃癖，温疫气，傅风拍冷痛，蛇虫伤，恶疮疥，溪毒，沙虱，并捣贴之。熟醋浸之，经年者良。

［图经曰］葫，大蒜也。旧不著所出州土，今处处[1]有之，人家园圃所莳也。每头六七瓣，初种一瓣，当年便成独子葫，至明年则复其本矣。然其花中有实，亦葫瓣状而极小，亦可种之。五月五日采。谨按《本经》云：主散痈肿。李绛《兵部手集方》：疗毒疮肿，号叫卧不得，人不别者。取独头蒜两颗，细捣，以油麻和，厚傅疮上，干即易之。顷年，卢坦侍郎任东畿尉，肩上疮作，连心痛闷，用此便差。后李仆射患脑痈，久不差，卢与此方便愈。绛得此方，传救数人，无不神效。葛洪《肘后方》灸背肿令消法云：取独颗蒜，横截厚一分，安肿头上，炷艾如梧桐子，灸蒜上百壮，不觉消，数数灸，惟多为善，勿令大热，若觉痛即擎起蒜，蒜焦更换用新者，勿令损皮肉，如有体干不须灸。洪尝苦小腹下患一大肿，灸之亦差。每用灸人，无不立效。又今江宁府紫极宫刻石记其法云：但[2]是发背及痈疽、恶疮、肿核等，皆灸之。其法与此略同，其小别者，乃云初觉皮肉间[3]有异，知是必作疮者。切大蒜如铜钱厚片，安肿处灸之，不计壮数，其人被苦初觉痛者，以痛定为准；初不觉痛者，灸至极痛而止。前后用此法救人，无不应者。若是疣赘之类，亦如此灸之，便成痂自脱[4]，其效如神。乃知方书之载无空言，但患人不能以意详之，故不得尽应耳。

［◣食疗］除风，杀虫。

［外台秘要］治牙齿疼痛。独头蒜煨之，乘热截，用头以熨痛上，转易之。亦主虫痛。

［又方］关格胀满，大小便不通。独头蒜烧熟去皮，绵裹纳下部，气立通。

［又方］治金疮中风，角弓反张。取蒜一大升，破去心，无灰酒四升，煮令极烂，并滓服一大升已来。须臾得汗则差。

［千金方］治暴痢，捣蒜两足下贴之。

［又方］治血气[5]，逆心烦闷，心痛。生蒜捣汁，服二升则差。

---

① 处：其下，刘《大观》、柯《大观》有“皆”字。

② 但：柯《大观》无。

③ 间：成化《政和》、商务《政和》误作“开”。

④ 亦如此灸之，便成痂自脱：柯《大观》无。

⑤ 气：原作“出”，据柯《大观》改。

[葛氏方] 丹者，恶毒之疮，五色无常，又发足踝者。捣蒜厚傅之，干即易之。

[梅师方] 若腹满，不能服药导之方：取独颗蒜，煨令熟去皮，绵裹内下部中，冷即易。

[又方] 治蜈蚣咬人痛不止。独头蒜摩螫处，痛止。

[又方] 治射工毒。以独头蒜切之，厚三分已来，贴疮上，灸之蒜上，令热气射入，差。

[又方] 治蛇虺螫人。以独头蒜、酸草捣绞，傅所咬处。

[孙真人食忌] 正月之节食五辛以辟厉气，一曰蒜。又，食多白发早。

[食医心镜] 蒜齑著盐酱，捣食之。蒜苗作羹，煮食并得。主下气，温中，消谷。黄帝云：合青鱼鲊食之，令人腹内生疮，肠中肿，又成疝瘕。多食生蒜伤肝气，令人面无颜色。四、八月勿食生蒜，伤人神，损胆气。

[简要济众] 治鼻血不止，服药不应。宜用蒜一枚，去皮细研如泥，摊一饼子如钱大，厚一豆许，左鼻血出，贴左脚心，右鼻血出，贴右脚心，如两鼻血出，即贴两脚下，立差。血止，急以温水洗脚心。

[子母秘录] 治产后中风，角弓反张，不语。大蒜三十瓣，以水三升，煮取一升，拗口灌之，差①。

[又方] 小儿白秃疮，凡头上团团然白色，以蒜揩白处，早朝使之。

[南史②] 李道念，褚澄视之曰：公有重病。答曰：旧有冷疾③，今五年矣。澄诊之曰：非冷非热，当时食白瀹鸡子过多。令取蒜一头④煮之，服药乃吐一物如升，涎唾裹之，开看乃鸡雏，翅羽、爪头具全。澄曰：未尽。更服药，再吐十三⑤头。又华佗行道，见车载一人，病咽塞食不下，呻吟。佗曰：饼店家蒜齑，大酢三升饮之，当自痊。果吐大蛇一枚而愈⑥。

[衍义曰] 葫，大蒜也，其气极荤，然置臭肉中，掩臭气。中暑毒人，烂嚼三两瓣，以温水送之下咽，即知。仍禁饮冷水。又患暴下血，以葫五七枚，去梗皮，

---

① 差：柯《大观》作“良”。

② 南史：原作“后魏”，其下文原出《南史》卷28，据此改。

③ 疾：原作“疢”，据《南史》卷28改。

④ 蒜一头：《南史》卷28作“苏一升”。

⑤ 十三：柯《大观》作“出二”。

⑥ 又华佗……而愈：以上42字，原出《三国志·华佗传》，唐慎微节引，脱漏大字标题。

量多少入豆豉，捣为膏。可丸，即丸梧子大，以米饮下五六十丸，无不愈者。又鼻衄，烂研一颗，涂两足心下，才止便拭去。又将紫皮者，横切作片子，厚一分，初患疮发于背胁间未辨痈疽者，若阳滞于阴，即为痈，阴滞于阳，即为疽。痈即皮光赤，疽即皮肉纹起不泽。并以葫片复之，用艾灸。如已痛灸至不痛，如不痛灸至痛初觉，即便灸，无不效者。仍审度正，于中心贴葫灸之。世人往往不悟此疮，初见其疮小，不肯灸，惜哉！

蒜小蒜也

味辛，温，有小毒。归脾、肾。主霍乱，腹中不安，消谷，理胃，温中，除邪痹毒气。五月五日采之。

［陶隐居］云：小蒜生叶时，可煮和食。至五月叶枯，取根名薍音乱子，正尔啖之，亦甚熏臭。味辛，性热，主中冷，霍乱，煮饮之。亦主溪毒。食之损人，不可长服①。

［唐本注］云：此蒜与胡葱相得，主恶蛓毒、山溪中沙虱水毒大效。山人、俚、獠时用之也。

［臣禹锡等谨按蜀本］《图经》云：小蒜野生，小者一名薍，一名蒚。苗、叶、根、子似葫而细数倍也。

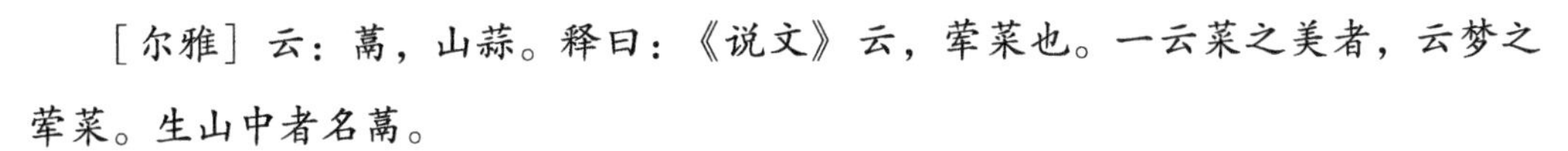

蒜

［尔雅］云：蒚，山蒜。释曰：《说文》云，荤菜也。一云菜之美者，云梦之荤菜。生山中者名蒚。

［孟诜］云：小蒜亦主诸虫毒，丁肿，甚良。不可常食。

［日华子］云：小蒜，热，有毒。下气，止霍乱吐泻，消宿食，治蛊②毒，傅蛇虫，沙虱疮。三月不可食。

［图经曰］蒜，小蒜也，旧不著所出州土，今处处有之。生田野中，根、苗皆如葫而极细小者是也。五月五日采。谨按，《尔雅》蒚力的切，山蒜。释曰：《说文》云，蒜，荤菜也。一云菜之美者，云梦之荤。生山中者名蒚。今《本经》谓大蒜为葫，小蒜为蒜。而《尔雅》《说文》所谓蒜，荤菜者，乃今大蒜也。蒚乃今小蒜也。书传载物之别名不同，如此用药不可不审也。古方多用小蒜治霍乱，煮汁饮之。南齐褚澄用蒜治李道念鸡瘕，便差。江南又有一种山蒜，似大蒜臭。山人以

① 服：成化《政和》、商务《政和》作“食”。

② 蛊：刘《大观》、柯《大观》作“虫”。

治积块及妇人血瘕，以苦醋摩服多效。又有一种似大蒜而多瓣，有荤气，彼人谓之莜子，主脚气。宜煮与蓐妇饮之，易产。江北则无。

［◣食疗］主霍乱，消谷，治胃温中，除邪气。五月五日采者上。又，去诸虫毒、丁肿、毒疮，甚良。不可常食。

［肘后方］治霍乱，心腹胀满气，未得吐下。小蒜一升㕮咀，以水三升，煮取一升，顿服。

［又方］毒蛇螫人。杵小蒜饮汁，以滓傅疮上。

［葛氏方］水毒中人，一名中溪，一名中湿，一名水病，似射工而无物。以小蒜三升㕮咀，于汤中莫令大热，热即无力，捩去滓，适寒温以浴。若身体发赤斑文者，无异。

［食医心镜］主霍乱，腹中不安，消谷，理胃气，温中，除邪痹，毒气，归脾肾，煎汤服之。

［兵部手集］治心痛不可忍，十年、五年者，随手效。以小蒜酽醋煮，顿服之取饱，不用著盐。绛外家人患心痛十余①年，诸药不差，服此更不发。

［又方］蚰蜒入耳。小蒜汁理一切虫入耳，皆同。

［治疟］用蒜不拘多少，研极烂，和黄丹少许，以聚为度，丸如鸡头大，候干。每服一丸，新汲水下，面东服，至妙。

［广韵］张骞使大宛②，食之损目。

［黄帝］不可久食，损人心力。食小蒜，啖生鱼，令人夺气。

［衍义曰］蒜，小蒜也。又谓之萬，苗如葱针，根白，大者如乌芋，子兼根煮食之。又谓之宅蒜，华佗用蒜齑，是此物。

胡葱

味辛，温中消谷，下气，杀虫。久食伤神损性，令人多忘，损目明，尤发痼疾。患胡臭人不可食，令转甚。其状似大蒜而小，形圆皮变，稍长而锐。生蜀郡山谷。五月、六月采。今附

［图经］文具葱实条下。

［◣雷公云］凡使，采得依文碎擘，用绿梅子相对拌蒸一伏时，去绿梅子，于

---

① 余：柯《大观》作“数”。

② 大宛：宋本《广韵》作“两域”。

砂盆中研如膏，新瓦器中摊，日干用①。

[食疗] 胡葱，平。主消谷，能食。久食之令人多忘。根发痼疾。又，食著诸毒肉，吐血不止，痿黄悴者。取子一升，洗煮使破，取汁停冷。服半升，日一服，夜一服，血定止。又，患胡臭、䘌齿人不可食，转极甚。谨按：利五脏不足气，亦伤绝血脉气。多食损神，此是熏物耳。

[孙真人] 四月勿食胡葱，令人气喘，多惊。

莼

味甘，寒，无毒。主消渴，热痹。

[陶隐居] 云：莼性寒，又云冷，补，下气，杂鳢鱼作羹，亦逐水。而性滑，服食家②不可多啖。

[唐本注] 云：莼，久食大宜人。合鲋鱼为羹，食之，主胃气弱不下食者，至效。又宜老人，此应在上品中。三、四月至七、八月，通名丝莼，味甜，体软；霜降已后至十二月，名瑰莼，味苦，体涩。取以为羹，犹胜杂菜。

[今按]《陈藏器本草》云：按此物，温病起食者多死，为体滑脾，不能磨，常食发气，令关节急，嗜睡。若称上品，主脚气，脚气论中令人食之，此误极深也。常所居近湖，湖中有莼及藕，年中大疫，既饥，人取莼食之，疫病差者亦死。至秋大旱，人多血痢，湖中水竭，掘藕食之，阖境无他。莼、藕之功，于斯见矣。

[臣禹锡等谨按蜀本]《图经》云：生水中，叶似凫葵，浮水上，采茎堪啖，花黄白，子紫色。三月至八月，茎细如钗股，黄赤色，短长随水深浅，而名为丝莼；九月、十月渐粗硬；十一月萌在泥中，粗短，名瑰③莼，体苦涩，惟取汁味尔。

[孟诜] 云：莼菜，和鲫鱼作④羹，下气止呕。多食发痔。虽冷而补。热食之，亦拥气不下。甚损人胃及齿，不可多食，令人颜色恶。又，不宜和醋食之，令人骨痿。少食，补大小肠虚气；久食损毛发。

[陈藏器] 云：莼虽水草，性热拥。

[又云] 石莼，味甘，平，无毒。下水，利小便。生南海石上。《南越志》云：

① 用：其下，柯《大观》有“之”字。

② 家：刘《大观》、柯《大观》作“者”。

③ 瑰：柯《大观本草札记》云：“按当作‘龟’。”

④ 作：柯《大观》无。

似紫菜，色青，《临海异物志》曰：附石生是也。

［日华子］云：丝莼，治热疸，厚肠胃，安下[1]焦，补大小肠虚气，逐水，解百药毒并蛊气。

［■ 晋书］张翰每临秋风，思鲈鱼莼羹，以下气。

水斳音芹

味甘，平，无毒。**主女子赤沃，止血，养精，保血脉，益气，令人肥健，嗜食。一名水英。**生南海池泽。

［陶隐居］云：论斳主疗，合是上品，未解何意，乃在下。其二月、三月作英时，可作菹及熟爚音药食之。又有渣音樝芹，可为生菜，亦可生啖，俗中皆作芹字。

［唐本注］云：芹花，味苦。主脉溢。

［今按］别本注云：即芹菜也。芹有两种：荻[2]芹，取根，白色；赤芹，取茎叶，并堪作菹及生菜。味甘[3]，《经》云平，其性大寒，无毒。

［又按］《陈藏器本草》云：水芹茎叶，捣绞取汁，去小儿暴热，大人酒后热毒，鼻塞身热，利大小肠。茎、叶、根并寒。子，温、辛[4]。

［臣禹锡等谨按蜀本］《图经》云：生水中，叶似芎䓖，花白色而无实，根亦白色。

［尔雅］云：芹，楚葵。注：今水中芹菜。

［孟诜］云：水芹，寒。养神益力，杀药毒。置酒、酱中香美。又，和醋食之损齿。生黑滑地名曰水芹，食之不如高田者宜人。余田中皆诸虫子在其叶下，视之不见，食之与人为患。高田者名白芹。

［日华子］云：治烦渴，疗崩中，带下。

［■ 陈藏器云］渣芹，平。主女子赤白沃，止血，养精神，保血脉，益气，嗜饮食，利人口齿，去头中热风。和醋食之，亦能滋人。患鳖瘕[5]不可食。

［食疗］云：寒。养神益力，令人肥健。杀石药毒。

---

① 下：刘《大观》误作“不”。

② 荻：成化《政和》、商务《政和》误作“萩”。

③ 甘：成化《政和》、商务《政和》无。

④ 辛：其下，刘《大观》、柯《大观》有“耳”字。

⑤ 瘕：成化《政和》、商务《政和》误作“瘕”。

［圣惠方］三月、八月勿食芹菜，恐病蛟龙瘕。发则似癫，面色青黄，小腹胀，状如怀妊也。

［食医心镜］芹菜，主益筋力，去伏热，治五种黄病，女子白沃，漏下，止血，养精，保血脉，嗜食。作齑菹及煮食并得。

［金匮方］春秋二时，龙带精入芹菜中。人遇食之为病，发时手青，肚满痛不可忍，作蛟龙病。服硬糖三二升，日二度。吐出如蜥蜴三二①，便差。

［子母秘录］主小儿霍乱，吐痢。芹菜细切，煮熟汁饮，任②性多少，得止。

马齿苋

马齿苋

主目盲，白翳，利大小便，去寒热，杀诸虫，止渴，破癥结，痈疮。服之长年不白。和梳垢封丁肿。又烧为灰，和多年醋滓，先炙丁肿以封之，即根出。生捣绞汁服，当利下恶物，去白虫。煎为膏，涂白秃。又主三十六种③风结疮，以一釜煮，澄清，内蜡三两，重煎成膏，涂疮上，亦服之。

子，明目，《仙经》用之。今附

［臣禹锡等谨按蜀本］云：马苋，味酸，寒，无毒。主诸肿瘘疣目④，尸脚，阴肿，胃反，诸淋，金疮内流，破血癖，癥瘕，汁洗去紧唇，面疱，解射工、马汗毒。一名马齿苋。宜小儿食之。又注云：此有二种，叶大者不堪用，叶小者节叶间有水银，每十⑤斤有八两至十两已来。至难燥，当以槐木槌碎之，向日东作架晒之，三两日即干，如隔年矣。其茎无效，不入药用，大抵此草能肥肠，令人不思食。

［孟诜］云：马齿苋，又主马毒疮，以水煮，冷服一升，并涂疮上。湿癣、白秃，以马齿膏和灰涂，效。治疳痢及一切风，傅杖疮良。及煮一碗和盐、醋等，空腹食⑥之，少时当出尽白虫矣。

［图经曰］马齿苋，旧不著所出州土，今处处有之。虽名苋类，而苗、叶与人

---

① 二：柯《大观本草札记》云：“‘二’下《政和》有‘升’字。”

② 任：成化《政和》、商务《政和》误作“在”。

③ 种：原作“肿”，据刘《大观》、柯《大观》改。

④ 目：成化《政和》、商务《政和》误作“自”。

⑤ 十：柯《大观》作“一”。

⑥ 食：柯《大观》作“服”。

苋辈都不相似。又名五行草，以其叶青、梗赤、花黄、根白、子黑也。此有二种，叶大者不堪用，叶小者为胜，云其节①叶间有水银，每干之，十斤中得水银八两至十两者。然至难燥，当以木②槌捣碎，向日东作架暴之，三两日即干，如经年矣。入药则去茎节②，大抵能肥肠，令人不思食耳。古方治赤白下多用之。崔元亮《海上方》著其法云：不问老、稚、孕妇悉可服。取马齿苋捣绞汁三大合，和鸡子白一枚，先温令热，乃下苋汁，微温，取顿饮③之，不过再作则愈。又治溪毒，绞汁一升，渐以傅疮上，佳。又疗多年恶疮，百方不差，或痛焮走不已者，并烂捣马齿傅上，不过三两遍。此方出于武元衡相国。武在西川，自苦胫疮焮痒不可堪，百医无效。及至京城，呼供奉石濛等数人疗治无益，有厅吏上此方，用之便差。李绛纪其事云。

［▶陈藏器云］破痃癖，止消渴。又主马恶疮虫。此物至难死，燥了致之地犹活。

［雷公云］凡使，勿用叶大者，不是马齿草，其内亦无水银。

［食疗］延年益寿，明目。患湿癣，白秃，取马齿膏涂之。若烧灰傅之，亦良。作膏主三十六种风，可取马齿一硕，水可二硕，蜡三两，煎之成膏。亦治疳痢，一切风。又可细切煮粥，止痢，治腹痛。

［圣惠方］治马咬人，毒入心。马齿苋汤食之，差。

［又方］治反花疮。用一斤烧作灰，细研，猪脂调傅之。

［外台秘要］治疬。马齿菜阴干烧灰，腊月猪脂和。以暖泔渍洗疮，拭干傅之，日三。

［千金方］治诸腋臭。马齿草杵，以蜜和作团，纸裹之，以泥泥纸上，厚半寸，日干，以火烧熟破，取更以少许蜜和，仍令热，先以生布揩之，以药夹腋下，令极痛，久忍，然后以手巾勒两臂，即差。

［又方］治小儿脐疮久不差者。烧菜末傅之。

［肘后方］疗豌豆疮。马齿草烧灰傅疮上，根须臾逐药出。若不出，更傅，良。

［食医心镜］理脚气，头面浮肿，心腹胀满，小便涩少。马齿草和少粳米、酱

① 节：成化《政和》、商务《政和》误作“即”。

② 木：其上，刘《大观》、柯《大观》有“槐”字。

③ 饮：刘《大观》、柯《大观》作“服”。

汁煮食之。

[又方] 主气不调，作粥食之。

[又方] 小儿血痢。取生马齿苋绞汁一大合，和蜜一匙匕，空心饮之。

[又方] 主青盲，白翳，除邪气，利大小肠，去寒热。马齿苋实一大升，捣为末。每一匙煮葱豉粥，和搅食之。煮粥及著米糁、五味作羹，亦得。

[广利方] 治小儿火丹，热如火，绕腰即损。杵马齿菜傅之，日二。

[灵苑方] 治五毒虫毛螫，赤痛不止。马齿苋熟杵傅之。

[产宝] 产后血痢，小便不通，脐腹痛。生马齿菜杵汁三合，煎一沸下蜜一合，搅服。

[丹房镜源] 马齿灰煮丹砂结汞，五色苋煮砂子。

[衍义曰] 马齿苋，人多食之，然性寒滑。青黛条中已著。

茄子

味甘，寒。久冷人不可多食，损人动气，发疮及痼疾。一名落苏。处处有之。

根及枯茎、叶　主冻脚疮，可煮作汤渍之，良。

苦茄　树小有刺[①]。其子，以醋摩疗痈肿。根亦作浴汤。生岭南[②]。今附

茄子

[臣禹锡等谨按孟诜]云：落苏，平。主寒热，五脏劳。不可多食，熟者少食无畏。又，醋摩之，傅肿毒。

[陈藏器]云：茄子，味甘，平，无毒。今人种而食者名落苏。岭南野生者名苦茄，足刺，子小，主瘴。

[日华子]云：茄子，治温疾，传尸劳气。

[图经曰] 茄子，旧不著所出州土，云处处有之，今亦然。段成式云：茄者，连[③]茎之名，字当革遐反，今呼苦伽，未知所自耳。茄之类有数种：紫茄、黄[④]茄，

---

① 刺：其下，刘《大观》、柯《大观》有“子”字。

② 岭南：柯《大观》倒置。

③ 连：刘《大观》、柯《大观》作“莲”。

④ 黄：刘《大观》作“重”。

南北通有之；青水茄、白茄，惟北土多有。入药多用黄茄，其余惟可作菜茹[①]耳。又有一种苦茄，小株有刺，亦入药。江南有一种藤茄，作蔓生，皮薄，似葫芦，亦不闻中药。江南方有疗大风热痰，取大黄老茄子，不计多少，以新瓶盛贮，埋之土中，经一年，尽化为水，取出，入苦参末，同丸如梧子。食已及欲卧时，酒下三十粒，甚效。又治坠扑内损，散败血，止痛及恶疮、发背等。重阳日收取茄子百枚，去蒂，四破切之，消石十二两，碎捣。以不津瓶器，大小约可盛纳茄子者，于器中先铺茄子一重，乃下消石一重覆之，如此令尽，然后以纸三数重，密密封之，安置净处，上下[②]以新砖撑复，不犯[③]地气，至正月后取出，去纸两重，日中暴之。逐日如此，至二、三月，度已烂，即开瓶倾出，滤去滓，别入新器中，以薄绵盖头，又暴，直至成膏，乃可用。内损，酒调半匙，空腹饮之，日再，恶血散则痛止，血[④]愈矣。诸疮肿，亦先酒饮半匙，又用膏于疮口四面涂之，当觉冷如冰雪，疮干便差。其有根本在肤腠者，亦可内消，若膏久干硬，即以饭饮化动涂之。又治腰脚风血积冷，筋急拘挛疼痛者，取茄子[⑤]五十斤，细切净洗讫，以水五斗，煮取浓汁，滤去滓，更入小铛器中煎至一斗以来，即入生粟粉同煎，令稀稠得所，取出搜和，更入研了麝香、朱砂粉，同丸如梧子。每旦日，用秫米酒送三十丸，近暮再服，一月乃差。男子、女人通用，皆验。

[**◣陈藏器云**] 平，无毒。醋摩傅痈肿。茎、叶枯者，煮洗冻疮。今人种食之，一名落苏。又岭南有野生者，名苦茄，足刺亦主瘴。

[**食疗**] 云：平。主寒热，五脏劳。不可多食，动气，亦发痼疾。熟者少食之，无畏。患冷人不可食[⑥]。又，根主冻脚疮，煮汤浸之。

[**胜金方**] 治搕扑损，肌肤青肿方：茄子留花种通黄极大者，切作片如一指厚，新瓦上焙干为末。欲卧酒调二钱匕，一夜消尽，无痕迹也。

[**灵苑方**] 治肠风下血，久不止。茄蒂烧存性为末，每服食前米饮调三钱匕。

[**衍义曰**] 茄子，新罗国出一种，淡光微紫色，蒂长，味甘。今其子已遍中国蔬圃中，惟此无益，并无所治，止说损人。后人虽有处治之法，然终与《本经》

---

① 茹：成化《政和》、商务《政和》作“茄”。

② 下：成化《政和》、商务《政和》作“不”。

③ 不犯：刘《大观》、柯《大观》作“勿令得”。

④ 血：刘《大观》、柯《大观》作“而”。

⑤ 子：其下，刘《大观》、柯《大观》有“根”字。

⑥ 食：其下，刘《大观》、柯《大观》有“发痼疾”3个字。

相失。圃人又植于暖处，厚加粪壤，遂于小满前后，求贵价以售。既不以时，损人益多，不时不食，于可忽也。

蘩蒌

味酸，平，无毒。主积年恶疮不愈。五月五日日中采，干用之。

[陶隐居]云：此菜，人以作羹。五月五日采，暴干，烧作屑，疗杂疮，有效。亦杂百草取之，不必止此一种尔。

[唐本注]云：此草即是鸡肠也，俱非正经所出。而二处说异，多生湿地坑渠之侧。流俗通谓鸡肠，雅士总名蘩蒌。《尔雅》物重名者，并云一物两名。

蘩蒌

[今按]《陈藏器本草》云：蘩蒌，主破血。产妇煮食之，及下乳汁。产后腹中有块痛，以酒炒绞取汁，温服。又取暴干为末，醋煮①为丸，空腹服三十丸，下②恶血。

[臣禹锡等谨按蜀本]《图经》云：叶青，花白，采苗入药。

[药性论]云：蘩蒌，亦可单用，味苦。主治产后血块。炒热和童子小便服，良。长③服恶血尽出，治恶疮有神验之功。

[图经曰] 蘩蒌音缕，即鸡肠草也。旧不著所出州土，今南中多生于田野间，近京下湿地，亦或有之。叶似荇菜而小，夏秋间生小白黄花，其茎梗作蔓，断之有丝缕，又细而中空似鸡肠，因得此名也。《本经》作两条，而苏恭以为一物二名。谨按，《尔雅》蔜五高切，薞蕿与缕同。释曰：蔜，一名薞蕿，一名蘩缕，一名鸡肠草，实一物也。今南北所生，或肥瘠不同，又其名多，人不尽见者，往往疑为二物也。又葛氏治卒淋方云：用鸡肠及蘩蕿若菟丝，并可单煮饮。如此又似各是一物也。其用大概主血，故妇人宜食之。五月五日采，阴干用。今口齿方：烧灰，以揩齿宣露，然烧灰减力，不若干作末有益矣。范汪治淋，用蘩蒌满两手，水煮饮之，亦可常饮。

① 煮：柯《大观》作“煎”。

② 下：柯《大观本草札记》云：“《政和》作‘卜’。”

③ 良长：柯《大观》作“之即”。

［🅚 食疗］不用令人长食之，恐血尽。或云蘋蒌即藤也，人①恐白软草是。

［外台秘要］治淋。取蘩蒌草满两手握，水②煮服之。

［衍义曰］蘩蒌，鸡肠草，一物也。今虽分之为二，其鸡肠草条中，独不言性味，故知一物也。鸡肠草，春开小花如绿豆大，茎、叶如园荽，初生则直，长大即覆地。小户收之为齑，食之乌髭发。

鸡肠草

主毒肿，止小便利。

［陶隐居］云：人家园庭亦有此草，小儿取挼汁，以捋蜘蛛网至黏，可掇蝉，疗蠼螋溺也。

［唐本注］云：此草，即蘩蒌是也，剩出此条，宜除之。

［今按］鸡肠草，亦③在草部下品。唐注以为剩出一条。详此主疗相似，其一物乎？今移附蘩蒌之下。

［臣禹锡等谨按蜀本］云：鸡肠草，平，无毒。

［小便利④通用药］云：鸡肠草，微寒。

［尔雅］云：蔜，䕘蕿。释曰：蔜，一名䕘蕿，一名鸡肠草。

［药性论］云：鸡肠草亦可单用，味苦。洗手足水烂，主遗尿，治蠼螋尿疮，生挼傅三四度。

［孟诜］云：鸡肠草，温。作灰和盐，疗一切疮及风丹遍身如枣大。痒痛者，捣封上，日五六易之。亦可生食，煮作菜食⑤，益人。去脂膏毒气。又，烧傅疳䘌。亦疗小儿赤白痢，可取汁一合，和蜜服之，甚良。

［图经］文具蘩蒌条下。

［🅚 食疗］温。作菜食之，益人。治一切恶疮，捣汁傅之，五月五日者验。

［肘后方］治发背欲死。鸡肠草傅，良。

［食医心镜］主小便利。以一斤于豉汁中煮，调和作羹食之，作粥亦得。

---

① 人：刘《大观》、柯《大观》作“又”。

② 水：成化《政和》、商务《政和》误作“木”。

③ 亦：刘《大观》、柯《大观》作“元”。

④ 利：刘《大观》、柯《大观》无。

⑤ 食：其下，刘《大观》、柯《大观》有“之”字。

[**博物志**] 蠼螋溺人影，亦随所著作疮①。以汁傅之效。

白苣

味苦，寒，一云平。主补筋骨，利五脏，开胸膈拥气，通经脉，止脾气，令人齿白，聪明，少睡。可常食之，患冷气人食，即腹冷，不至苦损人。产后不可食，令人寒中，小腹痛。陈藏器云：白苣如莴苣，叶有白毛。

莴苣 冷，微毒。紫色者入烧炼药用，余功同白苣。新补见孟诜、陈藏器、萧炳。

[**■ 圣惠方**] 治肾黄。用莴苣子一合，细研，水大一盏，煎至五分，去滓，非时服。

[**外台秘要**] 鱼脐疮，其头白似肿，痛不可忍方：先以针刺疮上及四畔作孔，以白苣汁滴孔中，差。

[**肘后方**] 治沙虱毒。傅莴苣菜汁，差。

[**孙真人**] 白苣不可共饴食，生虫。

[**丹房镜源**] 莴苣用硫黄种结砂子，制朱砂。

[**衍义曰**] 莴苣，今菜中惟此自初生便堪生啖，四方皆有，多食昏人眼，蛇亦畏之。虫入耳，以汁滴耳中，虫出。诸虫不敢食其叶，以其心置耳中，留虫出路，虫亦出。有人自长立禁此一物不敢食，至今目不昏。

落葵

味酸，寒，无毒。主滑中，散热。实，主悦泽人面。一名天葵，一名繁露。

[陶隐居] 云：又名承露，人家多种之。叶惟可飦音征鲊，性冷滑，人食之，为狗所啮作疮者，终身不差。其子紫色，女人以渍粉傅面为假色，少入药用。

[今注] 一名藤葵，俗呼为胡燕脂。

[臣禹锡等谨按蜀本] 《图经》云：蔓生，叶圆，厚如杏叶。子似五味子，生青熟黑，所在有之。

[孟诜] 云：其子悦泽人面，药中可用之。取蒸暴干，和白蜜涂面，鲜华立见。

[**■ 食疗**] 其子令人面鲜华可爱。取蒸，烈日中曝干。挼②去皮，取仁细研，

---

① 所著作疮：《博物志》作“所著处生疮”。

② 挼：柯《大观》作“按”。

和白蜜傅之，甚验。食此菜后被狗咬，即疮不差也。

堇汁

味甘，寒，无毒。主马毒疮，捣汁洗之并服之。堇，菜也。出《小品方》。《万毕方》云：除蛇蝎毒及痈肿。

［唐本注］云：此菜野生，非人所种。俗谓之堇菜，叶似蕺，花紫色。唐本先附

［臣禹锡等谨按尔雅］云：啮，苦堇。注：今堇葵①也，叶似柳，子如米，汋②之，滑。《疏》云：啮，一名苦堇，可食之菜也。《内则》云：堇、荁、枌、榆是也。本草云：味甘，此苦者，古人语倒，犹甘草谓之大苦也。

［孟诜］云：堇，久食除心烦热，令人身重懈惰。又令人多睡，只可一两顿而已。又，捣傅热肿，良。又，杀③鬼毒，生取汁半升服，即吐出。

［ 食疗］堇菜，味苦。主寒热，鼠瘘，瘰疬，生疮，结核，聚气，下瘀血。叶主霍乱，与香葇同功。蛇咬，生研④傅之，毒即出矣。又，干末和油煎成，摩结核上，三五度⑤差。

［丹房镜源］芹⑥堇灰制朱砂、流黄。

蕺音戢

味辛，微温。主蠷音劬螋溺疮，多食令人气喘。

［陶隐居］云：俗传言食蕺不利人脚，恐由闭气故也。今小儿食之，便觉脚痛。

［唐本注］云：此物叶似荞麦，肥地亦能蔓生，茎紫赤色，多生湿地、山谷阴处。山南、江左人好⑦生食之，关中谓之菹菜。

［臣禹锡等谨按蜀本］《图经》云：茎叶俱紫赤，英有臭气。

---

① 葵：成化《政和》、商务《政和》作“菜”。

② 汋：其下，刘《大观》、柯《大观》有“食”字；又“汋”，刘《大观》误作“污”。

③ 杀：成化《政和》、商务《政和》误作“赦”。

④ 研：刘《大观》、柯《大观》作“杵”。

⑤ 度：其下，柯《大观》有“便”字。

⑥ 芹：原作“勤”，成化《政和》、商务《政和》作“勤”。据《道藏》改。

⑦ 好：柯《大观本草札记》云：“‘好’《政和》误‘姓’。”

扬州蕺菜

［孟诜］云：蕺菜，温。小儿食之，三岁不行。久食之，发虚弱，损阳气，消精髓，不可食。

［日华子］云：蕺菜，有毒。淡竹筒内煨，傅恶疮①，白秃。

［图经曰］蕺菜，味辛，微温。主蠼螋溺疮。山谷阴处湿地有之。作蔓生，茎紫赤色。叶如荞麦而肥。山南、江左人好生食之。然不宜多食，令人气喘，发虚弱，损阳气，消精髓，素有脚弱病尤忌之。一啖令人终身不愈。关中谓之菹菜者是也。古今方家亦鲜用之。

［▶经验方］主背疮热肿。取汁盖之，至疮上开孔以歇热毒，冷即易之，差。

马芹子

味甘、辛，温，无毒。主心腹胀满，下气，消食。调味用之，香似橘皮，而无苦味。

［唐本注］云：生水泽傍，苗似鬼针、菾菜等，花青白色，子黄黑色，似防风子。唐本先附

［臣禹锡等谨按蜀本］《图经》云：花若芹花，子如防风子而扁大。

［尔雅］云：茭，牛蕲。释曰：似芹，可食菜也。而叶细②锐，一名茭，一名牛蕲，一名马蕲。子入药用。

［孟诜］云：和酱食，诸味良。根及叶不堪食。卒心③痛，子作末，醋服。

［日华子］云：马芹，嫩时可食。子治卒心痛，炒食令人得睡。

芸薹④

味辛，温，无毒。主风游丹肿，乳痈。

［唐本注］云：《别录》云，春食之，能发膝痼疾。此人间所啖菜也。

［今按］别本注云：破癥瘕结血。今俗方病人得吃芸薹⑤，是宜血病也。

---

① 疮：原作“创”，据刘《大观》、柯《大观》改。

② 细：柯《大观》作“纸”，成化《政和》、商务《政和》作“似”。

③ 心：其下，刘《大观》、柯《大观》有“气”字。

④ 薹：原作“台”，据药名改。

⑤ 薹：刘《大观》、柯《大观》作“台”。

［又按］《陈藏器本草》云：芸薹①破血，产妇煮②食之。子，压取油，傅头令头发长黑。又煮食，主腰脚痹。捣叶傅赤游疹。久食弱阳。唐本先附

［臣禹锡等谨按孟诜］云：若先患腰膝③，不可多食，必加极。又，极损阳气，发口疮④，齿痛。又，能生腹中诸虫。道家特忌。

［日华子］云：芸薹，凉。治产后血风及瘀血。胡臭人不可食。

［衍义曰］芸薹，不甚香，经冬根不死，辟蠹，于诸菜中，亦不甚佳。

蕹菜

味甘，平，无毒。主解野葛毒，煮食之。亦生捣服之。岭南种之，蔓生，花白，堪为菜。云南人先食蕹菜，后食野葛，二物相伏，自然无苦。又，取汁滴野葛苗，当时菸死，其相杀如此。张司空云：魏武帝啖野葛至一尺。应是先食此菜也。

菠薐

冷，微毒。利五脏，通肠胃热，解酒毒。服丹石人食之佳。北人食肉面即平，南人食鱼鳖水米⑤即冷。不可多食，冷大小肠。久食令人脚弱不能行。发腰痛，不与鳝⑥鱼同食，发霍乱吐泻。

［刘禹锡嘉话录］云：菠薐，本西国中有，自彼将其子来，如苜蓿、葡萄，因张骞而至也。本是颇陵国将来，语讹，尔时多不知也。

苦荬

冷，无毒。治面目黄，强力，止困，傅蛇虫咬。又，汁傅丁肿，即根出。蚕蛾出时，切不可取拗，令蛾子青烂。蚕妇亦忌食。野苦荬五六回拗后，味甘滑于家苦荬，甚佳。

---

① 薹：柯《大观》作“台”。

② 煮：柯《大观》作“者”。

③ 膝：成化《政和》、商务《政和》作“脚”。

④ 口疮：柯《大观》倒置。

⑤ 米：成化《政和》、商务《政和》误作“未”。

⑥ 鳝：刘《大观》、柯《大观》误作“蛆”。

鹿角菜

大寒，无毒、微毒。下热风气，疗小儿骨蒸热劳。丈夫不可久食，发痼疾，损经络血气，令人脚冷痹，损腰肾，少颜色。服丹石人食之，下石力也。出海州，登、莱、沂、密州并有，生海中。又能解面热。

莙荙

平，微毒。补中下气，理脾气，去头风，利五脏。冷气，不可多食，动气。先患腹冷，食必破腹。茎灰淋汁洗衣，白如玉色。已上五种新补见孟诜、陈藏器、陈士良、日华子。

东风菜

味甘，寒，无毒。主风毒壅热，头疼目眩，肝热眼赤，堪①入羹臛，煮食甚美。生岭南平泽。茎高三二尺，叶似杏叶而长，极厚软，上有细毛。先春而生，故有东风之号。今附

重修政和经史证类备用本草卷第二十九

---

① 堪：其下，刘《大观》、柯《大观》有“亦”字。

重修政和经史证类备用本草卷第三十

己酉新增衍义

重修政和经史证类备用本草卷第三十[①] 己[②]酉新增衍义

成　都　唐　慎　微　续　证　类
中卫大夫康州防御使句当龙德宫总辖修建明堂所医药
提举入内医官编类圣济经提举太医学臣曹孝忠奉敕校勘

本草图经本经外草类总七十五种[③]

水英	丽春草	坐拿草	紫堇
杏叶草	水甘草	地柏	紫背龙牙
攀倒甑	佛甲草	百乳草	撮石合草
石苋	百两金	小青	曲节草
独脚仙	露筋草	红茂草	见肿消
半天回	剪刀草	龙牙草	苦芥子
野兰根	都管草	小儿群	菩萨草

① 重修……三十：以上16字，刘《大观》作“经史证类备急本草卷第三十一”。

② 己：原作“巳”，据底本书首牌记改。

③ 本草图经本经外草类总七十五种：刘《大观》将此75种分为上、下两类。将前31种列为“本草图经本经外草类上31种”，将后44种列为“本草图经本经外草类下44种”。其药物具体排列顺序，与人卫《政和》底本出入很大，此处从略。

仙人掌[①]	紫背金盘	石逍遥[②]	胡堇草
无心草	千里光	九牛草	刺虎[③]
生瓜菜	建水草	紫袍	老鸦眼睛草
天花粉	琼田草	石垂	紫金牛
鸡项草	拳参	根子	杏参
赤孙施	田母草	铁线草	天寿根
百药祖	黄寮郎	催风使	阴地厥
千里急	地芙蓉	黄花了	布里草
香麻	半边山	火炭母草	亚麻子
田麻	鸩鸟威	茆质汗	地蜈蚣
地茄子	水麻	金灯[④]	石蒜
荨麻	山姜	马肠根[⑤]	

本草图经本经外木蔓类二十五[⑥]种

大木皮	崖椋	鹅抱	鸡翁藤
紫金藤	独用藤	瓜藤	金棱藤
野猪尾	烈节	杜茎山	血藤
土红山	百棱藤	祁婆藤	含春藤
清风藤	七星草	石南藤	石合草
马接[⑦]脚	芥心草	棠球子	醋林子[⑧]
天仙藤[⑨]			

有名未用总一百九十四种

---

① 掌：其下，刘《大观》有"草"字。

② 遥：其下，刘《大观》有"草"字。

③ 水英……刺虎：以上36药，刘《大观》取其中31种为"本草图经本经外草类上"，将攀倒甑、百两金、小青、独脚仙、剪刀草5药置于"本草图经本经外草类下"。

④ 金灯：刘《大观》作"金灯附"，并以小字书写。

⑤ 生瓜菜……马肠根：以上诸药，刘《大观》排列顺序不同，文繁从略。

⑥ 五：刘《大观》作"四"。

⑦ 接：原作"节"，据刘《大观》、柯《大观》及本条图经文改。

⑧ 大木皮……醋林子：以上24药，刘《大观》排列顺序不同，文繁从略。又"醋林子"之后，刘《大观》有"经史证类备急本草卷第三十"12字。

⑨ 天仙藤：刘《大观》、柯《大观》无。

二十六种玉石类

青玉	白玉髓	玉英	璧玉
合玉石	紫石华	白石华	黑石华
黄石华	厉石华	石肺	石肝
石脾	石肾	封石	陵石
碧石青	遂石	白肌石	龙石膏
五羽石	石流青	石流赤	石耆
紫加石	终石		

一百三十二种草木类

玉伯	文石	曼诸石	山慈石
石濡	石芸	石剧	路石
旷石	败石	越砥音旨	金茎
夏台	柒紫	鬼目	鬼盖
马颠	马唐	马逢	牛舌实
羊乳	羊实	犀洛	鹿良
菟枣	雀梅	雀翘	鸡涅
相乌	鼠耳	蛇舌	龙常草
离楼草	神护草	黄护草	吴唐草
天雄草	雀医草	木甘草	益决草
九熟草	兑草	酸草	异草
灌草	茝音起草	莘草	勒草
英草华	吴葵华	封华	腆他典切华
棑华	节华	徐李	新雉木
合新木	俳蒲木	遂阳木	学木核
木核　华子根附	栒音荀核	荻皮	桑茎实
满阴实	可聚实	让实	蕙实
青雌	白背	白女肠　赤女肠附	
白扇根	白给	白并	白辛
白昌	赤举	赤涅	黄秫
徐黄	黄白支	紫蓝	紫给
天蓼	地朕	地芩	地筋

地耳	土齿	燕齿	酸恶
酸赭	巴棘	巴朱	蜀格
累根	苗根	参果根	黄辨
良达	对庐	粪蓝	委音威蛇音贻
麻伯	王明	类鼻	师系
逐折	并苦	父陛根	索干
荆茎	鬼䕻音丽	竹付	秘恶
唐夷	知杖	坔音地松	河煎
区余	三叶	五母麻	疥拍腹
常吏之生	救赦人者	丁公寄	城里赤柱
城东腐木	芥	载	庆
腂户瓦切			

一十五种虫类

雄黄虫	天社虫	桑蠹虫	石蠹虫
行夜	蜗篱	麋鱼	丹戬
扁前	蚖类	蜚厉	梗鸡
益符	地防	黄虫	

唐本退二十种六种《神农本经》，一十四种《名医别录》

薰草	**姑活**	**别羁**	牡蒿
石下长卿	麇俱伦切舌	练石草	弋共
蕈音谭草	五色符	蘘音襄草	**翘根**
鼠姑	船[①]虹	**屈草**	赤赫
淮木	占斯	婴音樱桃	鸩真阴切乌毛

今新退一种《神农本经》

彼子

---

① 船：刘《大观》作“舡”。

本草图经本经外草类总七十五种

水英

[图经曰] 水英，味苦，性寒，无毒。元生永阳池泽及河海边。临汝人呼为牛荭草，河北信都人名水节，河内连内黄呼为水棘，剑南、遂宁等郡名龙移草。蜀郡人采其花合面药。淮南诸郡名海荏①。岭南亦有，土地尤宜，茎、叶肥大，名海精木，亦名鱼津草。所在皆有。单服之，疗膝痛等。其方云水英，主丈夫、妇人无故两脚肿满，连膝胫中痛，屈伸急强者，名骨风。其疾不宜针刺及灸，亦不宜服药，惟单煮此药浸之，不经五②日即差，数用神验。其药春取苗，夏采茎叶及花，秋冬用根。患前病者，每日取五六斤，以水一石，煮取三斗，及热浸脚，兼淋膝上，日夜三四，频③日用之，以差为④度。若肿甚者，即于⑤前方加生椒目三升，加水二大斗，依前煮取汁，将淋疮肿，随汤消散。候肿消⑥，即摩粉避风，乃良。忌油腻、蒜、生菜、猪、鱼肉等。

丽春草

[图经曰] 丽春草，味甘，微温，无毒。出檀嵎山川谷，檀嵎山在高密界。河南淮阳郡、颍川及谯郡汝南郡等，并呼为龙芊草。河北近山、邺郡、汲郡名蘘兰艾。上党紫团山亦

① 荏：柯《大观》作“住”。

② 五：其上，柯《大观》有“三”字。

③ 频：刘《大观》作“顿”。

④ 为：刘《大观》误作“伪”。

⑤ 于：刘《大观》无。

⑥ 散。候肿消：成化《政和》、商务《政和》无。

有，名定参草，亦名仙女蒿。今所在有。甚疗阴黄，人莫能知。唐天宝中，因颍川郡杨正进，名医尝①用有效。单服之，主疗黄疸等。其方云：丽春草，疗因将息②伤热，变成阴黄，通③身壮④热，小便黄赤，眼如金色。面又青黑，心头气痛，绕心如刺，头旋欲倒，兼肋⑤下有瘕气及黄疸等，经用有验。其药春三月采花，阴干。有前病者，取花一升，捣为散，每平朝空腹取三方寸匕，和生麻油一盏，顿服之，日惟一服，隔五日再进，以知⑥为度。其根疗黄疸。患黄疸者，捣根取汁一盏，空腹顿服之，服讫，须臾即利三两行，其疾立已。一剂不能全愈，隔七日更一剂，永差。忌酒、面、猪、鱼、蒜、粉、酪等。

吉州坐拿草

［**图经曰**］坐拿草，生江西及滁州。六月开紫花结实。采其苗为药。土人用治打扑所伤，兼壮筋骨。治风痹。江西北甚易得，后因人用之有效，今颇贵重。神医普救治风方中，已⑦有用者。

紫堇

［**图经曰**］紫堇，味酸，微温，无毒。元生江南吴兴郡。淮南名楚葵，宜春郡名蜀堇，豫章郡名苔菜，晋陵郡名水卜菜。惟出江淮南。单服之，疗大小人脱肛等。其方云：紫堇草，主大小人脱肛。每天冷及吃冷食，即暴痢不止，肛则下脱，久疗不差者。春间收紫堇花二斤，暴干，捣为散，加磁毛末七两，相和，研令细，涂肛上，内入。既⑧内了，即使人噀冷水于面上，即吸入肠中，每日一涂药噀面，不过六七度即差。又⑨以热酒半升，和散一方寸匕，空腹服之，日再渐加至二方寸匕，以知⑥为度。若五岁已下小儿，即以半杏

① 尝：刘《大观》、柯《大观》作“常”。
② 将息：柯《大观》作“时患”。
③ 通：柯《大观》作“遍”。
④ 壮：刘《大观》作“肚”，成化《政和》、商务《政和》作“旺”。
⑤ 肋：柯《大观》作“胁”。
⑥ 知：柯《大观》作“差”。
⑦ 已：柯《大观》作“亦”。
⑧ 入。既：成化《政和》、商务《政和》倒置。
⑨ 又：刘《大观》作“久”。

子许散，和酒令服之，亦佳①。忌生冷、陈仓米等。

［图经曰］杏叶草，生常州。味酸，无毒。主肠痔下血久不差者。一名金盏草。蔓生篱下，叶叶相对。秋后有子，如鸡头实，其中变生一小虫子，脱而能行，中夏采花用。

［图经曰］水甘草，生筠州。味甘，无毒。治小儿风热丹毒疮，与甘草同煎，饮服。春生苗，茎青色，叶如杨柳，多生水际，无花。七②月、八月采。彼土人多单使，不入众药。

常州杏叶草

筠州水甘草

［图经曰］地柏，生蜀中山谷，河中府亦有之。根黄，状如丝，茎细，上有黄点子。无花。叶三月生，长四五寸许。四月采，暴干用。蜀中九月药市，多有货之。主脏毒下血，神速。其方与黄耆等分，末之，米饮服二钱。蜀人甚神。此方，诚有效也。

河中府地柏

［图经曰］紫背龙牙，生蜀中。味辛、甘，无毒。彼土山野人云：解一切蛇毒，甚妙。兼治咽喉中痛，含咽之，便效。其药冬夏长生，采无时。

永康军紫背龙牙

① 佳：柯《大观》误作“作”。

② 七：成化《政和》、商务《政和》作“十”。

［图经曰］攀倒甑，生宜州郊野。味苦，性寒。主解利风壅，热盛烦渴，狂躁。春夏采叶，研捣，冷水浸，绞汁服之，甚效。其茎、叶如薄荷，一名斑骨草，一名斑杖丝①。

［图经曰］佛甲草，生筠州。味甘，寒，微毒。烂研如膏，以贴汤火疮毒。多附石向阳而生，有似马齿苋，细小而长，有花，黄色。不结实，四季皆有，采无时，彼土人多用②。

宜州攀倒甑

筠州佛甲草

［图经曰］百乳草，生河中府、秦州、剑州。根黄白色。形如瓦松，茎、叶俱青，有如松叶，无花。三月生苗，四月长及五六寸许。四时采其根，晒干用。下乳，亦通顺血脉，调气甚佳。亦谓之百蕊草。

秦州百乳草

［图经曰］撮石合草，生眉州平田中。苗茎高二尺以来，叶似谷叶。十二月萌芽生苗，二月有花，不结实。其苗味甘，无毒。二月采之。彼土人用疗金疮，甚佳。

眉州撮石合草

① 丝：成化《政和》、商务《政和》作“茎”。

② 用：其下，柯《大观》有“之”字。

［图经曰］石苋，生筠州，多附河岸沙石上生。味辛、苦，有小毒。春生苗、叶，茎青，高一尺已来。叶如水柳而短。八月、九月采，彼土人与甘草同服，治齁䶎①及吐风涎。

［图经曰］百两金，生戎州、云安军、河中府。味苦，性平，无毒。叶似荔枝，初生背面俱青，结花实后，背紫面青。苗高二三尺，有杆如木，凌②冬不凋。初秋开花，青碧色，结实如豆大，生青熟赤。根入药，采无时。用之捶去心，治壅热，咽喉肿痛，含一寸许，咽津。河中出者，根赤色如蔓青，茎细，青色。四月开③碎黄花，似星宿花，五月采根，长及一寸，晒干用，治风涎。

筠州石苋

戎州百两金

［图经曰］小青，生福州。三月生花，当月采叶。彼土人以其叶生捣碎，治痈疮，甚效。

福州小青

① 治齁䶎："治"，成化《政和》、商务《政和》无。"䶎"，刘《大观》误作"𪖌"。
② 凌：刘《大观》误作"背"。
③ 开：成化《政和》、商务《政和》作"间"。

［图经曰］曲节草，生筠州。味甘、平，无毒。治发背疮，消痈肿，拔①毒。四月生苗，茎方，色青，有节。七月、八月著花，似薄荷，结子无用，叶似刘寄奴而青软。一名蛇蓝②，一名绿豆青，一名六月冷。五月、六月采茎叶，阴干。与甘草作末③，米汁调服。

筠州曲节草

［图经曰］独脚仙，生福州。山林傍阴泉处多有之。春生苗，至秋冬而叶落。其叶圆，上青下紫，其脚长三四寸，夏采根、叶，连梗焙干为末，治妇人血块，酒煎半钱服之。

［图经曰］露筋草，生施州。株高三尺已来，春生苗，随即开花结子，四时不凋。其子碧绿色，味辛、涩，性凉，无毒。不拘时采其根，洗净焙干，捣罗为末。用白矾水调，贴蜘蛛并蜈蚣咬伤疮。

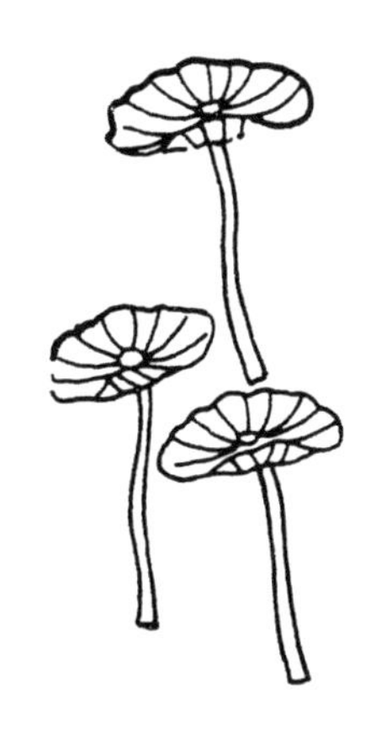
福州独脚仙

施州露筋草

［图经曰］红茂草，生施州。又名地没药，又名长生草，四季枝叶繁盛，故有长生之名。大凉，味苦。春④采根、叶，焙干，捣罗为末，冷水调，贴痈疽疮肿。

施州红茂草

① 拔：刘《大观》误作“援”。

② 蓝：成化《政和》、商务《政和》作“篮”。

③ 末：成化《政和》、商务《政和》误作“未”。

④ 春：刘《大观》误作“青”。

［**图经曰**］见肿消，生筠州。味酸、涩，有微毒。治狗咬疮，消痈肿。春生苗，叶、茎紫色，高一二尺，叶似桑而光，面青紫赤色，采无时。土人多以生苗、叶烂捣，贴疮。

［**图经曰**］半天回，生施州。春生苗，高二尺已来，赤斑色，至冬苗、叶皆枯。其根味苦、涩，性温，无毒。土人夏月采之。与鸡翁藤、野兰根、崖棕等四味，洗净，去粗皮。焙干等分，捣罗为末，温酒调服二钱匕，疗妇人血气并五劳七伤。妇人服，忌羊血、鸡、鱼、湿面，丈夫服无所忌①。

筠州见肿消

施州半天回

［**图经曰**］剪刀草，生江湖及京东近水河沟沙碛中。味甘、微苦，寒，无毒。叶如剪刀形。茎杆似嫩蒲，又似三棱。苗甚软，其色深青绿。每丛十余茎，内抽出一两茎，上分枝，开小白花，四瓣，蕊深黄色。根大者如杏，小者如杏核，色白而莹滑。五月②、六月②、七月采叶，正月、二月采根。一名慈菰，一名白地栗，一名河凫茨。土人烂捣其茎、叶如泥，涂傅诸恶疮肿，及小儿游瘤丹毒，以冷水调此草膏，化如糊，以鸡羽扫上，肿便消退，其效殊佳。根煮熟味甚甘甜。时人作果子常食，无毒。福州别有一种小异，三月生花，四时采根、叶，亦治痈肿。

密州剪刀草

---

① 忌：其下，成化《政和》、商务《政和》有“之”字。

② 月：柯《大观》无。

［图经曰］龙牙草，生施州。株高二尺已来。春夏有苗、叶，至秋冬而枯。其根味辛、涩，温，无毒。春夏采之，洗净拣择，去芦头，焙干，不计分两，捣罗为末，用米饮调服一钱匕，治赤白痢，无所忌。

［图经曰］苦芥子，生秦州。苗长一尺已来，枝茎青色，叶如柳，开白花，似榆荚。其子黑色，味苦，大寒，无毒。明眼目，治血风烦躁。

施州龙牙草

秦州苦芥子

［图经曰］野兰根，出施州。丛生，高二尺已来，四时有叶，无花。其根味微苦，性温，无毒。采无时。彼土人取此，并半天回、鸡翁[1]藤、崖棕等四味，洗净，去粗皮，焙干，等分。捣罗为末，温酒调服二钱匕，疗妇人血气并五劳七伤。妇人服之，忌鸡、鱼、湿面、羊血，丈夫无所忌。

施州野兰根

［图经曰］都管草，生施州及宜州田野。味苦、辣，性寒。主风痈肿毒，赤疣，以醋摩其根涂之。亦治喉咽肿痛，切片含之，立愈。其根似羌活头，岁长一节[2]，高一尺许。叶似土当归，有重台生。二月、八月采根，阴干。施州生者作蔓，又名香球，蔓长丈余，赤色，秋结红实，四时皆有，采其根枝，煎汤淋洗，去风毒疮肿。

施州都管草

① 翁：柯《大观》作“公”。

② 节：其下，刘《大观》、柯《大观》有“茎”字。

［图经曰］小儿群，生施州。丛高一尺已来，春夏生苗、叶，无花，至冬而枯。其根味辛①，性凉，无毒。采无时。彼土人取此并左缠草二味，洗净，焙干，等分捣罗为末，每服一钱，温酒调下，疗淋疾，无忌。左缠草乃旋花根也。

［图经曰］菩萨草，生江浙州郡，近京亦有之。味苦，无毒。中诸药食毒者，酒研服之。又治诸虫蛇伤，饮其汁及研傅之，良。亦名尺二。主妇人妊娠咳嗽，捣筛，蜜丸服之，立效。此草凌冬不凋，秋中有花直出，赤子似蒻头，冬月采根用。

施州小儿群

常州菩萨草

［图经曰］仙人掌草，生台②州、筠州。味微苦而涩，无毒。多于石壁上贴壁而生，如人掌，故以名之。叶细而长，春生，至冬犹青，无时采。彼土人与甘草浸酒服，治肠痔泻血。不入众③使。

筠州仙人掌草

① 辛：柯《大观》作“苦”。

② 台：成化《政和》、商务《政和》作“合”。

③ 众：其下，柯《大观》有“药”字。

［图经曰］紫背金盘草，生施州。苗高一尺已来，叶背紫，无花。根味①辛、涩，性热，无毒。采无时。土人单用此②物，洗净，去粗皮，焙干，捣罗，温酒调服半钱匕。治③妇人血气。能消胎气，孕妇不可服。忌鸡、鱼、湿面、羊血。

［图经曰］石逍遥草，生常州。味苦，微寒，无毒。疗摊缓④诸风，手足不遂。其草冬夏常有，无花实。生亦不多，采无时。俗用捣为末，炼蜜丸如梧子大，酒服三⑤十粒，日三服，百日差。久服益血，轻身。初服微有头疼，无害。

施州紫背金盘草

常州石逍遥草

［图经曰］胡堇草，生密州东武山田中。味辛，滑，无毒。主五脏荣卫，肌肉皮肤中瘀血，止疼痛，散血。绞汁涂金疮。枝⑥叶似小堇菜。花紫色，似翅轺花。一枝⑦七叶，花出三两⑧茎。春采苗。使⑨时捣筛。与松脂、乳香、花桑柴炭、乱发灰同熬，如弹丸大⑩。如有打扑损

密州胡堇草

① 味：其下，柯《大观》有“苦”字。

② 此：其下，刘《大观》、柯《大观》有“一”字。

③ 治：成化《政和》、商务《政和》无。

④ 摊缓：刘《大观》作“瘫痪”，柯《大观》作“瘫痪”。

⑤ 三：成化《政和》、商务《政和》作“二”。

⑥ 枝：原作“科”，据成化《政和》、商务《政和》、柯《大观》改。

⑦ 枝：原作“科”，据柯《大观》改。

⑧ 两：柯《大观》作“二”。

⑨ 使：成化《政和》、商务《政和》作“依”。

⑩ 大：刘《大观》、柯《大观》无。

筋骨折伤，及恶痈疖肿破，以热酒摩一弹丸服之，其疼痛立①止。

［**图经曰**］无心草，生商州及秦州。性温，无毒。主积血，逐气块，益筋节，补虚损，润颜色，疗澼泄腹痛。三月开花，五月结实，六、七月采根、苗，阴干用之。

［**图经曰**］千里光，生筠州浅山及路傍。味苦、甘，寒，无毒。叶似菊叶而长，枝杆圆而青，背有毛，春生苗，秋生茎叶，有花黄色，不结实。花无用。彼土人多与甘草煮作饮服，退热明目，不入众药用。

秦州无心草

筠州千里光

［**图经曰**］九牛草，生筠州山岗上。味微苦，有小毒。解风劳，治身体痛。二月生苗，独茎，高一尺。叶似艾叶，圆而长，背有白毛，面青。五月采。与甘草同煎服，不入众药②用。

筠州九牛草

① 立：柯《大观》作“并”。

② 药：原脱，据成化《政和》、商务《政和》补。

[图经曰] 刺虎，生睦州。味甘。其[1]叶凌冬不凋。采无时。彼土人以其根、叶、枝杆细剉，焙干，捣罗为末。暖酒调服一钱匕，理一切肿痛风疾。

[图经曰] 生瓜菜，生资州平田阴畦间。味甘，微寒，无毒。治走疰攻头面四肢，及阳毒伤寒，壮热头痛，心神烦躁，利胸膈，俗用捣取自然汁饮之，及生捣贴肿毒。苗长三四寸，作丛生。叶青圆似白苋菜。春生茎叶，夏开紫白花，结黑细实。其味作生瓜气，故以为名。花实无用[2]。

睦州刺虎

资州生瓜菜

[图经曰] 建水草，生福州。其枝叶似桑，四时常有。彼[3]土人取其叶，焙干碾末，暖酒服。治走疰风。

福州建水草

---

① 其：刘《大观》、柯《大观》无。

② 无用：成化《政和》、商务《政和》无。

③ 彼：成化《政和》、商务《政和》作“效”。

［**图经曰**］紫袍，生信州。春深发生，叶如苦益菜。至五月生花如金钱，紫色。彼方医人用治咽喉口齿。

［**图经曰**］老鸦眼睛草，生江湖间。味甘，性温，无毒。治风，补益男子元气，妇人败血。七月采子，其叶入醋细研，治小儿火焰丹，消赤肿。其根与木通、胡荽煎汤服，通利小便。叶如茄子叶，故名天茄子。或云即漆姑草也。漆姑即蜀羊泉，已见《本经》，人亦不能决识之。

信州紫袍

高邮军老鸦眼睛草

［**图经曰**］天花粉，生明州。味苦，寒，无①毒。主消渴，身热，烦满，大热，补气安中②，续绝伤，除肠中固热，八③疸身面黄，唇干口燥，短气，通月水，止小便利。十一月、十二月采根用。

明州天花粉

［**图经曰**］琼田草，生福州。春生苗、叶，无花。三月采根、叶，焙干。土人用治风。生捣罗，蜜④丸服之。

福州琼田草

① 无：成化《政和》、商务《政和》脱。

② 中：成化《政和》、商务《政和》作“神”。

③ 八：柯《大观》作“入”。

④ 蜜：其下，刘《大观》、柯《大观》有“为”字。

[图经曰] 石垂，生福州山中。三月有花，四月采子，焙干。生捣罗，蜜丸。彼人用治蛊毒，甚佳。

[图经曰] 紫金牛，生福州。味辛，叶如茶，上绿下紫。实圆，红如丹朱。根微紫色。八月采，去心暴干，颇似巴戟。主时疾膈气，去风痰用之。

福州石垂

福州紫金牛

[图经曰] 鸡项草，生福州。叶如红花，叶上有刺，青色，亦名千针草。根似小萝卜，枝①条直上，三、四月苗上生紫花，八月叶凋。十月采根，洗，焙干，碾罗为散，服，治下血。

[图经曰] 拳参，生淄州田野。叶如②羊蹄，根似海虾，黑色。五月采。彼土人捣末，淋炸肿气。

福州鸡项草

淄州拳参

---

① 枝：刘《大观》误作“校”。

② 如：柯《大观》作“似”。

［图经曰］根子，生威州山中。味苦、辛，温。主心中结块，久积气攻脐下。根入药用。采无时。其苗、叶、花、实并不入药。

［图经曰］杏参，生淄州田野。主腹脏风壅，上气咳嗽。根似小菜根。五月内采苗、叶。彼土人多用之。

威州根子

淄州杏参

［图经曰］赤孙施，生福州。叶如浮萍草。治妇人血结不通。四时常有。采无时。每用一手搦，净洗，细研，暖酒调服之。

［图经曰］田母草，生临江军。性凉，无花实。二月采根用。主烦热及小儿风热，用之尤效。

福州赤孙施

临江军田母草

［图经曰］ 铁线，生饶州。味微苦，无毒。三月采根，阴干。彼土人用疗风，消肿毒，有效。

［图经曰］ 天寿根，出台州。每岁土贡。其性凉。甚①治胸膈烦热。彼土人②常用有效。

饶州铁线　　台州天寿根

［图经曰］ 百药祖，生天台山中。苗、叶冬夏常青。彼土人冬采其叶入药。治风有效。

［图经曰］ 黄寮郎，生天台山中。苗、叶冬夏常青。彼土人采其根入药。治风有效。

天台山百药祖　　天台山黄寮郎

---

① 甚：柯《大观》作“堪”。

② 人：原脱，据刘《大观》、柯《大观》补。

［图经曰］催风使，生天台山中。苗、叶冬夏常青。彼土人秋采其叶入药用，治风有效。

［图经曰］阴地厥，生邓州顺阳县内乡山谷。味甘、苦，微寒，无毒。主疗肿毒风热。叶似青蒿，茎青紫色，花作小穗，微黄。根似细辛。七月采根、苗用。

天台山催风使

邓州阴地厥

［图经曰］千里急，生天台山中。春生苗，秋有花。彼土人并其花、叶采入药用。治眼有效。

［图经曰］地芙蓉，生鼎州。味辛，平，无毒。花主恶疮，叶以傅贴肿毒。九月采。

天台山千里急

鼎州地芙蓉

［图经曰］黄花了，生信州。春生青叶，至三月而有花，似辣菜花，黄色。至秋中结实。采无时。疗咽喉口齿。

信州黄花了

［图经曰］布里草，生南恩州原野中。味苦，寒，有小毒。治皮肤疮疥。茎高三四尺，叶似李而大，至夏不花而实，食之令人泻。不拘时采根，割取皮，焙干为末，油和涂疮疥，杀虫①。

南恩州布里草

［图经曰］香麻，生福州。四季常有苗、叶而无花。不拘时月采之。彼土人以煎作浴汤，去风甚佳。

［图经曰］半边山②，生宜州溪涧。味微苦③、辛，性寒。主风热上壅，喉咽肿痛，及项上风疬。以酒摩服。二月、八月、九月采根，其根状似白术而软。叶似苦荬，厚而光。一名水苦荬，一名谢④婆菜。

福州香麻

宜州半边山

［图经曰］火炭母草，生南恩州原野中。味酸，平，无毒。去皮肤风热，流注骨节，痈肿疼痛。茎赤而柔似细蓼，叶端尖，近梗方。夏有白花。秋实如菽，青黑色，味甘可食。不拘时采叶，捣烂于埚器中，以盐酒炒，傅肿痛处，经宿一易。

南恩州火炭母草

---

① 虫：成化《政和》、商务《政和》作“蛊”。

② 山：柯《大观》作“草”。

③ 苦：原作“若”，据刘《大观》、柯《大观》改。

④ 谢：刘《大观》、柯《大观》作“许”。

［图经曰］ 亚麻子，出兖州、威胜军。味甘，微温，无毒。苗、叶俱青，花白色。八月上旬采其实用。又名鸦麻，治大风疾。

［图经曰］ 田麻，生信州田野及沟涧傍。春夏生青叶，七月、八月中生小荚子。冬三月采叶，疗痈疖肿毒。

威胜军亚麻子

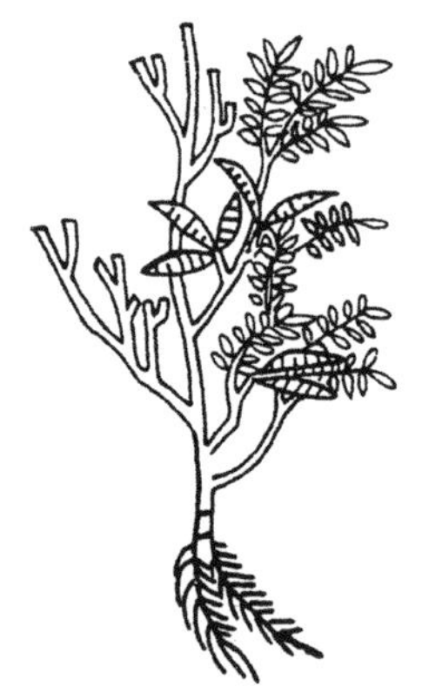

信州田麻

［图经曰］ 鸩鸟威，生信州山野中。春生青叶①，至九月而有花，如蓬蒿菜花，淡黄色，不结实。疗痈疖肿毒。采无时。

［图经曰］ 茆质汗，生信州。叶青，花白，七月采。彼土人以治风肿，行血有效。

信州鸩鸟威

信州茆质汗

① 叶：成化《政和》、商务《政和》作“药”。

［图经曰］地蜈蚣，出江宁府①村落间。乡人云：水摩涂肿毒。医方鲜用。

［图经曰］地茄子，生商州。味微辛，温，有小毒。主中风痰涎麻痹，下热毒气，破坚积，利膈，消痈肿疮疖，散血堕胎。三月开花结实②，五月、六月采，阴干用。

江宁府地蜈蚣

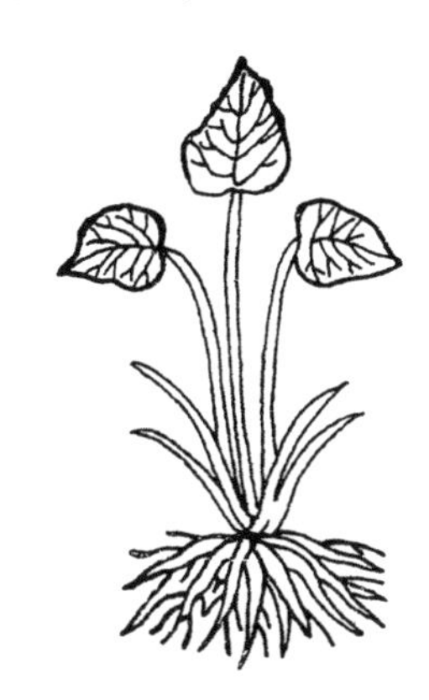

商州地茄子

［图经曰］文附③石蒜条下。

鼎州水麻

［图经曰］文附石蒜条下。

鼎州金灯

① 府：成化《政和》、商务《政和》作“州”。

② 实：成化《政和》、商务《政和》作“子”，柯《大观本草札记》云：“‘实’《政和》作‘止’。”

③ 附：成化《政和》、商务《政和》作“具”。

[图经曰] 水麻，生鼎州。味辛，温，有小毒。其根名石蒜。主傅贴肿毒。九月采。又①，金灯花，其根亦名石蒜。或云即此类也。

[图经曰] 荨麻，生江宁府山野中。村②民云：疗蛇毒。然有大毒，人误服之，吐利不止。

黔州石蒜

江宁府荨麻

[图经曰] 山姜，生卫州。味辛，平，有小毒。去皮间风热，可作淋炸汤。又主暴冷及胃中逆冷，霍乱腹痛。开紫花，不结子。八月、九月③采根用。

[图经曰] 马肠根，生秦州。味苦、辛，寒，有毒。主蛊毒④，除风，五月、六月采根用，其叶似桑，性热。三月采，以疗疮疥。

卫州山姜

秦州马肠根

---

① 又：其下，成化《政和》、商务《政和》有“名”字。

② 中村：柯《大观》作“间彼”。

③ 九月：成化《政和》、商务《政和》无。

④ 毒：成化《政和》、商务《政和》无。

本草图经本经外木蔓类二十五种

[**图经曰**] 大木皮，生施州。其高下、大小不定，四时有叶，无花。其皮味苦、涩，性温，无毒。采无时。彼土人与苦桃皮、樱桃皮三味，各去粗皮，净洗焙干，等分捣罗，酒调服一钱匕，疗一切热毒气。服食无忌。

[**图经曰**] 崖棕，生施州石崖上。味甘、辛，性温，无毒。苗高一尺已来，四季有叶，无花。彼土医人采根与半天回、鸡翁藤、野兰根等四味，净洗[①]焙干，去粗皮，等分捣罗，温酒调服二钱匕。疗妇人血气并五劳七伤。妇人服，忌鸡、鱼、湿面，丈夫服无所忌。

施州大木皮

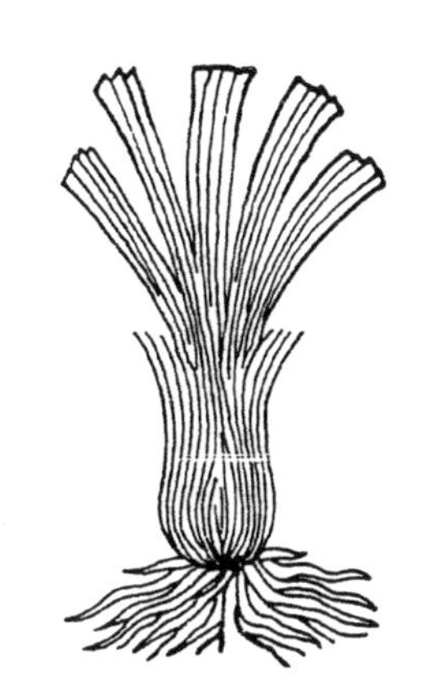

施州崖棕

[**图经曰**] 鹅抱，生宜州山洞中。味苦，性寒。主风热上壅，咽喉肿痛及解蛮箭药毒，筛末以酒调服之，有效。亦消[②]风热结毒赤肿。用酒摩涂之，立愈。此种多生山林中，附石而生，作蔓，叶[③]似大豆，根形似莱菔，大者如三升器，小者如拳。二月、八月采根切片，阴干。

宜州鹅抱

---

① 净洗：柯《大观》倒置。

② 消：柯《大观》作“去”。

③ 叶：成化《政和》、商务《政和》无。

[图经曰] 鸡翁藤，出施州。其苗蔓延大木，有叶无花。味辛，性温，无毒。采无时。彼土人与半天回、野兰根、崖棕四味，净洗去粗皮，焙干，等分捣罗为末。每服二钱，用温酒调下，疗妇人血气并五劳七伤。妇人服①，忌鸡、鱼、湿面、羊血，丈夫无忌。

[图经曰] 紫金藤，生福州山中。春初单生叶，青色。至冬凋落。其藤似枯条，采其皮晒干为末。治丈夫肾气。

施州鸡翁藤

福州紫金藤

[图经曰] 独用藤，生施州。四时有叶无花，叶上有倒刺。其皮味苦、辛，性热，无毒。采无时。彼土人取此并小赤药头二味，洗净焙干，各等分，捣罗为末。温酒调一钱匕，疗心气痛。

[图经曰] 瓜藤，生施州。四时有叶无花。其皮味甘，性凉，无毒。采无时。与刺猪苓②二味，洗净去粗皮，焙干，等分捣罗。用甘草水调贴，治诸热毒恶疮。

施州独用藤

施州瓜藤

① 服：刘《大观》、柯《大观》无。

② 苓：原作“零”，据药名改。

［图经曰］金棱藤，生施州。四时有叶无花。其皮味辛，性温，无毒。采无时。与续筋、马接脚三味，洗净去粗皮，焙干，等分捣罗。温酒调服二钱匕。治筋骨疼痛，无所忌。

施州金棱藤

［图经曰］野猪尾，生施州。其苗缠木作藤生，四时有叶无花。味苦、涩，性凉，无毒。采无时。彼土人取此并百①药头二味，洗净去粗皮，焙干，等分捣罗为末。温酒调下一钱匕，疗心气痛，解热毒。

［图经曰］烈节，生荣州。多在林箐②中生。味辛，温，无毒。主肢节风冷，筋脉急痛。春生蔓苗，茎叶俱似③丁公藤而纤细，无花实。九月采茎，暴干。以作浴汤，佳。

施州野猪尾

荣州烈节

［图经曰］杜茎山，生宜州。味苦，性寒。主温瘴寒热发歇不定，烦渴头疼心躁。取其叶捣烂，以新酒浸，绞汁服之，吐出恶涎，甚效。其苗高四五尺，叶似苦荬菜，秋有花，紫色，实如枸杞子，大而白。

宜州杜茎山

① 百：刘《大观》、柯《大观》作“白”。

② 箐：刘《大观》、柯《大观》作“菁”。

③ 似：成化《政和》、商务《政和》误作“以”。

［图经曰］血藤，生信州。叶如蒌蔺①叶，根如大拇指，其色黄。五月采。攻②血，治气块。彼土人用之。

［图经曰］土红山，生福州及南恩州山野中。味甘、苦，微寒，无毒。主骨节疼痛，治劳热瘴疟。大者高七八尺。叶似枇杷而小，无毛。秋生白花如粟粒，不实。用其叶捣烂，酒渍③服之。采无时。福州生者作细藤，似芙蓉叶，其叶上青下白，根如葛头。薄切，用米泔浸二④宿，更用清水浸一宿，取出切⑤，炒令黄色，捣末。每服一钱，水一盏，生姜一小片，同煎服，治劳瘴甚佳。

信州血藤　　福州土红山

［图经曰］百棱藤，生台州。春生苗，蔓延木上，无花叶。冬采皮入药。治盗汗。彼土人用之，有效。

天台百棱藤

① 蔺：柯《大观》作“荷”，成化《政和》、商务《政和》作“兰”。

② 攻：柯《大观》作“行”。

③ 渍：刘《大观》、柯《大观》作“浸”。

④ 二：成化《政和》、商务《政和》作“一”。

⑤ 切：成化《政和》、商务《政和》无。

［图经曰］祁婆藤，生天台山中。其苗蔓延木上，四时常有。彼土人采其叶入药。治风有效。

［图经曰］含春藤，生台州。其苗蔓延木上。冬夏常青①。彼土人采其叶入药，治风有效。

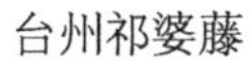

台州祁婆藤　　台州含春藤

［图经曰］清风藤，生天台山中。其苗蔓延木上，四时常有。彼土人采其叶入药。治风有效。

［图经曰］七星草，生江州山谷石上。味微酸，叶如柳而长，作藤蔓延，长二三尺。其叶坚硬，背上有黄点如七星。采无时，入乌髭②发药用之③。

台州清风藤　　江州七星草

① 青：刘《大观》、柯《大观》作“有”。

② 髭：柯《大观》作“须”。

③ 之：刘《大观》、柯《大观》无。

[图经曰] 石南藤，生天台山中。其苗蔓延木上，四时不凋。彼土人采其叶入药，治腰疼。

[图经曰] 石合草，生施州。其苗缠木作藤，四时有叶无花，其叶味甘，性凉，无毒。采无时。焙干，捣罗为末。温水调贴，治①一切恶疮肿及敛疮口。

台州石南藤

施州石合草

[图经曰] 马接脚，生施州。作株②大小不常，四时有叶无花。其皮味甘，性温，无毒。采无时。彼土人取此并续筋、金棱藤三味，洗净去粗皮，焙干，等分捣罗为末。温酒调服一③钱匕，治筋骨疼痛。续筋即蓰蔔④根也。

施州马接脚

[图经曰] 芥心草⑤，生淄州。初生似腊谟草，引蔓白色，根黄色。四月采苗、叶。彼土人捣末，治疮疥甚效。

淄州芥心草

① 治：柯《大观》作“备”。
② 株：成化《政和》、商务《政和》误作“林”。
③ 一：刘《大观》、柯《大观》作“二”。
④ 蓰蔔：原倒置，据药名改。
⑤ 草：柯《大观》作“子”。

[图经曰] 棠球子，生滁州。三月开白花，随便结实。有味酢[①]而涩，采无时。彼[②]土人用治痢疾及腰疼，皆效。他处亦有，而不入药用。

[图经曰] 醋林子，出邛州山野林箐[③]中。其木高丈余，枝条繁[④]茂，三月开花色白，四出。九月、十月结子，累累数十枚成朵，生青熟赤，略类樱桃而蒂短。味酸，性温，无毒。善疗蛔咬[⑤]心痛及痔漏下血，并久痢不差。尤治小儿疳，蛔咬[⑥]心，心腹胀满，黄瘦，下寸白虫。单捣为末，酒调一钱匕，服之甚效。又[⑦]土人多以盐醋收藏，以充果子食之，生津液，醒酒，止渴。不可多食，令人口舌粗折。及熟采之阴干，和核同用。其叶味酸。夷獠人采得，入盐和鱼脍食之，胜用醋也。

滁州棠球子

邛州醋林子

[图经曰] 天仙藤[⑧]，生江淮及浙东山中。味苦，温，微毒。解风劳，得麻黄则治伤寒发汗，与大黄同服，堕胎气。春生苗，蔓延作藤，叶似葛叶，圆而小，有毛白色，四时不凋。根有须，夏月采取根、苗，南人用之最多。

临江军天仙藤

① 酢："醋"的本字。

② 彼：刘《大观》作"后"。

③ 箐：刘《大观》作"菁"。

④ 繁：成化《政和》、商务《政和》误作"紫"。

⑤ 咬：原作"蛟"，据刘《大观》改。

⑥ 咬：成化《政和》、商务《政和》作"蛟"。

⑦ 又：柯《大观》作"彼"。

⑧ [图经曰] 天仙藤：刘《大观》、柯《大观》无此条。

有名未用总一百九十四种[①]

二十六种玉石类

青玉

味甘，平，无毒。主妇人无子，轻身不老长年，一名珏[②]玉。生蓝田。

［陶隐居］云：张华云，合玉浆用[③]珏[②]玉，正缥白色，不夹石者，大者[④]如升，小者如鸡子，取穴中者，非今作器物玉也。出襄乡县旧穴中。黄初中，诏征南将军夏侯尚求之。

白玉髓

味甘，平，无毒。主妇人无子，不老延年。生蓝田玉石间。

玉英

味甘。主风瘙皮肤痒，一名石镜，明白可作镜。生山窍，十二月采。

璧玉

味甘，无毒。主明目，益气，使人多精生子。

合玉石

味甘，无毒。主益气，疗消渴，轻身，辟谷。生常山中丘，如彘肪。

紫石华

味甘，平，无毒。主渴，去小肠热。一名茈石华。生中牛山阴，采无时。

---

① 有名未用总一百九十四种：自此标题以下资料，刘《大观》、柯《大观》列为“卷第三十”。在此标题以上资料，刘《大观》、柯《大观》列为“卷第三十一”。

② 珏：成化《政和》、商务《政和》作“谷”。

③ 用：柯《大观》作“周”。

④ 大者：原倒置，据文理改。

白石华

味辛，无毒。主瘅，消渴，膀胱热。生液北乡北邑山，采无时。

黑石华

味甘，无毒。主阴痿，消渴，去热，疗月水不利。生弗其劳山阴石间，采无时。

黄石华

味甘，无毒。主阴痿，消渴，膈中热，去百毒。生液北山，黄色，采无时。

厉石华

味甘，无毒。主益气，养神，止渴，除热，强阴。生江南，如石花，采无时。

石肺

味辛，无毒。主疠咳寒，久痿，益气，明目。生水中，状如肺，黑泽有赤文，出水即干。

［陶隐居］云：今浮石亦疗咳，似肺而不黑泽，恐非是。

石肝

味酸，无毒。主身痒，令人色美。生常山，色如肝。

石脾

味甘，无毒。主胃寒热，益气，令人有子。一名胃石，一名膏石，一名消石。生隐蕃山谷石间，黑如大豆，有赤文，色微黄，而轻薄如棋子，采无时。

石肾

味咸，无毒。主泄痢。色如白珠。

封石

味甘，无毒。主消渴，热中，女子疽蚀。生常山及少室，采无时。

陵石

味甘，无毒。主益气，耐寒，轻身，长年。生华山，其形薄泽。

碧石青

味甘，无毒。主明目，益精，去瘫①音癣，延年。

遂石

味甘，无毒。主消渴，伤中，益气。生太山阴，采无时。

白肌石

味辛，无毒。主强筋骨，止渴，不饥，阴热不足。一名肌石，一名洞石。生广焦国卷音权山青石间。

龙石膏

无毒。主消渴，益寿。生杜陵，如铁脂中黄。

五羽石

主轻身，长年。一名金黄。生海水中蓬葭山上仓中，黄如金。

石流青

味酸，无毒。主疗泄，益肝气，明目，轻身长年。生武都山石间，青白色。

---

① 瘫：成化《政和》、商务《政和》误作"瘢"。

石流赤

味苦，无毒。主妇人带下，止血，轻身长年。理如石耆，生①山石间。

［陶隐居］云：芝品中有石流丹，又有石中黄子。

石耆

味甘，无毒。主咳逆气。生石间，色赤如铁脂，四月采。

紫加②石

味酸。主痹血气。一名赤英，一名石血。赤无理③。生邯郸山，如爵茈。二月采。

［陶隐居］云：三十六水方，呼为紫贺石。

终石

味辛，无毒。主阴痿痹，小便难，益精气。生陵阴，采无时。

一百三十二种草木类

玉伯

味酸，温，无毒。主轻身，益气，止渴。一名玉遂。生石上，如松，高五六寸，紫花，用茎叶。

［臣禹锡等谨按陈藏器］云：今之石松，生石上，高一二尺。山人取根、茎浸酒，去风血，除风瘙，宜老。伯应是柏字，传写有误。

文石

味甘。主寒热，心烦。一名黍石。生东郡山泽中水下。五色，有汁，润泽。

---

① 生：柯《大观本草札记》云："'生'《政和》误'主'。"

② 加：成化《政和》、商务《政和》作"佳"。

③ 理：成化《政和》、商务《政和》作"毒"。

曼诸石

味甘。主益五脏气，轻身长年。一名阴精。六月、七月出石上，青黄色，夜有光。

山慈石

味苦，平，无毒。主女子带下。一名爰茈。生山之阳，正月生叶如藜芦，茎有衣。

石濡

主明目，益精气，令人不饥渴，轻身长年。一名石芥。

［臣禹锡等谨按陈藏器］云：生石之阴，如屋游、垣衣之类，得雨即展，故名石濡。早春青翠，端开四叶，山人名石芥，性冷，明目①，不饥渴。

石芸

味甘，无毒。主目痛，淋露，寒热，溢血。一名螫烈，一名顾啄。三月、五月采茎、叶，阴干。

［臣禹锡等谨按尔雅］云：莳，勃莳。郭注云：一名石芸。

石剧

味甘，无毒。主渴，消中。

路石

味甘、酸，无毒。主心腹，止汗，生肌，酒痂，益气，耐寒，实骨髓。一名陵石。生草石上，天雨独干，日出独濡。花黄，茎赤黑。三岁一实，赤如麻子。五月、十月采茎、叶，阴干。

① 性冷，明目：柯《大观》作“主明目令”，成化《政和》、商务《政和》作“生令月日”。

旷石

味甘，平，无毒。主益气养神，除热，止渴。生江南，如石草。

败石

味苦，无毒。主渴痹。

越砥音旨

味甘，无毒。主目盲，止痛，除热瘙。

［陶隐居］云：今细砺石出临平者。

［臣禹锡等谨按蜀本注］云：今据此在草木类中，恐非细砺石也。

金茎

味苦，平，无毒。主金疮，内漏。一名叶金草。生泽中高处。

夏台

味甘。主百疾，济绝气。

［陶隐居］云：此药乃尔神奇，而不复识用，可恨也。

柒紫

味苦。主小腹痛，利小腹，破积聚，长肌肉。久服轻身长年。生冤句，二月、七月采。

鬼目

味酸，平，无毒。主明目。一名来甘。实赤如五味，十月采。

［陶隐居］云：俗人今呼白草子亦①为鬼目，此乃相似也。

［臣禹锡等谨按陈藏器］云：一名排风，一名白幕。《尔雅》云：符，鬼目。

① 亦：傅《新修》、罗《新修》作“赤”。

注云：叶似葛子如耳铛，赤色。

鬼盖

味甘，平，无毒。主小儿寒热痫。一名地盖。生垣墙下，从生，赤，旦生暮死。

[陶隐居] 云：一名朝生，疑是今鬼伞也。

[臣禹锡等谨按陈藏器] 云：鬼盖，名为鬼屋。如菌，生阴湿处，盖黑，茎赤。和醋傅肿毒，马脊肿，人恶疮。杜正伦云：鬼伞，夏日得雨，聚生粪堆，见日消黑，此物有小毒。

马颠

味甘，有毒。疗浮肿，不可多食。

马唐

味甘，寒。主调中，明耳目。一名羊麻，一名羊粟。生下湿地，茎有节生根。五月采。

[臣禹锡等谨按陈藏器] 云：生南土废稻田中，节节有根，著土如结缕草，堪饲马。云马食如糖，故曰马唐。煎取汁，明目，润肺。《广[1]雅》云：马唐，马饭也。

马逢

味辛，无毒。主癣虫。

牛舌实

味咸，温，无毒。主轻身益气。一名彖尸。生水中泽傍，实大，叶长尺。五月采。

[臣禹锡等谨按陈藏器] 云：今东人呼田水中大叶如牛尔，亦呼为牛耳菜。

---

① 广：原作“尔”，据文献改。因《广雅》有马唐，《尔雅》无马唐。

羊乳

味甘，温，无毒。主头眩痛，益气，长肌肉。一名地黄。三月采，立夏后母死。

［臣禹锡等谨按陈藏器］云：羊乳，根似荠苨而圆，大小如拳，上有角节，剖之有白汁，人取根当荠苨，三月采。苗作蔓，折有白汁。

羊实

味苦，寒。主头秃恶疮，疥瘙痂癣音癣。生蜀郡。

犀洛

味甘，无毒。主癃。一名星洛，一名泥洛。

鹿良

味咸，臭。主小儿惊痫，贲豚，瘛疭，大人痓。五月采。

菟枣

味酸，无毒。主轻身益气。生丹阳陵地，高尺许，实如枣。

雀梅

味酸，寒，有毒。主蚀恶疮，一名千雀。生海水石谷间。

［陶隐居］云：叶与实俱如麦李。

雀翘

味咸。主益气，明目。一名去母，一名更生。生蓝中，叶细黄，茎赤有刺。四月实兑音锐，黄中黑。五月采，阴干。

鸡涅

味甘，平，无毒。主明目，目[1]中寒风，诸不足，水肿，邪气，补中，止泄痢，疗女子白沃。一名阴洛。生鸡山，采无时。

相乌

味苦。主阴痿。一名乌葵。如兰香，赤茎，生山阳。五月十五日采，阴干。

鼠耳

味酸，无毒。主痹寒，寒热，止咳。一名无心。生田中下地，厚叶，肥茎。

蛇舌

味酸，平，无毒。主除留血，惊气，蛇痫。生大水之阳。四月采花，八月采根。

龙常草

味咸，温，无毒。主轻身，益阴气，疗痹寒湿。生河水傍，如龙刍，冬、夏生。

离楼草

味咸，平，无毒。主益气力，多子，轻身长年。生常山，七月、八月采实。

神护草

可使独守，叱咄人，寇盗不敢入门。生常山北，八月采。

［陶隐居］云：此亦奇草，计彼人犹应识用之。

黄护草

无毒。主痹，益气，令人嗜食。生陇西。

---

① 目：成化《政和》、商务《政和》无。

吴唐草

味甘，平，无毒。主轻身，益气，长年。生故稻田中，日夜有光，草中有膏。

天雄草

味甘，温，无毒。主益气，阴痿。生山泽中，状如兰，实如大豆，赤色。

雀医草

味苦，无毒。主轻身，益气，洗浴烂疮，疗风水。一名白气。春生，秋花白，冬实黑。

木甘草

主疗痈肿盛热，煮洗之。生木间，三月生，大叶如蛇状，四四①相值，但折枝种之便生。五月花白，实核赤。三月三日采。

益决草

味辛，温，无毒。主咳逆，肺伤。生山阴，根如细辛。

九熟草

味甘，温，无毒。主出汗。止泄，疗闷。一名乌②粟，一名雀粟。生人家庭中，叶如枣。一岁九熟，七月采。

[陶隐居] 云：今不见有此。

兑草

味酸，平，无毒。主轻身，益气，长年。生蔓草木上，叶黄有毛，冬生。

---

① 四四：成化《政和》、商务《政和》作“四”。

② 乌：成化《政和》、商务《政和》作“鸟”。

酸草

主轻身延年。生名山醴泉上阴居。茎有五叶，青泽，根赤黄。可以消玉。一名丑草。

［陶隐居］云：李云是今酸箕，布地生者。今处处有，然恐非也。

异草

味甘，无毒。主痿痹寒热，去黑子。生篱木上，叶如葵，茎傍有角，汁白。

灌草

叶主痈肿。一名鼠肝，叶滑，青①白。

葩音起草

味辛，无毒。主伤金疮。

莘草

味甘，无毒。主盛伤痹肿。生山泽，如蒲黄，叶如芥。

勒草

味甘，无毒。主瘀血，止精溢②盛气。一名黑草。生山谷，如栝楼。

［陶隐居］云：疑此犹是薰草，两字皆相似，一误尔，而栝楼为殊矣。

英草华

味辛，平，无毒。主痹气，强阴，疗面劳疽，解烦，坚筋骨，疗风头。可作沐药。生蔓木上。一名鹿英。九月采，阴干。

---

① 青：成化《政和》、商务《政和》作“清”。

② 溢：成化《政和》、商务《政和》作“益”。

吴葵华

味咸，无毒。主理心，心气不足。

封华

味甘，有毒。主疥疮，养肌，去恶肉。夏至日采。

腆他典切华①

味甘，无毒。主上气，解烦，坚筋骨。

棑华

味苦。主水气，去赤虫，令人好色。不可久服。春生乃采。

［臣禹锡等谨按陈藏器］云：棑音斐树似杉，子如槟榔，食之肥美。主痔，杀虫。春华，并与《本经》相会。《本经》虫部云：彼子。苏注云：彼字合从木。《尔雅》云：彼，一名棑。陶复于果部重出棑，此即是其华也。

节华

味苦，无毒。主伤中，痿痹，溢肿。皮，主脾中客热气。一名山节，一名达节，一名通漆。十月采，暴干。

徐李

主益气，轻身长年。生太山阴。如李小形，实青色，无核，熟采食之。

新雉木

味苦，香，温，无毒。主风眩痛，可作沐药。七月采，阴干，实如桃。

① 腆华：在“腆华”条之上，《千金翼》有“北荇华”条。其条文为“北荇华　味苦，无毒。主气脉溢。一云芹华”。又“腆”，成化《政和》、商务《政和》作“㥏”。

合新木

味辛，平，无毒。解心烦，止疮痛。生辽东。

俳蒲木

味甘，平，无毒。主少气，止烦。生陵谷。叶如柰，实赤，三核。

遂阳木

味甘，无毒。主益气。生山中，如白杨叶，三月实，十月熟赤，可食。

学木核

味甘，寒，无毒。主胁下留饮，胃气不平，除热。如蘡核，五月采，阴干。

木核

疗肠澼。

华　疗不足。

子　疗伤中。

根　疗心腹逆气，止渴。十月采。

栒音荀核

味苦。疗水，身面痈肿。五月采。

荻皮

味苦，止消渴。去白虫，益气。生江南。如松叶有别刺，实赤黄。十月采。

桑茎实

味酸，温，无毒。主字①乳余疾，轻身益气。一名草王。叶如荏，方茎大叶，

① 字：成化《政和》、商务《政和》作“孕”。

生园中，十月采。

满阴实

味酸，平，无毒。主益气，除热，止渴，利小便，轻身，长年。生深山谷及园中，茎如芥，叶小，实如樱桃，七月成。

可聚实

味甘，温，无毒。主轻身益气，明目。一名长寿。生山野道中。穗如麦，叶如艾，五月采。

让实

味酸。主喉痹，止泄痢。十月采，阴干。

蕙实

味辛。主明目，补中。

根茎中涕　疗伤寒，寒热，出汗，中风，面肿，消渴，热中，逐水。生鲁山平泽。

[臣禹锡等谨按陈藏器]云：五月收，味辛，香，明目，正应①是兰蕙之蕙。

青雌

味苦。主恶疮，秃败疮，火气，杀三虫。一名虫损，一名孟推。生方山山谷。

白背

味苦，平，无毒。主寒热，洗浴疥，恶疮。生山陵。根似紫葳，叶如燕卢，采无时。

白女肠

味辛，温，无毒。主泄痢肠澼，疗心痛，破症瘕。生深山谷中，叶如蓝，实

① 正应：柯《大观》作“止痛”，成化《政和》、商务《政和》作“正气”。

赤。赤女肠亦同。

白扇根

味苦，寒，无毒。主疟，皮肤寒热，出汗，令人变。

白给

味辛，平，无毒。主伏虫，白瘫音癣，肿痛。生山谷。如藜芦，根白相连，九月采。

白并

味苦，无毒。主肺咳上气，行五脏，令百病不起。一名玉箫，一名箭悍。叶如小竹，根黄皮白。生山陵。三月、四月采根，暴干。

白辛

味辛，有毒。主寒热。一名脱尾，一名羊草。生楚山。三月采根，白而香。

白昌

味甘，无毒。主食诸虫。一名水昌，一名水宿，一名茎蒲。十月采。

［臣禹锡等谨按陈藏器］云：白昌，即今之溪荪也。一名昌阳，生水畔，人亦呼为昌蒲，与石上昌蒲都①别。大而臭者是，亦名水昌蒲，根色正白，去蚤虱。

赤举

味甘，无毒。主腹痛。一名羊饴，一名陵渴。生山阴，二月花兑音锐蔓草上，五月实黑，中有核。三月三日采叶，阴干。

赤涅

味甘，无毒。主疰，崩中，止血，益气。生蜀郡山石阴地湿处。采无时。

---

① 都：柯《大观》作“差”。

黄秫

味苦，无毒。主心烦，止汗出。生如桐根。

徐黄

味辛，平，无毒。主心腹积瘕。茎，主恶疮。生泽中，大茎细叶，香如藁本。

黄白支

生山陵。三月、四月采根，暴干。

紫蓝

味咸，无毒。主食肉得毒，能消除之。

紫给

味咸。主毒风头泄注。一名野葵。生高陵下地。三月三日采根，根如乌头。

天蓼

味辛，有毒。主恶疮，去痹气。一名石龙。生水中。

［臣禹锡等谨按陈藏器］云：即今之水荭，一名游龙，亦名大蓼。

地朕

味苦，平，无毒。主心气，女子阴疝，血结。一名承夜，一名夜光。三月采。

［臣禹锡等谨按陈藏器］云：地朕，一名地锦，一名地噤。叶光净，露下有光，蔓生，节节著地。

地芩

味苦，无毒。主小儿痫，除邪，养胎，风痹，洗洗寒热，目中青翳，女子带下。生腐木积草处，如朝生，天雨生盖，黄白色，四月采。

地筋

味甘，平，无毒。主益气，止渴，除热在腹脐，利筋。一名菅[1]根，一名土筋。生泽中，根有毛。三月生，四月实白，三月三日采根。

［陶隐居］云：疑此犹是白茅而小异也。

［臣禹锡等谨按陈藏器］云：地筋，如地黄，根、叶并相似，而细，多毛。生平泽。功用亦同地黄，李邕方用之。

地耳

味甘，无毒。主明目，益气，令人有子。生丘陵，如碧石青。

土齿

味甘，平，无毒。主轻身，益气，长年。生山陵地中，状如马牙。

燕齿

主小儿痫，寒热。五月五日采。

酸恶

主恶疮，去白虫。生水傍，状如泽泻。

酸赭

味酸，主内漏，止血，不足。生昌阳山。采无时。

巴棘

味苦，有毒。主恶疥，疮出虫。一名女木。生高地，叶白有刺，根连数十枚。

巴朱

味甘，无毒。主寒，止血，带下。生雒阳。

---

① 菅：成化《政和》、商务《政和》误作“管”。

蜀格

味苦，平，无毒。主寒热，瘘痹，女子带下，痈肿。生山阳，如藿菌，有刺。

累根

主缓筋，令不痛。

［臣禹锡等谨按陈藏器］云：苗如豆。《尔雅》云：摄虎，累。注云：江东呼藥为藤，似葛而虚大，今武豆也，荚有毛。一名巨荒，千岁藥是也。

苗根

味咸，平，无毒。主痹及热中，伤跌折。生山阴谷中蔓草木上。茎有刺，实如椒。

［臣禹锡等谨按陈藏器］云：茜字从西，与苗字相似，人写误为苗，此即茜也。

参果根

味苦，有毒。主鼠瘘。一名百连，一名乌蓼，一名鼠茎，一名鹿蒲。生百余根，根有衣裹①茎。三月三日采根。

黄辩

味甘，平，无毒。主心腹疝瘕，口疮，脐伤。一名经辩。

良达

主齿痛，止渴，轻身。生山阴，茎蔓延，大如葵，子滑小。

对庐

味苦，寒，无毒。主疥，诸疮久②不瘳，生死肌，除大热，煮洗之。八月采，

---

① 裹：柯《大观》作“里”。

② 疮久：原倒置，据成化《政和》、商务《政和》、柯《大观》改。

似庵蔺。

粪蓝

味苦。主身痒疮，白秃，漆疮，洗之。生房陵。

委音威蛇音贻

味甘，平，无毒。主消渴，少气，令人耐寒。生人家园中，大枝长须，多叶而两两相值，子如芥子。

麻伯

味酸，无毒。主益气，出汗。一名君莒，一名衍草，一名道止，一名自死。生平陵，如兰，叶黑厚白裹茎，实赤黑。九月采根。

王明

味苦。主身热，邪气。小儿身热，以浴之。生山谷。一名王草。

类鼻

味酸，温，无毒。主痿痹，一名类重。生田中高地，叶如天名精，美根。五月采。

［臣禹锡等谨按蜀本］云：可煮①以洗病。

师系

味甘，无毒。主痈肿恶疮，煮洗之。一名臣尧，一名臣骨，一名鬼芭。生平泽。八月采。

逐折

杀鼠，益气明目。一名百合。厚实，生木间，茎黄，七月实黑如大豆。

---

① 煮：原作“者”，据刘《大观》、柯《大观》改。

［陶隐居］云：又①杜仲子，亦名逐折②。

并苦

主咳逆上气，益肺气，安五脏。一名蜮③音或薰，一名玉荆。三月采，阴干。

父陛根④

味辛，有毒。以熨痈肿，肤胀。一名膏鱼，一名梓藻。

索干

味苦，无毒。主易耳。一名马耳。

荆茎

疗灼烂。八月、十月采，阴干。

［臣禹锡等谨按陈藏器］云：即今之荆树也，煮斗堪染，其洗⑤灼疮及⑥热焱疮，有效。

鬼麗音丽

生石上。挼奴和切之，日柔为沐。

竹付

味甘，无毒。主止痛，除血。

---

① 云：又：成化《政和》、商务《政和》倒置。

② 折：原作“析”，据刘《大观》、柯《大观》改。

③ 蜮：成化《政和》、商务《政和》作“蚃”。

④ 父陛根：在“父陛根”条之上，《千金翼》有“领灰”条。其条文为“领灰 味甘，有毒。主心腹痛，炼中不足。叶如芒草，冬生，烧作灰”。

⑤ 洗：成化《政和》、商务《政和》作“先”。

⑥ 及：成化《政和》、商务《政和》作“法”。

秘恶

味酸，无毒。主疗肝邪气。一名杜逢。

唐夷

味苦，无毒。主疗踒折。

知杖

味甘，无毒。疗疝。

垄音地松

味辛，无毒。主眩痹。

河煎①

味酸。主结气，痈在喉颈者。生海中。八月、九月采。

区余

味辛，无毒。主心腹热瘙。

［臣禹锡等谨按蜀本］作瘙。

三叶

味辛。主寒热，蛇、蜂螫人。一名起莫。

［臣禹锡等谨按蜀本］一名赴鱼，一名三石，一名当田。生田中。茎小，黑白，高三尺，根黑。三月采，阴干。

五母麻

味苦，有毒。主痿痹不便，下痢。一名鹿麻，一名归泽麻，一名天麻，一名若

① 煎：成化《政和》、商务《政和》作“前”。

一草［臣禹锡等谨按蜀本］无一字。生田野。五月采。

荠拍腹

味辛，温，无毒。主轻身，疗痹。五月采，阴干。

常吏之生

［臣禹锡等谨按蜀本］云：常更之生。味苦，平，无毒。主明目。实有刺，大如稻米①。

救赦人者

味甘，有毒。主疝痹，通气，诸不足。生人家宫室。五月、十月采，暴干。

丁公寄

味甘。主金疮痛，延年。一名丁父。生石间蔓延木上。叶细，大枝，赤茎，母大如碛黄，有汁。七月七日采。

［臣禹锡等谨按陈藏器］云：丁公寄，即丁公藤也。

城里赤柱

味辛，平，疗妇人漏血，白沃，阴蚀，湿痹，邪气，补中益气。生晋平阳。

城东腐木

味咸，温。主心腹痛，止泄，便脓血。

［臣禹锡等谨按陈藏器］云：城东腐木，即今之城东古木，木在土中。一名地至。主心腹痛，鬼气。城东者，犹取东墙之土也。杜正伦方云：古城任木煮汤服，主难产，此即其类也。

---

① 米：成化《政和》、商务《政和》作“粱”。

芥①

味苦，寒，无毒。主消渴，止血，妇人疾，除痹。一名梨。叶如大青。

载

味酸，无毒。主诸恶气。

庆

味苦，无毒。主咳嗽。

腂户瓦切

味甘，无毒。主益气，延年。生山谷中，白顺理。十月采。

一十五种虫类

雄黄虫

主明目，辟兵不祥，益气力。状如蠮螉。

天社虫

味甘，无毒。主绝孕，益气。如蜂，大腰，食草木叶。三月采。

桑蠹虫

味甘，无毒。主心暴痛，金疮，肉生②不足。

［臣禹锡等谨按陈藏器］云：桑蠹去气，桃蠹辟鬼，皆随所出，而各有功。又主小儿乳霍。

---

① 芥：本条和本书卷27菜部上品的“芥”条是同名异物。

② 生：成化《政和》、商务《政和》作“主”。

石蠹虫

主石癃，小便不利。生石中。

［臣禹锡等谨按陈藏器］云：伊洛间水底石下，有虫如蚕，解放丝连缀小石如茧，春夏羽化作小蛾水上飞。一名石下新妇①。

行夜

疗腹痛，寒热，利血。一名负盘。

［陶隐居］云：今小儿呼竈音屁盘，或曰竈蟹音频虫者也。

［臣禹锡等谨按陈藏器］云：竈盘虫，一名负盘，一名夜行蜚蠊，又名负盘。虽则相似，终②非一物，戎人食之，味极③辛辣。竈④盘虫有短翅，飞不远，好夜中出⑤行，触之气出也。

蜗篱

味甘，无毒。主烛馆，明目。生江夏。

［臣禹锡等谨按陈藏器］云：一名师⑥螺。小于田螺，上有棱，生溪水中。寒，汁⑦主明目，下水。亦呼为螺。

麋鱼

味甘，无毒。主痹⑧，止血。

① 妇：成化《政和》、商务《政和》无。

② 终：成化《政和》、商务《政和》误作“丝”。

③ 极：成化《政和》、商务《政和》误作“及”。

④ 竈：成化《政和》、商务《政和》作“气”。

⑤ 出：成化《政和》、商务《政和》“脱”。

⑥ 师：成化《政和》、商务《政和》作“蛳”。

⑦ 汁：成化《政和》、商务《政和》作“亦”。

⑧ 痹：成化《政和》、商务《政和》作“痟”。

丹戬

味辛。主心腹积血。一名飞龙。生蜀都，如鼠负①，青股蜚，头赤。七月七日采。

扁前

味甘，有毒。主鼠瘘癃，利水道。生山陵，如牛虻，翼赤。五月、八月采。

蚖类

疗痹，内漏。一名蚖短，土色而文。

蜚厉

主妇人寒热。

梗鸡

味甘，无毒。疗痹。

益符

疗闭。一名无舌。

地防

令人不饥，不渴。生黄陵，如濡，居土中。

黄虫

味苦。疗寒热。生地上，赤头，长足，有角，群居。七月七日采。

---

① 负：柯《大观》误作“员”。

唐本退二十种

六种《神农本经》，一十四种《名医别录》

薰草

味甘，平，无毒。主明目，止泪，疗泄精，去臭恶气，伤寒头痛，上气，腰痛。一名蕙草。生下湿地，三月采，阴干，脱节者良。

[陶隐居] 云：俗人呼燕草，状如茅而香者为薰草，人家颇种之。《药录》云：叶如麻，两两相对。《山海经》云：薰草，麻叶而方茎，赤花而黑实，气如靡芜，可以已厉。今市人皆用燕草，此则非。今诗书家多用蕙语[①]，而竟不知是何草。尚其名而迷其实，皆此类也。

[臣禹锡等谨按药性论] 云：薰草，亦可单用。味苦，无毒。能治鼻中息肉，鼻齆，主泄精。

[陈藏器] 云：薰，即蕙根，此即是零陵香。一名燕[②]草。

姑活[③]

味甘，温，无毒。**主大风邪气，湿痹寒痛。久服轻身，益寿耐老。一名冬葵子。**生河东。

[陶隐居] 云：方药亦无用此者，乃有固活丸，取是野葛一名尔。此又名冬葵子，非葵菜之冬葵子，疗体乖异。

[唐本注] 云：《别录》一名鸡精也。

别羁

味苦，微温，无毒。**主风寒湿痹，身重，四肢疼酸，寒邪厉节痛。**一名别枝，一名别骑，一名鳖羁。生蓝田川谷。二月、八月采。

[陶隐居] 云：方家时有用处，今俗亦绝尔。

---

① 语：成化《政和》、商务《政和》作“诸”。柯《大观本草札记》云：“‘语’《政和》误‘主’。”

② 燕：成化《政和》、商务《政和》作“芜”。

③ 姑活：此条白字《本经》文，成化《政和》、商务《政和》作黑字《别录》文。

牡蒿

味苦，温，无毒。主充肌肤，益气，令人暴肥，不可久服，血脉满盛。生田野。五月、八月采。

［陶隐居］云：方药不复用。

［唐本注］云：齐头蒿也，所在有之。叶似防风，细薄无光①泽。

石下长卿

味咸，平，有毒。**主鬼疰，精物，邪恶气，杀百精，蛊毒，老魅注易，亡走，啼哭，悲伤，恍惚。一名徐长卿。**生陇西池泽山谷。

［陶隐居］云：此又名徐长卿，恐是误尔，方家无用。此处俗中皆不复识也。

麇俱伦切舌

味辛，微温，无毒。主霍乱，腹痛，吐逆，心烦。生水中。五月采。

［陶隐居］云：生小小水中，今人五月五日采，干，以疗霍乱，良也。

练石草

味苦，寒，无毒。主五癃，破石淋，膀胱中结气，利水道小便。生南阳川泽。

［陶隐居］云：一名烂石草。又云即马矢②蒿。

弋③共

味苦，寒，无毒。主惊气，伤寒，腹痛羸瘦，皮中有邪气，手足寒无色。生益州山谷。恶玉札、蜚蠊④。

---

① 光：原作“先”，据尚辑本《新修》改。

② 矢：成化《政和》、商务《政和》误作“失”。

③ 弋：《医心方》同，敦煌《集注》“七情畏恶药例”、柯《大观》作“戈”。

④ 玉札、蜚蠊：成化《政和》、商务《政和》作“主礼蜚廉”。

蕈音谭草

味咸，平，无毒。主养心气，除心温温辛痛，浸淫身热。可作盐。生淮南平泽，七月采。矾石为之使。

［臣禹锡等谨按药性论］云：蕈草，亦可单用。味苦，无毒。主遍生风疮，壮热。理石为之使。

五色符

味苦，微温。主咳逆，五脏邪气，调中益气，明目，杀虱。青符、白符、赤符、黑符、黄符，各随色补其脏。白符一名女木。生巴郡山谷。

［陶隐居］云：方药皆不复用，今人并无识者。

［臣禹锡等谨按吴氏］云：五色石脂，一名青、赤、黄、白、黑符。

蘘音襄草

味甘、苦，寒，无毒。主温疟寒热，酸嘶邪气，辟不祥。生淮南山谷。

翘根

味甘，寒、平，有小毒。**主下热气，益阴精，令人面悦好，明目。久服轻身，耐老。**以作蒸饮酒病人。生嵩高平泽。二月、八月采。

［陶隐居］云：方药不复用，俗①无识者。

鼠姑

味苦，平、寒，无毒。主咳逆上气，寒热，鼠瘘，恶疮，邪气。一名䐑音雪。生丹水。

［陶隐居］云：今人不识此鼠姑，乃牡丹又名鼠姑，罔知孰是。

船虹

味酸，无毒。主下气，止烦满。可作浴汤药，色黄。生蜀郡，立秋取。

---

① 俗：成化《政和》、商务《政和》作“常”。

［陶隐居］云：方药不用，俗人无识者。

屈草

味苦，微寒，无毒。**主胸胁下痛，邪气，肠间寒热，阴痹。久服轻身益气，耐老。**生汉中川泽，五月采。

［陶隐居］云：方药不复用，俗无识者。

赤赫

味苦，寒，有毒。主痂疡，恶败疮，除三虫，邪气。生益州川谷。二月、八月采。

淮木

味苦，平，无毒。**主久咳上气，伤中虚羸**，补中益气，**女子阴蚀，漏下，赤白沃。一名百岁城中木。**生晋阳平泽。

［陶隐居］云：方药亦不复用。

占斯

味苦，温，无毒。主邪气湿痹，寒热疽疮，除水坚积血癥，月闭无子，小儿躄不能行，诸恶疮痈肿，止腹痛，令女人有子。一名炭皮。生太山山谷。采无时。

［陶隐居］云：解狼毒毒。李云是樟树上寄生，树大衔枝在肌肉，今人皆以胡桃皮当之，非是真也。按《桐君录》云：生上①洛，是木皮，状如厚朴，色似桂白，其理一纵一横。今市人皆削，乃似厚朴，而无正纵横理，不知此复是何物，莫测真假，何者为是也。

［臣禹锡等谨按药性论］云：占斯，臣。味辛，平，无毒。能治血癥，通利月水，主脾热。茱萸为之使。主洗手足水烂疮。

---

① 上：柯《大观本草札记》云："'上'《政和》误'吐'。"

婴桃①

味辛，平，无毒。主止泄肠澼，除热，调中，益脾气，令人好色美志。一名牛桃，一名英豆。实大如麦，多毛。四月采，阴干。

［陶隐居］云：此非今果实樱桃，形乃相似，而实乖异，山间乃时有，方药亦不复用尔。

鸩直荫切鸟毛

有大毒。入五脏烂，杀人。其口，主杀蝮蛇毒。一名䲰音运日。生南海。

［陶隐居］云：此乃是两种：鸩鸟，状如孔雀，五色杂斑，高大，黑颈，赤喙，出交②、广深山中；䲰日鸟，状如黑伧鸡，其共③禁大朽树，令反觅蛇吞之，作声似云同力，故江东人呼为同力鸟，并啖蛇。人误食其肉，立即死。鸩毛羽，不可近人，而并疗蛇毒。带鸩喙，亦辟蛇。昔时皆用鸩毛为毒酒，故名鸩酒。顷来不复尔。又云有物赤色，状如龙，名海姜，生海中，亦大有毒，甚于鸩羽也。

［唐本注］云：此鸟，商州以南、江岭间大有，人皆谙识。其肉，腥，有毒，亦不堪啖。云羽画酒杀人，此是浪证。按《玉篇》引郭璞云：鸩鸟，大如雕，长颈，赤喙，食蛇。又《说文》《广雅》《淮南子》皆一名运日。䲰，运同也。问交、广人并云：䲰日，一名鸩鸟，一名同力。䲰日鸟外，更无如孔雀者。陶云如孔雀者，交、广④人诳也。

今新退一种

彼子

味甘，温，有毒。**主腹中邪气，去三虫，蛇螫，蛊毒，鬼疰，伏尸。**生永昌山谷。

---

① 婴桃：本条和本书卷23果部“樱桃”条，是同名异物。

② 交：成化《政和》、商务《政和》无。

③ 共：刘《大观》、柯《大观》作“形”。

④ 广：原作“爱”，据傅《新修》、罗《新修》、底本校勘表改。

［陶隐居］云：方家从来无用此者，古今诸医及药家，了①不复识。又一名罴子，不知其形何类也。

［唐本注］云：此彼字，当木傍作皮。柀，仍音披②，木实也，误入虫③部。《尔雅》云：柀，一名杉。叶似杉，木如柏，肌软，子名榧子，陶于木部出之，此条宜在果部中也。

［今注］陶隐居不识，《唐本》注以为榧实。今据木部下品，自有榧实一条。而彼子又在虫鱼部中，虽同出永昌，而主疗稍别。古今未辨，两注不明，今移入于此卷末，以俟识者。

重修政和经史证类备用本草卷第三十

---

① 了：成化《政和》、商务《政和》作“子”。

② 披：柯《大观》作“彼”。

③ 虫：成化《政和》、商务《政和》误作“蛊”。

补注本草奏敕

补注本草奏敕[1]

嘉祐二年八月三日诏：朝廷累颁方书，委诸郡收掌，以备军民医疾。访闻贫下之家，难于检[2]用，亦不能修合，未副矜存之意。今除在京，已系逐年散药外，其三京并诸路，自今每年京府节镇及益、并、庆、渭四州，各赐钱二百贯，余州军监赐钱一百贯，委长吏选差官属监，勒医人体度时令，按方合药，候有军民请领，画时给付。所有《神农本草》《灵枢》《太素》《甲乙经》《素问》之类，及《广济》《千金》《外台秘要》等方，仍差太常少卿直集贤院掌禹锡、职方员外郎秘阁校理林亿、殿中丞秘阁校理张洞、殿中丞馆阁校勘苏颂同共校正，闻奏。臣禹锡等寻奏：置局刊校，并乞差医官三两人同共详定。其年十月，差医学秦宗古、朱有章赴局祇应。三年十月，臣禹锡、臣亿、臣颂、臣洞又奏：本草旧本经注中，载述药性功状，甚多[3]疏略不备处，已将诸家本草及书史中，应系该说药品功状者，采拾补注，渐有次第。及见唐显庆中，诏修本草，当时修定注释本经外，又取诸般药品，绘画成图及别撰图经等，辨别诸药，最为详备，后来失传，罕有完本。欲下诸路州县应系产药去处，并令识别人，仔细辨认根、茎、苗、叶、花、实、形色、大小，并虫鱼、鸟兽、玉石等，堪入药用者，逐件画图，并一一开说，著花结实，收采时

---

① 补注本草奏敕：刘《大观》无。

② 检：原作“捡”，据刘《大观》、柯《大观》改。

③ 多：刘《大观》、柯《大观》作“有”。

月[①]，所用功效；其番夷所产药，即令询问榷场市舶商客，亦依此供析，并取逐味各一二两或一二枚封角，因入京人差赍送，当所投纳，以凭照证，画成本草图；并别撰图经，所冀与今本草经并行，使后人用药，知所依据。奏可。至四年九月，又准敕差太子中舍陈检同校正。五年八月，补注本草成书，先上[②]之。十一月十五日准敕差光禄寺丞高保衡同共复校，至六年十二月，缮写成版样依旧，并目录二十一卷，仍赐名曰嘉祐补注神农本草[③]。

嘉祐五年八月十二日进[④]

---

① 月：其下，柯《大观》有“及”字。

② 先上：刘《大观》、柯《大观》作“奏”。

③ 嘉祐补注神农本草：在“嘉祐补注神农本草”一行之后、下文“嘉祐五年八月十二日进”一行之前（即在此两行之间），刘《大观》、柯《大观》有16种古本草书目提要（即人卫《政和》卷一“补注所引书传”）。刘《大观》对此“书目提要”立标题为“补注本草所引书传”。柯《大观》立标题为“十六家名氏义例”。按，此“书目提要”，《政和》列于卷1，《大观》列于卷30。因“书目提要”开头“小引”有“附于卷末”之语，则此“书目提要”列于卷30是对的。

④ 进：其下，刘《大观》有“经史证类备急本草卷第三十”12字，柯《大观》有“重广补注图经神农本草卷第三十”14字。

《图经本草》奏敕

《图经本草》奏敕①

嘉祐三年十月，校正医书所奏：窃见唐显庆中诏修本草，当时修定注释《本经》外，又取诸②药品，绘画成图，别撰《图经》，辨别诸药，最为详备。后来失传，罕有完本，欲望下应系产药去处，令识别人，仔细详认根、茎、苗、叶、花、实、形色、大小，并虫鱼、鸟兽、玉石等，堪入药用者，逐件画图，并一一开说，著花结实，收采时月及所用功效；其番③夷所产，即令询问榷场市舶商客，亦依此供析，并取逐味一二两，或一二枚封角，因入京人差赍送，当所投纳④，以凭照证，画成本草图；并别撰《图经》，与今《本草经》并行，使后⑤人用药，有⑥所依据。奉⑦诏旨：宜令诸路转运司，指挥辖下州府军监，差逐处通判职官专切管句，依应供申校正医书所。至六年五月又奏：《本草图经》系太常博士集贤校理苏颂分定编撰，将欲了当，奉敕差知颍州，所有《图经》文字，欲令本官一面编撰了当，诏可。其年十月，编撰成书，送本局修写，至七年十二月一日进呈，奉敕⑧

① 《图经本草》奏敕：刘《大观》、柯《大观》无此标题。

② 诸：其下，刘《大观》、柯《大观》有“般”字。

③ 番：刘《大观》、柯《大观》作“蕃”。

④ 并取……投纳：以上24字，刘《大观》、柯《大观》无。

⑤ 后：刘《大观》、柯《大观》无。

⑥ 有：刘《大观》、柯《大观》作“知”。

⑦ 奉：刘《大观》、柯《大观》无。

⑧ 敕：刘《大观》、柯《大观》作“圣旨”。

镂板施行①。

《证类本草》校勘官叙②

政和六年七月二十九日奉敕校勘

同校勘官太医学内舍生编类圣济经所点对方书官臣龚璧

同校勘官登仕郎编类圣济经所点对方书官臣丁阜

同校勘官登仕郎编类圣济经所点对方书官臣许堪

同校勘官登仕郎编类圣济经所点对方书官臣杜润夫

同校勘官翰林医候入内内宿编类圣济经所点对方书官臣朱永弼

同校勘官翰林医官编类圣济经所点对方书官臣谢惇

同校勘官奉议郎太医学博士编类圣济经所检阅官臣刘植

校勘官中卫大夫康州防御使句当龙德宫总辖修建明堂所医药提举入内医官编类圣济经提举太医学臣曹孝忠

---

① 嘉祐三年十月……镂版施行：以上文字，刘《大观》、柯《大观》将其置于卷31末，刘《大观》、柯《大观》至此全书终。

② 《证类本草》校勘官叙：此8字是《政和本草》校刊者官衔名的标题。此标题及下列校刊者官衔名，刘《大观》、柯《大观》均无。

翰林学士宇文公书《证类本草》后

唐慎微，字审元，成都华阳人。貌寝陋，举措语言朴讷，而中极明敏。其治病百不失一，语证候不过数言，再问之，辄怒不应。其于人不以贵贱，有所召必往，寒暑雨雪不避也。其为士人疗病，不取一钱，但以名方秘录为请。以此士人尤喜之，每于经史诸书中得一药名、一方论，必录以告，遂集为此书。尚书左丞蒲公传正，欲以执政恩例奏与一官，拒而不受。其二子：五十一、五十四偶忘其名及婿张宗说，字岩老，皆传其艺，为成都名医。元祐间，虚中为儿童时，先人感风毒之病，审元疗之如神。又手缄一书，约曰：某年月日即启封。至期，旧恙复作，取所封开视之，则所录三方：第一疗风毒再作；第二疗风毒攻注作疮疡；第三疗风毒上攻，气促欲作喘嗽。如其言，以次第饵之，半月，良愈，其神妙若此。皇统三年九月望，成都宇文虚中书。

余读沈明远寓简称，范文正公微时，尝慷慨语其友曰：吾读书学道，要为宰辅，得时行道，可以活天下之命。时不我与，则当读黄帝书，深究医家奥旨，是亦可以活人也。未尝不三复其言，而大其有济世志。又读苏眉山题东皋子传后云：人之至乐，莫若身无病，而心无忧。我则无是二者，然人之有是者。接于予前，则予安得全其乐乎！故所至常蓄善药，有求者则与之，而尤喜酿酒以饮客。或曰：子无病而多蓄药，不饮而多酿酒，劳己以为人，何哉？予笑曰：病者得药，吾为之体轻；饮者得酒，吾为之酣适。岂专以自为也，亦未尝不三复其言，而仁其用心，嗟乎！古之大人君子之量，何其弘也。盖士之生世，惟当以济人利物为事。达则有达而济人利物之事，所谓执朝廷大政，进贤退邪，兴利除害，以泽天下是也。穷则有穷而济人利物之事，所谓居闾里间，传道授学，急难救疾，化一乡一邑是也。要为有补于世，有益于民者，庶几乎兼善之义，顾岂以未得志也，未得位也，遽泛然忘斯世，而弃斯民哉！若夫医者，为切身一大事，且有及物之功。语曰：人而无恒，不可以作巫医。又曰：子之所慎，斋、战、疾。康子馈药，子曰：丘未达，不敢尝。余尝论之，是术也。在吾道中，虽名为方伎，非圣人贤者所专精，然舍而不学，则于仁义忠孝有所缺。盖许世子止不先尝药，春秋书以弑君。故曰：为人子者，不可不知医，惧其忽于亲之疾也。况乎此身，受气于天地，受形于父母，自幼及老，将以率其本然之性，充其固有之心，如或遇时行道，使万物皆得其所，措六合于太和中，以毕其为人之事。而一旦有疾，懵不知所以疗之，伏枕呻吟，付之庸医手，而生死一听焉，亦未可以言智也。故自神农、黄帝、雷公、岐伯以来，名卿才大夫，往往究心于医。若汉之淳于意、张仲景，晋之葛洪、殷浩，齐之褚澄，梁之陶弘景皆精焉。唐·陆贽斥忠州，纂集方书，而苏、沈二公良方，至今传世。是则吾侪以从正讲学余隙，而于此乎搜研，亦不为无用也。余自幼多病，数与医者语，故于医家书，颇尝涉猎。在淮阳时，尝手节本草一帙，辨药性大纲，以为是书，通天地间玉石、草木、禽兽、虫鱼，万物性味，在儒者不可不知。又饮食服饵禁忌，尤不可不察，亦穷理之一事也。后居大梁，得闲闲赵公家素问善本，其上有公标注夤缘一读，深有所得。丧乱以来，旧学芜废，二书亦失去。尝谓他日安居，讲学论著外，当留意摄生。今岁游平水，会郡人张存惠魏卿介吾友弋君唐佐来言，其家重刊《证类本草》已出，及增入宋人寇宗奭《衍义》，完焉新书，求为序引，因为书其后。已酉中秋日。云中刘祁云。

泰和甲子下己酉岁□□初日辛卯刊毕

附篇　《政和本草》文献研究资料

《政和本草》源于《证类本草》，现仍以《证类本草》为主题进行研究。

笔者从1958年以来一直对《证类本草》文献进行研究，曾撰写一些专题论文在医药杂志上发表，今从中选择一部分论文，按3个主题来列举。

第一，唐慎微生平及其《证类本草》。相关论文有：《证类本草》作者唐慎微的生平、唐慎微编《证类本草》的背景、《证类本草》成书年代、《证类本草》收载药物数量、《证类本草》编纂体例、《证类本草》文献的标记、《证类本草》的价值、历代书目所著录《证类本草》书名、《证类本草》墨盖子下“唐本”“唐本注”的讨论、《证类本草》中“唐本余”的讨论、《证类本草》中“今附”的讨论、《证类本草》药物新分条的讨论、《证类本草》药图的考察、《证类本草》药图所附古地名今释、“《证类本草》所出经史方书”来源的讨论、《证类本草》“图经文”所引书目、《证类本草》墨盖子下唐慎微引书目。

第二，《证类本草》囊括宋以前主流本草内容。相关论文有：从《神农本草经》到《证类本草》的发展概况、《证类本草》注文中所引《本经》书名的讨论、《证类本草》白字考异、《证类本草》白字序文和药物内容的矛盾、诸类书所引《神农本草经》文不同于《证类本草》白字、《证类本草》白字《本经》药物产地的考察、《证类本草》白字《本经》药物三品的考异、《证类本草》白字《本经》药物合并分条的讨论、《证类本草》白字《本经》药物总数的讨论、《证类本草》

白字《本经》药365种之数是陶弘景定的、诸家辑本《神农本草经》皆出于《证类本草》白字、《证类本草》白字和单行本《本草经》文都是陶弘景整理的、《证类本草》引"梁·陶隐居序"的考察、《证类本草》"梁·陶隐居序"中"诸经"的讨论、《证类本草》中黑字《别录》药来源的讨论、从《证类本草》探索陶弘景《名医别录》是取材于名医在"诸经"中增录的资料、从《证类本草》"梁·陶隐居序"看陶弘景对中国本草学的贡献、《本草纲目》误《证类本草》"梁·陶隐居序"为《名医别录》序、《证类本草》"梁·陶隐居序"和《名医别录》存在历史性相混的关系、《证类本草》引"雷公曰"药物出处分析、《证类本草》所引《开宝本草》新增药出处分析。

第三，《证类本草》成书后被修订成多种同书异名本。相关论文有：艾晟校《大观本草》增补陈承"别说"、《大观本草》的刊本、《绍兴本草》、《大全本草》、《政和本草》、张存惠重修《政和本草》所据底本的讨论、张存惠重修《政和本草》凡例、《政和本草》增入寇氏《衍义》、张存惠重修《政和本草》所题甲子纪年"己酉"年代的讨论、重修《政和本草》刊本、成化本《政和本草》版本的讨论、《四库全书》所录《证类本草》的底本是成化本《政和本草》、《本草纲目》参考成化《政和本草》系列本例证、商务影印《政和本草》错简例、商务影印《政和本草》版本辨伪、人卫《政和本草》2种刊本比较、人卫《政和》和柯《大观》异同的比较、人卫《政和本草》脱误的讨论、《政和本草》避讳字举例。

由于本资料是论文汇编，不像一般书有系统的介绍。各篇论文之间，或有交叉，或有重复，请读者原谅。

一、唐慎微生平及其《证类本草》

（一）《证类本草》作者唐慎微的生平

《证类本草》的作者是四川名医唐慎微。唐氏正史无传，南宋·宇文虚中《书〈证类本草〉后》及赵与时《宾退录》中记载一些，其他书中零星记载一些。

北宋时，四川名医唐慎微以《嘉祐本草》为基础，将经史子集中有关药物的资料进行归纳整理，参以自己的经验，编成《经史证类备急本草》（即《证类本草》）。唐氏居成都，由于唐氏的书中没有序介绍其闾里，加之交通不便，所以外地人都不知道他。当唐氏的书传到杭州后，杭州仁和县尉艾晟对其进行了修订，将其更名为《大观本草》，并增补序。艾氏在序中说："慎微姓唐，不知为何许人？传其书者，失其邑里族氏，故不及载云。"

北宋亡于金后，唐慎微的同乡宇文虚中在建炎二年（1128）使金不归，被金留用为翰林学士。至皇统三年（1143），虚中了解唐慎微，特为慎微的书作跋①云："唐慎微，字审元，成都华阳人②。貌寝陋，举措语言朴讷，而中极明敏。其治病百不失一……不以贵贱，有所召必往，寒暑雨雪不避也。其为士人疗病，不取一钱，但以名方秘录为请。以此士人尤喜之。每于经史诸书得一药名、一方论，必录以告，遂集为此书。尚书左丞蒲公传正③，欲以执政恩例奏与一官，拒而不授。其二子五十一、五十四（偶忘其名）及婿张宗说，字岩老，皆传其艺，为成都名医。元祐间（1086—1094），虚中为儿童时，先人感风毒之病，审元疗之如神……皇统三年（1143）九月望④，成都宇文虚中书。"

当时金与南宋呈对峙局面，南北互不往来，虚中作书后，南方人见不到。七十年后，南宋嘉定年间（1208—1224），居在南方唐慎微的另一个同乡赵与时⑤，见艾晟序说慎微不知何许人，特在《宾退录》中介绍说："唐慎微，蜀州晋原（今四川崇庆）人，世为医，深于经方，一时知名，元祐间（1086—1094），蜀帅李端伯

---

① 书后原名"翰林学士宇文公书《证类本草》后"，见1957年人卫影印《政和本草》第549页。

② 宇文虚中在《书〈证类本草〉后》中说唐慎微是成都华阳人，而宇文虚中本人也是成都华阳人。《华阳人物志》《全蜀艺文志》《宋史》《金史》中宇文虚中传略云：宇文虚中，字叔通，成都华阳人，大观三年（1109）进士及第，后官至资政殿大学士。建炎二年（1128）为金祈请使，使金不归，授其官为翰林学士、知制诰兼太常卿，进而封河内郡开国公，号为国师。虚中子师瑗原官于南宋，绍兴四年（1134）知汉州（今四川广汉）。其兄粹中知潼川府，亦官华阳。其弟时中及侄师献皆官于南宋。宇文虚中为华阳世族，虚中在儿童时，亲见慎微为其父邦彦治过病。皇统二年（1142），虚中子师瑗等数十人由华阳至金，虚中从其子师瑗得知慎微身世。金皇统三年（1143），虚中为唐氏所作书后提及唐氏后代"唐慎微……二子五十一、五十四"等详细情况。因此虚中言唐慎微为成都华阳人是可信的。

③ 《宋史》卷328有蒲宗孟传。宗孟，字传正，任尚书左丞。他想为唐慎微的《证类本草》予以执政恩例，奏与一官，慎微拒而不受。

④ 宇文虚中作《书〈证类本草〉后》题署皇统三年（1143）九月望日。艾晟修慎微书改名为《大观本草》是在1108年，比虚中所作"书后"早35年，艾氏当然是不知慎微邑里的。

⑤ 赵与时：《中国人名大辞典》《宾退录后序》谓赵与时，字行之，又字德行，宝庆（1225—1227）进士，官丽水（今属浙江）丞。《宾退录》成于南宋嘉定中（1208—1224），晚于宇文虚中70年左右。因南北隔绝，赵氏未见到虚中跋，故在《宾退录》中针对艾晟序而言"艾晟序其书，谓慎微不知何许人，故为表出"。

招之居成都，尝著《经史证类备急本草》三十二卷，盛行于世。而艾晟序其书，谓慎微不知何许人，故为表出。蜀今为崇庆府（今四川崇庆）。”

按《宾退录》所云，唐慎微原籍崇庆府①，在元祐年间（1086—1094）迁居成都府，此时虚中尚在儿童时，故不知此原委。慎微居成都府日久，人称之为成都人。成都县地亦称华阳，故又称唐氏为华阳人②。

（二）唐慎微编《证类本草》的背景

唐慎微编撰《证类本草》的背景如下。

1. 各种社会因素对成书的影响

（1）优越的地理位置与社会环境。

四川自古社会安定，经济繁荣。历史上大的动乱都发生在中原，很少波及蜀地。如五代时期中原分裂为十多个小国，战争频繁，社会遭受大破坏，中原的文化中心南移，蜀地就成为五代时期文化最发达的地区，这种文化昌盛一直延续下来。唐慎微处在经济繁荣、文化昌盛的蜀地，有条件从事本草文献的收集和整理。

（2）宋朝政府重视整理和编纂医药书籍。

程俱《麟台故事》卷3云：“国初循前之制，以昭文馆、史馆、集贤院为三馆，通名曰崇文院，校理群书，搜集当时名流之士任之……举凡天文、地理、音律、算法、医方、本草，均有精湛研究。”又云：“嘉祐二年（1057）八月集贤院置校正医书局于编修院，以苏颂、陈检等并为校正医书官。”

《直斋书录解题》卷13引《会要》云：“嘉祐二年（1057），置校正医书局于编修院，以直集贤院掌禹锡、林亿校理，张洞校勘，苏颂等并为校正。后又命孙奇、高保衡、孙兆同校正。每一书毕，即奏上，亿等皆为之序，下国子监板行。”《玉海》卷63云：“嘉祐二年（1057）八月辛酉，置校正医书局于编修院，命掌禹锡等五人从韩琦之言也。琦言《灵枢》《太素》《甲乙经》《广济》《千金》《外台秘要方》之类多讹舛，本草编载尚有所亡，于是选官校正。”

通过校正医书局诸家校理，大量中医古籍得到进一步整理。与此同时，掌禹锡

---

①《崇庆县志》《中国医药汇海》《宾退录》皆云唐慎微是晋原（今四川崇庆）人。

②《医学入门》《古今医统》《天禄琳琅书目》《蜀典》《古今图书集成·医部全录》皆云唐慎微是华阳人。

等编纂了《嘉祐本草》，苏颂编纂了《本草图经》。这两部书集中反映了当时本草学的最高水平，这两部书也是唐氏编撰《证类本草》的重要依据。

（3）印刷术的应用和推广促进了各类书籍的流传和普及。

在宋以前，书籍靠手工抄写传播，印刷术在宋以前没有被广泛应用，到宋代印刷术才得以广泛应用，所以宋代的书流传多，亦比宋以前普及。由于书籍得到普及，唐慎微才有条件获得更多书。这使唐慎微可以在本草以外的书，如经、史、子、集、佛书、道藏等中，获得更多医方及药物资料。

2. 唐慎微立志著书及其医技医德对成书的影响

（1）唐慎微早有立志著书的愿望。

唐慎微胸怀大志，早有著书立说的愿望，这从宇文虚中《书〈证类本草〉后》一文中可测知，该文云："其为士人疗病，不取一钱，但以名方秘录为请。"这句话就提示唐慎微早就立下著书的志向。如果不是这样，唐氏何必求士人为他提供名方秘录资料呢？

（2）唐慎微医技精，医德高，博得士人支持。

唐慎微医技精湛，医德高尚，宇文虚中在《书〈证类本草〉后》中云："唐慎微……其治病百不失一……不以贵贱，有所召必往，寒暑雨雪不避也。"

一个医生医疗技术高，服务态度好，其诊务必忙，诊务忙，没有时间和精力去读经史百家之书，唐氏采取义诊的办法，请读书人见到一方一药，录以告之。这样一来，唐氏就可以得到更多的方药资料。正如宇文虚中所云："其为士人（即读书人）疗病，不取一钱，但以名方秘录为请。以此士人尤喜之。每于经史诸书中得一药名、一方论，必录以告，遂集为此书（指《证类本草》）。"

与唐慎微同时代、同蜀地的另一位医家叫陈承，他将《嘉祐本草》和《本草图经》合为一书，名为《重广补注神农本草经》，但该书中无附方，因此该书不受医家重视，也未能流传。唐慎微也是将《嘉祐本草》与《本草图经》合为一书，但唐氏能集书传所记单方，附于各药条文之下，书成，备受医家欢迎，成为千古流传的巨著。究其原因，是唐氏重视群众力量。

（3）唐慎微治学严谨，实事求是。

唐慎微编撰的《证类本草》中除收录《嘉祐本草》和《本草图经》的内容外，还增添了大量药物和方剂资料，这些资料都是原文转录，没有加入唐氏本人的见解。换句话说，《证类本草》中的内容全是转录文献上的资料，没有唐氏本人新增的内容。唐氏将所转录的资料均注明出处，说明唐慎微治学严谨、实事求是，不掠取他人之美，攘为已有。说到这里，就想起 1955 年群联出版社影印出版陶弘景《本草经集注》时，在其书末附有罗振玉和范行准的跋文。罗氏在跋文中说："下卷（指《证类本草·序例下》）……不复注明为陶氏说，使不得此卷（指《本草经集注》）校之，几令人疑为作《证类》时之序例矣……盖作《证类》者，改窜隐居序例，攘为已有。"

范氏在其跋文中说："在陶氏序录中夹入诸家本草的序文，这样把陶氏序录裂为两橛，此为千年来未经学者识破的一大疑案，由于此残卷的发现，才知《证类本草》序例编次的荒谬。"

罗、范二氏所云均与事实不符。《证类本草》作者生于北宋，此时陶氏书早已亡佚，慎微根本不可能见到陶氏书，又如何"攘为已有"？又如何编次荒谬？《证类本草》是合《嘉祐本草》《本草图经》而成。《证类》序例源于《嘉祐本草》序例。《嘉祐本草》向上推溯，是源于《唐本草》。其序例分为两橛，是沿袭《唐本草》分的，与《证类》作者无关。罗、范二氏指责唐氏"攘为已有"与"编次荒谬"，是不符合事实的。

（三）《证类本草》成书年代

关于《证类本草》的成书年代有 3 种说法。

1. 成书于 1108 年

《本草纲目·历代诸家本草》云："宋徽宗大观二年（1108），蜀医唐慎微取《嘉祐补注本草》及《图经本草》合为一书……名《证类本草》，上之朝廷，改名《大观本草》。"陈邦贤《中国医学史》从此说。

2. 成书于 1082 年

倡此说者为日本中尾万三（《上海自然科学研究所汇报》第 2 号），中尾万三云："慎微之《证类本草》成乎元丰五六年（1082—1083），而当时既有刊刻，逮乎元佑五年至八年（1090—1093），孙升重刊。"《中药通报》1958 年 4 卷 2 期 38 页，赵燏黄在《唐慎微及其著作〈证类本草〉》一文中云："最早出版时期约在元丰五六年（1082—1083）。"1964 年上海科学技术出版社出版的《中国医学史讲义》从此说。

3. 成书于 1097—1100 年

一般认为，第三说较为可靠，其论证有三：其一，书中引有孙尚药《秘宝方》，该书刊于元丰八年（1085）；其二，书中引有沈括《梦溪笔谈》，该书刊于1093年；其三，书中引有初虞世所著《养生必用方》，该方成于绍圣四年（1097）。然则《证类本草》成书时间，当在1097—1100年。

（四）《证类本草》收载药物数量

关于《证类本草》收载药物的数量有4种说法。

1. 收载1518种

《本草讲义》（1958年北京中医学院编）记为1518种，这是抄《本草纲目》王世贞序文中“旧本一千五百一十八种，今增药三百七十四”误解而来。《本草纲目》是在《证类本草》基础上修纂而成。王世贞序文中所云“旧本一千五百一十八种”即指《证类本草》而言，但实际其序中所言“旧本”并不局限《证类本草》一书，也包括其他本草，如《救荒本草》等。

2. 收载1455种

《药材学》（1960年南京药学院编）记为1455种，是沿袭日本久保田晴光《汉药研究纲要》的数量。这个数量只计算《证类本草》的主要药物，对有名未用及《本经》外类药皆未计入在内。

3. 收载1558种

《中国医学史讲义》（1964年上海科学技术出版社版65页，1963年人卫本63页）记为1558种。这是从《嘉祐本草》的1082种（见人卫本《政和本草》26页《嘉祐补注总序》），加上唐慎微新增476种药名而来（唐慎微所增总数实为628种）。

4. 收载1746种

是因《政和本草》（简称《政和》）总目录末尾方框中所记为1746种，谓《嘉祐补注本草》药品1118种，《证类本草》新增药品628种，总1746种。在《嘉祐补注总序》中，只讲《嘉祐本草》药品总数是1082种，此处又云1118种，为何多出36种？对此详解如下。

《嘉祐补注总序》中所言1082种是《嘉祐本草》收录药品总数，《证类本草》将某些药进行分条，使《嘉祐本草》所载总数成1118种。

从五色石脂分出青、赤、黄、白、黑石脂5条（《政和》93页），从铁精分出铁浆1条（《政和》114页），从白药分出螃草1条（《政和》240页），从琥珀分出鋻1条（《政和》297页），从沉香分出薰陆香等6条（《政和》309页），从天灵盖分出人齿、耳塞2条（《政和》364页），从人屎分出人溺等6条（《政和》365页），从马刀分出蛤蜊等8条（《政和》441～442页），从胡麻分出胡麻油1条（《政和》483页），从大豆黄卷分出生大豆1条（《政和》486页），从苦苣分出白苣、莴苣2条（《政和》521页），从干姜分出生姜1条（《政和》194页），另外增补虾1条（《政和》442页，此条的目录是脱漏标记），总计36种。1082种加上36种，即1118种。

以上分条36种，在数目上是增加了，但从来源上考虑，此36种仍出自《嘉祐本草》药物条目，所以《证类本草》仍称《嘉祐补注本草》药品1118种。

至于说《证类本草》新增药物628种，这个数量是包括唐慎微摘录前代本草药品而言的。唐慎微所增药品仅8种，即灵砂、井底砂、降真香、人髭、猕猴、缘桑螺、蝉花、醍醐，其余620种是摘录他种本草而来，计"陈藏器余"488种，《本草图经》外草木类98种（《大观本草》计98种，《政和》计100种），"海药余"16种，"食疗余"8种，"唐本余"7种，"图经余"3种。

上述4个数量当以《政和》总目录末尾方框中所记1746种为准。至于《大观本草》，因其刊本不同，其数量亦各异。例如元大德壬寅年（1302）宗文书院刊本脱漏葛根、栝楼等条，其总数不足1746种。

赵燏黄在《唐慎微及其著作〈证类本草〉》一文中云"收载药品1744种"，此就柯逢时影刻《大观本草》所统计。该本《大观本草》的《本经》外草类84种，木类24种，比《政和》共少2种，故其总数为1744种。《政和》的《本经》外草类多金灯，木蔓类多天仙藤，卷4玉石中多石蛇、黑羊石、白羊石。《大观本草》少此5种，但《大观本草》卷15人部多人口中涎及唾（《政和》移在"人溺"条下"今按"的注文中）。

根据人卫本《政和》目录进行统计，总数是1749种，其中《本经》367种，《别录》372种，"唐本先附"114种，《开宝本草》新增134种，《嘉祐本草》新补81种，《嘉祐本草》新定17种，《嘉祐本草》新分条34种，"唐本余"7种，"海药余"16种，"食疗余"8种，"陈藏器余"488种，唐慎微续添8种，"图经余"3种，《本经》外类100种。

若根据人卫本《政和》正文统计，总数是1746种，其中《本经》367种，《别录》369种（目录作372种，其中因卷22多注2种，卷24多注1种，实乃是369种），《开宝本草》新增133种（目录统计为134种），《嘉祐本草》新补82种（目录统计为81种，少注1种）。其余相同。

（五）《证类本草》编纂体例

赵希弁重刊本《郡斋读书后志》云：“《证类本草》三十二卷（连目录计算），右皇朝（指宋朝）唐慎微纂，合两本草（《嘉祐本草》《本草图经》）为一书，且集书传所记单方，附之于本条之下，殊为详博。”

陈振孙《直斋书录解题》云：“《大观本草》三十一卷，唐慎微撰，不知何人。仁和县尉艾晟作序。名曰《经史证类本草》……及嘉祐中，掌禹锡、林亿等，重加校正，更为补注，以朱墨书（指上模刻印时抄的朱墨书）为之别，凡新旧药一千八十二种，盖亦备矣。今慎微颇复有所增益，而以墨盖其名物之上，然亦殊不多也。”

由于《证类本草》是合《嘉祐本草》和《本草图经》两书为一书，原文照录，并做一番文献增补工作，所以在组织形式上亦同《嘉祐本草》。全书分为序例（性质同总论）和药物（性质同各论）两部分。序例有序例上、序例下。序例上除承袭《嘉祐本草》外，并增加《雷公炮炙论序》；序例下虽然也是承袭《嘉祐本草》，但在诸病通用药方面有所增加。例如治腰痛诸药，慎微又增加了牛膝、续断、鹿茸、乌喙等。在卷数方面，由于唐氏增加药物及文献资料很多，所以在卷数上由《嘉祐本草》的21卷增为32卷。

从《嘉祐本草》向上推溯，是《开宝本草》《唐本草》《本草经集注》《神农本草经》。从《神农本草经》起，后世学者以《神农本草经》为基础，像滚雪球似的扩充、囊括，把历代主流本草一层层加上去，从而形成了《证类本草》，犹如包心菜似的层层包裹，逐代增多。因此，《证类本草》可说是集北宋以前本草学之大成，它概括了宋以前历代主要本草的精华。明代李时珍《本草纲目》也是在《证类本草》的基础上发展起来的，只不过《本草纲目》的编纂体例与《证类本草》有所不同而已。

（六）《证类本草》文献的标记

《证类本草》是在《嘉祐本草》的基础上合《本草图经》及唐慎微引用经、史、子、集、方书等资料汇编而成。唐慎微仅作资料的汇集，他本人并无注释。但是《证类本草》采纳前人所著本草的内容，均明确标注原出处，这也是我国本草在发展过程中形成的一个优良传统。兹就《证类本草》中的文献出处介绍如下。

1.《证类本草》对《本草经集注》资料标记

《本草经集注》资料分 4 个部分。

（1）对《本经》资料，印成黑底白大字。

（2）对《别录》资料，印成墨书大字。

（3）对七情畏恶相反资料，印成双行小字，续在条文大字末尾。

（4）对陶隐居注文，印成双行小字，冠以“陶隐居”黑底白小字。

2.《证类本草》对《唐本草》资料标记

（1）对《唐本草》新增药印成大字，在条文末注以“唐本先附”。

（2）对《唐本草》的注文，印成双行小字，在注文开头冠以“唐本注”黑底白字。

3.《证类本草》对《开宝本草》资料标记

（1）对《开宝本草》新增药印成大字，在条文末注以“今附”。

（2）对《开宝本草》注文，印成双行小字。在注文前或冠以“今注”，或冠以“今按”，或冠以“又按”，或冠以“今详”。《开宝本草》注文多列在“唐本注”之后。

今注：是《开宝本草》作者自己的注文。

今按：是引用前代文献论述的注文。

今详：表示自家据医药理论作考证性的注文。

4.《证类本草》对《嘉祐本草》资料标记

（1）对《嘉祐本草》新增药，书写成黑大字，在条文末或注以“新补”，或注以“新定”。

新补：表示该药是从前代本草书中摘录的。从某书摘录的，即注以“新补见某书”。

新定：表示该药是当时习用的药，文献尚未记载过。如海带、葫芦巴之类，由太医讨论，定为新增的药。

（2）新补药物三品的分类，是与同类药排列在同一品级。例如绿矾、柳絮矾是新增的，它与矾石是同类，矾石列在玉石上品，则新增的绿矾、柳絮矾也列在玉石上品。同理，山姜花次于豆蔻，杕栘次于水杨。

（3）有些药，前代本草并未收录为正品，但在注文中已有论述，对这些药不再另立为条，其注文在某药物条文下，即在目录的相应药名下，标明“续注”字样。

例如卷5“砒霜”条下，所引《日华子本草》的注文中，提到另一同类药，如砒黄的性味主治功用。这味砒黄算是1味药，但不抽出另立为1条，只是在卷5目录中“砒霜”条下，标明“砒黄续注”字样。同理，在“垣衣”条下续注地衣，“通草”条下续注燕复子，“海藻”条下续注马藻。

(4) 对《嘉祐本草》的注文，墨书成双行小字，在注文开头冠以“臣禹锡等谨按”黑底白小字。在此标记下，依次标列所引用文献及内容。若是掌氏自家注说，则冠以“今据”。若引用某书资料作注，即冠以“某书”白字为标记。

(5) 这里要说明的一点是唐慎微在编纂《证类本草》时，曾将《嘉祐本草》中的某些药物条文或注文分出一些药目，并将这些药目及其内容抽出另立为条，作为新药来看待，书写成单行大字，在条末注以“新补见某某”，该新分条的药，在目录中亦立为新增药名，并在药名下注“元附某某条下，今分条”等小字。

例如《政和》22页目录卷27“苦苣”条下注有“新补”2字，表示苦苣为《嘉祐本草》新增药。同页目录卷29“白苣”条下又注云：“莴苣附，元附苦苣条下，今分条。”此注文中“今分条”，当是《证类本草》编纂时所分。

兹将新分条药列举如下：

青石脂、赤石脂、黄石脂、白石脂、黑石脂5条自“五色石脂”条分出（《政和》93页）。

铁浆自“铁精”条分出（《政和》114页）。

鶸草自“白药”条分出（《政和》240页）。

薰陆香等6条自“沉香”条分出（《政和》309页）。

人齿、耳塞自“天灵盖”条分出（《政和》364页）。

人溺等6条自“人屎”条分出（《政和》365页）。

蚌蛤等8条自“马刀”条分出（《政和》441～442页）。

“虾”条新补见孟诜（《政和》442页）。

胡麻油自“胡麻”条分出（《政和》483页）。

生大豆自“大豆黄卷”条分出（《政和》486页）。

白苣、莴苣自“苦苣”条分出（《政和》521页）。

生姜自“干姜”条分出（《政和》194页）。

瑿自“琥珀”条分出（《政和》297页）。

以上新分条36味。

5.《证类本草》对《本草图经》资料标记

凡资料来自《本草图经》，即列在《嘉祐本草》注文之后，作双行小字注文。并在注文的开头，冠以“图经曰”大字。另外还将《本草图经》单独的2卷草药图文放入《证类本草》第30、31卷，称为《本经》外草类和《本经》外木蔓类。

6.《证类本草》对唐慎微新增的资料标注

（1）唐慎微所增的内容，称为“唐慎微续添”，并用墨盖子“■”标记之。并在各卷目录中注云“凡墨盖子已下并唐慎微续证类”。

在墨盖子下有2种资料：

①唐慎微新增的8味药，在此8味药条文头上均加有墨盖子“■”标记。在各卷目录中，凡有唐慎微新增药，均列“若干种唐慎微续补”，并在“补”字下注有“墨盖子下是”5个小字。

唐慎微续补的药有灵砂、井底砂、降真香、人髭、猕猴、缘桑螺、蝉花、醍醐。这些药不论在目录还是在正文中，皆冠有墨盖子标记。

②唐慎微对某些药物增加的本草内容及单方、验方内容，亦用墨盖子与前文隔开。他增加的本草内容或单方、验方，均作双行小字书写。并将注文原始出处，用大字冠在注文的开头。

这里要说明的是，在《证类本草》开始编纂时，其墨盖子下资料，全出自唐慎微所增。到《大观本草》，其墨盖子下“别说”和某些无出处的单方为艾晟所增。到晦明轩《政和本草》，其墨盖子下除保留艾晟所增资料外，又添加了张存惠增入寇宗奭《本草衍义》的内容。

此外，在《政和本草》中有些药物条文下脱漏墨盖子。如人卫影印本《政和本草》87页朴硝、92页白石英、106页食盐、130页大盐、208页茅根等条，均脱漏墨盖子的标记。

（2）唐慎微将《本草图经》各个药图插在每个药的前面。又将《本草图经》单独的2卷草药图文放入《证类本草》第30、31卷，称为《本经》外草类和《本经》外木蔓类。

（3）唐慎微将其他书中未经掌禹锡收入《嘉祐本草》的完整药物条文，集中地附在某些卷次之末称为“某某余”，如“唐本余”“食疗余”“陈藏器余”“海药余”“图经余”。

总之，《证类本草》文献标记依《嘉祐本草》。正文用大字：《本经》文系黑底白字；《别录》文用黑字；《新修本草》文注以“唐本先附”；《开宝本草》新增者注以“今附”；《嘉祐本草》新增者或用“新补”（摘前文献），或用“新定”（取于当时）。注文用双行小字：《本草经集注》者冠以“陶隐居”；《新修本草》者冠以“唐本注”；《开宝本草》者冠以“今按”（据文献）或“今注”（从时医）；《嘉祐本草》者冠以“臣禹锡等谨按”。在《证类本草》中，唐慎微新加者，皆冠以墨盖子“▅”作为标志。所以，该书依旧能严谨地保持文献原来的面目。

（七）《证类本草》的价值

《证类本草》的价值，大致有下列几点。

1. 总结宋以前药学之大成

中国本草学从《神农本草经》起，到《证类本草》，像滚雪球似的扩充，把历代主要本草，一层层叠加，犹如包心菜样层层裹起来，形成了《证类本草》。凡药物方面知识，如药名、异名、产地、性状、形态、鉴别、炮制、性味、主治功用、七情畏恶相反等，无不囊括在内，所以本书是集宋以前本草之大成，在明代李时珍《本草纲目》刊行前，上下五百年间，一直被作为研究本草学的范本。

2. 有很大实用价值

本书是我国现存最早且最完整的系统本草。其载药 1746 种，其中有 300 多种仍为今日常用的药物，这些药在医家临床处方中是必不可少的。书中所附《本草衍义》的内容，对某些药物的产地和药理方面，有更进一步的考订和补充，这些对于药材研究而言有很大实用价值。尤其是书中所附药图，对于中药品种鉴别有极重要的参考价值。例如“人参”条，有人认为古代的上党（今山西长治）人参并非五加科人参，而是桔梗科的党参。翻开人卫本《政和本草》145 页“人参”条 4 个药图，其第 1 个药图，标注为“潞州（今山西长治）人参”，该药图为逼真的五加科人参，与文字所记完全相符。这就可以证明北宋时潞州（今山西长治）确实生长着五加科人参。

3. 保存了古代大量本草和方书文献

从《神农本草经》到《证类本草》，中间经过的《名医别录》《本草经集注》《新修本草》《开宝本草》《嘉祐本草》等书虽已久佚，但它们的主要内容仍保存在《证类本草》中。

又因本书对古代本草是原文采录的，这使那些失传已久的古本草，如：《本草拾遗》《食疗本草》《药性论》《海药本草》《雷公炮炙论》《日华子本草》等，通过《证类本草》保存了它们的主要内容。所以这些失传的本草，从本书所引的资料中尚能窥其一隅。

本书采录古典医方，如《伤寒论》《金匮要略》《外台秘要》等书中古方，以及宋以前历代名医方论，加之搜罗到的当时医家常用和民间习用单方，总计有3000余首，分别载入有关药物条文之后。特别是某些失传的古方，全赖本书得以保存其大概，所以李时珍曾对此书评论说："蜀医唐慎微……使诸家本草及各药单方，垂之千古，不致沦没者，皆其功也。"由此可见，本书除有实用价值外，还富有历史意义。

（八）历代书目所著录《证类本草》书名

（1）《玉海》卷63载《开宝重定本草》，注《大观经史证类本草》，唐慎微撰。

（2）《文献通考·经籍考》载《大观本草》31卷，下引陈振孙及叶石林。

（3）《宋史·艺文志》载《大观经史证类备急本草》32卷，唐慎微撰。

（4）郑樵《通志·艺文略》医方著录《证类本草》32卷，唐慎微撰。

（5）赵希弁重刊本《郡斋读书后志》卷2，著录《证类本草》32卷，右皇朝（指南宋）唐慎微纂。并云："合两本草为一书（指《嘉祐本草》及《本草图经》）。且集书传所记单方，附之于本条之下，殊为详博。"

（6）赵与时《宾退录》："唐慎微，蜀州晋原（今四川崇庆）人，世为医，深于经方，一时知名。元祐间（1086—1094），蜀帅李端伯招之居成都，尝著《经史证类备急本草》三十二卷，盛行于世。而艾晟序其书，谓慎微不知何许人，故为表出。蜀今为崇庆府。"

（7）《幼幼新书》卷40近世方书第14，著录《证类本草》，唐慎微纂。并云传其书失其邑里族氏。

（8）《医方类聚》引用书目有《大全本草》。

（9）《通宪入道藏书目录》载有《大观本草目录》1帖，《大观证类本草》上、中、下3帙。

（10）《本草纲目》卷1上序例上"历代诸家本草"标题下，载《证类本草》云："宋徽宗大观二年，蜀医唐慎微取《嘉祐补注本草》及《图经本草》合为一书，复拾《唐本草》……附于各条之后，又采古今单方，并经史百家之书，有关药物者亦附之，共三十一卷，名《证类本草》，上之朝廷，改名《大观本草》。”

这段记载有些失考。按：《证类本草》不是始于大观二年，上之朝廷者也不是唐慎微。

(11)《古今医统大全》载有《大观证类本草》。

(12)《四库书目邵注》卷10，载有《证类本草》30卷。有宋、金两刻，《大观本草》刻于宋。

(13)《楹书偶录》卷3，著录宋本《证类本草》32卷。前有政和六年曹序，后有刘祁跋与提要所言正合，后附寇宗奭《本草衍义》4卷，与元大德所刻大观本同（同治丙寅夏五，彦合主人记）。按：此本是杂本。名为《证类本草》32卷，像《大观本草》；又云有曹序。曹序即曹孝忠序，是宋政和六年修订《政和本草》的，此应是《政和本草》；又云有刘祁跋，应是晦明轩本。而政和本或晦明轩本均作30卷，不作32卷。同治丙寅即1866年。

（九）《证类本草》墨盖子下“唐本”“唐本注”的讨论

《证类本草》指宋代唐慎微编纂的《经史证类备急本草》。

《证类本草》各味药物后面有墨盖子“▀”标记。在墨盖子下所援引的资料，除“别说”“衍义”资料外，均是唐慎微作《证类本草》时所援引的。其中有“唐本”“唐本注”等资料，亦是唐慎微所引。

唐慎微所引“唐本”“唐本注”的资料，究竟出于何种文献，一般人认为是从《新修本草》中转引来的。但从唐慎微所引“唐本”“唐本注”具体内容来看，又不像从《新修本草》中转引的。

为研究方便，先用人卫本《政和本草》墨盖子下“唐本”“唐本注”的资料，摘录如下。每个药名前的页码，即1957年人卫本《政和本草》页次。

198页苦参、225页百部、233页白前、235页胡黄连、246页大黄、264页威灵仙、309页薰陆香、468页芋、486页生大豆、495页稻米、151页术、201页芍药、220页地榆、222页昆布、226页红蓝花、228页荜茇、232页零陵香、234页茳草、487页大豆黄卷、499页冬葵子。

以上共录20味药。前10味药都是引“唐本云”，后10味药引“唐本注云”。

在上述20味药物中，芋、冬葵子属菜部；生大豆、大豆黄卷、稻米属米谷部；薰陆香属木部；余下均属草部。

在《新修本草》残卷中，草部已亡佚，无原文核对，只有木部、米部、菜部有原文可以核对。

兹将核对情况分析如下。

（1）关于草部药品，《新修本草》已亡佚。但《新修本草》草部药物目录，尚存于《医心方》《本草和名》《千金翼方》中，兹以《医心方》等所载《新修本草》草部药物目录核对如下。

在上述20味药物中，胡黄连、威灵仙、红蓝花、荜茇、零陵香5味，均不见于《新修本草》目录中。由此可见，《政和》墨盖子下所引“唐本”“唐本注”资料，不是从《新修本草》中转引的。因为《新修本草》中不含胡黄连等5味药物，那么在此等药名头上，就不应冠以“唐本”“唐本注”。

（2）对菜部、米部药物，用1955年群联出版社据日本卷子本影印《新修本草》核对。

例如《政和》499页“冬葵子”条，其墨盖子下所引“唐本注”，在影印本《新修本草》265页“冬葵子”条的正文及注文中，均检不出。由此可见，《政和》“冬葵子”条所引“唐本注”，不是从《新修本草》转引的。

《政和》309页“薰陆香”条注文，在《新修本草》中均查不出，由此可见，《政和》“薰陆香”条所引“唐本”云，也不是从《新修本草》转引的。

《政和》486页“生大豆”条所引“唐本云”，以及《政和》487页“大豆黄卷”条所引“唐本注云”，同在《新修本草》294页“赤小豆”条陶隐居注文检出。说明《政和》生大豆、大豆黄卷墨盖子下“唐本”“唐本注”的资料，是来源于《新修本草》“赤小豆”条陶隐居注文。

在上述20味药物中，除生大豆、大豆黄卷2条所引“唐本”“唐本注”的资料外，其余药物所引“唐本”“唐本注”资料在现存《新修本草》残卷中均查不出，但是在掌禹锡所引《蜀本草》注文中能查出。

例如《政和》247页“大黄”条墨盖子下引“唐本云：叶似蓖麻，根如大芋，傍生细根如牛蒡。《图经》云：高六七尺，茎脆、味酸，醒酒”。此文和《政和》247页“大黄”条下掌禹锡所引蜀本《图经》文大致相同。

《政和》486页“生大豆”条，其墨盖子下引“唐本云：煮食之，主温毒水肿”。此文与《政和》486页“生大豆”条下掌禹锡引《蜀本草》文同。

《政和》264页“威灵仙”条、《政和》468页“芋”条，其墨盖子下所引“唐本”资料，均与掌禹锡所引《蜀本草》文相似。

按：威灵仙不是《新修本草》的药，它是《蜀本草》的药。到《开宝本草》才将威灵仙收为新增药。

根据唐慎微所引的资料，大部分不见于现存的《新修本草》，反而见于《蜀本草》。这就使人怀疑唐慎微《证类本草》墨盖子下所引“唐本”“唐本注”的资料，盖出于《蜀本草》。

《嘉祐补注总叙》云：“伪蜀（934—965）孟昶亦尝命其学士韩保昇等，以《唐本》《图经》参比为书，稍或增广，世谓之《蜀本草》。”又掌禹锡“补注所引书传”云：“伪蜀翰林学士韩保昇等，与诸医工取《唐本草》并《图经》相参校正。更加删定，稍增注释，孟昶自为序，凡二十卷，今谓之《蜀本草》。”

由此可知，《蜀本草》是在《新修本草》《本草图经》基础上修订的，因《新修本草》又称《英公本草》，故《蜀本草》又称《重广英公本草》。所以《重广英公本草》即是重广《新修本草》。

由于《蜀本草》是在《新修本草》基础上修订的，所以《蜀本草》也含有《新修本草》的内容。由此可知，在上述 20 味药物中，生大豆、大豆黄卷所引“唐本”“唐本注”资料，虽然能在《新修本草》“赤小豆”条中查出，但其可能并非从《新修本草》原书所引，而是通过《蜀本草》所转引，此是《蜀本草》含有《新修本草》内容的缘故。由于《蜀本草》增加的新内容被唐慎微所援引，而这些新的内容是《新修本草》所没有的；所以唐慎微墨盖子下所引“唐本”“唐本注”，是出于《蜀本草》。如胡黄连、威灵仙、红蓝花、荜茇、零陵香等资料，在《新修本草》中即查不出。

根据这些事实，可以确认《政和》墨盖子下所引“唐本”“唐本注”等资料，不是出于《新修本草》，而是出于《蜀本草》。

唐慎微在《证类本草》墨盖子下所引《蜀本草》资料，为何不标注“蜀本”，而要标注“唐本”“唐本注”呢？疑《蜀本草》《新修本草》在宋人心目中被视为同一书，故把《新修本草》作为《蜀本草》的假借称呼。

（十）《证类本草》中“唐本余”的讨论

关于“唐本余”的问题，1962 年芜湖医专油印的尚志钧《新修本草论文集》中，曾做过详细的论述，兹再讨论如下。

早在 1947 年，笔者最早辑复《新修本草》时，悉取于李时珍《本草纲目》（简称《纲目》）中“恭曰”的资料，后持以傅云龙氏《籑喜庐丛书·新修本草》

校之，发现《本草纲目》误注“唐本余”的资料为《新修本草》的内容。

“唐本余”是另一种书的名称，不是《新修本草》的别名。《政和本草》经史方书目录中有“唐本草余”书名，亦引有“唐本草余”的药名，如银膏、辟虺雷、留军待、独用将军、地不容、山胡椒、灯笼草等，兹录如下。

（1）银膏，味辛，大寒。主热风、心虚、惊痫、恍惚、狂走、膈上热、头面热、风冲心上下，安神定志，镇心明目，利水道，治人心风健忘。其法：以白锡和银薄及水银合成之。亦甚补牙齿缺落，又当凝硬如银，合炼有法。（《政和》118页，《纲目》372页。《政和》《纲目》均是1957年人卫本，下同）

（2）辟虺雷，味苦，大寒，无毒。主解百毒，消痰，祛大热，疗头痛，辟瘟疫。一名辟蛇雷。其状如粗块苍术，节中有眼。（《政和》168页，《纲目》567页）

（3）留军待，味辛温，无毒。主肢节风痛，筋脉不遂，折伤瘀血，五缓挛痛。生剑州山谷。其叶似楠木而细长，采无时。（《政和》191页，《纲目》715页）

（4）地不容，味苦，大寒，无毒。主解蛊毒，止烦热，辟瘴疠，利喉闭及痰毒。一名解毒子。生山西谷，采无时。（《政和》191页，《纲目》813页）

（5）独用将军，味辛，无毒。主治毒肿奶痈，解毒，破恶血。生林野，采无时。节节穿叶心生苗，其叶似楠根，并采用。（《政和》192页，《纲目》714页）

（6）山胡椒，味辛，大热，无毒。主心腹痛，中冷，破滞。所在有之。似胡椒颗粒，大如黑豆，其色黑，俗用有效。（《政和》192页，《纲目》1098页）

（7）灯笼草，味苦，大寒，无毒。主上气咳嗽风热，明目。所在有之。八月采。枝干高三四尺，有花，红色，状若灯笼，内有子，红色可爱。根、茎、花、实并入药使。（《政和》192页，《纲目》684页）

上述7味药不见于卷子本《新修本草》，不见于《千金翼方》卷2到卷4所录《新修本草》药物正文中，也不见于《医心方》《本草和名》所录《新修本草》全部药物目录中。

唐慎微作《证类本草》时，在少数“本经药”“别录药”“唐本新增药”引用过“唐本余”资料，作为注释的内容。兹将各药墨盖子下所引“唐本余”资料，摘录如下。

1. 唐慎微在“本经药”引有“唐本余”资料

（1）石胆。唐本余：“下血赤白，面黄，女子脏寒。”（《政和》89页）卷子本《新修本草》11页“石胆”条无此文。

（2）白垩。唐本余：“注云：此即今画工用者，甚易得，方中稀用之，近代以白瓷为之。”（《政和》132 页）卷子本《新修本草》75 页无此文。

（3）青琅玕。唐本余：“味甘。”（《政和》132 页）卷子本《新修本草》66 页无此文。

（4）紫菀。唐本余：“治气喘阴痿。”（《政和》209 页）

（5）泽漆。唐本余：“有小毒，逐水，主蛊毒。”（《政和》256 页）

（6）石长生。唐本余：“下三虫，谓长虫、赤虫、蛲虫也。苗高尺许，用茎叶。五月、六月采。”（《政和》280 页）

（7）猪苓。唐本余：“去邪气。”（《政和》328 页）

（8）莽草。唐本余：“治难产。”（《政和》346 页）

（9）牡狗阴茎。唐本余：“牡狗阴茎并同白狗血，主女人生子不出。内酒中服之，主下痢，卒风痱。伏日取之，主补虚，小儿惊痫，止下痢。”（《政和》381 页，掌氏引《蜀本》文与此文末 10 字同）

（10）蓬蘽。唐本余：“耐寒湿，好颜色。”（《政和》464 页）

（11）麻蕡。唐本余：“主五劳。麻子，寒，肥健人不老。”（《政和》482 页）

2. 唐慎微在“别录药”引有“唐本余”资料

（1）黄石脂。唐本余：“畏黄连、甘草、蜚蠊。”（《政和》94 页）

按：黄石脂，《别录》文有“曾青为之使，恶细辛，畏蜚蠊”。卷子本《新修本草》12 页“黄石脂”条无此文。

（2）芦根。唐本余：“生下湿地，茎叶似竹，花若荻花。二月、八月采根，日干用之。”（《政和》271 页）

（3）苏合香。唐本余：“除鬼魅。”（《政和》310 页）

（4）狐阴茎。唐本余：“雄狐粪烧之，去瘟疫病，狐鼻尖似狗而黄长，惟尾大，善为魅。雄狐粪在竹木间石上，尖头坚者是也。”（《政和》391 页）

（5）蘖米。唐本余：“取半生者作之。”（《政和》491 页）

3. 唐慎微在“唐本草新增药”引有“唐本余”资料

如：格注草。唐本余：“注云，《图经》：出齐州、兖州山谷间。”（《政和》286 页）

以上各药所引“唐本余”资料，没有一条能在现存《新修本草》残卷的注文中查出。

此外，唐慎微在“开宝本草药”下，亦引有“唐本余”资料。

如：太阴玄精。唐本余："近地亦有，色赤青白，片大，不佳。"（《政和》118页）

由于"唐本余"的药物不见于《新修本草》目录中，而"唐本余"资料又不见于现存《新修本草》残卷中，加之唐慎微所引的"唐本余"资料和掌禹锡所引《蜀本草》资料相同，故疑《证类》墨盖子下所引"唐本余"资料是出于《蜀本草》。而"唐本余"乃是唐慎微用以作《蜀本草》假借的称呼。郑金生曾订正"唐本余"即《蜀本草》，是可信的。

（十一）《证类本草》中"今附"的讨论

1. 今附的含义

各种刊本《证类本草》均有"今附"标记，今以人卫本《政和本草》研究如下。

《政和本草》卷 1 序例上 25 页《嘉祐补注总序》（即《嘉祐本草序》）云："凡《开宝》所增者，亦注其末曰今附。"据此可知，"今附"是代表《开宝本草》新增药物的标记。

2. 今附标注位置

（1）在各卷目录中，"今附"都标注在《开宝本草》新增药名之下。

（2）在各卷正文中，"今附"都标注在药物条文大字的末尾。

例如卷 11 骨碎补，是《开宝本草》新增药，其正文大字末句为"一名骨碎布"，其"今附"即标注在"布"字之下。（《政和》274 页）

又如续随子，是《开宝本草》新增药，其正文大字末句"一名千金子"，而"今附"2 字即标注在"子"字之下。（《政和》275 页）

假如《开宝本草》新增药，其正文大字之后，有小字注文。其"今附"即标注在小字注文的末尾。

例如卷 9"天麻"条。在天麻正文大字之后，有小字注文，解释天麻形态和产地。在注文末句"郓州者佳"之下，即标注"今附"2 字。（《政和》223 页）

又如卷 12"丁香"条。在丁香正文大字之后，有"今注""又按"两处小字注文，"又按"的小字注文末句为"异常黑也"。而"今附"2 字即标注在"也"字之下。（《政和》307 页）

3.《政和本草》中有关"今附"标记的舛误

例如人卫本《政和本草》卷 11 草部下品之下"蒴藋"条下正文大字末标注

“今附”2字（《政和》256页），按《嘉祐补注总序》云“凡《开宝》所增者，亦注其末曰今附”，则蒴藋应是《开宝本草》新增药。事实上蒴藋不是《开宝本草》新增药，而是《名医别录》药。因《新修本草》即收载“蒴藋”条，所以蒴藋不是《开宝本草》新增药。相反，卷12金樱子（《政和》310页）、卷13伏牛花（《政和》333页）、五倍子（《政和》333页）、密蒙花（《政和》334页）都是《开宝本草》新增药，应在正文大字末尾加“今附”2字，可是均脱。

又如《政和本草》卷22乌梢蛇，是《开宝本草》新增药，其正文大字末尾有“今附”2字（《政和》451页），但是在目录中，乌梢蛇下脱漏“今附”标记。

按《政和本草》卷1序例上25页《嘉祐补注总序》记载“一百三十三种今附”，此即说明《开宝本草》新增药物是133种。据此可知《政和本草》收录《开宝本草》新增药应有133条，每条末当注有“今附”2字。日本学者冈西为人对《政和本草》中“今附”2字曾做过统计，统计的结果与133种不符。所以冈西为人在《宋以前医籍考》1273页云：“按右序（指《嘉祐本草序》）末所记药品数，未曾闻有疑之者。然今查其实数，即以《开宝》今附则一百三十四种。”

冈西为人统计，为什么会多出一种？是《政和本草》对某些药误注“今附”所致。例如上述“蒴藋”条，不是《开宝本草》新增药，而是《名医别录》药，但由于“蒴藋”条末亦加“今附”2字，这就使“今附”的总数增多了。

（十二）《证类本草》药物新分条的讨论

《证类本草》中有些新增药条文是从前代本草药物资料中分出的，在新增药物条文末注有“新见某某书”或“新分条见某某书”。该新分条药，在目录中皆注有小字云：“已上几种元附某条，今新分条。”这个“新分条”是谁分的，现在讨论如下。

兹以1957年人卫影印本《重修政和经史证类备用本草》（以下简称《政和》）研究如下。

1.《政和》新分条药物有多少

卷3玉石部上品目录，记载5种新分条。即从五色石脂分出青、赤、黄、白、黑石脂5条（《政和》93页）。

卷4玉石部中品目录，记载1种新分条。即从“铁精”条中分出“铁浆”条（《政和》114页）。所分出“铁浆”条的文字，是来源于《嘉祐本草》“铁精”条下所引的陈藏器文。因此在“铁浆”条下注出处“见陈藏器”。

卷8草部中品之上目录，新分条1种。即从“干姜”条中分出“生姜”条（《政和》194页）。

卷9草部中品之下目录，新分条1种。即从“白药”条中分出“剪草”条（《政和》240页）。“剪草”条文字从《嘉祐本草》所载“白药”条援引的《日华子本草》文中分出，所以“剪草”条末注出处为“新分条见日华子”。

卷12木部上品目录见7种新分条。从“琥珀”条下分出“瑿”条（《政和》297页），从“沉香”条下分出薰陆香、鸡舌香、藿香、詹糖香、檀香、乳香6条（《政和》309页）。

“瑿”条，从《嘉祐本草》所载“琥珀”条下的“唐本注”文（详见《新修本草》卷12“琥珀”条下注）中分出，所以在“瑿”条末注出处为“新见唐本”。

薰陆香等6条从“沉香”条文中分出，沉香原属《名医别录》药，故薰陆香等6条亦属《名医别录》药，因此其条文皆未注明出处。

卷15人部目录见8种新分条。从“天灵盖”条下分出人牙齿、耳塞2条（《政和》364页），从“人屎”条下分出人溺、溺白垽、妇人月水、浣裈汁、人精、怀妊妇人爪甲6条（《政和》365页）。

人牙齿、耳塞2条从《嘉祐本草》所载《开宝本草》新增药天灵盖援引的《日华子本草》文中分出，故该文末注出处为“已上二种新分条见日华子”。

人溺和溺白垽从《嘉祐本草》所载《名医别录》“人屎”条（见《新修本草》卷15页188“人屎”条）正文中分出。此二药属《名医别录》药，故未注明出处。《政和》转录“人溺”条时并转录陶隐居注，使人能识别人溺是《名医别录》药。但其转引“溺白垽”条时转录了唐本注，这就容易使人误解溺白垽是《新修本草》药了。首先误解的是《本草纲目》，《本草纲目》在卷52的“溺白垽”条（1981年人卫校点本2945页）下注出处为“唐本草”。其次是1979年文物出版社出版的《五十二病方》，该书330行，注②释“久溺中泥”为《新修本草》的溺白垽。此亦承袭《本草纲目》之误。

妇人月水、浣裈汁、人精3条从《嘉祐本草》所载《名医别录》“人屎”条下陶隐居注中分出，故此3条均注出处为“新补见陶隐居”。

怀妊妇人爪甲从《嘉祐本草》所载“人屎”条下援引陈藏器注文中分出，所以此条末注出处为“新补见陈藏器”。此外，《大观本草》多出人口中涎及唾1条。

卷22虫部下品目录中有8种新分条。从“马刀”条分出蛤蜊、蚬、蝛蜼、蚌蛤、车螯、蚶、蛏、淡菜8条（《政和》441～442页）。此等药的条文，是从《嘉祐本草》所载“马刀”条援引陈藏器、孟诜、日华子诸家条文中抽出的。各条末所注文献出处，或云“新见陈藏器”（蝛蜼），或云“新见陈藏器、日华子”（蛤蜊、车螯），或云“新见唐本注、陈藏器、日华子”（蚬），或云“新见孟诜、日华子”（淡菜），或云“新见陈藏器、萧炳、孟诜、日华子”（蚶）等。

以上8条均从“马刀”条所引诸家本草条文中抽出，与虫部下品目录合。此处又有“虾”条，注出处为“新见孟诜”，但虫部下品目录中并无“新补”记载，疑此“虾”条或属新分条。而虫部下品明言新分条只有8种，并注明从“马刀”条分出，虾又不属马刀一类，则“虾”条似非从“马刀”条分出。

卷24米谷部上品目录见1种新分条。从“胡麻”条下分出胡麻油1条（《政和》483页）。胡麻油条文是从“胡麻”条的《别录》文中分出的。

卷25米谷部中品目录见1种新分条。从“大豆黄卷”条中分出生大豆1条（《政和》486页）。

卷29菜部下品有白苣和莴苣（《政和》521页），从“苦苣”条（《政和》508页）分出。该2条的条文是从《嘉祐本草》所载新补药“苦苣”条下援引孟诜、陈藏器、萧炳等条文糅合而成的，故在条文末注出处为“新补见孟诜、陈藏器、萧炳”。

以上新分条共36种。这36种从《嘉祐本草》收载的1082种药物中分出，使《嘉祐本草》药物总数增为1118种。

2.《政和》中“新分条”药数是谁分的

《政和》中“新分条”药数，是唐慎微作《证类本草》时分的。其理由如下。

（1）《嘉祐本草序》中记载《嘉祐本草》收载药物总数是1082种，其对1082种药物的来源均有说明。计《本经》药360种，《别录》药182种，《新修本草》药114种，《开宝本草》药133种，有名未用药194种，《嘉祐本草》新补药82种，《嘉祐本草》新定药17种，它们加起来总数是1082种。而《嘉祐本草序》中未讲到有新分条的药物。如果《嘉祐本草》作者掌禹锡做了“新分条”工作，掌氏在其序中当有说明。今序中未提“新分条”事，说明“新分条”事，不是出于《嘉祐本草》，而是出于《证类本草》。

（2）《证类本草》在某些卷中注明有“新分条”项目，把各卷中“新分条”药数加起来共36种。《政和》总目录后方框中注明“嘉祐补注本草一千一百一十八种”，此1118种比1082种多36种，正好与各卷的“新分条”药数总和是一致的。可见所有“新分条”的药物都是从《嘉祐本草》所收载的药物资料中分出的。

唐慎微作《证类本草》时将《嘉祐本草》药物分条后多出36种，使《嘉祐本草》药数在1082种的基础上增加36种，变成1118种。这个1118种的总数，是唐慎微计算《证类本草》中所采自《嘉祐本草》药物的数量，包含36种新分条药物。但掌禹锡作《嘉祐本草》时，其书药物总数为1082种。这1082种的总数，除见于《嘉祐本草序》中外，亦见于《本草衍义》一书中。

寇宗奭《本草衍义》（1937年商务本）卷1第3页注亦云《嘉祐本草》载药1082种。由此可见，寇氏所见到的《嘉祐本草》收载药物总数也是1082种，不是1118种。这个1118种的总数，即出于《证类本草》所记，其中多出的36种“新分条”药，当为唐慎微作《证类本草》时所分出。

（3）从沉香、丁香药物排列位置的变更及诸香的分条证实之。按：藿香在唐《新修本草》中，不是独立的1条，而是同薰陆香、鸡舌香、詹糖香、枫香合并附在“沉香”条中，以沉香为正名，属于同一条。到《开宝本草》增加丁香，并将丁香列在沉香之下。《嘉祐本草》同此。后来陈承将《嘉祐本草》和《本草图经》合为一书，并增加其本人见解，后人称之为“别说”。陈氏在“别说”中论述沉香时，涉及藿香、薰陆香、乳香等药，并提及“下条丁香”的话。由此可知，丁香在《嘉祐本草》中亦是排在沉香之下的。但现今《政和》丁香排在沉香之上，而且“沉香”条内不含有藿香、詹糖香、薰陆香、乳香等药物。由此可见，这些变更，当是唐慎微作《证类本草》时所更改。从沉香中分出薰陆香、鸡舌香、詹糖香、乳香诸条，亦是出于唐慎微《证类本草》。

（4）从《嘉祐本草序》探讨之

①《嘉祐本草》是在《开宝本草》基础上编修的。《嘉祐本草序》云：“今以《开宝重定》本为正，其分布卷类经注杂糅，间以朱墨，并从旧例，不复厘改。”从此序文可以看出，《嘉祐本草》对《开宝本草》药物条文是保持原样不动的。但是很多新分条药，都是从旧的药物条文中分出的。

例如人卫本《政和》93～94页青石脂、赤石脂、黄石脂、白石脂、黑石脂5条，是从“五色石脂”条中分出；309页薰陆香、鸡舌香、詹糖香、檀香、乳香等是从“沉香”条中分出；486页生大豆是从“大豆黄卷”条中分出；365页人溺、溺白垽等是从“人屎”条中分出。所分出来的药均是旧经中药物条文的内容。《嘉祐本草序》明言对旧经文不复厘改，当然也就不会从旧经条文分出新条来。所以这些新分条，当是后世本草所分。

②《嘉祐本草序》云：“凡今所增补，旧经未有者，于逐条后开列云新补。”

换句话说，凡药物条文末标注“新补”字样，则此药即属《嘉祐本草》新增药。

人卫本《政和》508 页苦苣和 521 页白苣、莴苣药物条文末标注“新补”，说明此 3 药均是《嘉祐本草》新增药。但人卫本《政和》卷 29 目录“白苣”条下注：“莴苣附，元附苦苣条下，今分条。”概据此注可知莴苣、白苣都是从“苦苣”条中分出。从“分条”2 字看，则莴苣、白苣、苦苣 3 药原是 1 条。此 1 条既标有“新补”，当是《嘉祐本草》所增。《嘉祐本草》对自己所增的莴苣、白苣、苦苣既立为 1 条，又何必再来新分条呢？显然这个“新分条”不是《嘉祐本草》所分，而是出于后世本草。

根据上述几点理由，《政和》中“新分条”药物是唐慎微作《证类本草》时，从《嘉祐本草》1082 种中某些药物条文内分出的，从而使药物总数由 1082 种变成 1118 种。

（十三）《证类本草》药图的考察

《证类本草》药图来源于苏颂《本草图经》。苏颂《本草图经》初刊于嘉祐七年（1062）。当时有文彦博选录常用切要者若干种，别绘为图册，以便披览，名《节要本草图》。绍圣元年（1094）所刊行的小字本，均佚。其内容散见于《证类本草》所附药图及“图经曰”以下的小字注文。在现存的《证类本草》主要版本中，所附药图数量各本不一。其中《大观本草》存 922 图，《政和本草》存 932 图，《绍兴本草》（残本）存 801 图。《政和本草》比《大观本草》多白羊石、黑羊石、石蛇、南烛、野驼、莱菔、红蜀葵、黄蜀葵、凫葵、金灯、天仙藤 11 幅图。

各种刊本《证类本草》所载的药图互有差异，表现为形状大小不一，绘画线条粗细不一，药物基原全貌（如植物的根、茎、叶、花、果之间比例）不一。有些刻本，还存在图名误置现象，例如柯逢时所刻《大观本草》中细辛药图有“信州细辛”和“岢岚军细辛”，其图名就存在误置现象。这些情况都是各家刊本翻刻模绘的图形失去原始模样所致。从各种刊本所附药图质量来看，以晦明轩刊刻《重修政和经史证类备用本草》（以下简称《政和本草》）所附药图最佳。

在《政和本草》各种刊本中，虽均注明为晦明轩刊本，其药图质量亦有差异。兹举 4 种刊本为例比较之。

（1）扬州季范董氏所藏金泰和张存惠晦明轩本。

（2）明成化四年（1468）山东巡抚原杰据晦明轩本翻刻本。

（3）1991 年上海古籍出版社影印《四库全书》抄本《证类本草》。

（4）1921—1929 年商务印书馆影印金泰和甲子下己酉晦明轩刊本。

这4家刊本都说是据蒙古定宗四年已酉（1249）平阳张存惠晦明轩刊本，但是4家刊本所附药图质量差异很大，图形大小不相同，绘图的线条粗细也不等。4家刊本所载“图经曰”注文、每页行次、每行字数也不相同。

扬州季范董氏藏本每页11行，每行20字或21字，注文双行，每行26字，白口，四周双边，卷首有泰和甲子下己酉晦明轩刻书螭首龟座牌记，目录后有平阳府张宅印琴形牌记，又有晦明轩记钟形牌记，全书末尾有“泰和甲子下己酉岁小寒初日辛卯刊毕”1行文。

而成化本每页12行，每行大小字皆23字，此与扬州季范董氏藏本不同，而且成化本存在错简与脱漏。商务影印金泰和本及《四库全书》抄本《证类本草》情况，均与成化本相同。由此可知，成化本、商务影印本、《四库全书》抄本，均不及董氏藏本早，其药图亦不及董氏藏本精美。特别是《四库全书》抄本《证类本草》药图，大部分经过改绘，其图形与《政和本草》药图不全相同。

1960年2月文物出版社出版《中国版刻图录》第1册第99页，对扬州季范董氏藏本予以极高的评价，谓此本是蒙古定宗四年张存惠晦明轩刻本，各种药物绘图精美工致，纯系平水风格。人民卫生出版社印本，即据此帙影印，纯墨莹洁，可称平水本上乘。

1962年12月朝花美术出版社出版《中国版画史略》第30页，在“金代平水系版画的发展”标题下，对晦明轩本（《重修政和经史证类备用本草》）的附图，亦予以很高的评价，谓金泰和晦明轩张宅所刻各书，间附有繁复的插图，其刻工精致，代表了金代雕版技术的高度成就。平水之所以能出高质量的版刻，不受战争干扰是一个重要因素。

叶德辉在《书林清话》上说：“金源分割中原不久，乘以干戈。惟平水（今山西临汾）不当要冲，故书坊时萃于此。”据《金时平水刻书之盛》一文所记，晦明轩张宅刻书甚多，《政和本草》仅是其中一种。

（十四）《证类本草》药图所附古地名今释

《证类本草》所附药图，皆有宋代产地名称。例如“苦参”条有4幅药图，每个药图，皆冠有当时产地名称，如成德军苦参、秦州苦参、西京苦参及邵州苦参。成德军即今河北正定，秦州即今甘肃天水，西京即今河南洛阳，邵州即今湖南邵阳。

今将《证类本草》药图所附宋代地名，用谭其骧主编《中国历史地图集》第6册宋·辽·金时期（1982年10月中国地图出版社出版）查对，按省分类列举如下。

1. 安徽省

滁州（今滁县）、和州（今和县）、宣州（今宣州）、池州（今贵池）、歙州（今歙县）、舒州（今安庆地区一带）、泗州（今泗县）、濠州（今凤阳、寿县一带）、无为军（今无为县）。

2. 江苏省

润州（今镇江）、扬州（今扬州）、常州（今常州）、泰州（今泰州）、海州（今东海县东北）、徐州（今徐州）、高邮军（今高邮）、江宁府（今南京）。

3. 浙江省

台州（今临海）、明州（今宁波）、越州（今绍兴）、睦州（今淳安）、温州（今温州）、湖州（今吴兴）、处州（今丽水东南）。

4. 江西省

洪州（今南昌）、江州（今九江）、饶州（今鄱阳）、信州（今上饶）、筠州（今高安）、临江军（今临江）、南康军（今星子县）。

5. 福建省

福州（今福州）、泉州（今同安）、建州（今建瓯）、晋安（今南安）、邵武军（今邵武）、宁化县（今宁化）、兴化军（今蒲田）。

6. 山东省

兖州（今兖州）、青州（今益都）、沂州（今临沂地区）、淄州（今淄川）、莱州（今掖县）、登州（今蓬莱）、曹州（今荷泽）、棣州（今惠民）、密州（今诸城）、单州（今单县）、齐州（今历城）。

7. 河南省

邓州（今南阳）、怀州（今沁阳）、汝州（今临汝）、虢州（今卢氏）、卫州（今汲县）、陕州（今陕县）、相州（今安阳）、唐州（今泌阳）、孟州（今孟县地区）、蔡州（今汝南）、信阳军（今信阳）、南京（今商丘）、西京（今洛阳）、东京（今开封）。

8. 湖北省

蕲州（今蕲春）、均州（今均县）、归州（今秭归）、硖州（今宜昌）、荆州（今江陵）、房州（今房县）、隋州（今隋县）、襄州（今襄阳）、施州（今恩施）、郢州（今钟祥）、荆门军（今江陵）、江陵府（今江陵）。

9. 湖南省

岳州（今巴陵）、衡州（今衡阳）、辰州（今沅陵）、永州（今零陵）、邵州（今邵阳）、澧州（今澧县）、鼎州（今常德）、郴州（今郴县）、锦州（今麻阳西）、道州（今道县）。

10. 广东省

广州（今广州）、雷州（今海康）、潮州（今潮安）、韶州（今曲江）、崖州（今崖县）、端州（今高安）、新州（今新兴）、儋州（今儋县）、南恩州（今阳江）、春州（今阳春）。

11. 广西省

廉州（今合浦）、桂州（今桂林）、利州（今凌云县西南）、梧州（今苍梧）、宾州（今宾阳）、贺州（今贺县）、宜州（今宜山）。

12. 河北省

沧州（今沧县）、邢州（今邢台）、冀州（今冀县）、澶州（今青丰县西南）、瀛州（今河间）、深州（今深县）、磁州（今磁县）、成德军（今正定）。

13. 山西省

潞州（今长治）、辽州（今昔阳）、汾州（今汾阳）、解州（今解县）、隰州（今隰县）、并州（今太原）、宪州（今静乐）、石州（今离石）、绛州（今新绛）、泽州（今晋城）、慈州（今吉县）、河中府（今永济）、晋州（今临汾地区）、火山军（今河曲）、威胜军（今沁县）。

14. 陕西省

雍县（今长安西北）、华州（今华县）、商州（今商县）、乾州（今乾县）、洋州（今洋县）、邠州（今彬县）、延州（今延安）、陇州（今陇县）、耀州（今耀县）、同州（今大荔）、丹州（今宜川）、银州（今米脂县西北）、兴州（今略阳）、金州（今安康）、府州（今府谷）、凤州（今凤县）、凤翔府（今凤翔）、兴元府（今南郑）。

15. 宁夏省

原州（今固原）

16. 甘肃省

秦州（今天水）、文州（今文县）、成州（今成县）、姑藏（今武威）、阶州（今武都）、宕州（今宕昌）、敦煌（今敦煌）、河州（今兰州）、肃州（今酒泉）、德顺军（今静宁县东）。

17. 四川省

益州（今成都）、蜀川（今重庆）、戎州（今宜宾）、涪州（今涪陵）、开州（今开县）、渠州（今渠县）、简州（今简阳）、雅州（今雅安）、龙州（今平武）、果州（今南充）、壁州（今通江）、黔州（今彭水）、彭州（今彭县）、邛州（今邛崃）、夔州（今奉节）、嘉州（今乐山）、达州（今达县）、永康军（今灌县）。

18. 云南省

永昌（今滇南）、宁州（今祥云）。

（十五）“《证类本草》所出经史方书”来源的讨论

《政和本草》全书30卷，在卷1的前面，另有本草序、本草方书目录、全书药物总目录3种资料。其中“本草方书目录”全名为“《证类本草》所出经史方书”，以下简称“方书目”。

“方书目”共举书名247种。为方便研究，将此247种书编以号码。开头是《毛诗注疏》，编为1号，顺次类推到最末一书《本草衍义》，编为247号。

这个“方书目”是谁制作的，现在讨论如下。

从“方书目”最后一行注文来看，此“方书目”似是《证类本草》原书作者唐慎微所作。因“方书目”末尾注“■凡二百四十七家”。

在此注文开头有墨盖子“■”标记。墨盖子“■”是唐慎微作《证类本草》时所增加资料的标记。

按：《政和本草》各卷目录注云“凡墨盖子‘■’已下并唐慎微续证类”，而“方书目”有墨盖子“■”标记，则“方书目”当为唐慎微所作。但从实地考察，又不像唐慎微所作，其理由如下。

(1)“方书目”中所列247种书名，同《政和本草》全书药物墨盖子下唐慎微所引的书名核对，其中有若干种书名，未见唐慎微引用过。

兹将唐慎微未引用的书，列举如下。每种书名前的数字为“方书目”中的编号。

13《宋书》、14《隋书》、23《山海经》、31《四声本草》、35《南海药谱》、36《药性论》、37《本草性事类》、38《日华子本草》、40《药总诀》、42《药对》、43张仲景方、75欧阳方、84徐文伯方、85崔知悌方、112《箧中秘宝方》、115韦宙《独行方》、122刘禹锡《传信方》、123《续传信方》、135《海药》、185《蜀王本记》、189《四时纂要》、209刘元绍书、211唐李文公集、219徐表《南方记》、229《搜神记》、234《南州记》。

以上共举26种书名，都是“方书目”中有的，但是《政和本草》墨盖子下唐慎微均未引用过。由此可见，“方书目”不是唐慎微作的。如果是唐氏所作，为什么把未参考过的书也列出呢？

这里说明一下，上述26种书唐慎微虽未见引，但其中有些书《嘉祐本草》《本草图经》曾引用过。如《日华子本草》、《药对》、韦宙《独行方》、《山海经》、《南海药谱》、《四声本草》等皆是。

（2）《政和本草》墨盖子下唐慎微所引的书名，在“方书目”中漏列的有很多种。兹将“方书目”中漏列的书名，摘录如下。每种书名后，附有一两味药物，表示在该药物条文下，唐慎微有引用此书。药物前的数字，为人卫本《政和》页次。

《郭璞赞》（175蘼芜）、《广志》（175蘼芜）、《管子》（175蘼芜）、《养生论》（286萱草、298榆皮）、《淮南方》（386狸骨）、《新注》（481胡麻）、《集疗》（501芜菁）、《经验方》（84矾石、360芫花）、《经验前方》（347雷丸）、《何首乌传》（262何首乌）、《续千金方》（376鹿茸）。

以上共举11例。这11种书，都是《政和本草》墨盖子下唐慎微所引用过的，但是“方书目”中未见列出。由此可见，“方书目”不是唐慎微所作。如果是唐氏所作，则“方书目”中不会漏列这么多的书名。

（3）“方书目”中有很多书名和唐慎微所引书名有所不同。兹将唐慎微对同一种书名作另一称呼，用括号附在同一书名之后。括号内药物前数字，为人卫本《政和》页次。书名前的号码为“方书目”中书的编号。

1《毛诗注疏》（466“梅实”条引作《毛诗疏》，460“藕实”条引作《诗疏》）

2《尚书注疏》（461“橘柚”条引作《尚书注》）

3《礼记注疏》(385“兔”条引作《礼记》，506“苦菜”条引作《月令》)

4《周礼注疏》(88“滑石”条引作《周礼》，465“芰实”条引作《周礼疏》)

5《春秋左传注疏》(174“芎䓖”条引作《春秋注》，505“芥”条引作《左传》)

6《尔雅注疏》(189“杜若”条引作《尔雅》)

7《史记》(85“硝石”条引作《史记·淳于意》)

8《前汉书》(374“白马茎”条引作《前汉》)

10《三国志》(381“牡狗阴茎”条引作《魏志》)

13《宋书》(484“白油麻”条引作“宋明帝”)

15《唐书》(123“石灰”条引作《新唐书》)

16《文选》(471“桃核仁”条引作《东京赋》，466“樱桃”条引作“司马相如赋”)

17《孔子家语》(471“桃核仁”条引作《家语》)

20《荀子》(426“蟹”条引作“荀卿”)

45《千金方》(293“枸杞”条引作《孙真人备急方》，298“榆皮”条引作《备急方》)

62《葛氏方》(364“头垢”条引作“葛稚川”)

65《鬼遗方》(451“蜣螂”条引作“刘涓子”)

76《苏恭方》(278“乌韭”条引作“苏云”)

90王氏《博济》(101“雄黄”条引作《博济方》)

91《简要济众》(323“枳壳”条引作《济众方》)

94《孙用和方》(155“柴胡”条引作“孙尚药”)

103《杨尧夫方》(300“楮实”条引作“杨尧辅”)

109《金匮玉函方》(514“苏”条引作《金匮方》)

111《张潞大效方》(79“丹砂”条引作“张潞”)

113《钱氏箧中方》(116“珊瑚”条引作“钱相公《箧中方》”，476“梨”条引作“钱相公”)

114《乘闲集效方》(444“蜘蛛”条引作《乘闲方》，266“天南星”条引作《集效方》)

116《文潞公药准》(157“独活”条引作“文潞公”，473“杏核仁”条引作《潞公药准》)

128《催生诸方》（180“蒲黄”条引作“催生”）

129《头疼诸方》（506“莱菔”条引作“偏头痛”）

144《青霞子》（110“银屑”条引作《青霞子金液还丹论》）

147《宝藏论》（126“铅”条引作《青霞子宝藏论》）

152《明皇杂录》（87“朴硝”条引作“唐明皇帝”）

154 马明先生《金丹诀》（81“玉屑”条引作“马鸣先生《金丹诀》”）

158《酉阳杂俎》（349“胡椒”条引作“段成式《酉阳杂俎》”）

163《孙真人枕中记》（351“橡实”条引作“孙真人”，其文中提到《枕中记》）

167《神仙芝草经》（142“黄精”条引作《道藏神仙芝草经》）

170《神仙服饵法》（296“茯苓”条引作《神仙服茯苓法》）

171《太清草木记》（292“槐实”条引作《太清草木方》，460“藕实”条引作《太清诸草木方》）

173《紫灵元君传》（245“半夏”条引作《紫灵元君南岳夫人内传》，273“女青”条引作《紫灵南君南岳夫人内传》）

175《耳珠先生法》（377“牛角鰓”条引作“耳珠先生”）

177《贾相公牛经》（320“紫鉚　骐驎竭”条引作《贾相牛经》）

179《孝经援神契》（340“蜀椒”条引作《援神契》）

183《何晏九州记》（462“大枣”条引作《何晏九州论》）

196《崔魏公传》（194“生姜”条引作“唐·崔魏公”）

200《唐宝臣传》（243“乌头”条引作“唐·李宝臣”）

201《李孝伯传》（106“食盐”条引作“后魏《李孝伯传》”）

210《庾肩吾启》（151“术”条引作“梁·庾肩吾”）

232《南蛮记》（305“枫香脂”条引作《通典·南蛮记》）

236《张协赋》（471“甘蔗”条引作“张协《都蔗赋》”）

237《江淹颂》（175“黄连”条引作“梁·江淹《黄连颂》”）

238《茆亭话》（111“灵砂”条引作《茅亭话》，493“豉”条引作《茆亭客话》）

241《异苑》（253“蛇全”条引作《晋异苑》）

243《楚辞》（303“辛夷”条引作《屈平九歌》）

以上共举53种书，每种书名后附有括号，括号内的书名是《政和本草》墨盖子下唐慎微所引的书名，它与“方书目”中所列同一种书，在名称上都不尽相同。说明《政和本草》“方书目”不是唐慎微所作。如果“方书目”是唐氏所作，则“方书目”中书名和唐氏所引的书名应当完全相同才是。

（4）“方书目”中有些书名重复列出，或以异名重出，或以其篇名重出。

1）以同书异名重复列出。

①50《肘后方》、62《葛氏方》、64《百一方》，后二者都是《肘后方》的异名。

②63《玉函方》、109《金匮玉函方》是同书异名。

③53《斗门方》、141《斗门经》是同一种方书。

④173《紫灵元君传》、195《南岳夫人传》是同一种书。

⑤155《修真秘旨》、164《修真秘诀》是同一种书。

2）以同一书中篇名重复列出。

①25《通典》、232《南蛮记》，后者是前者的篇名。人卫本《政和》305 页“枫香脂”条引作《通典·南蛮记》。

②144《青霞子》、147《宝藏论》。人卫本《政和》126 页“铅”条引作《青霞子宝藏论》，《宋志·道家类》卷 4 收录有《青霞子宝藏论》1 卷。

以上 7 例，都是“方书目”中重出的例子。这就提示“方书目”，不是原书作者唐慎微所作。原书作者对其所用的参考书是很熟悉的，不会疏忽重出这么多的书名。

（5）“方书目”中有《大观本草》修订者艾晟所增的书名。例如“方书目”中 194 号“陈承别说”，即是艾晟所增陈承《重广补注神农本草并图经》资料的简称。《大观本草》卷 3，第 1 条“丹砂”条，其条末引有“别说”资料。在此资料之后，有艾晟按语云：“晟近得武林陈承编次《本草图经》本参对，陈于《图经》外，又以‘别说’附着于后，其言皆可稽据，不妄，因增入之。”

又如 133 号“背痈诸方”，亦是艾晟所增。《大观本草》卷 7，第 5 条“络石”条，其条末引“背痈”云：“《图经》云：薜荔治背痈。晟顷寓宜兴县张诸镇，有一老举人聚村学，年七十余，忽一日患发背，村中无他医药，急取薜荔叶，烂研绞汁，和蜜饮数升，以其滓傅疮上，后以他药傅贴，遂愈。”

按：艾晟晚于唐慎微，唐慎微在成都，艾晟在杭州，二人相距千余里，互不认识。艾晟在《大观本草序》中云：“慎微姓唐，不知何许人，传其书者，失其邑里族氏。”

“方书目”中既列有艾晟增的“陈承别说”和“背痈诸方”等书名，则此

“方书目”当为唐慎微以后的人所作。

根据以上5点来看，《政和本草》“方书目”不是唐慎微所作。

“方书目”最后一个书名为《本草衍义》，《本草衍义》为宋人寇宗奭所撰，成书于政和六年（1116），晚于唐慎微《证类本草》，则“方书目”中的《本草衍义》当为后人所增。

从《政和本草》增加《本草衍义》资料来看，当是金末元初张存惠重修《政和本草》时所增。兹举例证如下。

人卫本《政和本草》开头螭首龟座牌记云：“此书世行久矣，诸家因革不同，今取证类本尤善者为窠模，增以寇氏《衍义》。”

《政和本草》书首麻革信之序云：“今平阳张君魏卿，惜其寖遂湮坠，乃命工刻梓，实因庞氏本，仍附以寇氏《衍义》。”

《政和本草》卷30末刘祁跋云：“今岁游平水，会郡人张存惠魏卿……言其家重刊《证类本草》已出，及增入宋人寇宗奭《衍义》。”

《政和本草》各卷首行，书名标题下，均注有“已酉新增衍义”6字。

以上事实，证明“方书目”中《本草衍义》是张存惠重修《政和本草》时所增，不是唐慎微作《证类本草》所增。

综上所述，“《证类本草》所出经史方书”不是《证类本草》原书所有，而是后人所为。如果原书有此“方书目”，则《大观本草》亦当有此“方书目”。“方书目”中有很多书名，原书作者未曾引用。原书作者引用的很多书，“方书目”又未收载。而且“方书目”中所讲的很多种书的名称和原书作者所用的名称又不相同。这些事实都说明“方书目”非原书作者所为。

由于“方书目”中有艾晟增加的“陈承别说”“背痈诸方”书名，又有张存惠增加的《本草衍义》书名，故疑此“方书目”出自《政和本草》修订者张存惠之手。又由于张存惠是刻书的商贾，不是本草文献研究者，因此张氏所列的“方书目”才会出现上述各种矛盾。

（十六）《证类本草》“图经文”所引书目

《证类本草》内“图经文”来源于《本草图经》，《本草图经》是北宋嘉祐年间（1056—1063）苏颂主编的。在当时由全国150个州、军进献实物、绘图和说明文，经过苏颂挑选，收入《本草图经》中，共有900多幅图（具体数字因版本不同而各异）。与药图同时进献的说明文，是世医所言，详略不一，差异亦大。苏颂参考大量文献对各地进献的说明文加以整理，但由于《本草图经》原书久佚，它的内容散存在《证类本草》中，兹以1957年人卫影印本《重修政和经史证类备用本草》为依据，将《本草图经》所引书名摘录如下。如果有很多药物说明文引自同一本书，即摘一二个药名附在书名之后，以示书目的出处。每个药名前所注的号码，表示该药在《政和本草》中的页码。今按本草、医经、医方、养生、经、史、小学、诸子、诗赋、山经地志、杂记等项目编次如下。

1. 本草类

《本草图经》引本草书名有24种。

（1）《本经》。《本草图经》所说的《本经》，不一定是《神农本草经》，而是泛指《本草图经》以前诸本草。

例如：援引《名医别录》药，标注“本经”的有384虎骨、386豹肉；援引《新修本草》（又称《唐本草》）药，标注“本经”的有418鲫鱼、269豨莶；援引《开宝本草》药，标注“本经”的有346黄药根、414珍珠；援引《嘉祐本草》药，标注“本经”的有484白油麻、284地锦草。

（2）《名医别录》。185旋花、87朴硝。

（3）《李当之本草》。417蠡鱼、293枸杞。

（4）《吴普本草》。207黄芩、92紫石英。

（5）《雷公炮炙论》。

①《雷敩炮炙方》。88滑石。

②《雷敩炮炙论》。326山茱萸、320栀子。

（6）陶弘景《本草经集注》。

①“陶隐居云”。106食盐、107水银。

②“陶注本草”。151术。

③“本草注”。271鬼臼（其文意似陶隐居注）、188茵陈蒿（其文句似陶隐居注）。

④“梁·陶隐居序”。166赤箭。

（7）陶隐居《百一方》。145人参。

（8）陶隐居《登真隐诀》。91禹馀粮、302牡荆实。

（9）陶隐居《集验方》。452蝎。

（10）“陶隐居治霍乱厚朴汤”。324厚朴。

（11）“陶隐居太清诸石药”。80云母。

(12)《药对》。280 陆英。

(13)《徐仪药图》。233 积雪草。

(14)《天宝单方药图》。26《本草图经序》。

(15)《唐本草》。

①“苏恭”。208 石龙芮、209 紫菀。

②《唐注》。254 甘遂、382 羚羊角。

(16)《本草正经》。188 茵陈蒿。

(17)陈藏器《本草拾遗》。

①“陈藏器”。514 水苏、343 柳华。

②“陈藏器解纷”。228 姜黄。

③《陈氏拾遗》。307 沉香。

④“陈氏”。230 郁金。

(18)“孟诜”。166 白蒿、466 樱桃。

(19)《蜀本草注》。449 石蚕。

(20)《开宝本草注》。397 丹雄鸡、497 腐婢。

(21)《本草》。327 紫葳、188 茵陈蒿。

(22)《药谱》。509 蓼实。

(23)李翱《何首乌传》。262 何首乌。

(24)周君巢《威灵仙传》。264 威灵仙。

2. 医经类

(1)《素问》。379 羖羊角、398 鸡。

(2)《甲乙经》。289 桂。

(3)张仲景《伤寒杂病论》。

①“张仲景”。226 红蓝花。

②“张仲景治伤寒”。199 麻黄、207 黄芩。

③“张仲景治胸痹”。145 人参。

④“张仲景治杂病”。162 泽泻。

3. 医方类

(1)《华佗方》。386 狸骨、142 黄精。

(2)“阮河南”(《医籍考》作“阮氏文叔河南药方”,《唐志》作“阮炳”)。

471 桃核仁。

(3)《小品方》(西晋·陈延之)。233 荠苨、249 莨菪。

(4)《陈廪丘蒸法经》。471 桃核仁。

(5)《肘后方》。

①《肘后方》。205 知母、149 干地黄。

②葛洪《肘后方》。451 蜣螂、486 生大豆。

③"葛洪"。95 石中黄子、210 白鲜。

④"葛稚川"。481 胡麻。

⑤葛稚川《百一方》。307 沉香。

⑥"葛氏"。250 草蒿、219 王瓜。

(6)《范汪方》(东晋·范东阳)。221 海藻、163 远志。

(7)《胡洽方》。

①"胡洽"。251 旋覆花、426 蟹。

②"胡居士"。128 代赭。

(8)《删繁方》(刘宋·谢士太)。163 龙胆、318 吴茱萸。

(9)范晔《和香方》(刘宋时人)。309 藿香。

(10)"刘涓子"(刘宋时人)。151 术。

(11)《深师方》(南齐·释深师)。398 鸡、454 芫青(苏颂云:"深师疗淋用亭长,说之最详。"据此可知苏颂见到深师原书)。

(12)《徐王效验方》(北齐·徐之才)。476 梨。

(13)《集验方》。249 桔梗、331 卫矛(《纲目》作姚僧垣《集验方》)。

(14)《姚僧垣方》(姚僧垣曾任梁武帝太医)。318 吴茱萸、276 蔄茹。

(15)"姚氏方"。273 鼠尾草。

(16)"支太医"。471 桃核仁(张文仲治天行引用支太医桃叶汤熏身法)。

(17)《古今录验方》(唐·甄立言)。249 桔梗、253 蛇全。

(18)《箧中方》(唐·许孝崇)。218 恶实、248 葶苈。

(19)孙思邈《千金方》。

①"孙思邈"。223 防己、133 金牙。

②《千金方》。281 蒲公草、268 狼毒。

③"孙思邈论"。148 甘草。

(20)《千金翼》。93 赤石脂、167 庵蔄。

（21）孙思邈《千金月令》。238 鳢肠、185 五味子。

（22）王方庆。

①《石泉公王方庆岭南方》。158 升麻。

②《唐石泉公王方庆广南方》。324 厚朴。

③“石泉公王方庆”。145 人参。

（23）《近效方》（唐·李虔从）。315 桑根白皮、484 白油麻。

（24）“张文仲”（武则天时人，与王方庆、李虔从、韦慈藏同时人）。471 桃核仁、239 白豆蔻。

（25）《备急方》。148 甘草。

（26）韦宙。

①韦宙《独行方》。209 紫草。

②唐·韦宙《独行方》。299 檗木、94 白石脂。

（27）“韦丹”（唐人，著有《韦丹方》）。161 薏苡仁、432 蛞蝓（《纲目》作韦宙）。

（28）《斗门方》。94 白石脂。

（29）《传尸方》（唐·苏游《玄感传尸方》）。388 豚卵。

（30）《杨炎南行方》。158 升麻、370 牛黄。

（31）《广济方》。221 海藻、153 茺蔚子。

按：《通志·艺文略》有《明皇开元广济方》5 卷，南唐·华宗寿《升元广济方》3 卷。

（32）《天宝单方药图》（唐代天宝年间，公元 742—756 年）。

①《天宝方》。515 薄荷。

②《天宝单行方》。233 积雪草。

（33）《天宝单方图》（疑此书即前面《天宝单方药图》）。144 菊花、235 莎草根。

（34）《延龄至宝方》（唐·姚和众）。368 龙骨。

（35）《杨正进方》（唐天宝中，颍川郡杨正进撰）。525 丽春草。

（36）《必效方》（有僧文宥必效方、孟诜必效方，不知图经引的是哪一种）。471 桃核仁、345 郁李仁。

（37）《正元广利方》（《纲目》作“贞元”，《证类》说此方出许仁则，见 203 秦艽）。226 红蓝花、277 牡丹。

（38）《李卿换白发方》。194 生姜。

（39）“驻颜延年”。473 杏核仁。

（40）《延年方》。149 干地黄。

（41）《中岳山人吕子华方》。135 姜石。

（42）《李饶州法》。471 桃核仁。

（43）《乳石论》。93 赤石脂、92 白石英。

（44）唐・李补阙《炼钟乳法》。83 石钟乳。

（45）“柳宗元与崔连州论钟乳书”。83 石钟乳。

（46）《本方》。315 桑根白皮。

（47）《本方注》。368 龙骨。

（48）《救急方》。185 旋花。

（49）“崔元亮”。202 蠡实、197 栝楼。

（50）崔元亮《海上方》。84 矾石。

（51）崔元亮《集验方》。194 生姜。

按：崔元亮《海上方》与崔元亮《集验方》是同一书。《宋志》卷 6 医书类 174 页有崔元亮《海上集验方》10 卷，注云亦作《海上方》。《通志略》作崔玄亮《海上集验方》10 卷。

（52）“清河崔能”。106 食盐。

（53）“崔知悌”。226 款冬花、248 葶苈。

（54）“崔氏”。244 侧子。

按：崔知悌撰《纂要方》10 卷，《外台》作《崔氏方》。

（55）《李绛兵部手集》。519 马齿苋（记有“武元衡相国”）、175 黄连。

（56）“刘禹锡”。230 芦荟、228 荜茇。

（57）刘禹锡《嘉话录》。501 芜菁。

（58）《救三死方》。

①“唐・刘禹锡纂《柳州救三死方》”。451 蜣螂（元和十一年，公元 816 年）。

②“唐・柳柳州纂《救三死方》”。106 食盐（元和十一年，公元 816 年）、355 杉材（元和十二年，公元 817 年）。

（59）刘禹锡《传信方》。149 干地黄（贞元十年，公元 794 年）、379 羖羊角（贞元十一年，公元 795 年）。

（60）《古今传信方》。209 紫菀。

（61）《续传信方》（南唐筠州刺史王颜著《续传信方》）。273 仙茅、322 芜荑。

（62）《南唐食医方》（南唐医官陈巽，江左人）。497 罂子粟。

（63）“陈巽”。513 假苏。

（64）《普救治风方》。525 坐拿草。

4. 养生类

（1）《列仙传》（刘向）。202 蠡实。

（2）《仙经》。315 桑根白皮、402 伏翼。

（3）《仙方》。486 生大豆、166 赤箭（《抱朴子》云“按，仙方中有合离草”）。

（4）《神仙方》。177 蒺藜子、149 干地黄。

（5）《服食药仙方》。471 桃核仁。

（6）《神仙服食方》。147 天门冬、315 桑根白皮。

（7）“安期生服炼法”。201 芍药。

（8）“皇甫士安炼消石法”。87 朴硝。

（9）“唐天后炼益母草泽面法”。153 茺蔚子。

（10）“稽康”。332 合欢。

（11）《邪杂修养书》。160 木香。

（12）“徐锴注”。160 木香。

5. 经书类

（1）《诗经》。

①《诗·唐风》。298 榆皮。

②《周南诗》。159 车前子。

③《魏诗》。453 蝼蛄。

（2）《韩诗》。511 韭（《韩诗》云“六月食郁及薁”）、153 茺蔚子（《韩诗》及《三苍》）。

（3）《毛诗》。153 茺蔚子。

（4）《毛传》。151 菟丝子、417 蠡鱼。

（5）《诗笺》。166 白蒿。

（6）《陆玑疏》。

①“陆玑”。219 水萍、460 藕实。

②陆玑《草木疏》。184 茜根、208 茅根。

③《陆玑疏》。293 枸杞。

（7）陆机《与弟云书》。475 安石榴。

（8）《孔颖达正义》。453 蝼蛄。

（9）《正义》。417 蠡鱼。

（10）《孔颖达疏义》。327 紫葳。

（11）《尚书》。132 青琅玕。

（12）《孔安国注尚书》。461 橘柚。

（13）《书传》。446 蜈蚣。

（14）《大戴礼》。166 白蒿（《大戴礼·夏小正》）、453 蝼蛄（《夏小正》）。

（15）《礼记》。482 麻蕡、495 稻米。

（16）《周礼》。180 蒲黄、429 原蚕蛾。

（17）“郑康成注周礼”。81 玉屑、101 雄黄。

（18）孔颖达《周礼正义》。81 玉屑（《正义》）、453 蝼蛄（《孔颖达正义》）。

6. 史书类

（1）《左传》。

①《左传》。343 柳华。

②《左氏传》。371 象牙。

（2）《吕氏春秋》。496 稷米。

（3）《吴越春秋》。340 蜀椒。

（4）《史记》。

①《龟策传》。296 茯苓、167 蓍实。

②《货殖传》。184 茜根、320 栀子。

③“大宛”。463 葡萄。

④“张骞使西域”。478 胡桃、463 葡萄。

⑤“太仓公淳于意”。360 芫花。

⑥《淳于意传》。249 莨菪。

（5）“徐广注”。167 蓍实。

（6）“汉文帝”。435 紫贝。

(7)“汉武(帝)使唐蒙晓谕南越”。229 蒟酱。

(8)《东观汉记》。330 龙眼。

(9)《华陀传》。301 干漆。

(10)“魏文帝诏”。463 葡萄。

(11)《梁书》(姚察、姚思廉撰)。307 沉香。

(12)李肇《国史补》。368 龙骨。

(13)《唐太宗实录》。228 荜茇。

(14)“唐明皇”。274 骨碎补。

(15)丁谓《天香传》。307 沉香。

7. 小学类

(1)《尔雅》。132 青琅玕、147 天门冬。

(2)《尔雅疏》。166 白蒿、185 五味子。

(3)“杨抱蓟释”。151 术、151 菟丝子。

(4)“郭璞”。148 甘草、199 当归。

(5)《广雅》(张揖著)。209 紫草、244 侧子。

(6)《说文》。

①许慎《说文解字》。230 郁金、184 茜根。

②《说文解字》。468 芋、495 稻米。

③《说文》。518 蒜、416 海蛤。

④“许慎”。344 椿木叶。

(7)《字林》(晋·吕忱)。432 石龙子、495 稻米。

(8)《字书》(《纲目》作《玉篇》)。126 铅、427 蚱蝉。

(9)史游《急就篇》。513 白蘘荷。

(10)《颜氏家训》(北齐·颜之推撰)。202 蠡实。

(11)陈子昂《观玉篇》。329 白棘、293 枸杞。

(12)蔡邕《劝学篇》。453 蝼蛄。

8. 诸子类

(1)《庄子》。432 蛞蝓、328 猪苓。

(2)“司马彪注”。328 猪苓。

(3)《孟子》。298 酸枣、343 柳华。

(4)“赵岐注”(后汉·赵岐)。298 酸枣。

(5)《荀子》。252 射干、453 蝼蛄。

(6)“杨倞注”。252 射干。

(7)《尸子》。388 豚卵。

(8)《管子》。106 食盐。

(9)《列子》。456 衣鱼。

(10)《淮南子》。174 芎䓖、392 獭肝。

(11)“许慎注”。392 獭肝。

(12)《淮南万毕术》。299 檗木。

(13)《抱朴子》。95 石中黄子、166 赤箭。

(14)《金楼子》。309 藿香(《纲目》引书目作“梁元帝《金楼子》”)。

9. 诗赋类

(1)“阮公诗”。252 射干。

(2)《楚辞》。

①《楚辞》。222 泽兰。

②《离骚》。189 杜若。

③《九歌》。189 杜若、206 白芷。

(3)“王逸注”。189 杜若、206 白芷。

(4)傅咸《款冬赋序》。226 款冬花。

(5)《蜀都赋》。470 荔枝子、132 青琅玕。

(6)刘渊林注《蜀都赋》。229 蒟酱。

(7)《吴都赋》。221 海藻。

(8)刘渊林注《吴都赋》。221 海藻、228 姜黄。

(9)后汉赵岐《蓝赋》。173 蓝实。

(10)杜台卿《淮赋》。404 鸬鹚屎。

(11)潘岳《闲居赋》。513 白蘘荷。

(12)谢瞻《枇杷赋》。469 枇杷叶。

(13)左思《三都赋》。468 芋。

(14)陆龟蒙《苔赋》。221 海藻。

(15)梁《沈约集·谢赐乐游园胡桃启》。478 胡桃。

10. 山经地志类

（1）《山海经》。213 杜蘅。

（2）“郭璞注”。128 代赭、160 薯蓣。

（3）《广志》（郭义恭著）。221 海藻、307 沉香。

（4）《南越志》。428 乌贼鱼。

（5）《博物志》。

①《博物志》。226 红蓝花、142 黄精。

②张华《博物志》。91 禹馀粮。

③“张茂先（即张华）”。147 天门冬、296 茯苓。

（6）《南州异物志》。111 磁石、455 甲香。

（7）《岭南异物志》。342 诃梨勒。

（8）《岭表录异》（唐·刘恂撰，《四库提要》怀疑本书成于五代）。92 紫石英、307 沉香。

（9）《南蛮地志》。296 茯苓。

（10）《吴录地理志》。88 滑石。

（11）《交州地志》。320 紫鉚　骐驎竭。

11. 杂记类

（1）《杨雄方言》。388 豚卵、402 伏翼。

（2）《杨雄法言》。446 蠮螉。

（3）《风土记》（晋·周处）。318 吴茱萸。

（4）《淮南枕中记》。293 枸杞。

（5）《魏王花木记》。351 石南。

（6）《西京杂记》（刘歆）。267 菰根。

（7）《张氏燕吴行役记》。200 通草。

（8）干宝《搜神记》。513 白蘘荷。

（9）宗懔《荆楚岁时记》（梁）。513 白蘘荷、504 白瓜子。

（10）任昉《述异记》（梁）。305 枫香脂、306 木兰。

（11）《交州记》。449 贝子。

（12）《太康地记》。88 滑石。

（13）《扶南记》。470 荔枝子。

(14)《洽闻记》(唐·郑遂)。440 虾蟆。

(15)《樊绰云南记》。371 象牙。

(16)《徐锴岁时广记》(伪唐)。204 百合。

(17)《行程记》。

①《平居诲于阗行程记》。371 象牙。

②《行程记》。81 玉屑。

(18)《江宁府紫极宫刻石记》。517 葫。

(19)《续齐谐记》。318 吴茱萸。

(20)“翰林学士杨亿常笔记”。101 雄黄。

(21) 崔豹《古今注》(晋)。201 芍药、419 鲤鱼。

(22)《六甲阴符》。302 牡荆实(有天监三年,公元 504 年)。

(23)“唐相段文昌门下医人吴士皋”。383 犀角。

(24)《酉阳杂俎》。

①“段成式”。221 海藻、456 衣鱼。

②段成式《酉阳杂俎》。224 阿魏、233 积雪草。

(25) 孙光宪《北梦琐言》。413 秦龟、368 龙骨。

(26)《易稽览图》。511 韭。

(27)“郑康成注”。511 韭。

(28)《异鱼图》。132 青琅玕、394 腽肭脐。

(29)《易统验玄图》。202 蠡实。

(30)《竹谱》(《隋志》有戴凯之《竹谱》)。316 竹叶。

(31)《茶谱》(蜀·毛文锡)。325 茗、苦樣。

(32)《太清卉木方》。471 桃核仁。

(33)《南方草木状》(嵇含)。305 枫香脂、307 沉香。

(34)《上元宝经》。350 南烛枝。

(35)“白居易赞序”。386 豹肉。

(36)“白居易图序”。470 荔枝子。

(37) 唐毋景《茶饮序》。325 茗、苦樣。

(38)《茶经》。325 茗、苦樣。

12. 人名

(1)“东方朔”。432 石龙子。

（2）“刘歆”。153 茺蔚子。

（3）“郑康成”。195 葈耳、202 蠡实。

（4）“高诱”。202 蠡实、496 稷米。

（5）“蔡邕”。202 蠡实。

（6）“诸葛孔明庙”。295 柏实。

（7）“司空裴秀”。246 大黄。

（8）“张司空”。410 石蜜。

（9）“张苗”。471 桃核仁。

（10）“蔡谟”。426 蟹。

（11）“张尚客”。256 大戟。

（12）“南齐褚澄”。518 蒜、514 苏。

（13）“李邕（李北海）”。306 女贞实、148 甘草。

（14）“李巡”。431 鹑鸡、490 丹黍米。

（15）“李谟”。84 矾石。

（16）“许仁则”。203 秦艽。

（17）“唐许裔宗”。178 黄芪。

（18）“唐郑相国”。231 补骨脂。

（19）“岳鄂郑中丞郑顷年”。218 恶实。

（20）“宋齐丘”（南唐）。446 蠮螉。

（21）“俞益期笺”。309 藿香。

（22）“乡人云”。534 地蜈蚣。

（23）“村民云”。534 荨麻。

（24）“彼土医人”。535 崖棕。

（25）“彼土人”。535 大木皮、536 血藤。

《本草图经》援引文献除去重复的，总计有225种，援引人名25个。所引的书以方书最多，有64种；其次是杂记，有38种；本草有24种。同一种书被引次数最多的要算《尔雅》，有100多味药物注文援引过《尔雅》；有63味药注文援引过郭璞《尔雅注》。

在方书中，以崔元亮《海上方》被引的次数最多，共有35次；其次是刘禹锡《传信方》，共有24味药物注文援引。

在本草中，以“陶隐居注”援引的最多，共有58次；其次是《唐本草》，共有49味药物注文援引。

《本草图经》援引文献非常灵活，很少用全书名，有时用人名，或用别名。例如：援引陈藏器《本草拾遗》时，在“水苏”“柳华”条中注“陈藏器”，在“姜黄”条注“陈藏器解纷”，在“沉香”“枸杞”条注“陈氏拾遗”，在“郁金”条注“陈氏”。

援引《肘后方》时，在各个药物注文中，所标的书名均不一致。在“知母”“干地黄”条作“《肘后方》”，在“蜣螂”“生大豆”条作“葛洪《肘后方》”，在“白鲜”“石中黄子”条中作“葛洪”，在“草蒿”“王瓜”条作“葛氏”，在“胡麻”条作“葛稚川”，在“沉香”条作“葛稚川《百一方》”。按：《百一方》是陶弘景补阙后用的名称，而苏颂说“葛稚川《百一方》”是不恰当的。笔者怀疑《本草图经》说明文可能出于众人手笔，未必全是苏颂所编。如果是苏颂一人手笔，所引书名不应如此纷繁错乱。

（十七）《证类本草》墨盖子下唐慎微引书目

唐慎微编《证类本草》所增资料，都冠有墨盖子“■”的标记，今将墨盖子“■”下所载书目，摘录如下（每一书名后，列举个别药名，表示该药名下引有此书。药名前号码为1957年人卫本《政和本草》页码）。

1. 本草类

（1）《吴氏本草》。462大枣、466梅实。

（2）“雷公云”。85硝石、254甘遂等271味药引“雷公云”（即《雷公炮炙论》）。

（3）“陈藏器余”。137千里水、192人肝藤等488味药引“陈藏器余”（即《本草拾遗》）。

（4）“食疗”。465芰实、466樱桃等176味药引“食疗”（即《食疗本草》）。

（5）“唐本余”。191地不容、192山胡椒等23味药引此书。

（6）“唐本注”。487大豆黄卷、499冬葵子等20味药引此注。

（7）“海药余”。96车渠、96波斯白矾等16味药引此书。

（8）《蜀本》（即《蜀本草》）。492曲。

（9）“图经余”。118石蛇、118黑羊石、118白羊石。

（10）《何首乌传》。262何首乌。

（11）“新注”。481胡麻。

2. 医经类

(1)《素问》。106 食盐、190 薇衔、428 乌贼鱼。

(2)“黄帝”。511 韭。

(3)《巢氏病源》。374 白马茎。

3. 医方类

(1)“扁鹊”。365 妇人月水。

(2)“太仓公”。198 苦参。

(3)《金匮方》。364 人乳汁、514 苏、519 水蕲。

(4)《金匮玉函方》。148 甘草、271 芦根等 4 味药引此方。

(5)《玉函方》。102 石硫黄、144 菊花。

(6)《鬼遗方》。111 磁石、291 松脂等 6 味药引此方。

(7)“刘涓子”。364 头垢、374 白马茎、451 蜣螂。

(8)《淮南方》。386 狸骨。

(9)《小品方》。157 独活、487 赤小豆、503 白冬瓜。

(10)《葛氏方》。173 蓝实、180 蒲黄等 21 味药引此方。

(11)“葛稚川”。364 头垢、364 人牙齿、365 怀妊妇人爪甲。

(12)《百一方》。86 芒硝、114 铁精等 27 味药引此方。

(13)《肘后方》。223 防已、227 牡丹等 168 味药引此方。

(14)《范汪方》。106 食盐、512 薤等 5 味药引此方。

(15)《深师方》。245 半夏、302 牡荆等 7 味药引此方。

(16)《支太医方》。199 当归。

(17)“姚大夫”。405 啄木鸟。

(18)《姚氏方》。316 淡竹叶、368 龙骨等 6 味药引此方。

(19)“姚氏”。363 乱发。

(20)《集验方》。112 凝水石、96 绿矾等 34 味药引此方。

(21)“席延赏”。178 黄芪、301 干漆。

(22)《千金方》。243 乌头、246 大黄等 158 味药引此方。

(23)《续千金方》。376 鹿茸。

(24)《千金翼》。224 阿魏、122 伏龙肝等 44 味药引此方。

(25)《千金髓》。263 商陆、298 榆皮、388 豚卵、504 胡瓜。

(26)“孙真人”。153 茺蔚子、194 生姜等 69 味药引此名。

(27)《孙真人备急方》。293 枸杞、318 吴茱萸、347 槲若。

(28)《备急方》。298 榆皮。

(29)《孙真人枕中记》。295 柏实、296 茯苓、351 橡实。

(30)《孙真人食忌》。127 粉锡、198 苦参等 41 味药引此书。

(31)《伤寒类要》。160 木香、184 茜根等 43 味药引此书。

(32)“李世勣”。364 人牙齿。

(33)“苏恭”。142 黄精、154 女萎等 27 味药引此名。

(34)《苏恭方》。224 高良姜、278 乌韭。

(35)《近效方》。226 红蓝花。

(36)《必效方》。157 独活、292 槐实等 8 味药引此方。

(37)“张文仲”。241 附子、384 虎骨等 7 味药引此名。

(38)《广利方》。175 黄连、196 葛根等 38 味药引此方。

(39)《广济方》。267 菰根、342 诃梨勒等 5 味药引此方。

(40)《外台秘要》。79 丹砂、89 石胆等 223 味药引此书。

(41)《食医心镜》。471 桃核仁、473 杏核仁等 99 味药引此书。

(42)《房室经》。281 弓弩弦。

(43)《产宝》。226 红蓝花、197 栝楼等 23 味药引此书。

(44)《子母秘录》。143 菖蒲、151 菟丝子等 123 味药引此书。

(45)《杨氏产乳》。194 生姜、254 甘遂等 54 味药引此书。

(46)《产书》。219 王瓜、230 延胡索等 17 味药引此书。

(47)《圣惠方》。142 黄精、144 菊花等 194 味药引此方。

(48)《梅师方》。161 薏苡仁、191 王不留行等 117 味药引此方。

(49)《斗门方》。262 何首乌、340 蜀椒等 52 味药引此方。

(50)《斗门经》。93 赤石脂。

(51)《十全方》。224 高良姜、339 巴豆、341 皂荚、475 安石榴。

(52)《续十全方》。225 百部、248 葶苈等 9 味药引此方。

(53)《新续十全方》。482 麻蕡。

(54)《十全博救方》。266 天南星、232 蓬莪茂等 7 味药引此方。

(55)《救急方》。460 藕实茎。

(56)《博济方》。201 芍药、309 乳香等 13 味药引此方。

（57）《王氏博济》。84 矾石、218 恶实等 7 味药引此方。

（58）《胜金方》。198 苦参、305 杜仲等 40 味药引此方。

（59）《经效方》。80 云母、279 紫葛、452 五灵脂。

（60）《经验方》。162 泽泻、255 白及等 100 味药引此方。

（61）《经验前方》。347 雷丸。

（62）《经验后方》。179 防风、209 紫草等 62 味药引此方。

（63）《古今录验》。320 栀子、509 蓼实等 12 味药引此书。

（64）“姚和众”。158 升麻、246 大黄等 25 味药引此名。

（65）《姚和众小儿方》。175 黄连。

（66）《简要济众》。153 茺蔚子、249 桔梗等 51 味药引此书。

（67）《济众方》。323 枳实。

（68）“御药院”。84 矾石、128 代赭石等 7 味药引此名。

（69）“孙尚药”。102 石硫黄、124 砒霜等 11 味药引此名。

（70）“孙用和”。178 黄芪、230 郁金等 9 味药引此名。

按：孙用和即孙尚药，因任尚药奉御太医令之职，故名孙尚药。集《孙氏家传秘宝方》，元丰八年（1085）序而刻之。

（71）《孙兆方》。149 干地黄。

（72）《孙兆口诀》。241 附子、243 乌头。

（73）《兵部手集》。318 吴茱萸、217 艾叶等 27 味药引此书。

（74）《钱相公箧中方》。245 半夏、217 艾叶等 8 味药引此方。

（75）“钱相公”。476 梨。

（76）“秦运副”。511 韭。

（77）《谭氏方》。266 天南星、340 蜀椒、397 鸡、444 蜘蛛。

（78）《谭氏小儿方》。371 白胶、89 石胆等 6 味药引此方。

（79）《宫气方》。229 青黛、272 角蒿、315 桑根白皮、346 无食子。

（80）《小儿宫气方》。430 白僵蚕、429 原蚕蛾。

（81）“文潞公”。157 独活。

（82）《潞公药准》。473 杏核仁。

（83）“张潞”（即《张潞大效方》）。79 丹砂。

（84）《乘闲方》。444 蜘蛛。

（85）《集效方》。266 天南星、268 狼毒。

（86）《集疗》。501 芜菁。

（87）《杜壬方》。134 锻灶灰、323 枳壳等 10 味药引此方。

（88）“成讷”。269 豨莶。

（89）“张咏”。269 豨莶。

（90）“杨文蔚”。197 栝楼。

（91）“高供奉”。219 水萍。

（92）“陈巽”。125 硇砂。

（93）“老唐”。363 乱发。

（94）《塞上方》。180 蒲黄、377 牛角鰓、473 杏核仁、484 白油麻。

（95）“崔氏”。202 瞿麦、471 桃核仁等 5 味药引此名。

（96）《崔氏海上集》。264 威灵仙。

（97）“刘氏”。126 铅丹。

（98）《家传验方》。402 天鼠屎。

（99）“苏学士”。363 乱发。

（100）《灵苑方》。309 乳香、145 人参等 16 味药引此方。

（101）“沈存中”。325 秦皮、293 枸杞等 15 味药引此名。

（102）“初虞世”。178 黄芪、201 芍药等 14 味药引此名。

按：初虞世著有《古今录验养生必用方》。陈振孙《直斋书录解题》云：“《养生必用书》三卷……灵泉山初虞世和甫撰，绍圣丁丑（1097）序。”

4. 经书类

（1）《毛诗》。509 蕨叶、471 桃核仁、467 木瓜、315 桑根白皮。

（2）《氓诗》。315 桑根白皮。

（3）《诗疏》。460 藕实。

（4）《毛诗疏》。466 梅实。

（5）《尚书注》。461 橘柚。

（6）《礼记》。374 白马茎、385 兔、386 狸骨。

（7）《周礼》。88 滑石、230 郁金、346 莽草。

（8）《周礼疏》。465 芰实。

（9）《周礼·典枲职疏》。482 麻蕡。

（10）《月令》。405 鹑、405 百劳、506 苦菜。

（11）《春秋注》。174 芎䓖。

（12）《左传》。425 鳖甲、505 芥。

（13）《尔雅》。189 杜若、466 樱桃。

（14）《说文》。230 郁金。

5. 史书类

（1）《史记·淳于意》。85 硝石。

（2）《史记》。315 桑根白皮、468 芋。

（3）《前汉》。374 白马茎。

按:《前汉》是《汉书》的别称，东汉·班固著，其妹班昭续成，唐·颜师古为之释注。

（4）《汉志》。374 白马茎（同一条白马茎，既引《前汉》，又引《汉志》）。

（5）《后汉·马援传》。161 薏苡仁。

按:《后汉》即《后汉书》，南朝宋·范晔撰，唐·章怀太子李贤曾作注。

（6）《三国志》。255 青葙子、360 芫花。

（7）《魏志》。381 牡狗阴茎。

（8）“魏文帝”。466 梅实。

（9）《后魏》。517 葫。

（10）《晋书》。519 莼。

（11）《南北史》。440 虾蟆。

（12）“宋明帝”。484 白油麻。

（13）《唐书》。101 雄黄、460 藕实。

（14）《新唐书》。123 石灰。

（15）“唐明皇帝”。87 朴硝。

（16）《明皇杂录》。80 云母、101 雄黄。

6. 子集类

（1）《孔子家语》。471 桃核仁。

（2）《庄子》。476 梨、466 鸡头实、491 舂杵头细糠。

（3）《列子》。461 橘柚。

（4）“荀卿”。426 蟹。

（5）“荀子注”。151 术。

（6）《管子》。175 蘼芜。

(7)《淮南子》。301 干漆、109 金屑、148 甘草、149 干地黄、325 秦皮、466 鸡头实。

(8)《抱朴子》。80 云母、110 生银、123 石灰等 35 味药引用过此书。

(9)"晋·温峤"。383 犀角。

(10) 嵇康《养生论》。286 萱草根。

(11) 嵇叔夜(即嵇康)《养生论》。298 榆皮。

(12)《通典》。297 琥珀、307 沉香、327 胡桐泪。

(13)《典术》。471 桃核仁。

(14)《异术》。151 术。

(15)《异苑》。84 矾石。

(16)《晋异苑》。253 蛇全。

(17)"秦穆公"。374 白马茎。

(18)"周成王"。379 羖羊角。

(19)《汉武帝内传》。107 水银、143 菖蒲。

(20)"唐·武后"。243 乌头。

(21)"唐·李宝臣"。243 乌头。

(22)"唐·崔魏公"。194 生姜。

(23)"李司封"。383 犀角。

(24)《李孝伯传》。106 食盐、112 绿盐。

(25)"柳宗元"。83 石钟乳。

(26)"何君谟"。390 麋脂。

(27)"壶居士"。376 鹿茸、509 甘蓝。

(28)"顾含"。443 蚺蛇胆。

(29)"鲁定公"。301 五加皮。

(30) 何晏《九州论》。462 大枣(引书目作"何晏《九州记》")。

(31)《广五行记》。173 蓝实。

(32)《续齐谐记》。481 胡麻。

(33)《太平广记》。373 牛乳、371 象牙等 10 味药引此记。

(34)"张司空"。457 溪鬼虫。

(35)《华山记》。460 藕实。

(36) 顾微《广州记》。352 益智子。

(37)《通典·南蛮记》。305 枫香脂。

(38)《南越记》。428 乌贼鱼骨。

(39)《广异记》。342 诃梨勒。

(40)《玄中记》。457 溪鬼虫。

(41)《荆楚岁时记》。217 艾叶、513 白蘘荷等 7 味药引此记。

(42)《齐民要术》。220 地榆、319 槟榔、352 益智子、229 蒟酱。

(43)《贾相公牛经》。320 紫鉚　骐驎竭、401 燕屎。

(44)“贾相公”。122 伏龙肝、199 当归、339 巴豆、492 曲。

(45)《广志》。175 蘼芜。

(46)《博物志》。486 生大豆、488 粟米等 9 味药引此志。

(47)《洞微志》。506 莱菔根。

(48)《韩终采药诗》。290 菌桂。

(49)《本事诗》。481 胡麻。

(50)《楚辞》。405 百劳。

(51)《屈平九歌》。303 辛夷。

(52)张协《都蔗赋》。471 甘蔗。

(53)“司马相如赋”。466 樱桃。

(54)《东京赋》。471 桃核仁。

(55)曹子建《七启》。496 稷米。

(56)“梁·庾肩吾”。151 术。

(57)“郭璞赞”。175 蘼芜。

(58)“宋·王微赞”。175 黄连、296 茯苓、372 阿胶、471 桃核仁。

(59)梁·江淹《黄连颂》。175 黄连。

(60)《北梦琐言》。476 梨、494 醋。

(61)《野人闲话》。131 热汤、291 松脂、483 胡麻油。

(62)《茅亭话》。111 灵砂。

(63)《茆亭客话》。493 豉。

(64)《广韵》。518 蒜。

(65)《纂文》。350 无患子皮。

(66)《简文帝劝医文》。174 芎䓖、279 鹿藿、481 胡麻、492 曲。

(67)《文选》。509 蓼实。

(68)“王莽”。81 玉屑。

(69)“李预”。81 玉屑。

(70)《宋齐丘化书》。305 枫香脂、471 桃核仁、477 杨梅。

(71)《归田录》。383 犀角。

(72)《稽神录》。142 黄精、431 鳗鲡鱼。

(73)《李畋该闻集》。316 竹叶。

7. 佛经道藏类

(1)《金光明经》。342 诃梨勒。

(2)《道书八帝圣化经》。147 天门冬。

(3)《太上八帝玄变经》。79 丹砂、256 大戟等 5 味药引此经。

(4)《三洞要录》。220 地榆、510 葱实。

(5)《青霞子》。91 曾青、111 灵砂等 12 味药引此名。

(6)《宝藏论》。81 玉屑、109 金屑等 8 味药引此论。

(7)《青霞子宝藏论》。125 硇砂、126 铅、124 砒霜。

(8)《青霞子金液还丹论》。109 金屑、110 银屑。

(9)《丹房镜源》。80 云母、107 水银等 61 味药引此书。

(10)《神异经》。462 大枣。

(11)《龙鱼河图》。482 麻蕡。

(12)《白泽图》。405 百劳。

(13)《狐刚子粉图》。369 麝香。

(14)《太清草木方》。292 槐实。

(15)《太清诸草木方》。460 藕实。

(16)《太清石壁记》。83 石钟乳。

(17)《太清经》。83 石钟乳（引文内有）。

(18)《太清服炼灵砂法》。107 水银、127 赤铜屑等 12 味药引此书。

(19)《紫灵元君南岳夫人内传》。245 半夏。

(20)《紫灵南君南岳夫人内传》。273 女青。

(21)“黄帝问天老”。252 钩吻。

(22)“耳珠先生”。377 牛角鳃。

(23)《马鸣先生金丹诀》。81 玉屑。

(24)《东华真人煮石经》。301 五加皮。

（25）《叶天师枕中记》。81 玉屑。

（26）《左慈秘诀》。473 杏核仁。

（27）《太阴号》。88 玄明粉。

（28）《列仙传》。147 天门冬、290 菌桂、291 松脂、295 柏实。

（29）《神仙传》。80 云母、147 天门冬、481 胡麻。

（30）《神仙芝草经》。142 黄精。

（31）《夏禹神仙经》。143 菖蒲。

（32）《感应神仙传》。341 皂荚。

（33）《神仙服饵法》。296 茯苓。

（34）《神仙秘旨》。177 蒺藜。

（35）《仙方》。315 桑根白皮。

（36）《仙经》。87 朴硝。

（37）《灵芝瑞草经》。142 黄精。

（38）《服气精义方》。363 乱发、364 头垢、462 大枣。

（39）《修真方》。151 菟丝子。

（40）《修真秘旨》。265 蓖麻子、300 楮实等 8 味药引此书。

（41）《修真秘诀》。243 乌头。

总计上述所引书目，本草类 11 种，医经类 3 种，医方类 102 种，经书类 14 种，史书类 16 种，子集类 73 种，佛经道藏类 41 种，共 260 种。但其中有些书是重复的，因为《证类本草》所增资料，并非是唐慎微一人读书所得，有很多资料，都是当时士人提供的，各士人对同一本书的称呼不一，或注书的正名，或注书的异名，或注书的作者名。唐慎微集录时，仅按药物归类，对资料来源的书名未做统一规定，所以《证类本草》对同一书所注书名，往往有好几个。

例如《证类本草》有 219 味药引用葛洪《肘后备急方》，但其标注的书名却有 4 种，其中有 168 味药标注“肘后方”，有 21 味药标注“葛氏方”，有 27 味药标注“百一方”，有 3 味药标注“葛稚川”。

又如孙用和《家传秘宝方》，《证类本草》有 9 味药引此书，标注“孙用和”；有 11 味药引用此书，标注“孙尚药”（按：孙尚药即孙用和别名。因孙用和任尚药奉御太医令之职故名）。

《证类本草》对各书所引次数多寡不一，最多的有 200 多次，最少的仅 1 次。例如《外台秘要》被《证类本草》223 味药所引用，《肘后方》被 168 味药所引用，《圣惠方》被194味药所引用，《子母秘录》被123味药所引用，《梅师方》被117味药所引用，《经验方》被100味药所引用。一般方书被《证类本草》中的数十味药所引用；而非医药书被引用的次数较少，最少的只有1味药引用。

二、《证类本草》囊括宋以前主流本草内容

（十八）从《神农本草经》到《证类本草》的发展概况

《神农本草经》（以下简称《本经》）是大家公认的现存最早的中药书，它总结了汉代以前劳动人民积累的药物知识，是由若干医家陆续写成的，至于冠以“神农”之名，则是当时尊古之风的假托。

《本经》分为总论和各论两部分。总论概括性地论述了君、臣、佐、使、七情和合、四气五味等药物学的理论和药物的采收时间、炮制、贮藏方法，以及用药方法等。

各论是介绍每味药的具体内容。全书载药365种，其中植物药252种，动物药67种，矿物药46种，并按药物的功效和应用目的，分为上、中、下三品。上品药120种，多属于补养药，毒性很小或无毒，可以多服、久服，具有却病延年的作用。中品药120种，多属于治病兼有补养作用的药，有的有毒，有的无毒，一般用于治病和补虚弱。下品药125种，多属于攻治疾病的药物，毒性很大，适用于寒热积聚等证候。

书中主治的病名，有170多种。书中记载的药物功效，根据临床实践和现代科学研究证明，大多数是准确的，如：麻黄平喘，杏仁、贝母止咳，黄连、白头翁止痢，大黄泻下，半夏止吐，海藻疗瘿等，都是有确效的。

由于历史条件的限制，书中也夹杂道家宗教思想。如：丹砂通神明不老，矾石轻身不老增年，朴硝轻身神仙等，这些都是需要分别对待的。

到南北朝时，梁代陶弘景以《本经》为基础，增加了《名医别录》（以下简称《别录》）的药物，进行注释，编成《本草经集注》。

《本经》是由总论和各论组成的，陶弘景就沿用《本经》的办法，把《本经》总论部分进行增补注释，成为《本草经集注》卷1序录；又把《本经》各论部分，增加《别录》药，并按陶氏本人的见解进行注释，这就使《本草经集注》在分量上，比《本经》要多得多，因而《本草经集注》各论的卷数，由《本经》的3卷，

扩展为6卷。在这6卷中，共收录药730种，按玉石、草木、虫兽、果、菜、米、有名无用，分为7类。除有名无用类外，其余各类又分为上、中、下三品。

在卷1序录中，除对《本经》总论部分的注释外，还详论药物采集、加工、炮制、制剂、用法，并附有诸病通用药、解毒、服药食忌、药不宜入汤酒者、七情畏恶等专题性论述。这些论述在后世本草中被相继沿用，而且被不断地增补。

《本草经集注》其余6卷论述的是每味药的具体内容。

从药物资料来源上讲，6卷中的内容由《本经》、《别录》、陶弘景本人注文三部分组成。

关于《别录》资料，原有两种情况，一种情况是在《本经》的药名基础上有新的发展，另一种情况是《本经》以外的药。而《本草经集注》将这两种情况，都收录进书中。

不过前一种情况是陶弘景把那些新发现的资料和《本经》原有的资料相结合编写，因此在同一药物条文中，既有《本经》文，又有《别录》文。陶弘景为分辨《本经》《别录》文字，特地采用朱墨杂书，即以朱字书写《本经》文，以墨字书写《别录》文。这种标记方法对保存《本经》文的原来面貌非常重要，后世本草都沿用陶氏这种办法，但在具体表示上又有所不同。

陶弘景《本草经集注》问世后，到唐代的160多年里，各个药物的内容都有新的发展，而新药又不断增加，加以陶氏编书时，中国正处在南北分裂的局面，陶弘景偏居南方，所编的书也存在一些缺陷，因此，唐初苏敬上言重修本草，唐朝政府采纳了苏敬的意见，组织20余人，在陶弘景《本草经集注》的基础上进行重修，经过2年时间到659年修成，定名《新修本草》，简称《唐本草》。

《唐本草》是由本草、药图、图经三部分组成的。

“本草”是正文部分，“药图”是根据当时全国各地送来的药物标本绘画成的，“图经”是药图的说明部分。

本草部分在编写体例上，完全沿用陶弘景《本草经集注》的办法，不过在药物数量和药物内容分量上，都大幅增加了，因而在卷数上也就增多了。例如《本草经集注》卷1序录，在《唐本草》中被扩充为“序”和“例”2卷；其余6卷则被扩充为18卷。

在药物数量上，由陶氏书中730种增加为850种。按：《唐本草》新增药114种，应为844种，为何变成850种呢？因为《唐本草》在编纂时，对陶氏书中某些药进行了分条。如“由跋”与“鸢尾”，在陶氏书中原是1味药，而在《唐本草》

中就被分成2味药了，因此药物总数就变成了850种。

在药物分类方面，陶氏书分为玉石、草木、虫兽、果、菜、米、有名无用7类。

而《唐本草》把“草木”“虫兽”析为草、木、兽禽、虫鱼4类，加上其余5类，总计分为9类，每一类又分为上、中、下三品，这种做法完全是承陶氏的分类法。不过在各个类别中药物位置的安排略有不同，例如陶氏书中有些不常用的药，像淮木等20种药，在《唐本草》中都被安排到“有名无用”类中了。

《唐本草》药物资料来源标记的方法，亦采用陶氏的办法，把各个药物条文用大字书写，把陶弘景注文和《唐本草》新增的注文用小字书写。在用大字书写的各个药物条文中，凡属《本经》文，用朱字书写；凡属《别录》文，用墨字书写；《唐本草》新增的药物条文，亦用墨字书写，但在条文末尾附以“唐附”2字，以区分《别录》文。小字书写的各个药注文，一律用墨字书写，凡属陶弘景的注文，不加任何记号；凡属《唐本草》新加的注文，在注文的开头，一律冠以“谨按”2字，以区别陶弘景的注文。

由于《唐本草》是官修的，是政府颁布的，所以《唐本草》有最早的中国药典和世界药典之称。

《唐本草》从公元659年颁布，流传了300多年后，被《开宝本草》所代替。

《开宝本草》是马志等9人在《唐本草》基础上编修而成的，前后共修了2次。一次是在973年修的，名《开宝新详定本草》；一次是在974年修的，名《开宝重定本草》。这里所讲的《开宝本草》系指《开宝重定本草》。

《开宝本草》既然是继承《唐本草》发展而来的，那么在编写体例、分类、分卷上也就和《唐本草》相同，按玉石、草、木、禽兽、虫鱼、果、菜、米、有名无用分为9类，凡20卷，外有目录1卷。其中“序例上”1卷、“序例下”1卷、“药物”18卷，载药983种，新增133种。

该书各卷药物排列次序大体和《唐本草》相同，其中个别药的位置也有适当变更，例如“彼子”就退在末卷“有名无用”之后。

每味药的编写，分正文和注文两类，正文印成单行大字，注文印成双行小字。正文出于《本经》印成白字，出于《别录》印成黑字，出于《唐本草》则文尾加注“唐附”，出于《开宝本草》则文尾加注“今附”。至于注文，出于《本草经集注》，在注文头上冠以“陶隐居”；出于《唐本草》冠以“唐本注”；出于《开宝本草》所注，则冠以“今按”或“今注”。《开宝本草》所注不多，全书983味药，仅有200味药为《开宝本草》所注。其中有120味药是引用《本草拾遗》的内容来注的。

《开宝本草》问世不到90年，掌禹锡等就在1057—1061年间将其增订为《嘉祐补注神农本草》，简称《嘉祐本草》。

《嘉祐本草》既是由《开宝本草》增订而成，那么在分卷、分类、编写体例、文献出典的标记等方面就全仿照《开宝本草》。凡21卷，收药1082种，983种承袭《开宝本草》旧药，99种新增。分类全同《开宝本草》，唯文献来源标记略异。正文出于《本经》印成白字，出于《别录》印成黑字，出于《唐本草》标注“唐本先附”，出于《开宝本草》标注“今附”，出于《嘉祐本草》新增，标注“新补”或“新定”，“新补”表示摘自文献，“新定”表示取于当时。至于注文标记皆沿袭《开宝本草》之旧，唯《嘉祐本草》新增的注文，冠以“臣禹锡等谨按”。

《嘉祐本草》新增的注文很多，在“序例”的2卷和“药物”的各卷中都有它的注文，内容相当丰富，引用资料颇多，有50余种，是《开宝本草》所引文献的10倍。

该书各卷药物编排次序，大体沿用《开宝本草》旧例，对于新增的药物，多以类相从，如绿矾排在矾石之下，山姜花排在豆蔻之下。

在编辑《嘉祐本草》的同时，政府欲仿照《唐本草》，制一“图经”，作为药物真伪分辨的依据。1058年，政府下令向全国征集各地所产药品的实物图，并令注明开花结实、采收的季节和功用，凡进口药物则询问收税机关和商人，辨清来源，选出样品，送到京都，由苏颂等负责整理；到1061年编成《本草图经》20卷，另有目录1卷。

《本草图经》每味药有药图和注文两部分，药图由于进献时存在同名异物的关系，编者不能分辨，多兼收并存，因此同一味药有好几个不同的图。注文也是如此，各地送来的说明文各不相同，编者曾详加考订，对某些互异的资料考订不清时，也是兼收并存。

注文的内容十分丰富，凡有关药物历史、别名、性状、鉴别、采收、炮制、产地、功用等都有论述，参考文献有200余种，比《嘉祐本草》要多4倍。

对各地送来的药图，其名称不见于《嘉祐本草》者，即单编一类，名“本草图经外类”，外类药有103种，其中石类3种，草类75种，木蔓类25种。

《嘉祐本草》和《本草图经》问世后，由于分刊不便检阅，于是有陈承和唐慎微分别合二书为一书。

陈承合并本，增添陈氏本人的见闻，后来艾晟称陈氏所增名“别说”，共有44条，并加“林希序”1篇，编成23卷，定名《重广补注神农本草并图经》，于1092年刊行。

唐慎微合并本，新增内容颇丰，举凡经、史、子、集有关药物资料，统统收入书中，定名《经史证类备急本草》，简称《证类本草》。

《证类本草》成书于1097—1100年间，载药1746种，析为32卷。该书分类和文献来源的标记，悉依《嘉祐本草》之旧，唯唐氏所增资料，皆冠以墨盖子“▅”标记。

唐氏所增资料分“药物”和“注文”2类，“药物”新加628种，“注文”增的就更多了，特别是方论和单方，几乎全是新加的，计有古方、单方3000余首，援引经、史、方书近250家。

由于唐氏增的资料多，因此在分卷方面比《嘉祐本草》扩大了，除序例的上、下2卷未动外，其余18卷被扩充为29卷。宋代本草到此可算是发展到最高峰了，此后虽有书名变异，但是基本内容并未更改。

唐氏《证类本草》和陈承《重广补注神农本草并图经》问世后，艾晟将陈氏的“别说”和“林希序”并入唐氏书中，并在“蓊草”条下增加“治劳瘵方”，及序1篇，进献政府，此书在1108年刊行，加上大观年号，改名《大观经史证类备急本草》，简称《大观本草》。后至政和六年（1116）经曹孝忠校刊后，又改名《政和新修经史证类备用本草》。

在《政和新修经史证类备用本草》刊行的同时，寇宗奭著成《本草衍义》20卷，另有目录1卷，首列序例3卷，次载药物17卷，收录药品470种，按玉石、草、木、禽兽、虫鱼、果、菜、米谷分为8类，各类药物排列次序，可能是按《嘉祐本草》药物目次编排的。

南宋开始后，北方为金人所占，流行在北方的《政和新修经史证类备用本草》也被翻刻过，如金皇统三年（1143）翻刻时，还有宇文虚中《书〈证类本草〉后》一文。

至1249年，张存惠不仅翻刻，还把《本草衍义》附入书中，改名为《重修政和经史证类备用本草》，简称《政和本草》。

南宋对唐氏书也有多次翻刻，例如1157年王继先等校刊，名《绍兴校定经史证类备急本草》。此外，许洪、刘信甫等节略唐氏《证类本草》，附以寇氏《衍义》，集成《新编类要图注本草》42 卷，序例 5 卷，目录 1 卷，题署宋·寇宗奭撰。由于此书节略唐氏《证类本草》，无论在内容、分量及校勘上，皆不及张存惠翻刻的《政和本草》完善，特别是文献来源的标记被全部省略，正文、注文不分，因此对本草学影响不大。

总之，从《神农本草经》到《证类本草》，其发展顺序可示意如下：

《神农本草经》→《本草经集注》→《唐本草》→《开宝本草》→《嘉祐本草》→《证类本草》。

上述本草一脉相承，虽然在卷数、药数、注释和内容上经历代有所发展和增加，但在体制、分类、编排等方面仍与《本经》相同。所以后世本草可以说都是在《本经》的基础上发展起来的。《本经》序文，发展成为后世本草的序例；《本经》的三品分类，发展成为后世本草的按卷分类；《本经》的条文，通过宋以前本草古籍，被保存在《证类本草》和各种类书中。今日《证类本草》中的白字，即是《神农本草经》的文字。

（十九）《证类本草》注文中所引《本经》书名的讨论

《神农本草经》，简称《本草经》或《本经》，是我国现存最早的本草专著。但要指出的是，本书名称在不同的书中其含义各有不同。

《神农本草经》在医书目录中包括两类本草。第一类是最早的本草书，如明代卢复，清代孙星衍、孙冯翼、姜国伊、顾观光、王闿运、黄奭等人，以及日本人森立之、狩谷望之志所辑的《神农本草经》即是。

第二类是一般综合性的本草，例如明代缪希雍《本草经疏》、清代邹澍《本经疏证》、张璐《本经逢原》和叶天士《本草经解》等。这些书虽然也用“本草经”“本经”名字，但是书中内容不仅包括古代《神农本草经》，还包括历代本草的内容。

而历代本草文献中引用的《神农本草经》，其含义多指前一代本草。为证实这个问题，不妨多举一些例子来说明它。

兹以《重修政和经史证类备用本草》（1957 年人卫出版，简称《政和》。以下括号所示页数，均指本书）为例，试把书中各药注文里提到“本经云”的资料研究一下，即可明白这个问题。现在按历代本草次序说明如下。

（1）《唐本草》注所引“本经云”，其内容除少数符合《神农本草经》外，大多数是《本草经集注》的内容。如“土阴孽”条（134 页），有《唐本草》注“本经俱云在崖上”。按：土阴孽是《别录》药，并不是《本经》药，此处《唐本草》注所说“本经”是指陶弘景《本草经集注》。

（2）陈藏器《本草拾遗》注所引“本经云”，其内容大多不是《神农本草经》文。例如接骨木（355 页）是《唐本草》新增药，而陈氏却对该药注“本经云无毒，误也”。类似此例者尚有食茱萸（322 页）、蝮蛇（445 页）、千里水及东流水（137 页）、鯸鱼及鯆魮鱼（422 页）、木蜜（313 页）等。

（3）《蜀本草》所引“本经云”，多指《唐本草》。例如“鹜肪”条（400 页），有《蜀本草》注云“本经用鹜肪，即家鸭也”。按：“鹜肪即家鸭”一语，原是《唐本草》援引陶弘景的话，而《蜀本草》谓此话属“本经”，则《蜀本草》所言“本经”实指《唐本草》。

（4）《海药本草》注文中所引“本经云”，其内容为《名医别录》的资料。如“秦龟”条（413 页），有《海药本草》注“按本经云生在广州山谷”。查秦龟是《别录》药，则《海药本草》注文中的“本经云”，其内容亦非古代的《神农本草经》。

（5）《开宝本草》注文中所引“本经云”，其内容并非全属于《神农本草经》。例如“鼹鼠”条（393 页），有《开宝本草》注“本经所说即是小于鼠”。按：鼹鼠是《别录》药，此处所言“本经”当指《唐本草》。类似此例者尚有芜荑（322 页）、枳实（323 页）、蟹（426 页）等。

（6）《嘉祐本草》注文中所引“本经云”，其内容大多数不是《神农本草经》文。例如“马衔”条（117 页），有掌禹锡曰：“今据本经‘马’条注中都无说马衔之事，不知此经所言何谓。”按：马衔是《开宝本草》新增药，而掌氏注中言“本经”当指《开宝本草》。

（7）《本草图经》注文引用“本经云”，其中属于《神农本草经》的资料很少，大多属于《名医别录》《唐本草》《开宝本草》《嘉祐本草》等资料。如“丹雄鸡”条（397 页），有《本草图经》注“发髲，本经云‘合鸡子黄煎之，消为水，疗小儿惊热下痢’”。按：此文原出于《名医别录》。

硇砂（125 页），是《唐本草》新增药，而《本草图经》注“本经云柔金银，可为焊药”。此“本经”当指《唐本草》。类似此例者尚有桃花石（117 页）。

京三棱（227 页），是《开宝本草》新增药，而《本草图经》注“本经作京，非也”。这个“本经”当指《开宝本草》。类似此例者尚有黄药根（346 页）。

地锦（284 页），是《嘉祐本草》新增药，而《本草图经》注“本经‘络石’

条注中有地锦”。此“本经”是指《嘉祐本草》。

（8）陈承“别说”所引“本经云”，并非出于《神农本草经》的资料。例如天灵盖（365页），原是《开宝本草》药，有“别说”注“按，天灵盖，神农本经人部惟发髲一物外，余皆出后世医家……近数见医家用以治传尸病未有一效者，信本经”。此处所提“神农本经”及“本经”，实指《嘉祐本草》。

《本草衍义》注文中所引“本经云”，其内容大都不是《神农本草经》的资料。如出于《名医别录》的石蜜（410页），《本草衍义》注“本经以谓白如膏者良”。查“石蜜”条有此文，但作墨字《别录》文，这个注文中所提的“本经”自然不是真正的《神农本草经》。类似此例者尚有石决明（415页）。

出于《唐本草》的蓼实（509页），有《本草衍义》注“蓼实，即神农本经第十一卷中水蓼之子也”。按：《唐本草》卷11有水蓼（水蓼是《唐本草》新增药），这个“神农本经”当指前代本草。类似此例者尚有栾荆（356页）、紫鉚　骐驎竭（320页）、鹏鹕（400页）。

出于《药性论》和《蜀本草》的白芷（206页），有《本草衍义》注“经曰能蚀脓”。按：“能蚀脓”3字原出于《药性论》，而《本草衍义》亦标注“经曰”。“鹜肪”条（400页）有《本草衍义》云“本经用鹜肪，即家鸭也”。按：此文原出于《蜀本草》注文，而《本草衍义》亦标注“本经”。

出于《开宝本草》的无名异（95页），是《开宝本草》新增药，而《本草衍义》注“本经云味甘，平。治金疮折伤，生肌肉”。按：此文出于《开宝本草》，这里所言“本经”当指《开宝本草》。类似此例者尚有生银（110页）、使君子（239页）、骨碎补（274页）、茄子（520页）。这些药都是《开宝本草》新增药，而《本草衍义》引用时均标注“本经”。

出于《嘉祐本草》的花乳石（136页），是《嘉祐本草》新增药，而《本草衍义》曰“花乳石，其色如流黄，本经第五卷中已著”。这个“本经”当指《嘉祐本草》。

以上是以《政和》为例，说明该书注文中所引“本经”资料，大都是指前代本草的内容，并非古代真正的《神农本草经》的内容。

不仅《政和》如此，其他书所引“本草经”，也都是综合性本草内容。例如《医心方》311页引“本草经”云：“治疟煮葎草汁及生汁服之。”查《政和》277页“葎草”条有此文，但葎草是《唐本草》新增药，则《医心方》中所讲“本草经”似指《唐本草》。《医心方》383页引“本草经”云：“捣酢浆草薄之，杀诸小虫，又治恶疮也。”查《政和》282 页有此文，但酢浆草也是《唐本草》新增药。类似此例者尚有貓肉、蓖麻子、鲫鱼等，此皆是《唐本草》新增药，但《医心方》引用此等药的资料，均标注“本草经”字样。

又如《古今图书集成·博物汇编·草木典》卷 60（536 册 25 页）芥部杂录云：“神农本草经琥珀拾芥。”按：《政和》73 页七情畏恶序中有“琥珀拾芥”，该文原是陶弘景所云。可见上书所引“神农本草经”也是一般本草的通称，不能代表古代真正的《神农本草经》。这也是名同实异的混乱现象。

（二十）《证类本草》白字考异

《证类本草》（简称《证类》）是《大观本草》《大全本草》《政和本草》的通称。它的版本极多，因版本不同，其黑字、白字分书，互有出入。本文选用以下几种《证类本草》版本研究之。

《大观本草》（简称《大观》）用 1904 年柯逢时刻本和 1775 年日本望草玄刻本，前者简称“柯《大观》”，后者简称“玄《大观》”。

《大全本草》用明万历五年（1577）宣郡王大猷尚义堂刊本，简称《大全》。

《政和本草》（简称《政和》）用下列 4 种版本：①成化《政和》，明成化四年（1468）山东巡抚原杰据晦明轩刻本重刻；②万历《政和》，明万历十五年（1587）经厂翻刻本；③商务《政和》，1921—1929 年商务印书馆缩印金泰和刊本；④人卫《政和》，1957 年人卫影印金刻本。

在以上几种《证类》刊本中，《大观》以柯刊本为佳；《政和》以人卫影印本最好，商务、万历皆由成化本翻刻而来；《大全》是宣郡王大猷将《大观本草》和《政和本草》合刊成的一本书。

用以上各种刊本，将其中白字《本经》文详细校之，可见互有出入。这种出入，盖由来已久。现存各种《证类》版本的白字，向上追溯皆源于陶弘景《本草经集注》的朱字，经过《唐本草》《开宝本草》《嘉祐本草》而到《证类》，每一代的传抄，都不能绝对保持原来面目，因此总有不同程度的舛错或脱误，抄的次数愈多，舛错的概率就愈大。所以《开宝本草》重定序云：“朱字、墨字，无本得同。”这就说明宋代编修《开宝本草》时所搜到的各种传抄《唐本草》的卷子本，其中朱字（指《本经》文）、墨字（指《别录》文）没有一本是相同的。

1900 年敦煌出土的卷子本《新修本草》卷 10 残卷，是朱墨杂书的，持与《证类》白字、黑字校之，也是互有出入（见下文“莨菪子”条）。

从历代本草文献来看，朱书、墨书的标记或白字、黑字的标记，一直存在混乱现象。本文仅就现存的几种《证类》刊本中的白字同异文，论述如下。

玉泉：“久服耐寒暑，不饥渴，不老神仙”，2 种《大观》、《大全》皆作黑字《别录》文，人卫、商务、成化《政和》均作白字《本经》文。

硝石：“一名芒消”，2 种《大观》均作白字《本经》文，森本①同；各种《政和》作黑字《别录》文，《纲目》②、孙本③、顾本④同。

曾青：人卫《政和》“曾青”条全文为黑字《别录》文。

石胆：“久服增寿神仙”，2 种《大观》和《大全》均为黑字《别录》文，各种《政和》均为白字《本经》文。

太一馀粮：“除邪气”，《大全》“邪气”为黑字《别录》文，2 种《大观》、各种《政和》作白字《本经》文。

石龙刍：“一名龙珠”，2 种《大观》和《大全》均作黑字《别录》文，《本经续疏》同；各种《政和》均作白字《本经》文，《纲目》、孙本、顾本同；森本不取此 4 字为《本经》文。

茯苓：“一名茯菟”，2 种《大观》和《大全》均作黑字《别录》文，2 种《政和》均作白字《本经》文。

络石：“喉舌肿不通”，2 种《大观》、各种《政和》前 3 字为白字，后 2 字为黑字；孙本、顾本、森本、《图考长编》⑤ 取前 3 字为《本经》文，《纲目》《品汇》⑥ 取此 5 字为《本经》文。

柏实：“疗恍惚虚”，商务《政和》作白字，人卫《政和》、2 种《大观》作黑字。

菖蒲：商务、成化、万历《政和》和《大全》等全为黑字《别录》文。

白英：商务、成化、万历《政和》和《品汇》对“白英”条全文作黑字《别录》文。

---

① 森本：日本森立之重辑《神农本草经》，1959 年科技卫生出版社影印本。

② 《纲目》：明·李时珍《本草纲目》，1957 年人卫影印本。

③ 孙本：清·孙星衍等辑《神农本草经》，1955 年商务版。

④ 顾本：清·顾观光辑《神农本草经》，1955 年人卫影印本。

⑤ 《图考长编》：清·吴其濬《植物名实图考长编》，1959 年商务版。

⑥ 《品汇》：明·刘文泰等《本草品汇精要》，1936 年商务版。

龙胆："龙胆"条全文，商务《政和》为黑字《别录》文。

牛膝："味酸平"，人卫《政和》"酸平"2字为黑字；商务《政和》"酸"字为白字，"平"字为黑字，孙本、顾本同；2种《大观》"平"字为白字，"酸"字为黑字，森本同。

车前子："无毒"，商务《政和》为白字《本经》文，人卫《政和》、2种《大观》为黑字《别录》文。

蛇床子："味辛甘，一名蛇粟"，2种《大观》为白字，《纲目》、森本同；各种《政和》为黑字，孙本、顾本同。"主妇人阴中肿痛，男子阴痿湿痒，除痹气，利关节，癫痫恶疮"，《大全》为黑字《别录》文。

水苏："下气，杀谷，除饮食"，2种《大观》作白字《本经》文，《纲目》、森本同；各种《政和》作黑字《别录》文；孙本、顾本、《图考长编》前2字为《本经》文。

天名精："除小虫，去痹，除胸中结热，止烦渴"，成化、万历、商务《政和》作黑字《别录》文，2种《大观》、人卫《政和》作白字《本经》文，《纲目》、孙本、顾本同商务《政和》，《品汇》、森本同《大观》。

飞廉："一名飞轻"，成化、万历、商务《政和》作黑字《别录》文，2种《大观》、《大全》、人卫《政和》作白字《本经》文，《纲目》、顾本同商务《政和》，孙本、森本、《图考长编》同人卫《政和》。

桑上寄生："一名宛童"，2种《大观》和《大全》作黑字《别录》文，《本经续疏》《图考长编》同；各种《政和》作白字《本经》文，孙本、森本、顾本同。

苋实："主青盲、白翳"，玄《大观》、《大全》注"盲"为黑字，柯《大观》注"白翳"为白字，《政和》注"白翳"为黑字。

芍药："平"，2种《大观》作白字《本经》文，孙本、森本、顾本同；各种《政和》作黑字《别录》文，《图考长编》同。

莨菪子："一名横唐，一名行唐"，现存各种《证类》版本注"一名横唐"为白字，注"一名行唐"为黑字。敦煌卷子本《新修本草》注"一名横唐"为墨字，注"一名行唐"为朱字。

栀子："皻鼻白癞，赤癞疮疡""一名木丹"，玄《大观》注为黑字《别录》文。柯《大观》注云："原为黑字，柯改为白字。"各种《政和》作白字《本经》文。

五加："温"，柯《大观》作黑字《别录》文，人卫《政和》作白字《本经》文。

麝香：成化、万历、商务《政和》“麝香”条全文为黑字《别录》文。

鹿茸：商务《政和》“鹿茸”条全文为黑字《别录》文。

犀角：“久服轻身”，《大全》作黑字《别录》文。

羚羊角：“久服强筋骨轻身”，2 种《大观》作白字；各种《政和》作黑字，《纲目》同。

龟甲：“痁五痔”，玄《大观》作黑字《别录》文。柯《大观》注云：“原作黑字，柯改为白字。”

蓼实：“蓼实，味辛温”，柯《大观》注云“原作黑字，柯改为白字”。“主明目”“浮肿痈疡”，玄《大观》作黑字《别录》文。

肤青：“平”“一名推青”，人卫《政和》“平”为黑字，“一名推青”为白字；商务、成化、万历《政和》和2 种《大观》“平”为白字，“一名推青”为黑字，孙本、森本、顾本同《大观》。

矾石：“邪气除热”，2 种《大观》和《大全》作白字《本经》文；成化、万历、商务《政和》作黑字《别录》文。森本同《大观》，孙本同《政和》。《纲目》、顾本注“邪气”为《本经》文，注“除热”为《别录》文。

蔓椒：“一名豕椒”，万历《政和》、孙本作“一名家椒”。

附子：“血瘕”，玄《大观》、《大全》“血”字为黑字。柯《大观》注云：“‘血’，原刻为黑字，柯改刻为白字。”

茵芋：“如疟状”，成化、万历、商务《政和》和 2 种《大观》为黑字《别录》文，敦煌卷子本《新修本草》、人卫《政和》作白字《本经》文，孙本、森本、顾本注此 3 字为《本经》文。

楝实：“利小便水道”，玄《大观》、《大全》作黑字《别录》文，柯《大观》、各种《政和》作白字《本经》文。

柳华：“子汁疗渴”“生琅邪”。2 种《大观》、《大全》“子汁疗渴”为白字，“生琅邪”为黑字；各种《政和》相反。《纲目》同《政和》，孙本、森本、顾本同《大观》。

半夏：“一名地文，一名水玉”，商务《政和》作黑字《别录》文，人卫《政和》、《大观》作白字《本经》文。

黄环：“生蜀郡”，柯《大观》注云“原作白字，柯改为黑字”。

生大豆：《大观》作白字《本经》文，各种《政和》作黑字《别录》文。

蓬虆："味咸"，2种《大观》作白字《本经》文，各种《政和》作黑字《别录》文。

芫荑："一名蕨塘"，2种《大观》作黑字《别录》文，各种《政和》作白字《本经》文。

常山："发热"，人卫《政和》作黑字《别录》文，商务《政和》、2种《大观》作白字《本经》文。

六畜毛蹄甲：玄《大观》、《大全》的全文为黑字《别录》文。

姑活：商务《政和》"姑活"条全文中，除"一名冬葵子"外，余皆为黑字《别录》文。

楮实："楮实，味甘，寒，主阴痿水肿，益气，充肌肤，明目，一名谷实。"柯《大观》注云："原作白字，柯改为黑字。"

白垩："阴肿痛，漏下无子"，2种《大观》、《大全》作白字，商务《政和》作黑字。《纲目》《品汇》同《政和》，森本、狩本[①]同《大观》。

伏翼："生太山川谷"，《证类》白字药物皆无产地，唯伏翼有产地。

天鼠屎："一名鼠法，一名石肝"，柯《大观》作黑字《别录》文，人卫《政和》作白字《本经》文。

青葙子："五月、六月采子"，人卫《政和》作白字《本经》文，柯《大观》、商务《政和》作黑字《别录》文。

升麻：柯《大观》注云"据《太平御览》此条当为阴文（即白字）"。

丹雄鸡："通神杀毒，辟不祥""肪主耳聋""肠主遗溺"，各种《政和》作白字《本经》文，《大观》作黑字《别录》文。"东门上者尤良""肶胵微寒""黑雌鸡，主风寒湿痹，五缓六急，安胎"，2种《大观》作白字《本经》文，各种《政和》作黑字《别录》文。

《证类本草》中某些药，同一句中白字、黑字共存，兹列举如下。

天名精："止烦渴"，人卫《政和》前2字作白字，后1字作黑字；商务《政和》全作黑字；2种《大观》全作白字。

白薇："疗伤中"，人卫、商务《政和》"疗"作白字，"伤中"作黑字。

蜀羊泉："疗龋齿"，人卫、商务《政和》"疗龋"作白字，"齿"作黑字；柯《大观》全作黑字。

---

① 狩本：日本狩谷望之志辑《神农本草经》，涩江籀斋订，抄本。南京古籍图书馆收藏。

酸枣："生河东"，人卫《政和》"生"作白字，"河东"作黑字；商务《政和》、柯《大观》全作黑字。

松萝："生熊耳山"，人卫、商务《政和》"生熊"作白字，"耳山"作黑字；柯《大观》全作黑字。

乌贼鱼骨："阴中寒肿，令人有子"，人卫、商务《政和》"寒肿""令"作白字；柯《大观》全作黑字。

按：《证类》白字表示《本经》文字。由于《证类》版本不同，其白字标记也各不相同。如1957年人卫影印本《政和本草》卷3页91"曾青"条全作黑字《别录》文，没有白字《本经》标记。如果以人卫印本为依据，说曾青不是《本经》药，那就错了。又1927—1931年商务印书馆影印本《政和本草》中，菖蒲、龙胆、白英、麝香、鹿茸、姑活等条，皆作黑字《别录》文，俱无白字《本经》标记。如果以商务影印本为依据，说菖蒲、龙胆等不是《本经》药，那也错了。所以要确定《本经》文，必须用多种《证类》善本互勘，才能得出比较正确的《本经》文。

此外，各种版本《证类》不仅白字互有差异，就是非白字的文字，亦存在很大差异。因此，现存各种版本的《证类》要校勘，搞出一种文字比较准确的本子，这样在应用时，才不会产生错误。

（二十一）《证类本草》白字序文和药物内容的矛盾

《神农本草经》是我国古代劳动人民总结药物的一部书，原书虽失传，但是它的内容，经《本草经集注》《新修本草》《开宝本草》《嘉祐本草》被保存在了《证类本草》中，现存《证类本草》中的白字就是陶弘景总结当时流行的多种《神农本草经》版本而成的。

所以《证类本草》白字即是《神农本草经》的文字。由于《证类本草》白字经过多次辗转传抄和翻刻，不免发生舛错，我们仔细把《证类本草》白字研究一下，就会发现其中存在很多问题。

《证类本草》白字分为两大部分：《证类本草》卷1序例上的白字，是《神农本草经》序文部分；《证类本草》卷3到卷30的白字，是《神农本草经》药物各论部分。

（1）《证类本草》白字序文云："上药一百二十种，中药一百二十种，下药一百二十五种。"但从该书统计，《神农本草经》药物上品141种，中品113种，下品105种。另有发髲、姑活、别羁、石下长卿、翘根、屈草、淮木、彼子8种药物，没有言明属何品，把这些药物加起来是367种，而不是365种。

从序文中所讲三品含义，联系到具体药物时，前后不一致的就更多了，序文言明上品“轻身益气，不老延年”，中品“遏病，补虚羸”，下品“除寒热邪气，破积聚”。但有些药物所在品属的位置，并不符合这种分类方法。例如“水银”条中言明能“久服神仙不死”，应在上品，但是《证类本草》水银列在中品。又如黄芪、沙参、五味子等条文中并无“久服延年不老”等语，但是《证类本草》将此等药列在上品。类似此例很多，检敦煌出土《本草经集注》七情药物三品的分类，水银是列在上品的，而黄芪、沙参、五味子等是列在中品的。此外，如钟乳石，《证类本草》列在上品，而敦煌本列在中品；巴戟天，《证类本草》列在上品，而敦煌本列在下品。这种差异，可能是因不同时代人们对药物三品理解各有不同造成的。古代方士们认为水银能炼丹，久服成仙，所以把水银列为上品；后人发现水银有毒，久服能中毒，故把水银改列为中品。由于历代人们对三品含义理解不同，因而药物所在三品位置也就有了变迁。加之历代传抄翻刻的舛错，这就造成三品药物数目不符合上品120种、中品120种、下品125种之数。

（2）《证类本草》白字序文云：“根、茎、花、实、草、石、骨肉……”从这句话中，可以看出《神农本草经》中的药物应有形态的描述。《太平御览》卷984引谢灵运《山居赋》曰：“《本草》所载……三枝六根，五华九实。”是谢灵运所见《本草》有形态的记载。

《新修本草》卷12“桂”条有陶弘景注云：“《经》云‘桂叶如柏叶，泽黑，皮黄，心赤’。”陶注中的“《经》云”，当指《神农本草经》云。但《证类本草》白字各个药物条文中，没有一条是有形态记载的。

由于《证类本草》白字不言形态，明清各家所辑的《神农本草经》，亦无形态的描述。

（3）《证类本草》白字序文云：“有单行者，有相须者，有相使者，有相畏者，有相恶者，有相反者，有相杀者。凡此七情……”这段经文，说明《神农本草经》原是有七情畏恶的。

《证类本草》卷8“前胡”条陶弘景注云：“《本经》上品有茈胡而无此，晚来医乃用之，亦有畏恶，明畏恶非尽出《本经》也。”这是陶弘景自己说《本经》是有畏恶的。通检《证类本草》各个药物畏恶资料，皆无白字标记，这也就是说《证类本草》白字无七情畏恶资料。

由于《证类本草》白字没有畏恶资料，所以明清及日本各家所辑《神农本草经》，没有一本辑文中提到畏恶。

(4)《证类本草》白字序文云：“药……又有寒、热、温、凉四气。”通检《证类本草》白字具体药物条文，只言性寒、微寒，而不言性凉。例如朴硝、栝楼根味苦寒，石膏味辛微寒，丹参、玄参、石龙刍味苦微寒。没有一味药是讲性凉的。

(5)《证类本草》白字序文云：“药有……及有毒、无毒。”通检《证类本草》白字具体药物条文，没有一味药记“有毒”2字。至于“无毒”2字，只有极个别的药，如车前、干漆记了“无毒”。顾观光所辑的《神农本草经》全书365味药，没有一条记载“有毒”“无毒”字样。森氏辑本，仅“干漆”条记了“无毒”2字。孙氏辑本，仅“车前”“干漆”条记了“无毒”2字。人卫本《政和本草》仅“干漆”条记“无毒”2字为白字，其余所记皆是黑字《别录》文。总论讲到“药有有毒、无毒”，但是具体药物无此等资料记载，这显然是个矛盾。

(6)《证类本草》白字序文云：“药有……阴干、暴干、采造时月。”从这段叙述可知《神农本草经》的药物是有采制的。

《证类本草》卷8“瞿麦”条，陶弘景注云：“《经》云采实。”陶弘景既说“《经》云采实”，说明陶弘景所见到的《神农本草经》是有采制的，否则陶氏不会作这样的注，可是《证类本草》“瞿麦”条文中的“采实阴干”作黑字《别录》文，并不作《本经》文。

又按，陶弘景解释《本经》序文云：“凡采药时月，皆是建寅岁首，则从汉太初（前104）后所记也。”根据陶弘景所释，《本经》药物确有采造时月的记载。通检《证类本草》全书各个药物白字的文字，仅见“桑螵蛸”条有“生桑枝上，采蒸之”，其余各药，皆无采造时月，因而明清各家辑本的药物中，也无采造时月的内容。

(7)《证类本草》白字序文云：“药有……土地所出。”这段内容是说《神农本草经》中的药物是有产地的。《太平御览》卷984引谢灵运《山居赋》曰：“《本草》所载，山泽不一。”可知谢灵运所见《本草》是有药物产地记载的。

颜之推《颜氏家训》云：“秦人灭学，董卓焚书，典籍错乱，非止于此，譬犹《本草》，神农所述，而有豫章、朱崖、赵国、常山、奉高、真定、临淄、冯翊等郡县名，出诸药物……由后人所羼，非本文也。”如《太平御览》卷988引《本经》曰：“扁青生朱崖，白青出豫章。”从《颜氏家训》来看，颜之推所见的《本草》有产地，并有后人增加汉制的地名。

陶弘景《本草经集注》的序云："是其《本经》所出郡县，乃后汉时制，疑仲景、元化等所记。"

《新修本草》卷5"锡铜镜鼻"条，陶弘景注云："《本经》云生蜀郡桂阳。"由此可知，陶弘景所见《神农本草经》亦是有产地的，否则就不会讲"《本经》云生蜀郡桂阳"。

《证类本草》卷3"滑石"条，陶弘景注云："赭阳县属南阳，汉哀帝（前6—前1）置，明《本经》所注郡县，必后汉时也。"而《证类本草》"滑石"条有"生赭阳"，但作黑字《别录》文，并不作白字《本经》文。

今日《证类本草》白字各个药，除"柳华，生琅邪川泽"外，余均无产地。原来的《神农本草经》有产地，这个产地是什么时候被删掉的呢？按：吐鲁番出土的《本草经集注》，有朱墨杂书标记，其朱字有产地。例如，吐鲁番出土残简燕屎生高山平谷，天鼠屎生合浦山谷，皆作朱字。由此可知，陶弘景作《本草经集注》时，各个药物是有产地记载的。1900年，敦煌出土的《新修本草》亦有朱墨杂书，但产地皆不作朱书。由此可知，《本经》的药物产地似在《新修本草》编纂时被删掉。

（8）《证类本草》白字序文云："药性有宜丸者，宜散者，宜水煮者，宜酒渍者，宜膏煎者……亦有不可入汤酒者。"

这是《本经》序文中的话，但若涉及各个药物的具体内容，在365味药中仅有"溲疏"条有"可作浴汤"是白字（见《证类本草》卷14），其余各药所言剂型，皆作黑字。

例如《证类本草》卷14"蜀椒"条有"可作膏药"，但作黑字《别录》文。

《证类本草》卷12"辛夷"条有"可作膏药用之"，亦作黑字《别录》文。

《证类本草》卷12"槐实"条有"可作丸"，亦作黑字《别录》文。

《证类本草》白字序文和各论之间的差异，使人们怀疑陶弘景《本草经集注》的朱字，通过《新修本草》《开宝本草》《嘉祐本草》而到《证类本草》的白字，其间可能经历代本草有所变动。以药物产地而言，吐鲁番出土的《本草经集注》残简中的产地是朱字，而1900年敦煌出土的《新修本草》残卷中的产地都是墨字，这说明《本经》中的产地很可能是在唐代编纂《新修本草》时被斧削掉的。

由于《证类本草》白字各药物条文中不言产地、药物形态、采制、畏恶、制剂等内容，所以各种辑本的《神农本草经》亦无此等内容。

各种辑本《神农本草经》在每个药物条文中所讲的内容，只有性味、主治功用、一名3项。但孙星衍和森立之分别辑的《神农本草经》增加了药物的生长环境如“生山谷”“生川泽”。

由于《证类本草》的白字有问题，所以现存各家辑的《神农本草经》也就存在问题。笔者怀疑今日各家辑本《神农本草经》很难反映陶弘景《本草经集注》原始朱字全文的面貌。

（二十二）诸类书所引《神农本草经》文不同于《证类本草》白字

诸类书及其他各种书所引《神农本草经》资料，和《证类本草》白字《本草经》文，存在很多不同之处，兹分别讨论如下。

（1）诸家所引《本草经》药物条文，书写体例不同于《证类本草》白字。

例如《艺文类聚》卷81引《本草经》曰：“署预，一名山芋，益气力，长肌肉，除邪气，久服轻身，耳目聪明，不饥延年，生嵩高山。”

又如《艺文类聚》卷89引《本草经》曰：“合欢，味甘，平，生川谷，安五脏，和心志，令人欢乐无忧，久服轻身明目，生益州。”

《北堂书钞》卷147引《本草经》云：“石蜜，一名石饴，味甘，主心邪，安五脏，益气强志，除百病，服之不饥。”

《太平御览》卷988引《本草经》曰：“消石，一名芒消，味酸、苦，寒，生山谷，治五脏积热，生益州。”

《太平御览》卷989引《本草经》曰：“当归，一名干归，味甘，温，生川谷，主治咳逆上气、温疟寒热，生陇西。”

从薯蓣、合欢、石蜜、硝石、当归等药的条文叙述方式，可以看出诸类书所引《本草经》药物的书写体例是：药名→一名→性味→生长环境→主治功用→产地。但《证类本草》白字药物的书写体例是：药名→性味→主治功用→一名。《证类本草》白字书写体例不同于类书的原因，森立之认为是苏敬更改的。森立之《神农本草经》序云：“《御览》气味下，每有生山谷等语，必是朱书原文……苏敬新修时，一变此体，直于主治下记生太山山谷等语，《开宝》以后，全仿此体……”

森立之的看法是有问题的，《证类本草》白字书写体例，同《新修本草》文句是比较相同的，但吐鲁番出土的《本草经集注》残简上朱字书写体例亦与《证类本草》白字全同，由此可知《本草经集注》原文如此，并非苏敬新修时所改。盖森氏未见过吐鲁番出土的《本草经集注》残简，所以有此错误的结论。

（2）诸类书所引《本草经》资料，在内容上比较简单。

例如《艺文类聚》卷81引《本草经》曰："天门冬，一名颠勒，味苦，杀三虫。"而《证类本草》卷6天门冬白字为："天门冬，味苦，平，主诸暴风湿偏痹，强骨髓，杀三虫，去伏尸，久服轻身，益气延年，一名颠勒。"比较两书所引天门冬内容，《艺文类聚》引文比较简单。

又如《艺文类聚》卷89引《本草经》曰："黄连，一名王连，味苦，寒，治热。"

《太平御览》卷991引《本草经》曰："黄连，一名王连，味苦，寒，生川谷，治热气目痛，眦伤泣出，明目，生巫阳。"

《证类本草》卷7黄连白字云："黄连，味苦，寒。主热气目痛，眦伤泣出，明目，肠澼，腹痛下痢，妇人阴中肿痛。久服令人不忘，一名王连。"

将三书所引黄连条文比较一下，可知类书所引《本草经》文比《证类本草》白字简单得多。

类书引用《本草经》资料简单的原因，可能是类书节录《本草经》的内容，也可能是类书所引《本草经》本子中的内容本就简单。

（3）诸类书所引《本草经》资料有形态记载。

《艺文类聚》卷97引《本草经》曰："文蛤，表有文。"

《太平御览》卷960引《本草经》曰："辛夷……其树似杜仲，树高一丈余，子似冬桃而小。"

《太平御览》卷988引《本草经》曰："代赭，一名血师，好者状如鸡肝。"

《证类本草》白字文蛤、辛夷、代赭等药物条文内皆无形态记载。

又如晋·刘逵注《蜀都赋》云："《神农本草经》曰'菌桂……圆如竹'。"

按："圆如竹"是菌桂形态的描述，《证类本草》卷12"菌桂"条有此文，但作黑字《别录》文。

（4）诸类书所引《本草经》资料，大多数有产地，而《证类本草》白字无产地。

例如《艺文类聚》卷81引《本草经》曰："术，一名山筋……生郑山。"

《太平御览》卷983引《本草经》曰："白芷，一名芳香，味辛温，生河东。"

《证类本草》所记术、白芷的产地，"生郑山""生河东"皆作黑字《别录》文。

又如刘逵注《蜀都赋》云："《神农本草经》曰'菌桂出交趾'。"《证类本草》

卷12有此文，但作黑字《别录》文。

（5）诸类书所引《本草经》资料有采制记载，《证类本草》白字无采制记载。

例如《太平御览》卷993引《本草经》曰："蓍实……八月、九月采实，日干。"

《证类本草》"蓍实"条有此文，但作黑字《别录》文。

（6）诸类书所引《本草经》资料不见于《证类本草》白字。

例如《山海经·西山经》云："西次二经……女床之山……其阴多石涅。"郭璞注云："即矾石也，楚人名为涅石，秦名为羽涅也，《本草经》亦名曰石涅也。"

按：《证类本草》卷2"矾石"条白字有"一名羽涅"，但无"亦名曰石涅"，则郭氏所引《神农本草经》资料，即不见于《证类本草》白字。

又南唐·徐锴《说文解字系传通释》云："……锴按郭璞《尔雅》注'门冬，一名满冬'，今本草有天门冬、麦门冬，并无满冬之名。"晋·郭璞所见到的《本草经》中门冬有满冬的别名，但后世本草无此记载。

又如《太平御览》卷992引郭璞《尔雅》注云："《本草经》曰'彘卢，一名蟠兰'，今江东呼豨首。"检《证类本草》白字无此文。

（7）诸类书所引《本草经》资料，其中有一部分在《证类本草》中作黑字《别录》文。

如《太平御览》卷39引《本草经》曰："常山有名草，神农置之门上，每夜叱人。"《证类本草》卷30"有名无用类"有此条，但作黑字《别录》文。

又如《太平御览》卷988引《本草经》曰："麋脂近阴，令人阴痿。"《证类本草》卷18"麋脂"条有此文，但作黑字《别录》文。

《艺文类聚》卷86引《本草经》曰："枭桃，在树不落，杀百鬼。"《证类本草》卷23"桃核仁"条有此文，但作黑字《别录》文。

《太平御览》卷990引《本草经》曰："升麻，一名周升麻……生益州。"《证类本草》卷6"升麻"条作黑字《别录》文。

（8）诸类书所引《本草经》资料，其内容和《证类本草》白字相似，但词句不同。

例如《艺文类聚》卷81引《本草经》曰："杜若……久服益气轻身。"同书卷82引《本草经》曰："水萍……乌鬓发。"《证类本草》卷7白字作："杜若……久服益精明目轻身。"又卷9白字云："水萍……长须发。"两书所讲内容相似，但词句不完全相同。

又如《艺文类聚》卷81引《本草经》曰："太一子曰'凡药，上者养命，中者养性，下者养病'。"《太平御览》卷984引《本草经》曰："太一子曰'凡药，上者养命，中药养性，下药养病'。"《抱朴子·内篇》卷11云："《神农经》曰'上药令人身安命延……中药养性，下药除病'。"西晋·张华《博物志》曰："《神农经》曰'上药养命，谓为玉石之练形，六芝之延年也；中药养性，谓合欢蠲忿，萱草忘忧也；下药治病，谓大黄除实，当归止痛也'。"

以上4种书所引《本草经》言三品上药、中药、下药的内容和《证类本草》白字序论中所讲的三品内容相似，但词句各不相同。

从诸类书所引《本草经》资料来看，绝大多数与《证类本草》白字不同，为什么不同呢？因为《神农本草经》同名异书很多。《隋书·经籍志》记载《本草经》有十数种，各种《本草经》所载药物数量及其主治内容亦各不相同。所以陶弘景说："或五百九十五，或四百四十一，或三百一十九；或三品混糅，冷热舛错，草石不分，虫兽无辨，且所主治，互有得失。"陶弘景见当时流行各种版本的《神农本草经》存在很多缺点，就加以整理，著成较完善的本子——即今日《证类本草》白字的前身。诸类书所引的《神农本草经》资料，可能是陶弘景所见的那些《神农本草经》，所以诸类书援引的《本草经》资料，当然就会不同于《证类本草》的白字。

（二十三）《证类本草》白字《本经》药物产地的考察

《证类本草》中白字《本经》药物的产地，虽作黑字，但并非全属《别录》文，应有《本经》文。

《本经》序文云："药有生、熟土地所出。"这就指明《本经》药物应有产地的名称。但是《证类本草》白字《本经》药物产地无白字标记，这又意味着《证类本草》中《本经》药无产地名称。

颜之推《颜氏家训》云："《本草》神农所述，而有豫章、朱崖、赵国、常山、奉高、真定、临淄、冯翊等郡县名，出诸药物，皆由后人所羼，非本文。""梁·陶隐居序"云："所出郡县，乃后汉时制，疑仲景、元化等所记。"故颜之推、陶弘景认为《本经》药物的产地，是由后人所羼入。

孙星衍校订《神农本草经》序云："按薛综注张衡赋引《本草经》太一禹馀粮，一名石脑，生山谷，是古本无郡县名。"所以孙星衍辑《神农本草经》只记生境，不录产地。日本森立之所辑《神农本草经》亦不录产地。

孙、森二氏认为古本《神农本草经》无产地，《证类本草》中《本经》药物的产地，属《名医别录》文。这种看法，不一定正确。

按：吐鲁番出土的《本草经集注》“燕屎”条中“生高山平谷”及“天鼠屎”条中“生合浦山谷”皆作朱字，此等文字在《证类本草》中均作黑字，这就说明《证类本草》有关《本经》药物的产地，原先也是朱书的。

查敦煌出土的《新修本草》卷10残卷，其中《本经》《别录》文是朱墨杂书的，对《本经》文作朱书，却唯独产地不作朱书。由此可知，《本经》药物产地从《新修本草》开始就被改为墨书。唐以后的本草皆沿袭《新修本草》之旧，把所有的产地改作墨书。根据吐鲁番出土的《本草经集注》对产地作朱书的情况来看，现存《证类本草》白字《本经》药物条文有关产地资料，应当包含朱书的内容，绝非全是墨字。由于标记脱落已久，后人难以分辨，所以明清学者辑录《本经》时，皆不录《证类本草》中药物条文的产地。

《证类本草》所记药物的产地名称一共有200多个。从分布地区来看，黄河流域约占3/4，长江流域约占1/4，沿海一带及西南边疆较少，仅有十几个，另有地名不详者十余个。从各地区所记出产药物数目来看，黄河流域产药最多，有300多种，其次为长江流域，产药不到100种，沿海一带及西南边疆产药较少，仅有40余种。这里有一种情况，就是同一种药产于若干地方。例如防风，既产于邯郸（河北邯郸），又产于上蔡（河南上蔡）；牡荆实，既产于河间（河北河间），又产于南阳（河南南阳）。此外，也有很多药同出于一地，例如人参、杜仲、庵蕳子、胡麻、款冬等同产于上党（山西长子县）。

从地名出现时间来看，《证类本草》中《本经》《别录》药所记产地几乎都是汉以前地名。其中先秦地名有70多个，秦时地名有20多个，西汉地名有80多个，东汉地名较少，有10个左右。

有些地名到陶氏作《本草经集注》时已经不用了；有些药物的产地还出现了变迁。

例如《证类本草》卷3页96，“扁青生朱崖”。陶注云：“朱崖郡先属交州，在南海中，晋代省之。”按：朱崖是西汉时地名，即今海南省琼山县。陶弘景说朱崖地名到晋代已不用了。根据这句话来看，“扁青”条中夹杂的黑字《别录》文，应是晋以前记的，如果是晋以后记的，当然不会用朱崖地名。

再如《证类本草》卷3页79，“丹砂生符陵”。陶注云：“符陵是涪州，接巴郡南，今无复采者，乃出武陵，西川诸蛮夷中，皆通属巴地，故谓之巴砂。《仙经》

亦用越砂，即出广州临漳者。”按：陶氏所注丹砂原出符陵，到陶弘景时，符陵已无人采丹砂了，而是更换至武陵、临漳等处。

由于《本经》《别录》药所记地名都是汉及汉以前地名，到南北朝时有些地名已久不用，陶弘景对这些地名也弄不清楚，所以曾做怀疑的注释。

例如《证类本草》卷7页179“防风”条有《别录》云：“生沙苑。”陶注云：“郡县无名沙苑。”186页“兰草”条有《别录》云：“生大吴。”陶注云：“大吴即应是吴国尔，太伯所居，故呼大吴。”《证类本草》卷8页203“秦艽”条有《别录》云：“生飞乌。”陶注云：“飞乌或是地名。”《新修本草》卷14页161“溲疏”条有“生掘耳”。陶注云：“掘耳疑应作熊耳，山名，而都无掘耳之号也。”

还有些药物产地离陶氏住处远，陶氏亦弄不清楚。如《证类本草》卷28页514“水苏”条有“生九真”。陶氏注云：“九真辽远，亦无能访之。”

《证类本草》中有很多《别录》药，其产地与《本经》药产地是相同的。初步统计，有63味《别录》药与《本经》药同产于一地，其地名有36个，先秦地名14个，秦时地名6个，西汉时地名12个，东汉时地名1个。

习惯上认为《本经》药是最早为人们所应用的。那么这63味《别录》药，既与《本经》药在同时代产生于同一个地方，就说明这63味《别录》药被人发现的时间，应与《本经》药相同。这就提示，有些《别录》药并非是后来名医所记，而是很早以前就与《本经》药共存了。

有些《本经》《别录》药虽同产于一处，其所用的地名却不相同。

例如今日河南登封，在古代不同时期有不同的名称，春秋时称中岳，其县北称嵩高，或称嵩山；战国时称阳城；秦时称少室。这些不同的名称被记载出产不同的药物，举例如下：

（1）芍药生中岳；

（2）薯蓣、桔梗、防葵、翘根、瓜蒂、白瓜子、黄石脂等生嵩高；

（3）黄芝生嵩山；

（4）石流青、黑石脂等生阳城；

（5）赤箭、防葵、蓍实、楮实、石钟乳、矾石、莽草、天雄、贯众、葵根、封石等生少室。

从这些例子来看，中岳、嵩高、嵩山所产的药物，可能是较早为人们所应用的药物，这些药物似在春秋时就已出现了。石流青、黑石脂的产地名称为阳城，此2种似在战国时出现，而赤箭、防葵等药物的产地为少室，则其似在秦时出现。

同一个登封，在不同时代有不同的地名，每个地名又出产不同药物，这就提示，不同药物出现的时间是不同的。类似此例者有很多。

也有少数药的产地不曾变迁，《证类本草》记载了不同时期其产地的异名。

如陕西汉中，春秋时称为郑、南郑、郑山，战国时称汉中。《证类本草》“白术”条所记的药物产地为“生郑山、汉中、南郑”。

有些药物所记产地不及异名所讲的产地多。例如麦门冬被记载的产地为“函谷”，函谷是战国时期地名，即今河南灵宝。麦门冬又有很多异名，“秦名羊韭，齐名爱韭，楚名马韭，越名羊蓍”，从这些异名来看，麦门冬不仅产于中原，还产于西部秦、东部齐、南方楚、东南方的越，但“麦门冬”的条文中并没有秦、楚、齐、越等产地名称。

又如薯蓣被记载的产地为“嵩高”。嵩高是春秋时期地名，即今河南登封北。薯蓣又有别名，“秦、楚名玉延，郑、越名土薯”。按：秦是陕西中部平原区，楚指湖北省范围，郑即陕西汉中地区，越指浙江绍兴地区。可“薯蓣”条中没有记载秦、楚、郑、越等地名。

（二十四）《证类本草》白字《本经》药物三品的考异

《证类本草》白字序文云：“上药一百二十种……欲轻身益气，不老延年者，本上经；中药一百二十种……欲遏病，补虚羸者，本中经；下药一百二十五种……欲除寒热邪气，破积聚，愈疾者，本下经。”根据序文，可以看出《本经》药物按功用分为三品，上品有延年益寿的功用，中品有遏病补虚的功用，下品有除寒热、破积聚的功用。

《证类本草》白字药物三品的来源，向上推溯，始于陶弘景《本草经集注》，而后经过《唐本草》《开宝本草》《嘉祐本草》到《证类本草》。现在《本草经集注》已佚，仅存序录。《唐本草》亦大部分失传，还有小部分卷子本及目录存在。《开宝本草》《嘉祐本草》也已失传，只有《证类本草》尚存。

关于《本经》药物三品类别，可以从《本草经集注》序录中七情畏恶药物和《唐本草》目录及《证类本草》药物三品分类来考察。

《本草经集注》仅有敦煌石室出土的序录残卷，1955 年群联出版社加以影印，该影印本 81 ~ 90 页有七情畏恶药物表（简称七情表）。这个七情表和《医心方》21 ~ 24 页、《千金方》5 ~ 9 页所录七情表大体相同。

《唐本草》目录载于《本草和名》《医心方》及《千金翼方》中。

《证类本草》以《大观本草》《政和本草》为代表。

《唐本草》目录和《证类本草》药物三品类别大体是相近的，但与七情表药物三品类别不同。

例如水银、石龙芮、秦椒，七情表列在上品，《唐本草》《证类本草》列在中品；石钟乳、防风、黄连、沙参、丹参、决明子、桑螵蛸、海蛤、龟甲、檗木、五味子、芎䓖、续断、黄芪、杜若、薇衔，七情表列在中品，《唐本草》《证类本草》列在上品；巴戟天、飞廉、五加，七情表列在下品，《唐本草》《证类本草》列在上品；桔梗，七情表列在中品，《唐本草》《证类本草》列在下品；款冬、牡丹、防已、女菀、泽兰、地榆、天鼠屎，七情表列在下品，《唐本草》《证类本草》列在中品。

按：《本草经集注》的七情表，是现存最早的药物三品分类，其次是《唐本草》，再次是《证类本草》。从上面列举药物三品的差异，可以看出《唐本草》和《证类本草》是一致的。《本草经集注》中七情表的药物三品分类与它们不同。这种不同的原因，有些可能出于传抄的舛错，有些可能出于各家对三品看法有所不同。

例如水银，古人认为它能炼丹，久服可以成仙，故列为上品。黄芪、续断并不能久服成仙，只能补虚羸，故列入中品。巴戟天、飞廉只能治病愈疾，故列入下品。但后人发现水银有毒，并不能多服、久服，故改入中品。黄芪、续断、巴戟天无毒，能多服、久服，故移入上品。由于人们对药物的作用和毒性认识不同，因此，药物三品分类也就产生了不同的差异，这也是《唐本草》对前代本草三品分类更改的原因之一。

由于《唐本草》对前代本草药物三品分类做了变动，而《证类本草》是沿袭《唐本草》之旧，所以《证类本草》药物三品分类和七情表也就有所不同。

《证类本草》药物三品分类，虽然是沿袭《唐本草》之旧，但也并非完全相同。例如燕屎，《唐本草》列在下品，而《证类本草》改在中品；又如水蛭，《唐本草》列在中品，而《证类本草》列在下品。

宋代以后，由于《本草经集注》和《唐本草》失传，人们所能见到的只有《证类本草》，故宋代以后诸家本草摘录《本经》资料，皆从《证类本草》白字而来。

由于《证类本草》版本很多，各种版本《证类本草》也互有出入，因此各医家所据《证类本草》版本不同，所抄录《本经》的资料也不尽相同，加上传抄翻刻的舛错，以及各个医家主观的意见，就使《本经》药物三品分类越来越混乱。

例如《本草纲目》《本草品汇精要》和明清以来诸家所辑的《神农本草经》，皆是摘录《证类本草》白字而成的。试比较这些书的三品分类，发现很少有完全相同的。

这里值得一提的是《本草纲目》卷2记载的《神农本草经》目录，在这个目录中，药物三品分类变动更多，它和《本草纲目》全书中《本经》药物三品分类亦大不相同。

兹以孙本、森本、顾本3书为例，将各书药物三品类别不同者，比较如下。

（1）石胆、白青、扁青、柴胡、芎䓖、茜根、白兔藿、蓍实、木兰、发髲、牛黄、丹雄鸡、雁肪、蠡鱼、鲤鱼胆，孙本、森本列在上品，顾本列在中品。

（2）瓜蒂，孙本、森本列在上品，顾本列在下品。

（3）殷孽、孔公孽、铁、铁精、铁落、松萝、猬皮、蟹、樗鸡、蛞蝓、木虻、蜚虻、蜚蠊、䗪虫、大豆黄卷，孙本、森本列在中品，顾本列在下品。

（4）桃核仁、杏核仁、豚卵、水靳、麋脂，孙本、森本列在下品，顾本列在中品。

（5）薇衔、檗木、海蛤、文蛤，孙本列在上品，森本、顾本列在中品。

（6）五加，孙本列在上品，顾本列在中品，森本列在下品。

又如《本草纲目》、《本草品汇精要》、孙本、黄本①、王本②原与《证类本草》白字分类相近，但是它们对于《本经》药物三品分类也略有差异。

诸书药物三品分类对照见表1。

总之，按现存诸家本草，凡录有《本经》药物三品类别者，大致可以分为以下4类。

（1）《本草经集注》序录中七情表类，同此类的有《医心方》《千金方》所载的七情表。

（2）《唐本草》类，同此类的有《医心方》所载《唐本草目录》、《千金翼方》所录《唐本草》药物、森立之辑《神农本草经》、狩谷望之志辑《神农本草经》，它们的三品分类大体同《唐本草》。

---

① 黄本：清·黄奭辑《神农本草经》，清光绪十九年黄奭刊刻汉学堂丛书子史钩沉本。

② 王本：清·王闿运辑《神农本草经》，清光绪十一年成都尊经书院刻本。

(3)《证类本草》类，同此类的有《本草纲目》、《本草品汇精要》、孙星衍辑本、黄奭辑本、王闿运辑本，这些书的药物三品分类大体同《证类本草》。

(4)《本草纲目》卷2所载《本经》目录类，同此类的包括卢复辑本、顾观光辑本、姜国伊辑本，这些辑本药物三品分类，基本上同《本草纲目》卷2所载的《本经》目录。

在这4类中，第（1）类是比较原始的分类，第（2）（3）类已有所变动，以第（4）类变动最大。换句话说，《本经》药物三品分类，随着历代传抄次数的增多，而越来越混乱。盖陶弘景《本草经集注》以后，诸家本草采集前人的书，多少都带一些主观的看法并加以删改，并且唐代书籍的流传又是靠手工抄写，各人抄时所据的本子又不尽相同，加之历代传写翻刻的脱误等，很难保存书籍原来的面目，因此各家所引据《本经》资料，在药物三品分类上，就会产生混乱的现象。

表1　诸书药物三品分类对照

书名 / 三品 / 药名	《证类》	《品汇》	《纲目》	孙本
石钟乳	上	中	上	上
龙胆	上	上	中	上
白胶	上	中	中	上
白芷	中	中	上	中
龙眼	中	下	中	中
白马茎	中	上	中	中
牛角鰓	中	上	中	中
麋脂	下	中	下	下
卤咸	下	中	下	下
石灰	下	下	中	下
皂荚	下	下	中	下
伏翼	中	中	上	中

若研究《本经》药物三品分类，应以《本草经集注》所载七情表为主，如七情表中药物缺如，则依《唐本草》目录次序补之，并参考《证类本草》白字序文上、中、下三品定义准则来研究。

例如：黄芪，《证类本草》列在上品，地榆、水银、秦椒、女菀列在中品，桔梗列在下品，即应根据七情表药物三品分类，将水银、秦椒列在上品，黄芪、桔梗列在中品，地榆、女菀列在下品。

此外，《唐本草》退的姑活、别羁、淮木、屈草、翘根、石下长卿，《开宝本草》退的彼子，在《证类本草》中列在卷末有名无用类，没有注明三品类别。孙本、顾本、森本对此等药所标注的品类，各不相同。

三书药物品类对照见表2。

表2　三书药物品类对照

三品 / 书名 / 药名	孙本	顾本	森木
姑活	上	下	下
别羁	上	下	下
淮木	上	下	下
屈草	上	下	下
翘根	中	中	下
石下长卿	—	下	下
彼子	下	中	下

森本对上述7味药全作下品；孙本缺石下长卿，将翘根列为中品，彼子列为下品，其余皆列为上品；顾本将翘根、彼子列为中品，其余皆列为下品。

看孙、顾、森三家对上述7味药所定的品属，似无标准，各随自己主观意志来定。如根据《证类本草》白字序文上、中、下三品的定义，则姑活、屈草、翘根3味药条文中均有“久服轻身，益气耐老”等语，符合序文上品定义，应列为上品；别羁、石下长卿、彼子条文中有“治寒热邪气，愈疾”等语，符合序文下品定义，应列入下品；淮木条文中有“治伤中虚羸”等语，符合序文中品定义，应列入中品。

（二十五）《证类本草》白字《本经》药物合并分条的讨论

《证类本草》白字序文云：“上药一百二十种……中药一百二十种……下药一百二十五种。”合共365种。

但《证类本草》各卷所记《神农本草经》药物为玉石上18种、中16种、下

12 种，草上 38 + 34 种、草中 32 + 14 种、草下 30 + 18 种，木上 19 种、木中 17 种、木下 18 种，人 1 种，兽上 6 种、兽中 7 种、兽下 4 种，禽 5 种，虫上 10 种、虫中 16 种、虫下 18 种，果 9 种，米上 3 种、米中 2 种、米下 1 种，菜上 5 种、菜中 5 种、菜下 2 种，唐退 6 种，宋退 1 种，共计 367 种。为什么多出 2 种？这是《本经》药物存在合并和分条的缘故。

《证类本草》卷 5“锡铜镜鼻”条，陶隐居注云：“此物与胡粉异类，而今共条。”按：胡粉即粉锡。陶弘景注“粉锡”条云：“即今化铅所作胡粉也。”据此可知，陶弘景作《本草经集注》时把锡铜镜鼻和粉锡并为一条。

《证类本草》卷 20“文蛤”条，陶注云：“海蛤至滑泽……文蛤小……此既异类而同条……凡有四物如此。”

《证类本草》卷 25“赤小豆”条，陶注云：“大、小豆共条，犹如葱、薤义也。”

《证类本草》卷 28“薤”条，陶注云：“葱、薤异物，而今共条。”

今本《证类本草》对锡铜镜鼻、粉锡、海蛤、文蛤、大豆、赤小豆、葱、薤，作 8 味药计算，按陶弘景所注，这些药在《本草经集注》中是作 4 味药计算的。

不独陶弘景《本草经集注》言明《本经》药物有合并和分条，后世本草也有类似的情况。如《本草纲目》和明清以来国内外诸家所辑《神农本草经》亦存在合并与分条的问题。

《本草纲目》卷 1 上，“采集诸家本草药品总数”标题下云：“《神农本草经》三百四十七种，除并入一十八种外……”这是说《本草纲目》全书载药 1892 种，采自《神农本草经》347 种，其余 18 种《本经》药，或与《本草纲目》中某些药有重复关系，而被归并了。兹将《本草纲目》中归并的《本经》药，列举如下。

（1）锡铜镜鼻附在“古镜”条后。按：古镜是《本草纲目》采自陈藏器《本草拾遗》的药，时珍以古镜为正名，以锡铜镜鼻为子目，分别作 2 条述之。

（2）肤青，《本草纲目》列在“白青”条附录下。并改注肤青为《别录》文。按：肤青，《证类本草》作白字《本经》文。

（3）大盐并在“食盐”条下。按：食盐是《别录》药，非《本经》药。

（4）玉泉并在“玉”条下，《本草纲目》注玉为《别录》上品。

（5）石下长卿并入“徐长卿”条。

（6）翘根并入“连翘”条。

（7）蜀漆并在“常山”条下，以常山为正目，以蜀漆为子目，分别作 2 条述之。

（8）药实根，《本草纲目》列在“解毒子”条附录中，并改名为海药实根。

（9）蒲黄并在“香蒲”条下，以香蒲为正目，以蒲黄为子目，分别作 2 条述之。

（10）青、赤、黄、白、黑、紫六芝，并在“芝”条中。

（11）瓜蒂并在“甜瓜”条中。按：甜瓜，《本草纲目》采自《嘉祐本草》。

（12）天鼠屎并在“伏翼”条下，以伏翼为正名，以天鼠屎为子目，分别作 2 条述之。

（13）白胶、鹿茸皆并在“鹿”条下。

从上述例子来看，《本草纲目》对《本经》药，也有合并的做法，如翘根与连翘，石下长卿与徐长卿，香蒲与蒲黄，蜀漆与常山，天鼠屎与伏翼，鹿茸与白胶，青、赤、黄、白、黑、紫六芝等。

不过这里要说明一点，就是《本草纲目》对《本经》药物归并，不局限在《本经》药物之间相互归并，同时也归并在非《本经》药物中。如锡铜镜鼻并在“古镜”条下，大盐并在“食盐”条下，瓜蒂并在“甜瓜”条下。像古镜、食盐、甜瓜皆非《本经》药物，所以《本草纲目》归并 18 种《本经》药，并不意味着重复 18 种。但是日本久保田晴光《汉药研究纲要》云：“《神农本草经》……载药品三百六十五种，其中除重复者十八种外，得三百四十七种。”因此就产生《神农本草经》重复 18 种药的误传。

各种辑本《神农本草经》亦对《本经》药物进行合并和分条。

孙星衍、孙冯翼合辑《神农本草经》和黄奭辑《神农本草经》将六芝（青、赤、黄、白、黑、紫）并为 1 条，赤小豆、大豆黄卷并为 1 条，葱、薤并为 1 条，大盐、卤咸并在戎盐下，粉锡、锡铜镜鼻并为 1 条，铁、铁精、铁落并为 1 条，名铁精落。

森立之辑《神农本草经》将铁、铁精、铁落并为 1 条，粉锡、锡铜镜鼻并为 1 条，戎盐、大盐、卤咸并为 1 条，葱、薤并为 1 条，文蛤并入海蛤，牛角鰓并入牛黄（按《唐本草》注云：其胆《本经》附出“牛黄”条中……今拔出随例在此），鼠李并入郁核，鼺鼠并入六畜毛蹄甲（按陶弘景注云：今亦在副品限也）。

王闿运辑的《神农本草经》，并大盐、戎盐为 1 条，粉锡、锡铜镜鼻为 1 条，将殷孽并入孔公孽，蘼芜并入芎劳，青蘘并入胡麻。

顾观光辑的《神农本草经》和卢复辑的《神农本草经》是用《本草纲目》卷 2 所载的《本经》目录。该目录把青蘘并入胡麻，赤小豆并入大豆黄卷。青、赤、黄、白、黑、紫芝作 6 条计算。

由于《本经》药物一直存在合并与分条的问题，因此《本经》365 种具体药物的名称就很难确定了，例如青、赤、黄、白、黑、紫六芝，原来究竟是作 1 条计算，还是作 6 条计算？按敦煌出土的《本草经集注》（1955 年群联版影印本）第 83 页 2 行云："草上六芝，署预为之使……"似六芝是作 1 条计算的。

但《证类本草》的六芝是作 6 条计算的，森立之、顾观光等的辑本亦作 6 条计算。可孙星衍、孙冯翼的合辑本又作 1 条计算。

此外，如铁、铁精、铁落，大盐、戎盐、卤咸，粉锡、锡铜镜鼻，殷孽、孔公孽，海蛤、文蛤，牛黄、牛角鰓，鼺鼠、六畜毛蹄甲，鼠李、郁核，葱、薤，蘼芜、芎䓖，胡麻、青蘘，大豆黄卷、赤小豆等，在各种辑本中，随着作者主观意志合并或分条，皆各不相同。

按：陶弘景作《本草经集注》时，仅言海蛤与文蛤，粉锡与锡铜镜鼻，大、小豆，葱与薤等共条，其他各药并未注明共条，而各种辑本增加这么多的共条药物，其结果是使《本经》药物总数难以符合 365 种了。

（二十六）《证类本草》白字《本经》药物总数的讨论

《证类本草》卷 1 白字序文云："上药一百二十种……中药一百二十种……下药一百二十五种。"合共 365 种。

但《证类本草》各卷所记《神农本草经》药物为玉石上 18 种、中 16 种、下 12 种，草上 38 +34 种、中 32 + 14 种、下 30 + 18 种，木上 19 种、中 17 种、下 18 种，人 1 种，兽上 6 种、中 7 种、下 4 种，禽 5 种，虫上 10 种、中 16 种、下 18 种，果 9 种，米上 3 种、中 2 种、下 1 种，菜上 5 种、中 5 种、下 2 种，唐退 6 种，宋退 1 种。共计 367 种。

《证类本草》所载《唐本草》注亦说是 367 种。如《证类本草》卷 1"梁·陶隐居序"中所引《唐本草》注云："三百六十一种本经。"同书卷 30"唐本退"注云："六种神农本经。"361 加 6 为 367 种。

为什么会多出 2 种呢？这是《本经》药被后世本草合并和分条的缘故。

陶弘景作《本草经集注》时，所选 365 种药名，其中有 4 个药名，是由 2 个药合并组成的。这可从《证类本草》陶隐居注文中证实。

《证类本草》卷 5"锡铜镜鼻"条，陶注（即陶隐居注，下同）云："此物与胡粉（粉锡）异类，而今共条。"同书卷 25"赤小豆"条，陶注云："大、小豆共条，犹如葱、薤义也。"同书卷 28"薤"条，陶注云："葱、薤异物，而今共条。"

同书卷20“文蛤”条，陶注云：“此既异类而同条，若别之，则数多，今以为附见，而在副品限也。凡有四物如此。”

从陶注可以看出，陶弘景作《本草经集注》时，所选用的365种《本经》药，其中有4味，赤小豆、文蛤、锡铜镜鼻、薤，分别并在了其他药物中。但是到唐代苏敬作《唐本草》时，又把其中归并的药拆开了，此外《唐本草》还对其他药进行了归并。这是如何知道的呢？可从《证类本草》某些注文及《唐本草》药物目录了解之。

《证类本草》卷25“赤小豆”条，《本草图经》曰：“赤小豆，旧与大豆同条，苏恭（即苏敬）分之。”

文中“旧”字，是指什么书呢？按：苏敬的《唐本草》是在陶弘景《本草经集注》基础上编纂而成的。所以这个“旧”字，即指《本草经集注》。《本草经集注》是大、小豆共条的。苏敬修《唐本草》时，把赤小豆从“大豆”条中分出。

现存卷子本《唐本草》卷19，把大豆和赤小豆分立为2条。同书卷5，把粉锡和锡铜镜鼻分立为2条。同书卷18，把葱实、薤分立为2条，并在“薤”条下注云：“谨按，薤乃是韭类，今云同类，不识所以然……今别显于此。”从《唐本草》注可知，“薤”条是从《本草经集注》“葱实”条中分出的。

《证类本草》海蛤、文蛤属虫鱼部。由于《唐本草》已佚，我们可从《医心方》卷1所载《唐本草》目录来研究。《医心方》载有《唐本草》卷16虫鱼类目录，其中海蛤、文蛤亦是分立2条。由此可见，陶弘景所归并的药，到《唐本草》时，苏敬均拆开了。当赤小豆、锡铜镜鼻、文蛤、薤被拆出独立成条，这就使《本经》药物总数在《唐本草》书中变多了，由365种加上4种，变为369种。

前面《唐本草》注讲过，《唐本草》收载《本经》药数是367种。比369种药少2种。

为什么会少2种呢？这是《唐本草》对另一些药进行合并的结果。

例如卷子本《唐本草》卷19“麻蕡”条，《唐本草》注云：“蕡，即麻实，非花也。陶以为花，重出子条，误矣。”《唐本草》注所云“重出子条”，意味着麻子在陶氏《本草经集注》中，是单独立为1条的。《证类本草》卷1诸病主治药，在“发秃落”和“虚劳”两病名下，均有“麻子”药名，说明麻子在古代是单独作一味药来用的。苏敬认为麻子和麻蕡是同物异名，所以苏敬作《唐本草》时，把麻子并入“麻蕡”条中，使原来2条就变成1条了。

另外一种情况，可能是《本经》《别录》标记有误。《唐本草》对《本经》药以朱字标记，对《别录》药以墨字标记。由于传抄的舛错，朱墨标记也会发生错误。宋代在编纂《开宝本草》时，所搜罗到的《唐本草》各种抄本，其朱墨杂书都不相同，所以《开宝重定序》云：“朱字、墨字，无本得同。”宋代本草用白字标记《本经》，用黑字标记《别录》。在现存各种版本的《证类本草》中，《本经》药的标记亦有不同，如人卫影印本《政和本草》卷3“曾青”条即无白字标记；商务影印本《政和本草》卷6菖蒲、龙胆、白英，卷16麝香，卷17鹿茸，卷30姑活等条，均无白字标记。由此可见，《本经》药亦可因标记混乱或脱漏，而误为《别录》药。

例如升麻，就因为标记的舛错，而难以确定是《本经》药，还是《别录》药。在《太平御览》、《本草纲目》正文部分、孙星衍辑《神农本草经》、森立之辑《神农本草经》及叶天士《本草经解》中，升麻均被视为《本经》药。但《本草纲目》卷2所载《本经》目录、卢复辑《神农本草经》、顾观光辑《神农本草经》皆不收升麻为《本经》药。《证类本草》“升麻”条无白字标记，但是同书卷1诸病主治药“口疮”病名下，有“升麻”又作白字《本经》药。

由于《唐本草》把麻子并入麻蕡中，同时因《本经》药标记发生舛错，使升麻变成非《本经》药。这样就使《唐本草》所载《本经》药少2个，使《本经》药物总数由369种变成367种。

宋代《开宝本草》《嘉祐本草》《证类本草》都是在《唐本草》基础上发展来的，所以宋代本草有关《本经》药的记载，都是承袭《唐本草》的记载。今日《证类本草》所载《本经》药，经统计也是367种。在这367种药物里，锡铜镜鼻、文蛤、薤、赤小豆分别独立成条。如果把锡铜镜鼻附在“粉锡”条内，文蛤附在“海蛤”条内，薤附在“葱实”条内，赤小豆附在“大豆黄卷”条内，其药物总数即变成363种。再把《证类本草》卷24“麻蕡”条内的麻子拆出，又确认升麻为《本经》药，则《本经》药物总数，即由363种加上升麻和麻子2种，变成365种。

（二十七）《证类本草》白字《本经》药365种之数是陶弘景定的

《证类本草》卷1序例上载有上药120种，中药120种，下药125种，三品合365种。这个数字是陶弘景所定。

按：《证类本草》向上推溯源于《嘉祐本草》，《嘉祐本草》源于《开宝本草》，《开宝本草》源于《新修本草》，《新修本草》源于陶弘景《本草经集注》。敦煌出土《本草经集注·序录》（1955 年群联影印本）第 5 页所载内容与《证类本草》所载“梁·陶隐居序”相同。

陶弘景作《本草经集注》，是将当时流行的多种《本草经》综合整理而成，用陶氏话来讲，是“苞综诸经”而成。

敦煌本《本草经集注·序录》第 3 页云：“文籍焚糜，千不遗一，今之所存，有此四卷，是其《本经》……魏晋以来，吴普、李当之等更复损益。或五百九十五，或四百四十一，或三百一十九。”

由此得知大量古书被焚，《本经》所存只有 4 卷本，自魏晋以来，经过吴普、李当之增修，又出现一些增修本。按：其收载药数不同，或载药 595 种，或 441 种，或 319 种。事实上，可能要多些，因《隋书·经籍志》和南朝梁·阮孝绪《七录》所载《神农本草》有 6 种，《本草经》有 9 种。

在上述陶弘景《本草经集注·序录》所载 595、441、319 三种数目中，其中载药 441 种的本子，即是华佗弟子吴普修订的《神农本草经》。《证类本草》卷 1 序例中载有掌禹锡“补注所引书传”云：“普，华佗弟子，修《神农本草》成四百四十一种。”

其中载药 319 种，应是 369 种之误；而载药 369 种的本子，可能是陶弘景作《本草经集注》时所用的蓝本。因为陶弘景的序中云：“以神农本经三品合三百六十五为主。”这个 365 种，是由 369 种归并 4 种产生的。今将归并的例证，列举如下。在《证类本草》卷 20，有文蛤归并在“海蛤”条内。陶氏并注云：“此既异类而同条，若别之，则数多，今以为附见，而在副品限也。凡有四物如此。”在《证类本草》卷 28“薤”条，陶隐居注云：“葱，薤异物，而今共条。”《证类本草》卷 25“赤小豆”条，陶隐居注云：“大、小豆共条，犹如葱、薤义也。”《证类本草》卷 5“锡铜镜鼻”条，陶注云：“此物与胡粉（粉锡）异类，而今共条。”从陶隐居注文来看，《神农本草经》365 味药中，有 4 味药是归并的。如果把这 4 味被归并的药拆开，则《神农本草经》药数不是 365 种，而是 369 种，陶弘景以载药 369 种的本子为蓝本，归并其中 4 味，使药物总数成为 365 种。后来 365 种药数就成为《本经》的药物总数。

后世各家名医对《本草经》增录的药物，不仅多寡不同，而且在内容上也不相同。例如“梁·陶隐居序”云：“或三品混糅，冷热舛错，草石不分，虫兽无辨，且所主治，互有得失，医家不能备见，则识智有浅深，今辄苞综诸经，研括烦省……”

从这段序文中，可以了解陶弘景所见的多种《神农本草经》，在三品类别上各不相同；在性味上也各不相同；在药物分类上草石不分，虫兽不辨；在主治上互有得失。这些不同的《神农本草经》本子，医家不能全部见到，所以陶氏把这些《神农本草经》（简称为诸经）综合起来进行总结，著成《本草经集注》。所以说，陶弘景作《本草经集注》是参考多种《神农本草经》而成的，用“梁·陶隐居序”中话来讲，即“苞综诸经，研括烦省”。

陶弘景《本草经集注》的“本经药”是365种。这365种“本经药”通过历代本草被保存在《证类本草》中，所以《证类本草》的365种“本经药”也是陶弘景所定。

“梁·陶隐居序”云：“三品合三百六十五种，法三百六十五度，一度应一日，以成一岁。”（《证类本草》30页）

陶弘景为何把《神农本草经》药物总数，与一年365天的数字联系在一起呢？这与陶弘景的道家思想有关，陶弘景好道术，精通天文、历法、地理、医药，曾把道教经典系统化，著成《真诰》；同时还总结魏晋南北朝药物学，著成《本草经集注》。《本草经集注》中有很多内容是与道家相关的，由此可知陶弘景将一年365日的数字记为《本经》药物总数是很自然的事。

（二十八）诸家辑本《神农本草经》皆出于《证类本草》白字

《神农本草经》原书早已失传，但是它的内容通过陶弘景《本草经集注》、苏敬《新修本草》、马志等《开宝本草》、掌禹锡《嘉祐本草》等被保存在唐慎微《证类本草》中。最早辑《神农本草经》的是宋代王炎，可惜该辑本没有传下来，仅有一序留存于王氏《双溪文集》中。现存的辑本有9家（共25种版本），兹列举如下。

（1）卢复《神农本草经》（简称卢本），不分卷，成书于1616年，1种抄本，2种刊本。

（2）孙星衍、孙冯翼合辑《神农本草经》（简称孙本）3卷，成书于1799年，1种抄本，7种刊本。

（3）顾观光《神农本草经》（简称顾本）4卷，成书于1844年，4种刊本。

（4）王闿运《神农本草经》（简称王本）3卷，附本说1卷，成书于1885年，1种刊本。

（5）姜国伊《神农本草经》（简称姜本）1 卷，成书于 1892 年，1 种刊本。

（6）黄奭《神农本草经》（简称黄本）3 卷，成书于 1893 年，3 种刊本。

（7）林屋洞仙九芝《神农本草经摘读》（简称林本）成书于 1894 年，1 种抄本。

（8）日本森立之《神农本草经》（简称森本）3 卷，附序录 1 卷，考异 1 卷，成书于 1854 年，3 种刊本。

（9）日本狩谷望之志《神农本草经》（简称狩本）3 卷，涩江籀斋订，成书于 1824 年，1 种抄本。《中医图书联合目录》将此辑本排在《神农本草经》注解一类中，从该书内容来看，亦可视为辑本之一。

以上辑本中所采录《神农本草经》药物的各个条文，都是出于宋代唐慎微《证类本草》中的黑底白字文字。

日本丹波元坚为森立之《神农本草经》作序谓：明·卢不远（指卢本的辑者）徒采之李氏《纲目》。但是卢本辑文与《证类本草》的白字相同，和《纲目》所引《本经》文并不相同，唯书中药物目次与《纲目》所载目录相同。可见卢本的资料是出于《证类本草》，并非出于李氏《纲目》。其实《纲目》所引的《本经》文，也是出于《证类本草》中的白字。

《证类本草》白字的《本经》文，最早始于陶弘景《本草经集注》中的朱字，经过《新修本草》《开宝本草》《嘉祐本草》而被保存在《证类本草》中。现存各种辑本《神农本草经》的内容基本上是相同的，所不同的有 4 点，列举如下。

1. 所用目录不同

卢本、顾本、姜本是采用《纲目》卷 2 所载的《神农本草经》目录编排的；孙本、黄本、王本是按《证类本草》药物目次编排的；森本是按《千金方》《医心方》所载七情药物目次和《新修本草》目录编排的。

2. 药物三品类别不同

由于各辑本所用的目录不同，因此在药物三品类别方面也各不相同。《纲目》全书中所载《本经》药物品属和卷 2 所载《本经》目录药物三品类别相差很大，却和《证类本草》白字《本经》药物品类大体相同。而各种辑本中卢本、顾本、姜本药物三品类别和《纲目》卷 2 所载《本经》目录一致（以顾本为代表）；孙本、黄本、王本药物三品类别和《证类本草》一致（以孙本为代表）；森本药物三品类别和《新修本草》目录一致。兹用顾本、孙本、森本为代表，将其中药物三品分歧之处列举如下。

(1) 孙本、森本列为上品，而顾本列为中品的药物有：白青、扁青、石胆、芎劳、柴胡、茜根、蓍实、木兰、白兔藿、发髲、牛黄、雁肪、丹雄鸡、蠡鱼、鲤鱼胆。

(2) 孙本、森本列为上品，顾本列为下品的药物有：瓜蒂。

(3) 孙本、森本列为下品，顾本列为中品的药物有：豚卵、麋脂、桃核仁、杏核仁、水靳。

(4) 孙本、森本列为中品，顾本列为下品的药物有：殷孽、孔公孽、铁、铁精、铁落、松萝、猬皮、蟹、樗鸡、蛞蝓、大豆黄卷等。

(5) 孙本列为上品，而森本、顾本列为中品的药物有：薇衔、檗木、海蛤、文蛤。

(6) 孙本列为中品，森本、顾本列为下品的药物有：燕屎。

(7) 孙本列为上品，顾本列为中品，森本列为下品的药物有：五加。

总的来说，孙本、森本两书药物三品类别差异较小，但和顾本的差异较大。

3. 书写体例不同

各种辑本条文书写体例，大体分为两类：一是按《证类本草》白字格式书写，一是按《太平御览》所引《神农本草经》的文字格式书写。

在上述 9 种辑本中，除森本是按《太平御览》的格式书写外，国内各种辑本都是按《证类本草》格式书写的。

4. 选订《神农本草经》药物品种不同

孙本、黄本以黍米、粟米、升麻为《本经》药物（按：此 3 味药在《证类本草》中为《别录》药）。除森本以升麻为《本经》药外，其他各种辑本皆不取此 3 味药为《本经》药。又孙本缺石下长卿，王本缺蠮螉、水蛭。

5. 各种辑本对《本经》药物进行合并、分条不同

卢本、顾本把青蘘并入“胡麻”条下，赤小豆并入“大豆黄卷”条下。

孙本、黄本并六芝（青、赤、黄、白、黑、紫）为 1 条，赤小豆、大豆黄卷为 1 条，葱、薤为 1 条，戎盐、大盐、卤咸为 1 条，粉锡、锡铜镜鼻为 1 条，铁、铁精、铁落为 1 条。

森本将铁、铁精、铁落并为 1 条，粉锡、锡铜镜鼻并为 1 条，戎盐、大盐、卤咸并为 1 条，赤小豆、大豆黄卷并为 1 条，葱、薤并为 1 条，又将文蛤并入海蛤，

牛角鳃并入牛黄，鼠李并入郁核，鼺鼠并入六畜毛蹄甲。

王本把大盐并入戎盐下，锡铜镜鼻并入粉锡下，殷孽并入孔公孽下，蘼芜并入芎䓖下，青蘘并入胡麻下。

各种辑本对《本经》药物合并、分条或对某些药物取舍的选择不同，带来了各辑本药物总数争论的问题。单就“灵芝”而言，孙本、黄本当作1条计算，而卢本、顾本、森本当作6条计算。因而各辑本出现了药物总数的不同，卢本、顾本、姜本的药物总数是365种，孙本、黄本、森本为357种，王本则是360种。

1949年以来刊印的《神农本草经》有3种：1955年人卫影印的顾本、商务印书馆重印的孙本和1957年群联出版社影印的森本。

（二十九）《证类本草》白字和单行本《本草经》文都是陶弘景整理的

《神农本草经》原书早已失传，但它的内容通过陶弘景《本草经集注》、苏敬《新修本草》、马志等《开宝本草》、掌禹锡《嘉祐本草》等被保存在唐慎微《证类本草》中。现在所能见到的各种《神农本草经》的单行本，都是明清以来国内学者或日本学者从《证类本草》白字中辑的。

最早辑《神农本草经》的是宋代王炎，但王炎的辑本没有传下来，仅有一序存在王氏《双溪文集》中。

现存《神农本草经》辑本按龙伯坚《现存本草书录》记载，国内辑本有6家，日本辑本有2家，计有8家。《中医图书联合目录》第70页尚载有抄本《神农本草经摘读》，原题林屋洞仙九芝辑，合共有9家辑本。兹将9家辑本书名列举如下。

（1）卢复《神农本草经》（简称卢本），不分卷，成书于1616年，1种抄本，2种刊本。

（2）孙星衍、孙冯翼合辑《神农本草经》（简称孙本）3卷，成书于1799年，1种抄本，7种刊本。

（3）顾观光《神农本草经》（简称顾本），成书于1844年，4种刊本。

（4）王闿运《神农本草经》（简称王本）3卷，附本说1卷，成书于1885年，1种刊本。

（5）姜国伊《神农本草经》（简称姜本）1卷，成书于1892年，1种刊本。

（6）黄奭《神农本草经》（简称黄本）3卷，成书于1893年，3种刊本。

（7）林屋洞仙九芝《神农本草经摘读》（简称林本）成书于1894年，1种抄本。

（8）日本森立之《神农本草经》（简称森本）3 卷，附序录 1 卷，考异 1 卷，成书于 1854 年，3 种刊本。

（9）日本狩谷望之志《神农本草经》（简称狩本）3 卷，涩江籀斋订，成书于 1824 年，1 种抄本。《中医图书联合目录》将此辑本排在《神农本草经》注解一类中，从该书内容来看，亦可视为辑本之一。

综上所述，现存的辑本有 9 家，25 种版本。还有些辑本，归于本草经注一类书中，此处从略。

这些辑本中所收录的《神农本草经》各个药物的条文，都是出于宋代唐慎微《证类本草》中黑底白字的文字。

日本丹波元坚为森立之《神农本草经》作的序，谓明·卢不远（指卢本辑者）徒采之李氏《纲目》。但是卢不远辑本与《证类本草》的白字相同，和《纲目》所引《本经》文并不相同，唯书中药物目次与《纲目》卷 2 所载目录相同。由此可见，卢本的资料也是出于《证类本草》，并非如丹波元坚所说出于李氏《纲目》。其实《纲目》所引的《本经》文，也是源于《证类本草》中的白字。

《证类本草》白字《本经》文的来源，向上追溯始于陶弘景《本草经集注》中的朱字，后经唐代苏敬《新修本草》、宋代马志等《开宝本草》、宋代掌禹锡《嘉祐本草》而被保存在唐慎微的《证类本草》中。

明清以来，国内外各家所辑的《神农本草经》，其资料来源皆出于《证类本草》白字。换句话说，现存各种辑本《神农本草经》资料，皆出于陶弘景《本草经集注》朱字。

各种类书及其他诸书所引的《神农本草经》，其中有不少内容是出于陶弘景以前流行的各种《神农本草经》。这些《神农本草经》虽然亡佚，但它们的书名还存在于《隋书·经籍志》中。

《隋书·经籍志》所载本草有 55 种。题“神农本草”的有 6 种，题“本草经”的有 9 种。

《神农本草经》3 卷　　无名氏

《神农本草》5 卷　　无名氏

《神农本草》8 卷　　无名氏

《神农本草属物》2 卷　　无名氏

《神农采药经》2 卷　　无名氏

《神农本草》4 卷　　雷公集注
《本草经钞》1 卷　　谈道术撰
《本草经》4 卷　　蔡英撰
《本草经》3 卷　　王季璞撰
《本草经》1 卷　　赵赞撰
《本草经》1 卷　　李当之撰
《本草经略》1 卷　　无名氏
《本草经轻行》1 卷　　无名氏
《本草经利用》1 卷　　无名氏
《本草经类用》3 卷　　无名氏

由于《本草经》同名异书很多，各家引用《本草经》资料所依据的《本草经》蓝本不同，所录的内容当然也就不同。那么要问诸书所引《本草经》资料为什么不及《证类本草》白字内容丰富而完备呢？这可能与陶弘景总结当时各种《本草经》内容有关。何以见得《证类本草》白字是经过陶弘景总结的呢？我们可从以下几个方面来探讨。

1. 从陶弘景《本草经集注》序录“苞综诸经”测知

陶氏在序中说道：“魏晋已来，吴普、李当之等更复损益。或五百九十五，或四百四十一，或三百一十九，或三品混糅，冷热舛错，草石不分，虫兽无辨；且所主治，互有得失，医家不能备见……今辄苞综诸经，研括烦省，以《神农本经》三品合三百六十五为主……”

从这段序文中，可以看出陶弘景所见《神农本草经》至少有 3 种，且这 3 种《神农本草经》在收载药物数目上各不相同，或 595，或 441，或 319。在药物分类上也很混乱，在药物主治功用上亦互有得失。陶弘景把各种《神农本草经》加以综合整理，用陶氏的话就是“苞综诸经，研括烦省”，这就告诉大家，今日《证类本草》白字《本经》文，是由陶弘景综合多种《神农本草经》而成的。

当时各种《神农本草经》在内容上各有多寡，主治上又互有得失，经陶弘景整理，就成了一种比较完备的本子。因此，陶氏书问世后，原有各种《神农本草经》的本子，大多数就被淘汰了。所以历代类书中援引原始《神农本草经》的条文都很简单，皆不及《证类本草》中白字的内容丰富而完备。

2. 从陶弘景注文中引用的两个生姜资料测知

《新修本草》卷 18“韭”条，陶注云：“生姜是常食物，其已随干姜在中品，今依次入食，更别须之，而复有小异处，所以弥宜书。生姜微温，辛，归五脏，去痰下气。止呕吐，除风邪寒热。久服小志少智，伤心气。如此则不可多食长御，有病者是所宜也耳。今人啖谓辛辣物，唯此最恒，故《论语》云：不撤姜食。言可常啖，但勿过多耳。”

但《证类本草》卷28“韭”条中，陶隐居注无此文。《证类本草》将此文并在卷8“生姜”条下，其正文曰：“生姜，味辛，微温。主伤寒头痛鼻塞，咳逆上气，止呕吐。久服去臭气，通神明。生犍为川谷及荆州、扬州，九月采。”

把两处生姜的条文比较一下，可见并不完全相同。

陶弘景在“韭”条中所引生姜条文有“归五脏，去痰下气，久服小志少智，伤心气”。在“干姜”条下所引生姜条文有产地和采造时月及“久服去臭气，通神明”。

这两处生姜条文当是陶弘景从不同的《本草经》中摘录来的，没有综合在一起，所以这两处生姜的条文不同，正好揭示了陶弘景曾参阅多种《本草经》。

3. 从《证类本草》白字所言《神农本草经》药数为365种探知

《证类本草》白字序文云：“上药一百二十种……中药一百二十种……下药一百二十五种……三品合三百六十五种，法三百六十五度，一度应一日，以成一岁……”这种说法显然与道家思想有密切关系。

按：《养生论》《抱朴子》《博物志》《艺文类聚》《太平御览》诸书所引《神农本草经》有关三品的资料，仅言上药、中药、下药，并无上、中品各120种，下品125种等数字，更无365种法一年365度之语。这些话仅见于陶氏《本草经集注》中，而不见于陶氏以前的书中。笔者怀疑《神农本草经》365种药数是陶氏选定的。

按《梁书·陶弘景传》所载，陶弘景读葛洪《抱朴子》，受葛氏神仙思想影响崇奉道家，对阴阳、五行、风角、星算、遁甲之说无不钻研。这些思想当然会渗入其所著本草中，所以陶氏选定《神农本草经》365种药数是根据一年365日，法365度而来的。

《证类本草》卷20“文蛤”条，陶注云：“此既异类而同条，若别之则数多，今以为附见，而在副品限也，凡有四物如此。”

从陶氏注文“若别之则数多”可知，这个365的数字似是硬凑的数。所以《新修本草》对陶氏注曾批评道：“夫天地间物，无非天地间用，岂限其数为正副耶?”（见《证类本草》416页）

4. 从药物分类探知

药书既以本草为名，当然以草类药为首，为何《证类本草》白字药物排列，以玉石为首呢？

我们来看看古代文献，其提到药物皆以“草石”名之，而“草”在前，“石”在后。例如《汉书·艺文志·方技略》云：“经方者，本草石之寒温……”这个“草石”即指药物，其意即以草为首。

按：《周礼》有“五药”的记载。东汉·郑康成注云：“五药，草、木、虫、石、谷也，其治合之齐，则存乎神农、子仪之术。”由此可推知，郑康成所见药物书是以草木为首的。

《证类本草》白字序文云：“药物……草石骨肉。”这个“草石”有药物分类的含义，即以草类药为首，而石类药次之。《太平御览》卷 984 引《神农本草经》曰：“土地所出，草石骨肉。”其“草石”含义同上。陶弘景《本草经集注》序云：“草石不分，虫兽无辨。”其“草石”含义亦同上。

从以上资料来看，讲药物以“草石”名之，并以“草”为首，但《证类本草》白字药物排列顺序，却是以玉石为首的，这显然与“草石”的含义不相合。

从陶弘景序文中“草石不分，虫兽无辨”可知，当时《神农本草经》对药物的分类是混乱的，但今日《证类本草》药物却有非常系统的分类，这种系统分类向上追溯，可以推测陶弘景对《本草经集注》药物分类大体也是如此。尽管细节有所不同，但大的分类如以玉石为首，是一致的。我们检阅 1900 年敦煌出土的《本草经集注》得知，七情畏恶药物排列次序亦是以玉石为首。《本草经集注》以玉石为首的药物分类方法，可能是陶弘景创立的。陶氏看到当时各种《神农本草经》药物分类如此混乱，即“草石不分，虫兽无辨”，才创造出《证类本草》白字药物那样的分类法。

5. 从其他文献所引《本草经》资料探知

从其他文献所引《本草经》资料不同于《证类本草》白字，亦可推知古代有很多种《本草经》的内容没有被陶弘景收入书中。

例如《山海经》卷 5 云：“条谷之山……其草多芍药、门冬。”晋·郭璞注云：“《本草经》曰‘门冬，一名满冬’。”检《证类本草》无满冬之名，是郭璞所见《神农本草经》与《证类本草》白字不同。

晋·葛洪《抱朴子·内篇》卷 11 云：“术……一名山精，故《神药经》曰

'必欲长生，常服山精'。"《证类本草》卷6"术"条白字无此文。

晋·张华《博物志·药论》引《本草经》曰："药物有大毒不可入口、鼻、耳、目者，入即杀人。一曰钩吻，二曰鸱，三曰阴命，四曰内童，五曰鸩。"除钩吻外，其余药物在《证类本草》白字中均找不出，是因张华所见《神农本草经》内容不同于《证类本草》白字。

《艺文类聚》卷88引《本草经》曰："桑根旁行出土上者名伏蛇，治心痛。"（《太平御览》卷955引文同此）

同书卷81引《本草经》曰："芍药，一名白犬，生山谷及中岳。"同书卷95引《本草经》曰："熊脂，一名熊白。味甘，微温，无毒。"

以上《艺文类聚》所引《本草经》的资料，皆不见于《证类本草》白字。

《太平御览》卷992引《本草经》曰："地肤，一名地华，一名地脉。"又引《本草经》曰："纶布，一名昆布，味酸寒，无毒。"又引《本草经》曰："败酱，似桔梗，其臭如败豆酱。"又引郭璞注《尔雅》云："《本草经》曰：毳卢，一名蠩兰。"同书卷918引《本草经》曰："丹鸡，一名载丹。"同书卷996引《本草经》曰："萱草，一名忘忧，一名宜男，一名歧女。"

陶弘景总结的《本草经》，其条文内容和药物总数与陶弘景以前的《本草经》是不相同的。

在内容上，陶弘景总结出的《本草经》没有产地，没有药物形状、形态、生态，没有七情畏恶等内容。在书写体例上，陶弘景总结出的《本草经》，其书写体例为：正名→性味→主治功用→一名→生长环境。在药物总数上，陶弘景总结出的《本草经》是365种，而实际是369种，其中赤小豆、海蛤、薤、粉锡分别并在大豆黄卷、文蛤、葱实、锡铜镜鼻等条内。

陶弘景以前的《本草经》有产地、药物性状、形态、七情畏恶等内容。

其书写体例是：正名→一名→性味→产地→形态→主治功用。在药物总数上，因本子不同而各异，或595，或441，或319。

类似此例很多。由于篇幅所限，此处从略。

由于诸书所引《本草经》资料为《证类本草》白字所没有，说明古代《本草经》本子种类很多，这些本子并没有全部被陶弘景收入书中，所以《证类本草》白字就没有这些内容。

总之，《证类本草》白字向上推溯是由陶弘景综合当时多种流行的《神农本草经》本子而成的。而明、清两代国内外学者，又将《证类本草》白字辑成了各种单行本《神农本草经》，这些单行本《神农本草经》文字，实际上是陶弘景整理的文字，并不是原本《神农本草经》的文字。

（三十）《证类本草》引“梁·陶隐居序”的考察

《本草经集注·序录》是梁·陶弘景《本草经集注》7卷本的第1卷。陶氏书在北宋时已亡佚，但其序录部分尚存。一是敦煌石室藏唐代开元年间写本（以下简称敦煌本《陶序》），一是《证类本草》卷1、卷2所引的“梁·陶隐居序”（以下简称证类本《陶序》）。

敦煌本《陶序》于1908年为日本橘瑞超所获。日本小川琢治拍摄并将其照相本赠送中国罗振玉。罗氏于1915年影印并收入《吉石盦丛书》中，题为“开元写本本草集注序录残卷敦煌石室本”。其卷末有罗振玉跋。1955年群联出版社据《吉石盦丛书》本，按原本大小重复影印。书末附有范行准跋。

关于敦煌本《陶序》原卷在何处？罗振玉跋云：“乙卯（1915）春予得影本，不知原卷今在何许？”范行准跋云：“按此残卷原本当时实藏日人橘瑞氏家。据小川琢治在《支那历史地理研究》第十章中有云：‘又从橘瑞氏处得观其从敦煌石室获归之陶弘景的《本草集注》的第一卷。’”1979年日本学术图书刊行会出版冈西为人《重辑新修本草序》云：“敦煌出土本草，日本橘瑞超师所将来，有《集注本草序录》，现藏于京都龙谷大学。罗振玉氏得影本，刊入于《吉石盦丛书》中……余幸得阅其原卷。”根据冈西为人所云，此残卷原卷现藏于日本京都龙谷大学。

将敦煌本《陶序》和证类本《陶序》加以比较，发现有很大差异。其中最大的差异是证类本《陶序》被分割成两部分。

《证类本草》卷1载《陶序》前半部分，起自序录的开头，止于合药分剂料理法则，其标题为“梁·陶隐居序”。《证类本草》卷2载《陶序》后半部分，起自诸病通用药，止于药对5条。此后半部分《陶序》，《证类本草》没有注明出自“梁·陶隐居序”。所以罗振玉和范行准各自在跋文中加以评论。

罗氏在其跋文中说：“下卷载诸病主药起，止引药对五条，亦陶居序例之下半，则不复注明为陶氏说，使不得此卷校之，几令人疑为作《证类》时之序例矣……盖作《证类》者，改窜隐居序例，攘为己有。”

范氏在其跋文中说：“在陶氏序录中夹入诸家本草的序文，这样把陶氏序录裂为两橛，此为千年来未经学者识破的一大疑案，由于此残卷的发现，才知《证类本草序例》编次的荒谬。"

罗氏指责《证类本草》作者将《陶序》攘为已有，范氏批评《证类本草》作者编次的荒谬，但其实这件事与《证类本草》作者无关。

《证类本草》作者唐慎微于北宋时期撰成《证类本草》，此时陶氏书亡佚已久，唐慎微又如何能见得到呢？唐氏既未见陶氏原书，又如何"攘为已有"呢？又如何说是编次的荒谬呢？

盖《证类本草》援引《陶序》析分两部分的事实，是沿袭前代本草而来。《证类本草》向上推溯源于《嘉祐本草》，《嘉祐本草》源于《开宝本草》，《开宝本草》源于《唐本草》，《唐本草》源于《本草经集注》。《唐本草》是在《本草经集注》基础上修纂而成的，从卷次上看，《本草经集注》是 7 卷。《唐本草》药物部分 20 卷是由《本草经集注》卷 2 到卷 7 改编而成。唐以后的《开宝本草》《嘉祐本草》《证类本草》等序例部分，皆沿袭《唐本草》序例而来。所以《证类本草》卷 1 引《陶序》上半部分，卷 2 引《陶序》下半部分，皆是沿袭《唐本草》之旧，并非《证类本草》作者唐慎微攘《陶序》为已有，也不是《证类本草》编次的荒谬。

《证类本草》卷 1 引《陶序》上半部分，卷 2 引《陶序》下半部分，那么中间夹入的诸家本草序，是谁夹入的呢？而且不同的《证类本草》修订本所夹入的诸家本草序的数目也不相同。

《大观本草》所夹入的序有 3 家，《政和本草》所夹入的序有 5 家。

《大观本草》所夹入的 3 家序：第 1 家序是"掌禹锡等谨按徐之才《药对》、孙思邈《千金方》、陈藏器《拾遗》序例"；第 2 家序是"林枢密重广本草图经序"；第 3 家序是"雷公炮炙论序"。

这 3 家序，不是同一个作者夹入。其第 1 家序，疑是《嘉祐本草》作者掌禹锡夹入的。其第 2 家序，疑是《大观本草》整理者艾晟夹入的。其第 3 家序是谁夹入的不详。

第 3 家序即"雷公炮炙论序"，此序排在"林枢密重广本草图经序"之后。从序的排列次第看，第 3 家序似是《大观本草》整理者艾晟所夹入。但从《大观本草》各卷引文来看，似是唐慎微所夹入。因唐慎微作《证类本草》时，凡由唐慎微所引的资料都冠以墨盖子"▀"。查墨盖子下引文排列次序，引"雷公炮炙论"的资料排在前，引"重广本草图经"资料排在后。

按"雷公炮炙论"资料是唐慎微所引，"重广本草图经"资料是《大观本草》整理者艾晟所引。据此可知第 3 家"雷公炮炙论序"，似是唐慎微所夹入。

《政和本草》所夹入的序有5家：第1家序同《大观本草》的第1家序；第2家序是“补注所引书传”；第3家序同《大观本草》的第2家序；第4家序同《大观本草》的第3家序；第5家序是“新添本草衍义序”。

上述5家序，第1、第3、第4家序同《大观本草》，第2、第5家序是《政和本草》新增的序。

其中第2家序“补注所引书传”，在《大观本草》作“十六家名氏义例”，并排在《大观本草》卷30。到《政和本草》把“十六家名氏义例”改名为“补注所引书传”移到卷1，成为《政和本草》夹入的第2家序。这个第2家序疑是《政和本草》整理者夹入的。其中第5家序“新添本草衍义序”，是当时《重修政和本草》整理者晦明轩主人张存惠所夹入的。

敦煌本《陶序》和证类本《陶序》除上述差异外，还有下列一些不同。因为证类本《陶序》经过《唐本草》《开宝本草》《嘉祐本草》《证类本草》的改编，产生了很多不同点，兹举例如下。

1. 证类本《陶序》有避讳字

例如敦煌本《陶序》有“惠被生民”“治病之药多佐使”“采治时月”“不可恒服”等。证类本《陶序》分别作“惠被群生”“疗病之药多佐使”“采造时月”“不可常服”。因此证类本《陶序》或沿袭《唐本草》避讳而改，或因宋代讳例而改。例如，“生民”是避唐太宗李世民讳改作“群生”；“治”字因避唐高宗李治讳改作“疗”，或改作“造”；“恒”字是避北宋真宗赵恒的讳改作“常”。

2. 证类本《陶序》有误字

例如敦煌本《陶序》有“其贵胜阮德如张茂先裴逸民皇甫士安”。此文中“裴”字，证类本《陶序》误作“辈”字。《本草纲目》据证类本《陶序》误字文加以援引，并错断为“其贵胜阮德如、张茂先辈、逸民皇甫士安”。按敦煌本《陶序》文应是4个人，即阮德如、张茂先（即《博物志》作者张华）、裴逸民（即《晋书·裴秀传》中“秀少子，字逸民”）、皇甫士安（即《针灸甲乙经》作者皇甫谧）。而《本草纲目》误断成3个人。若无敦煌本《陶序》校之，几令人疑作3个人的名字。

3. 证类本《陶序》有脱落

例如敦煌本《陶序》有“但古秤皆复，今南秤是也。晋秤始后汉末已来，分一斤为二斤耳，一两为二两耳。金银丝绵，并与药同，无轻重矣。古秤唯有仲景，而已涉今秤，若用古秤作汤，则水为殊少，故知非复秤，悉用今者尔”此75字，证类本《陶序》原脱。到《嘉祐本草》编纂时，掌禹锡以《唐本草》序录校之，发现《开宝本草》脱漏此75字，掌禹锡据《唐本草》补作注文。若无敦煌本《陶序》校之，几令人疑此75字注文出自《唐本草》文。

4. 证类本《陶序》后半部分未注明“梁·陶隐居序”的标题

若无敦煌本《陶序》校之，几令人疑《证类本草》卷2序例文为《证类本草》作者所撰。

5. 证类本《陶序》中诸病通用药的变更

有以下4种情况。

（1）将1个病名分为3个病名。例如敦煌本《陶序》中的霍乱是病名，而由霍乱引起的继发症状呕吐和转筋是“霍乱”条下的分目。但证类本《陶序》将霍乱、呕吐、转筋并列为3个病名。

（2）增加病名。例如敦煌本《陶序》“中蛊”以后，即是“解毒”。但是证类本《陶序》在“中蛊”以后，增列出汗、止汗、惊悸心气、肺痿、下气、蚀脓、女人血闭腹痛、女人血气历腰痛、女人腹坚胀9个病名，并将“解毒”2字删除。按，“解毒”2字在敦煌本《陶序》原是一个大标题，在此大标题下有若干小标题为“解毒”下的分目。证类本《陶序》删除“解毒”大标题后，即以各个分目为大标题。

（3）每个病名下所列主治药，有很多是证类本《陶序》所增加的。《嘉祐本草》增加的药冠有“臣禹锡等谨按”等字。《证类本草》增加的药，冠有墨盖子“▀”标记。

（4）药性寒热标记方法不同。敦煌本《陶序》中诸病通用药的药性，以朱墨点表示。正如敦煌本《陶序》所云：“今以朱点为热，墨点为冷，无点者是平，以省于烦注也。”此事唐·刘知几《史通·点繁》篇亦云：“昔陶隐居《本草》，药有冷热味者，朱墨点其名。”但是证类本《陶序》对药性标记是用文字说明的。正如证类本《陶序》所云：“今依《本经》《别录》，注于本条之下。”

《证类本草》用文字注明药性，是沿袭《开宝本草》改自朱墨点的文字注明。所以证类本《陶序》引有《开宝本草》“今详”注云：“《唐本》以朱点为热，墨点为冷，无点为平，多有差互，今于逐药之下，依《本经》《别录》而注焉。”

6. 证类本《陶序》中“有相制使”的差异

有相制使，或称七情畏恶例，即今日的配伍宜忌。今将其差异列举如下。

（1）有相制使药物数量的差异。敦煌本《陶序》记为："右一百四十一种有制使。"实际是200种。证类本《陶序》记为"右二百三十一种有相制使"，并注云："三十四种续添。"

（2）有相制使药物排列次序的差异。敦煌本《陶序》药物排列次序接近《唐本草》药物目次。证类本《陶序》药物排列次序接近《证类本草》中《本经》《别录》药物的目次。

（3）有相制使药物内容的差异。证类本《陶序》多数药名下增加唐及唐以后诸家本草药物有相制使的内容。

（三十一）《证类本草》"梁·陶隐居序"中"诸经"的讨论

《证类本草》卷1序例载"梁·陶隐居序"云："苞综诸经，研括烦省。"所云"诸经"，即指若干种《本草经》。究竟是几种《本草经》呢？很难肯定。从"梁·陶隐居序"来看，至少有3种。"梁·陶隐居序"云："是其《本经》。所出郡县，乃后汉时制……魏晋以来，吴普、李当之等更复损益。或五百九十五，或四百四十一，或三百一十九。"

从这段文字看，《神农本草经》经过魏晋吴普、李当之的增损，形成了3种本子，这3种本子载药数量分别为595种、441种、319种。

这3种本子，在三品类别、药性寒热、药物自然属性分类、药物主治内容多寡上，都是互有差异的。正如"梁·陶隐居序"所云："或三品混糅，冷热舛错，草石不分，虫兽无辨，且所主治，互有得失。"

在这3种本子中，其中载药441种的本子，疑即华佗弟子吴普修订的《本草经》。《证类本草》卷1载掌禹锡"补注所引书传"云："普，华佗弟子，修《神农本草》成四百四十一种。"

除上述3种本子外，还有1种本子，就是陶弘景作《本草经集注》时所依据的作为蓝本用的本子。陶氏作为蓝本用的《本草经》载药365种，与上述3种载药数量595种、441种、319种不同。"梁·陶隐居序"云："苞综诸经，研括烦省，以《神农本经》三品，合三百六十五为主。"

但从实际来看，陶弘景作《本草经集注》时用的蓝本《本草经》，所载药数并不是365种，而是369种。因为其中有4种药被归并在他药中，而使药物总数由369种变成365种。

被归并的是哪4种药呢？

（1）“海蛤”与“文蛤”并为一条。《证类本草》卷20“文蛤”条下引陶隐居云：“海蛤至滑泽……文蛤小大而有紫斑，此既异类而同条，若别之，则数多，今以为附见，而在副品限也。凡有四物如此。”

（2）“锡铜镜鼻”与“粉锡”并为一条。《证类本草》卷5有“粉锡”和“锡铜镜鼻”2条。粉锡又名胡粉。在“锡铜镜鼻”条下有陶隐居云：“此物（指锡铜镜鼻）与胡粉（即粉锡）异类，而今共条，当以其非止一药，故以附见锡品中也。”

（3）“葱实”与“薤”并为一条。《证类本草》卷28“薤”条下引陶隐居云：“葱、薤异物，而今共条。《本经》既无韭，以其同类故也，今亦取为副品种数。”

（4）“大豆”与“赤小豆”共条。《证类本草》卷25“赤小豆”条引陶隐居云：“大、小豆共条，犹如葱、薤义也。”

以上8种药归并成4条。如果这8种药不进行归并，则《神农本草经》药物总数是369种，而不是365种。

陶弘景为什么要归并呢？因为陶弘景信奉道教，他将表示一年总天数的365这个数字定为《神农本草经》药物总数。陶氏《本草经集注·序录》云：“三品合三百六十五种，法三百六十五度，一度应一日，以成一岁，倍其数，合七百三十名也。”陶氏为牵合365这个数字，把369种药中多出的4种药，归并到其他药物内，即成365种。据此推知，陶弘景作《本草经集注》所选的蓝本《本草经》，其载药数是369种，而不是365种。《新修本草》在“文蛤”条下，对陶弘景的归并曾批评道：“夫天地间物，无非天地间用，岂限其数为正副耶？”

由于《本草经》被魏晋吴普、李当之等增损，形成药物总数不同的3种本子，加上陶弘景选作蓝本用的《本草经》（载药369种），一共有4种同名异书的《本草经》。这4种同名异书的《本草经》，都是陶氏作《本草经集注》时参考用的，所以陶氏序文说：“苞综诸经。”

（三十二）《证类本草》中黑字《别录》药来源的讨论

《证类本草》向上推溯，源于《嘉祐本草》，《嘉祐本草》源于《开宝本草》，《开宝本草》源于《新修本草》，《新修本草》源于陶弘景《本草经集注》。《证类本草》中黑字《别录》药，追本求源，来源于《本草经集注》中墨字《别录》药。要研究《证类本草》中黑字《别录》药的来源，首先要了解陶弘景是如何撰写《本草经集注》的。“梁·陶隐居序”云：“是其《本经》。所出郡县，乃后汉时制，疑仲景、元化等所记……魏晋已来，吴普、李当之等更复损益。或五百九十五，或四百四十一，或三百一十九，或三品混糅，冷热舛错，草石不分，虫兽无辨，且所主治，互有得失，医家不能备见……今辄苞综诸经……以《神农本经》三品，合三百六十五为主，又进名医副品亦三百六十五，合七百三十种。”

从这段序文可知，《本经》因吴普、李当之等名医修订，形成多种《本草经》（诸经）。陶氏采用“苞综诸经”的方法，撰述《本草经集注》，兹分7点，说明如下。

1. 陶弘景苞综诸经，以最早的《本草经》为蓝本

陶弘景从多种《神农本草经》本子中，选择最早的本子作蓝本。按《隋书·经籍志》和《七录》所载，《神农本草经》有6种，《本草经》有9种，“梁·陶隐居序”也记载了3种，该3种本子所载药物的总数不同，分别为595种、441种、319种。

其中载药441种的本子，即华佗弟子吴普修订的《神农本草经》，《证类本草》卷1载掌禹锡“补注所引书传”云：“普，华佗弟子，修《神农本草》成四百四十一种。”

2. 选定本草经药物365种

陶弘景编撰《本草经集注》时，选定的《神农本草经》药物总数是365种，“梁·陶隐居序”云：“以《神农本经》三品，合三百六十五为主。”这个数字是根据一年365天来定的，并非过去有一种本子载有365种药。如果过去有载药365种的本子，那陶弘景何必在“海蛤”条下云：“此既异类而同条，若别之，则数多（即多于365种），今以为附见，而在副品限也。凡有四物如此。”所以陶弘景作《本草经集注》选定的本子，应是载药369种的本子。由于陶氏强调以一年365天为《神农本草经》药物总数，故把其中海蛤、赤小豆、粉锡、葱实等4种药归并到其他药物内，使药物总数由369种变成365种。所以陶弘景在序中说：“三品合三百六十五种，法三百六十五度，一度应一日，以成一岁。”

3. 选定名医副品365种

陶弘景作《本草经集注》，是将《本草经》名医增录的药物资料，定名为名医副品，成为《本草经集注》中墨字《别录》内容。

关于名医在《本草经》中增录的资料，可从《新唐书·于志宁传》中了解。该传云：“帝曰：‘《本草》《别录》何为而二？’对曰：‘班固唯记《黄帝内、外

经》，不载《本草》，至齐《七录》乃称之……《别录》者，魏晋以来，吴普、李当之所记，其言花叶形色，佐使相须，附经为说。'”“附经为说”即指名医在《本草经》中增录的资料。

关于名医在《本草经》中增录的资料问题，不仅在“梁·陶隐居序”和《新唐书·于志宁传》中有提到，在《证类本草》（1957年人卫影印本）和《新修本草》（1955年群联出版社影印本）所引陶隐居注文中亦有反映。兹举例如下。

《证类本草》卷3“芒消”条（黑字《别录》药），陶隐居注云：“按《神农本经》无芒消……后名医别载此说。”这说明《本草经》中原无芒硝，后来名医增录了芒硝。《新修本草》也有同样的说法。《新修本草》卷3“消石”条引“唐本注”云：“《本经》一名芒消，后人更出芒消条，谬矣。”按《新修本草》所注，芒硝是后人增录在《本经》中的。

《证类本草》卷12“桂”条，陶隐居注云：“《经》云：桂，叶如柏叶泽黑，皮黄心赤。”按陶隐居所注，“桂”条是载在《本草经》中的，否则陶隐居不会讲“《经》云”。“桂”条在《证类本草》中是黑字《别录》药，那就是说，古本《本草经》原来没有桂，后来名医在《本草经》中增录了“桂”条。陶弘景将名医增录的桂，当作副品收入《本草经集注》中，用墨字书写，即成为《别录》药。

以上的例子，都证明古代名医曾在《本草经》中增录过资料，陶弘景将增录的资料收入《本草经集注》，用墨字书写，称为“名医别录”。但这些“名医别录”内容被唐宋类书援引时，所标文献出典俱作“《本草经》曰”，而不作“《名医别录》曰”。这就提示我们唐宋类书所参看的《本草经》有名医增录的内容。由于当时《本草经》中没有标记哪些是原始文，哪些是《别录》文，所以类书援引时，统统称之为“《本草经》曰”。现举例来说明。

今日《证类本草》黑字《别录》药物，向上推溯，即《本草经集注》墨字《别录》药，被唐宋类书援引时，皆冠以“《本草经》曰”，说明此类资料是名医附经为说，增录在《本草经》中，否则类书援引不会冠以“《本草经》曰”的。

例如升麻、昆布、占斯、神护草、白粱米等条，在《证类本草》中俱作黑字《别录》药，但是《初学记》《太平御览》中援引时皆标注“《本草经》曰”，此即说明《初学记》《太平御览》所参考的，是《本草经》，不是《别录》，如果参考的是《别录》，则《初学记》援引此类资料时，应标注“《名医别录》曰”，而不应注“《本草经》曰”。由此可以得出这样的结论：陶弘景作《本草经集注》时所厘定的墨书《别录》资料，取材于多种《本草经》中名医附经为说的内容。

4. 陶弘景综合多种《本草经》药物条文

陶弘景对多种《本草经》药物条文进行了综合，这一点可从《证类本草》和《太平御览》所引的药物条文进行比较得知。

《证类本草》源于陶氏《本草经集注》，所以《证类本草》中《本经》《别录》药物条文，能反映《本草经集注》中药物条文；《太平御览》中援引"《本草经》曰"的文字，能反映《神农本草经》的文字。

把《证类本草》药物条文和《太平御览》所引"《本草经》曰"的文字进行比较，发现有很多的不同点，首先是药物条文书写格式不同。

《证类本草》药物条文书写格式为：

药物正名→性味→主治功用→药物一名→产地→生长环境→采集加工

例如，《证类本草》卷6"升麻"条文为：

升麻（正名），味甘、苦，平、微寒，无毒（性味）。主解百毒（主治功用）……一名周麻（一名）。生益州（产地）山谷（生长环境）。二月、八月采根，日干（采集加工）。

升麻条文，在《太平御览》援引时，冠以"《本草经》曰"，其书写格式为：

药物正名→药物一名→性味→生长环境→主治功用→产地。

《太平御览》卷990"升麻"条有《本草经》曰：

升麻（正名），一名周升麻（一名），味甘、辛（性味）。生山谷（生长环境）。治辟百毒（主治功用）……生益州（产地）。

不仅升麻如此，其他《别录》药如忍冬、昆布、占斯、鹳骨、石脾、石肺、神护草等，在《太平御览》中均冠以"《本草经》曰"，并按《太平御览》格式书写；在《证类本草》中，俱作黑字《别录》药，并按《证类本草》格式书写。《证类本草》源于《本草经集注》，所以《证类本草》药物条文书写格式是综合多种《本草经》药物条文而成。

陶弘景对《本草经》中药物条文进行综合，除从《太平御览》书写格式不同来证实外，亦可从《新修本草》《证类本草》某些药物条文本身得到证实。

例如《新修本草》卷18"韭"条，有陶氏注云："生姜是常食物，其已随干姜在中品，今依次入食，更别显之，而复有小异处，所以弥宜书。生姜，微温，辛，归五脏，去痰下气，止呕吐，除风邪寒热。久服少志、少智，伤心气。如此则不可多食。"

《证类本草》卷8"生姜"条云："生姜，味辛，微温。主伤寒头痛鼻塞，咳逆上气，止呕吐……生犍为川谷及荆州、扬州。九月采。”

比较这2条“生姜”药物条文，大体相同，但细节不同。说明这2条“生姜”文字，来源于不同的《本草经》本子。特别是后一条文字，“生犍为川谷”，是把产地（犍为）与生长环境（川谷）合并起来书写，此与《证类本草》书写格式相同，和《太平御览》书写格式不同。

《证类本草》卷25“大麦”条云：“大麦，味咸，温、微寒，无毒。主消渴，除热，益气调中。又云：令人多热，为五谷长。”

试看“大麦”条性味，既云“温”，又云“微寒”，这是2条“大麦”文字归并所致，否则不会记载2种相反的药性。在“大麦”条末有“又云：令人多热，为五谷长”10个字，此10个字开头用“又云”，显然是参考2条“大麦”文字编写的。又如《证类本草》卷25“豉”条末有“又杀六畜胎子诸毒”。《证类本草》卷13“棘刺花”条末有“又有枣针，疗腰痛，喉痹不通”。“大麦”“豉”“棘刺花”等条文末有“又某某”，这都能说明陶弘景苞综诸经时，是从不同的《本草经》本子中将所载相同药物综合而成的。

根据上述事实来看，陶弘景作《本草经集注》，是采用“苞综诸经”的方法，将诸经中最早的《本草经》药物365种，收入《本草经集注》中，用朱字书写，定名为“《本经》药”，取诸经中名医增录的药物（即《陶序》所称“名医副品”）亦365种，收入《本草经集注》中，用墨字书写，定名为“《别录》药”。《本草经集注》的文字，通过历代本草被保存在《证类本草》中，《证类本草》白字《本经》药即来源于《本草经集注》中的朱字，黑字《别录》药即来源于《本草经集注》中的墨字。追本求源，《证类本草》中白字是陶氏整理的《本经》文；《证类本草》中的黑字《别录》文，是陶氏苞综诸经中名医增录的药物而成，并非从一本现成的《名医别录》书中摘录。如果是从一本现成的《名医别录》一书的中摘取的，那陶隐居在序中应说“苞综《本经》《别录》”，不应说“苞综诸经”。从陶隐居的序中所言“苞综诸经”来看，说明陶弘景作《本草经集注》时，只有多种《本草经》（诸经）存在，并无《名医别录》一书的存在。

（三十三）从《证类本草》探索陶弘景《名医别录》是取材于名医在“诸经”中增录的资料

《名医别录》最早见录于《隋书·经籍志》，题陶氏撰。《旧唐书·经籍志》《唐书·艺文志》亦载《名医别录》书名，但未题谁著。到宋·郑樵《通志·艺文略》才说《名医别录》“陶隐居集”。宋·王应麟《玉海》题“陶氏撰”。自此以后，言《名医别录》作者，皆从郑樵之说，题陶弘景撰。但是郑樵在他的《校雠略·书有名亡实不亡论》一文中又说：“《名医别录》虽亡，陶隐居已收入《本草》。”这句话又否定了《名医别录》是陶弘景所撰。加之《名医别录》药物中产地都是用陶弘景以前的地名，以及陶弘景在《本草经集注》中讲了很多有关《名医别录》存疑的话，因此，日本丹波元胤《中国医籍考》认为《名医别录》不是陶弘景所著。

笔者认为《名医别录》的内容资料是在陶弘景以前就有了，但《名医别录》成为一本定型的书，还是出于陶弘景之手。现在就这个问题简要论述如下。

第一，《名医别录》顾名思义，是有名的医家记录的。那么名医是在《本草经》内增录，还是在《名医别录》书中记录的呢？

从情理上讲，著书者不会用“名医别录”来命名自己的著述，只有第三者在收集名医记录的资料汇编成册时，才会用“名医别录”作为书名。根据这种情况判断，《名医别录》资料是在《本草经》内增录的，而不是在一本名为《名医别录》的书中记录的。

《本草经》有很多种本子，可从《隋书·经籍志》所记本草书名得知。《隋书·经籍志》记载本草有数十种，冠以“神农”的本草书名有10余种，单纯题《神农本草经》的有5种。《证类本草》所载“梁·陶隐居序”亦讲《本草经》有4种，它们分别载药365种、载药319种、载药441种、载药595种。这说明《本草经》在古代有多种同名异书存在。而名医们就在各种不同的《本草经》中增补了新的资料，这些名医新补的资料，被陶弘景称为“名医别录”。这可从《证类本草》所载“梁·陶隐居序”（以下简称《陶序》）中了解到。

《陶序》云：“是其《本经》。所出郡县，乃后汉时制，疑仲景、元化等所记……魏晋已来，吴普，李当之等更复损益。”序文中“更复损益”说明，张仲景、元化（华佗）、吴普、李当之等名医，在《本草经》内增录过资料。由于各家名医在《本草经》中所增录的药物数量不同，就形成了载药数量各不相同的多种《本草经》。正如《陶序》所云：“或五百九十五，或四百四十一，或三百一十九。”《陶序》又云：“且所主治，互有得失，医家不能备见。”这就指出，各种《本草经》所增录的内容也各不相同。

《陶序》又云：“今辄苞综诸经，研括烦省，以《神农本经》三品，合三百六十五为主，又进名医副品亦三百六十五，合七百三十种。精粗皆取，无复遗落。”

这段序文说明陶氏作《本草经集注》是把诸经（指多种《本草经》）苞综（即综合的意思）起来进行研究，以《本草经》原来所载365种药为主，以名医在诸经内增录365种药物为“名医副品”，加入《本草经集注》中，精粗皆取，无复遗落。这就明显地指出《本草经集注》中的别录资料是从各种《本草经》内名医增录的资料，经过“苞综诸经，研括烦省”整理而成，而不是从现成的《名医别录》一书中摘取的。如果是从《名医别录》一书中摘取的，那序中为何不提《名医别录》书名，而提“苞综诸经，研括烦省……精粗皆取，无复遗落”呢？关于名医在《本草经》内增录的药物，不仅在《陶序》中有所反映，在《证类本草》《新修本草》等书的《陶序》中，也反映了这个问题。

（1）《证类本草》卷3“芒消”条（黑字《别录》药），陶注云：“按《神农本经》无芒消……后名医别载此说。”这说明《本草经》中原无芒硝，后来名医增录了芒硝。陶弘景就把名医增录的资料，称之为“名医别录”或简称“别录”。

（2）《新修本草》卷3“消石”条《唐本》注云：“《本经》一名芒消，后人更出芒消条，谬矣。”按《新修本草》所注，芒消是后人增录在《本草经》中的。

（3）《证类本草》卷30有石肺、石脾，是黑字《别录》药。陶弘景在“芒消”条注云：“皇甫士安……取石脾为消石，以水煮之……但不知石脾复是何物？本草乃有石脾、石肺。”查《证类本草》，石脾、石肺是黑字《别录》药。

此注提到“本草乃有石脾、石肺”，但不讲“《名医别录》有石脾、石肺”，这就提示在陶氏作《本草经集注》时，没有单独一本名为《名医别录》的书存在。

（4）《证类本草》卷3“滑石”条有“生赭阳”作黑字《别录》文。陶注云：“赭阳县先属南阳，汉哀帝置，明《本经》所注郡县，必是后汉时也。”从这个注文可以看出名医在《本草经》中增加了药物产地的资料。查《证类本草》中黑字《别录》药物产地的名称，大多数是汉以前的地名，这就提示名医在《本草经》中增录资料是汉以前的事情了。

（5）名医在《本草经》中增录的资料，其内容有药物性味、主治功用、产地、采收时月、七情畏恶等内容。

例如，《证类本草》卷6“卷柏”条：《本经》云“味辛”，《别录》云“味甘”；《本经》云“温”，《别录》云“平，微寒，无毒”；《本经》云“轻身和颜色”，《别录》云“令人好容体”；《本经》云“一名万岁”，《别录》云“一名豹足，一名求股，一名交时”。

《证类本草》卷8“前胡”条有“半夏为之使，恶皂荚，畏藜芦”。陶弘景注云："前胡似茈胡……《本经》上品有茈胡而无此，晚来医乃用之，亦有畏恶，明畏恶非尽出《本经》也。"从陶氏注可知，前胡原非《本经》药，是名医增录的药，名医不仅增加前胡的条文，而且还增加前胡的畏恶。所以陶氏注云："前胡亦有畏恶，明畏恶非尽出《本经》也。"

（6）名医在《本经》中所增录的资料，由于增录的时间较早，有很多内容如主治、产地等，陶氏也弄不清楚。因此陶氏在注文中留有一些存疑的话。

例如，《证类本草》卷30"夏台"条有"主百疾，济绝气（指急救功用）"。陶氏注云："此药乃尔神奇，而不复识用，可恨也。"

《证类本草》卷28"水苏"条有"生九真（在越南）"。陶氏注云："九真辽远，亦无能访之。"类似此例很多，此处从略。

第二，陶氏《本草经集注》中《别录》药是从《本草经》内名医增录的资料采集而来的。

《陶序》云："又进名医副品亦三百六十五。"这个"名医副品"，就是《证类》中黑字《别录》药。它们是从《本草经》内名医增录的资料中采集而来的。

（1）《证类本草》卷20"石决明"条，是黑字《别录》药。人们习惯上认为《证类本草》中黑字石决明，是从《名医别录》一书中抄来的。其实不然。在陶氏作《本草经集注》时，"名医别录"是泛指《本草经》中名医增录的资料，不是指该书。所以《证类本草》中黑字石决明，不是从现成《名医别录》一书中抄录而来的，而是从《本草经》中名医增录的资料整理而成的。因为陶氏在"石决明"条下注云："此一种，本亦附见在决明条中，既是异类，今为副品也。"注中"本亦附见在决明条中"，这就是说，石决明本来就附见在《本经》药"决明子"条下。陶注中并未说石决明原出于《别录》中。这就提示"名医别录"在陶氏作《本草经集注》时尚未成为定型的书。

陶注中既说石决明本来是附在"决明子"条下，而决明子是《本经》药，石决明是《别录》药，则附见的石决明当是名医在《本经》"决明子"条下增录的，否则，《别录》的药怎么会附见在《本经》药物之中呢？名医增录时，以名近似而归类，石决明、决明子名称相近，功用相同，所以就归于一条中。而陶氏认为石决明和决明子功用虽相近，但药物品类不同，石决明属于虫鱼类，决明子属于草类。《本草经集注·序录》云"区畛物类"，就是要把药物按自然来源进行分类。决明子是植物，应放在草类；石决明是动物，应放在虫鱼类。所以陶弘景把"决明子"条中附见的石决明摘出来，作为"名医副品"。

查《证类本草》卷7“决明子”条是白字《本经》药。“决明子”条内有“石决明生豫章”6个字，说明陶氏在“区畛物类”时，还遗留石决明部分产地名称在“决明子”条中。这个事实说明《本草经集注》中黑字《别录》的药，都是从《本草经》内名医增录的药物整理而成，不是从现成的《别录》一本书中抄录来的。换句话说，《别录》在陶弘景作《本草经集注》时，尚未成为一本定型的书。

(2)《别录》药在《太平御览》中，标注有“《本草经》曰”，说明《别录》药原先是名医在《本草经》中增录的，否则《太平御览》不会标注“《本草经》曰”。

例如，升麻、昆布、占斯、神护草、白粱米等药，在《证类本草》中均作黑字《别录》药，但在《太平御览》中均标注有“《本草经》曰”，不仅《太平御览》引此类药标注“《本草经》曰”，其他类书如《初学记》援引此类药物时，也注有“《本草经》曰”。

例如，《本草御览》卷39、《初学记》卷5皆引“《本草经》曰”。“常山有草名神护，置之门上，每夜叱人。”《太平御览》卷842、《初学记》卷27亦皆引有“《本草经》”曰：“白粱，味甘，微寒，无毒，主除热益气，有襄阳竹根者最佳。”

《太平御览》《初学记》援引此类药，既标注“《本草经》曰”，说明这些药是载在《本草经》中的，否则《太平御览》《初学记》不会标注“《本草经》曰”字样。

但是这些药在《证类本草》中均作黑字《别录》药。所以《证类本草》中黑字《别录》药原先是陶氏从《本草经》中采集的。

(3)《证类本草》黑字《别录》药物，陶弘景做注解时亦称“《经》云”。说明《证类本草》黑字《别录》药，是名医在《本草经》中增录的。

例如，《证类本草》卷12“桂”条，陶注云：“《经》云：桂，叶如柏叶泽黑，皮黄心赤。”按，“桂”条在《证类本草》中既是黑字《别录》药，陶氏注文中为何不讲“《名医别录》云”，而注为“《经》云”。“《经》云”即指《本经》云。这就说明“桂”条是名医在《本草经》中增录的资料，否则陶氏不会注为“《经》云”。类似此例很多，此处从略。

第三，陶氏采集《本草经》内名医增录的资料时进行过整理，亦即《陶序》中所云“苞综诸经，研括烦省”。

(1)《别录》药物在《证类本草》中书写体例同《证类本草》，但在《太平御览》中书写体例同《太平御览》。

例如，《证类本草》卷6“升麻”条文为“升麻，味甘、苦，平、微寒，无毒。

主解百毒……一名周麻。生益州山谷。二月、八月采根，日干。”

其书写体例为：药物正名→性味→主治功用→药物一名→产地→生长环境→采集加工。

在《太平御览》卷990“升麻”条，引《本草经》曰：“升麻，一名周升麻，味甘、辛。生山谷。治辟百毒……生益州。”

其书写体例为：药物正名→药物一名→性味→生长环境→主治功用→产地。

比较升麻在《证类本草》《太平御览》两书中，书写体例各不相同。《证类本草》将药物一名列在性味、主治功用之后，并将药物产地及生长环境合并书写。《太平御览》将药物一名列在性味之前，并将产地、生长环境分开书写。

不仅升麻如此，其他《别录》药如忍冬、芋、昆布、神护草、石脾、石肺、柰、占斯、鹳骨等，在《太平御览》中均标注“《本草经》曰”，其书写体例皆按《太平御览》体例。此类药在《证类本草》中，均注为黑字《别录》，其书写体例又按《证类本草》体例。

同一个药物，在《太平御览》《证类本草》两书中，标注类别和书写体例各不相同，究其原因，就是《证类本草》黑字《别录》药，是陶氏从《本草经》内名医增录的资料，经过“苞综诸经，研括烦省”整理而成的。

（2）从《证类本草》黑字药物“生姜”条来看陶氏作《本草经集注》时“苞综诸经、研括烦省”的情况。

例如《新修本草》卷18“韭”条陶注云：“生姜是常食物，其已随干姜在中品，今依次入食，更别显之，而复有小异处，所以弥宜书。生姜，微温，辛。归五脏。去痰下气，止呕吐，除风邪寒热。久服少志、少智，伤心气，如此则不可多食。”

在此注文中“生姜……伤心气”29字是陶氏从一种《本草经》内名医增录的资料整理而成。故在条后加有陶氏自己的看法：“如此则不可多食。”

但是《证类本草》卷8“生姜”条云：“生姜，味辛，微温。主伤寒头痛鼻塞，咳逆上气，止呕吐……生犍为川谷及荆州、扬州。九月采。”此条“生姜”文字是陶氏从另一种《本草经》名医增录的资料整理而成。

比较这2条“生姜”文字，大体相同，但细节不同。说明这2个“生姜”条文来源于不同的《本草经》。特别是后一条生姜中，有“生犍为川谷”一句话，是把生姜的生长环境“生川谷”和生姜产地“生犍为”合并书写。这与《证类本草》药物条文书写体例相同。而与《太平御览》书写体例不同，证明这2条生姜文字，是经过陶氏“苞综诸经，研括烦省”整理而成的。类似此例，还有大麦、豉等。

第四，《名医别录》成书的定型。

上面主要论述《名医别录》在陶弘景作《本草经集注》前，是泛指《本草经》内名医增录的资料。待陶氏《本草经集注》完成后，陶弘景才把《本草经》内名医增录的资料汇集成《名医别录》一本书。其理由如下。

（1）前面第一、二、三的3点，基本上论证陶氏作《本草经集注》是取材于《本草经》内名医增录的资料，而不是取材于现成的《名医别录》一本书。这些论证说明了《名医别录》在陶氏作《本草经集注》时尚未成书，反过来说，《名医别录》成书是在陶氏完成《本草经集注》之后。

（2）陶氏在“苞综诸经”时，对诸经（指多种同名异书的《本草经》）中资料不可能搜罗无遗，总有遗漏，这些遗漏的资料，后来在陶氏汇集《名医别录》时，又收入《名医别录》一书中了。到唐·苏敬作《新修本草》时，苏敬以陶氏《本草经集注》为蓝本，并用《名医别录》进行核对，发现《名医别录》一书中汇集的资料比《本草经集注》中《名医别录》资料多。所以《新修本草》就把《名医别录》书内多的资料，转录在《新修本草》内相应的药物下的注文中，并冠以“《别录》云”字样。计《新修本草》援引《名医别录》共有48条。

假如《别录》在《本草经集注》前已成为一本书，那么陶氏应当全部收入《本草经集注》中，不会遗漏这么多资料不录。

（3）唐代本草援引《别录》资料在文字结构上和书写体例上悉同《证类本草》体例，而不同于《太平御览》体例。这就说明《名医别录》文字乃是出于陶弘景的手笔。

（4）唐·李珣《海药本草》所引《名医别录》共有3条，即鲛鱼皮、龙脑、珂。此3条在《证类本草》中标注“唐本先附”。说明此3条是《新修本草》采用《名医别录》一书中的记载作为新增的药。这就提示《名医别录》成书时，收载药物数量，比《本草经集注》中“名医副品”365种至少要多3种。

《名医别录》收载药数为何比“名医副品”多呢？这是因为《证类本草》中黑字药物（名医副录），是受365种数字限制的缘故。陶弘景所定“名医副品”365种数字，是依据《本草经》载药365种数字而定的。陶弘景为牵合《本草经》药物365种数字，就把名医增录多余的药物忽略不计了。

小结

《本草经》原有很多种本子，载药物数目各不相同，或595种，或441种，或319种。陶弘景以载药365种的本子为最早的本子，把其余的本子视为名医增修过的本子。陶氏把名医增修的内容，称为“名医别录”。陶弘景作《本草经集注》时，把名医增录的新药和老药新用途，大都收入《本草经集注》中，并用墨字书写。当陶弘景完成《本草经集往》后，又把多种《本草经》中名医增录的资料汇编成册，称之为《名医别录》。《名医别录》收载药数和内容，比《本草经集注》中墨字药物要多。所多的药物和内容，后又被苏敬转录在《新修本草》中。这些资料都被保存在《证类本草》中。把《证类本草》所保存的《别录》药校以《太平御览》即可发现，同一种药物，其内容相同，但条文书写体例不同、标注出典不同，《证类本草》标注“别录”，《太平御览》标注“本经”。这就提示，《证类本草》中《别录》条文是经过陶弘景整理的。而且陶弘景在序中讲明了“苞综诸经，研括烦省”“精粗皆取，无复遗落”等一些话。

《新修本草》注文所引《名医别录》48 条文字，皆不见于《本草经集注》中黑字之文，但这48 条文字在书写体例上全同《证类本草》黑字药物条文，不同于《太平御览》药物条文书写格式。

根据这些特点，我们有理由说，《名医别录》是陶弘景在完成《本草经集注》后，把多种《本草经》中名医增录的资料，经过“苞综诸经，研括烦省”整理而成的。

（三十四）从《证类本草》“梁·陶隐居序”看陶弘景对中国本草学的贡献

《证类本草》中所载“梁·陶隐居序”，即是梁·陶弘景《本草经集注》7 卷本第1 卷的序录（以下简称《集注序录》）。该书是陶弘景对梁以前药学理论进行的全面、系统总结。陶氏在《集注序录》中，首先对《神农本草经》序录做了注释，并在《神农本草经》三品分类基础上，首创药物自然属性的分类及诸药采制、合药分剂料治法、诸病主治例、解百药毒例、服药食忌例、药不宜入汤酒例、诸药有相制使例、药对岁物药品例。这些创例都是《本草经》所没有的，后世历代本草沿用这些创例，并在这些创例上进行发展。所以陶氏《集注序录》成为后世历代本草序例编写的典范。从《证类本草》所载“梁·陶隐居序”的研究，可以看出陶弘景对中国本草学的贡献是巨大的。兹分述如下。

1. 全面总结本草，使本草学系统化

陶弘景作《本草经集注》前，见到过多种同名异书的《本草经》，这些同名异书的本子，是汉、魏、晋名医在《本草经》中附经为说形成的，它们之间内容差

异很大，在药物收载数量、药物寒热、三品位置、药物属性分类、主治内容多寡上，都存在混乱现象。正如陶氏《集注序录》所云：“是其《本经》……魏晋已来，吴普、李当之等更复损益。或五百九十五，或四百四十一，或三百一十九，或三品混糅，冷热舛错，草石不分，虫兽无辨，且所主治，互有得失。”由于《本草经》存在混乱现象，故习医者、采药者及制药者无所遵循。正如陶氏《集注序录》所云：“今庸医处疗，皆耻看本草……其畏恶相反，故自寡昧，而药类违僻，分两参差，亦不以为疑脱。”又云：“采送之家，传习造作，真伪好恶，并皆莫测……螵蛸胶著桑枝，蜈蚣朱足令赤……合药之日，悉付群下。其中好药贵石，无不窃换……以此疗病，固难即效。”

陶氏深感本草的重要，而当时同名异书的《本草经》存在混乱现象。习医者不研究本草，采药者和合药者又无本草书可循，任意作弊。如此情况，怎能治好病。为此陶氏才把本草学进行了全面、系统总结，使中国本草学得以系统化。所以陶氏书，不仅是当时的本草学名著，也是后世历代本草书的典范。

2. 有承先启后的作用

从陶氏书问世，到唐代有将近160年。在这漫长的岁月中，各个药物内容都有新的进展，而且大量的新药在不断地增加。所以唐朝建立后，重新总结本草的必要性就显现了出来，于是唐朝政府开始组织医药学家编修本草。当然这种编修还是要在前代本草的基础上进行。据《隋书·经籍志》记载，当时流行的前代本草近60种。而唐代独取陶氏书为蓝本，对其他50多家本草皆不用，这就说明陶氏书在总结前代本草方面极为完备，有承先作用。又由于陶氏书对梁以前药学研究的总结相当全面，使《唐本草》必须依照陶氏书体例进行编纂，因此陶氏书又有启后作用。事实上，陶弘景《本草经集注》问世后，几乎占当时本草的首要位置。到《唐本草》编纂时，除增加114种新药及注释外，对前代本草内容及编写体例，全部沿用《本草经集注》的旧例。所以陶氏书在中国本草史上有承先启后作用。

3. 对药性论述有所发展

陶氏在《集注序录》中，除对《本草经》序例13条注释外，对药性论述也有所发展。例如，陶氏在《集注序录》中指出：“其甘苦之味可略，有毒无毒易知，惟冷热须明。”

又如三品药性，《本草经》只提上、中、下三品一些原则性的话，而陶氏更具体说：“上品药性，亦皆能遣疾，但其势力和厚，不为仓卒之效，然而岁月常服，必获大益……中品药性……祛患当速，而延龄为缓……下品药性，专主攻击，毒烈之气，倾损中和，不可常服，疾愈即止。”这些论述对《本草经》三品药性是有所发展的。

对于药物配伍，《本草经》只提君臣佐使。而陶氏认为：“凡合和之体，不必偏用之，自随人患，参而共行……大抵养命之药则多君，养性之药则多臣，疗病之药则多佐。”

对于药物用量和用法，《本草经》没有提及。而陶氏提出，用药要注意用量和用法。陶氏《集注序录》云：“又有分剂秤两，轻重多少，皆须甄别。若用得其宜，与病相会，入口必愈，身安寿延；若冷热乖衷，真假非类，分两违舛，汤丸失度，当差反剧，以至殒命。”

对于毒药用量，《本草经》只言：“先起如黍粟……不去倍之。”陶氏认为这样不够具体。药物毒性强弱，各不相同，岂能单用黍粟为例。毒性不同的药物，应用不同的容积物为例。所以《集注序录》云：“毒中又有轻重，且如狼毒、钩吻，岂同附子、芫花辈邪?”对于药性的应用，《本草经》仅言：“治寒以热药，治热以寒药。”陶氏提出，除按药性寒热外，还要注意药性偏长和病人性别、年龄、情志状态、乡土风俗习惯等因素。所以陶氏《集注序录》云：“按药性，一物兼主十余病，取其偏长为本，复应观人之虚实补泻、男女老少、苦乐荣悴、乡壤风俗，并各不同。”

4. 在编写体例上，做出很多创例，成为后世历代本草典范

如《唐本草》《开宝本草》《嘉祐本草》《证类本草》《本草纲目》等序例部分皆相继沿用陶氏《集注序录》所创的体例。所不同者，后世本草在序例分量上有所增加，而所增加的内容，都是在陶氏所创的体例上发展的。所以陶氏《集注序录》所做的创例，对后世本草起着深远的影响。

例如在诸药采制方面，陶弘景重视药材原产地，提出“诸药所生，皆的有境界”。这就开创了“地道药材”之说。对采集药材，则指出植物药大多在二月、八月采取，并提出“春宁宜早，秋宁宜晚，华、实、茎、叶，乃各随其成熟”。这些提法，都是采收植物药重要的经验。此外陶氏重视药品“真伪好恶”，提出鉴别药品方法，实为开创中药鉴定的先河。

在合药分剂料治法方面，陶氏对各种剂型制作方法及各种药物炮制方法进行了总结。例如对蜜的炼制，陶氏说：“凡用蜜，皆先火煎，掠去其沫，令色微黄，则丸经久不坏。掠之多少，随蜜精粗。”这一切，都为后世制药方法提供了宝贵的经验。

在药物分类方面，陶氏在《本草经》三品分类基础上，又创立了自然属性分类法，将药物按自然属性，分为玉石、草木、虫兽、果、菜、米食，有名无用7类，这种分类法一直被后世本草沿用。如《唐本草》《开宝本草》《嘉祐本草》《证类本草》《本草纲目》《本草纲目拾遗》等书药物分类，都是在陶氏创立的自然属性分类的基础上发展起来的。

5. 从《本草经集注》可以看出陶弘景治学态度严谨

陶弘景作《本草经集注》时，既重视文献资料，又重视民间实践经验。在文献上，陶氏书中援引过《博物志》、《桐君采药录》、《刘涓子鬼遗方》、嵇康《养性论》、商丘子《养猪经》、氾胜之《种植书》、《诗经》、《礼记》、《尔雅》、《蜀都赋》等。所引文献均注明出处。尤其是对《本草经》文，以朱书为标记，对名医在《本草经》中增录的资料，用墨字书写。《唐本草》的编纂，亦沿用陶弘景朱墨标示的方法。到宋代本草，由于雕版印刷的出现，把《本草经》文印成白字。到明代李时珍《本草纲目》对《本草经》文用文字标明之。我们今日能识别《本草经》文，都归功于陶弘景的朱书标记。

在民间实践经验上，陶氏亦收录有很多内容。正如陶氏《集注序录》所云："或田舍试验之法，或殊域异识之术。如：藕皮散血，起自庖人；牵牛逐水，近出野老；饼店蒜齑，乃是下蛇之药；路边地松，而为金疮所秘。"

此外，从《集注序录》中，还可以了解到陶弘景出自医药世家。陶氏本人精通医药学，具有救死扶伤的精神。他在《集注序录》中说："余祖世已来，务敦方药。本有《范汪方》一部，斟酌详用，多获其效，内护家门，傍及亲族。其有虚心告请者，不限贵贱，皆摩踵救之。凡所救活，数百千人。"

（三十五）《本草纲目》误《证类本草》"梁·陶隐居序"为《名医别录》序

《本草纲目》卷1上序例上（1957年人卫影印本107页）"历代诸家本草"列举42个书名。其中第2个书名为《名医别录》。在《名医别录》书名下有2个注文，一是"李时珍曰"，二是"弘景自序曰"。

关于"李时珍曰"的注文为"《神农本草》，药分三品，计三百六十五种，以应周天之数。梁陶弘景复增汉、魏以下名医所用药三百六十五种，谓之《名医别录》，凡七卷"。此注文开头51字，原是节录"梁·陶隐居序"文。"梁·陶隐居序"文并没有"谓之名医别录，凡七卷"9字，此9字是李时珍误以为"梁·陶隐居序”为《名医别录》序而添。

关于“弘景自序曰”的注文为“隐居先生，在乎茅山岩岭之上……吾去世后，可贻诸知音尔”共448字，此448字和《证类本草》卷1所载“梁·陶隐居序”开头448字完全相同。李时珍将此448字置于《名医别录》书名下，意味着他认为“梁·陶隐居序”就是《名医别录》的序，这其实是一种误解。

又《本草纲目》卷1序例上第358页有“陶隐居名医别录合药分剂法则”一个标题。在这个标题下，共列18条（见《本草纲目》358~360页），这18条的文字，校以《证类本草》所载“梁·陶隐居序”文，完全相同（见《证类本草》第34~37页）。但《证类本草》在条末题“右合药分剂料理法则”，并无“陶隐居名医别录”7字。而《本草纲目》将此18条文冠以“陶隐居名医别录”，这就证明李时珍是误以为“梁·陶隐居序”为《名医别录》的序。

按《证类本草》向上推溯，源于《嘉祐本草》，《嘉祐本草》源于《开宝本草》，《开宝本草》源于《唐本草》，《唐本草》源于《本草经集注》。《本草经集注》卷1序录内容到《唐本草》被析为2卷，宋代本草沿袭《唐本草》旧例，仍将《本草经集注》卷1序录内容析为2段。其前段不用《本草经集注》名称为标题，改为“梁·陶隐居序”为标题。到了《证类本草》，在“梁·陶隐居序”标题下前段文和后段文之间，夹杂诸家叙文，如寇宗奭《本草衍义》等叙文。由于诸家本草叙文的夹杂，致使“梁·陶隐居序”的完整性就被割裂了，序的起止也就弄不清了。又由于陶氏《本草经集注》和《名医别录》原书久佚，没有原书来核对，因此人们就不知道“梁·陶隐居序”是什么书的序。《证类本草》只是承袭前代本草，转录“梁·陶隐居序”，《证类本草》所列参考书目中，没有《本草经集注》和《名医别录》书名。而李时珍作《本草纲目》是以《证类本草》为蓝本，并没有见到陶弘景《本草经集注》原书，仅就《证类本草》所载“梁·陶隐居序”“开宝本草序”“嘉祐本草序”进行研究，在这些序文中，只提到《名医别录》一句话，没有提到《本草经集注》书名，因此李时珍遂误以“梁·陶隐居序”为《名医别录》的序。所以日本丹波元胤《中国医籍考》卷10本草第112页批评说：“李时珍以《本草经集注》为《名医别录》，其说并误矣。”

（三十六）《证类本草》“梁·陶隐居序”和《名医别录》存在历史性相混的关系

《证类本草》中的“梁·陶隐居序”和《名医别录》历史关系比较复杂。为了弄清问题，先从“梁·陶隐居序”说起。

“梁·陶隐居序”中讲《本草经集注》所取的药物有2个来源：一个是《神农本草经》365种，另一个是“名医副品”365种。这个“名医副品”的药物是从何处取来的呢？

关于这个问题，我们可以从“梁·陶隐居序”中来探索。

《证类本草》卷1所载“梁·陶隐居序”，和1900年敦煌出土的《本草经集注·序录》基本相同，所以《证类本草》中所载“梁·陶隐居序”即是《本草经集注》的序。

在这个序的前半部分有一段是讲《本草经集注》的,兹将这段文摘录如下：

“秦皇所焚，医方、卜术不预，故犹得全录。而遭汉献迁徙，晋怀奔迸，文籍焚靡，千不遗一。今之所存，有此四卷，是其《本经》。”

在这一段序文中，讲秦始皇所烧的书不包括医药书，所以医药书得以保存，但后遭汉献帝迁徙、晋怀帝奔迸的兵焚，大量图书都被烧了。而今之所存下来的，仅此4卷《本经》。

一些人认为在汉魏晋时就有《名医别录》著成。可如果有，陶弘景在序中为何只说“今之所存，有此四卷，是其《本经》”，为何不提《名医别录》呢？由此可见，在陶弘景编写《本草经集注》前，未见到《名医别录》一书。

陶弘景在序中接着说：“所出郡县，乃后汉时制，疑仲景、元化等所记。又云有《桐君采药录》，说其花叶形色。《药对》四卷，论其佐使相须。魏晋已来，吴普、李当之等更复损益。或五百九十五，或四百四十一，或三百一十九，或三品混糅，冷热舛错，草石不分，虫兽无辨，且所主治，互有得失，医家不能备见。”

在这段序文中，开头所讲一些书名，只提《本经》《桐君采药录》《药对》等书，并没有提到《名医别录》一书。这也可以说明陶弘景作《本草经集注》时，没有《名医别录》一书的存在。

陶氏在序中又讲到《本经》，在汉代有张仲景、华佗增记汉代地名，到魏晋有吴普、李当之等名医更复损益，形成多种本子的《本草经》（陶弘景称它们为“诸经”）。多种《本草经》载药总数不同、药性冷热舛错；在分类上混乱，有的是草石不分，有的是虫兽不辨；而且在主治内容上，各本也各不相同。多种《本草经》的产生，是因吴普、李当之等名医更复损益所致而在此并未提到吴普、李当之著有《名医别录》一书。

陶弘景在序中接着又说：“今辄苞综诸经，研括烦省，以《神农本经》三品，合三百六十五为主，又进名医副品亦三百六十五，合七百三十种……并此序录，合为七卷。”

在这段序文中，陶弘景只讲“苞综诸经”。“诸经”，指上述多种《本草经》，包括原先“今之所存，有此四卷，是其《本经》”，及吴普、李当之等名医更复损益所产生的多种《本草经》。

陶弘景把原先存下的4卷本《本草经》视为原始的《神农本草经》，这本《本草经》载药365种。吴普、李当之等名医更复损益后的多种《本草经》（诸经）中所增的新药，被陶弘景称之为“名医副品”。

简单地讲，陶弘景作《本草经集注》，即由《神农本草经》365种，加上“名医副品”365种，撰成7卷本。这里要注意，《本草经集注》中所进“名医副品”，是来自多种《本草经》中名医增录的新药，不是来自现成的《名医别录》一书。陶弘景在序中从未提过有《名医别录》这个书名。只讲有多种《本草经》。所以陶氏只云“苞综诸经”。如果当时有《名医别录》现成的书存在，则序中应提到书名。而陶氏也不会讲“苞综诸经”，而应该讲“苞综《本经》《别录》”才对。

后世医药书，凡讲到陶弘景《本草经集注》成书时，都引用“梁·陶隐居序”中的话：“以《神农本经》……三百六十五为主，又进名医副品亦三百六十五，合七百三十种。”但在引用时，都未摘录序中原文，而是摘取大意，或在词句上更改，或摘录序文的精神。

例如，《新唐书·于志宁传》中，于志宁同皇帝问答，讲到陶弘景作《本草经集注》的事时，于志宁把“名医副品”改成“名医附经为说”。

《新唐书·于志宁传》云：“初志宁与司空李勣修订《本草》并图，合五十四篇……帝曰：‘《本草》《别录》，何为而二？’对曰：‘班固唯记《黄帝内、外经》，不载《本草》，至齐《七录》乃称之。世谓神农氏尝药以拯含气，而黄帝以前文字不传，以识相付，至桐、雷乃载篇册，然所载郡县，多在汉时，疑张仲景、华佗窜记其语。《别录》者，魏晋以来，吴普、李当之所记，其言花叶形色，佐使相须，附经为说。故弘景合而录之。’帝曰：‘善。’其书遂大行。”

在此书传中，皇帝问《本草》《别录》为何分为二，于志宁在“对曰”中加以解释。

于志宁解释“本草”文，为“班固唯记……华佗窜记其语”，实际上是解释《本草经》（其文义全同“梁·陶隐居序”文）。

于志宁解释“别录”文，为“《别录》者……附经为说”，实际上是讲“别录”即吴普、李当之等名医在《本草经》中增录“附经为说”的资料。

于志宁在“对曰”的末尾，讲了一句“故弘景合而录之”。这句话就是讲陶弘景把《本草经》中的药和吴普、李当之等名医附经为说的药，合而录之，编成7卷本《本草经集注》。《新唐书·于志宁传》中所云“吴普、李当之……附经为说”的内容，和“梁·陶隐居序”中“吴普、李当之等更复损益”，其文义相同，只是说法不同。“梁·陶隐居序”中把吴普、李当之等名医增的新药称之为“名医副品”，《新唐书·于志宁传》中称之为“附经为说”。

到唐代苏敬编《新修本草》时，把“梁·陶隐居序”中“名医副品”改成“别录”2字。

例如，《证类本草》卷1“梁·陶隐居序”中有“唐本注”云：“惟梁《七录》有《神农本草》三卷，陶据此以别录加之为七卷，序云：三品混糅，冷热舛错，草石不分，虫兽无辨。”从“唐本注”文，可以看出，《新修本草》是把“陶序”中“名医副品”改“别录”2字。

宋代《开宝本草》沿袭《新修本草》旧例，亦将“梁·陶隐居序”中“名医副品”，改为“别录”2字。《开宝本草》序云：“至梁正白先生陶弘景乃以《别录》参其《本经》……为之注释，列为七卷。”

《新修本草》《开宝本草》把“梁·陶隐居序”中“名医副品”改为“别录”2字，时间一久，人们对“名医副品”（指吴普、李当之等名医在《本草经》增录的新药）原来的含义就弄不清楚了，而单纯从“别录”2字望文生义，遂误其为《名医别录》这本书的简称。

到宋代，掌禹锡作《嘉祐本草》时，又把“别录”2字，改成“名医别录”4字。

《嘉祐本草》序云：“然旧经（指《神农本草经》）才三卷，药止三百六十五种，至梁陶隐居，又进名医别录亦三百六十五种，因而注释，分为七卷。”

这个“七卷”是什么书呢？由于时间久远，人们弄不清是什么书。掌禹锡以为这个“七卷”本，可能就是《名医别录》。所以掌禹锡在《嘉祐本草》序中说：“凡陶隐居进者，谓之‘名医别录’……凡显庆所增者……曰‘唐本先附’，凡《开宝》所增者……曰‘今附’，凡今所增补……曰‘新补’。”

序中4个“凡”字，说明《嘉祐本草》资料有4个来源：一是陶隐居所增的《名医别录》，二是唐本先附的《新修本草》，三是今附的《开宝本草》，四是今补的《嘉祐本草》新增药。

事实上，《嘉祐本草》中由陶隐居所增的是陶弘景《本草经集注》内容，并非如《嘉祐本草》序中所云“凡陶隐居所进者，谓之‘名医别录’”，此“名医别录”实为《本草经集注》之误。而明·李时珍在《本草纲目》卷1“历代诸家本草”标题下，立“名医别录”书名。在该书名下，李时珍曰：“《神农本草》，药分三品，计三百六十五种，以应周天之数。梁陶弘景复增汉、魏以下名医所用药三百六十五种，谓之《名医别录》，凡七卷。”

从《新修本草》转引“梁·陶隐居序”开始，一直到《嘉祐本草》只言陶弘景以《神农本草经》365种加“名医副品”365种，成7卷，均未言“七卷”是什么书。直到李时珍《本草纲目》才明确讲陶弘景的“七卷”本是《名医别录》，但这是一种误解。

李时珍虽然定陶弘景7卷本书名为《名医别录》，但李时珍在《名医别录》书名下所讲的内容，全文转录《证类本草》中“梁·陶隐居序”的文字。这就意味着，李时珍把《证类本草》中“梁·陶隐居序”当作《名医别录》序来看待。不仅李时珍如此，清代本草学家及目录学家姚振宗等人，均持同样的观点。直到1900年敦煌出土陶弘景《本草经集注·序录》，其内容和《证类本草》中“梁·陶隐居序”基本相同，人们才知道《证类本草》中“梁·陶隐居序”不是《名医别录》序，而是《本草经集注》序。序中所讲“名医副品”的含义，是指吴普、李当之等名医在《本草经》中增录的资料，而不是指一本名为《名医别录》的书。

（三十七）《证类本草》引“雷公曰”药物出处分析

《证类本草》所引“雷公曰”的资料，即是《雷公炮炙论》中的资料。《雷公炮炙论》被公认为是刘宋时期所作的书，但该书中有后人增添的药。

《证类本草》卷3“滑石”条引苏颂云：“又按，雷敩《炮炙方》……雷敩虽名隋人，观其书乃有言唐以后药名者，或是后人增损之欤！”按苏颂所云，《雷公炮炙论》中有后人增删修饰的内容。笔者认为苏颂所言可信。这可从《雷公炮炙论》中的药物出处分析证实之。

兹将《证类本草》所引“雷公曰”中的药物出处分析如下。

查《证类本草》，唐慎微援引“雷公曰”的药物有271种，其中属《神农本草经》的药167种，属《名医别录》的药45种，属《唐本草》的药27种，属《开宝本草》的药28种，属《嘉祐本草》的药2种，属《证类本草》的药2种，把《本草经》药167种和《名医别录》药45种，加起来，共为212种，此是唐以前的药物，则唐以后的药物有59种。兹将这59种药物名见录于唐宋本草的列举如下（每个药名前的标注号码为1957年人卫影印《重修政和经史证类备用本草》页次）。

1. 见录于《唐本草》的药物27种

113蜜陀僧，117、41光明盐（《雷公炮炙论序》引作“圣石”），320紫鉚骐驎竭，41硇砂，134梁上尘，191鬼督邮，191白花藤，214女萎，229蒟酱，224阿魏，278赤地利，347白杨，349胡椒，351橡实，346无食子，41枳椇，373醍醐，455甲香，454珂，284赤车使者，274刘寄奴，265蓖麻子，272角蒿，348苏方木，342诃梨勒，358卖子木，344椿木。

2. 见录于《开宝本草》的药物28种

41无名异，110生银，124砒霜，133自然铜，223天麻，228荜拔，230卢会，230、41延胡，231补骨脂，231肉豆蔻，232蓬莪茂，235荜澄茄，272马兜铃，273仙茅，274骨碎补，41柑皮，310金樱子，307丁香，334密蒙花，323枳壳，333、41五倍子，394膃肭脐，447蛤蚧，414真珠，450白花蛇，41鲑，519马齿苋，518胡葱。

3. 见录于《嘉祐本草》的药2种

485灰藋（金锁夭），492曲。

4. 见录于唐慎微《证类本草》的药物2种

427蝉花，516醍醐菜。

在271种药物中，唐以后的药物有59种，占总数的21.8%。那就是说，“雷公曰”的资料中，有1/5以上的药物是唐以后本草所收载的药物。不过唐以后本草新增的药物，不一定全是唐宋时才发现的药物，有些药物在唐以前就有了，虽然唐以前本草未收载这些药物，但是唐以前的方书有收载。例如，丁香是宋代《开宝本草》中新增的药，《本草经集注》和《唐本草》均未收载，但晋·葛洪《肘后方》中已记载“治暴气刺心痛，用鸡舌香酒服”。《齐民要术》云：“鸡舌香俗人以其似丁子，故呼为丁香。”

从上述例子可以看出，《唐本草》中收载的药未必是唐代才产生的，有些药早在唐代以前就有了。不过在上述59种药物中，有很多药物不仅唐以前本草未录，且唐以前方书也未收载，直到唐代中期才被收载。例如骨碎补，《证类本草》卷11

援引陈藏器《本草拾遗》云："骨碎补，本名猴姜。开元皇帝（713—741）以其主伤折，补骨碎，故作此名耳。"而《证类本草》引"雷公曰"资料载有此药，这当是公元741年以后的事情。

仙茅，《证类本草》卷11"仙茅"条引苏颂《本草图经》云："谨按《续传信方》叙仙茅云……本西域道人所传。开元元年（713），婆罗门僧进此药，明皇服之有效，当时禁方不传。天宝（742—755）之乱，方书流散，上都不空三藏始得此方，传与李勉司徒。"据此可知，仙茅在公元713年传入中国，当时被作为禁方藏入宫中，到公元755年后方流入民间。而"雷公曰"资料载有此药，当是公元755年以后的事情。

夜交藤，《证类本草》卷4"水银"条引雷公曰："先以紫背天葵并夜交藤自然汁。"夜交藤即何首乌藤。据《证类本草》卷11"何首乌"条下《本草图经》文所记，何首乌是唐元和七年（812）被发现的药，因此"雷公曰"的资料中载有夜交藤，当是公元812年以后的事情。

补骨脂，《证类本草》卷9"补骨脂"条引雷公曰："凡使，性本大燥……日干用。"按《医方类聚》引《简易方》载有唐岭南节度使郑佃序云："舶上破故纸，蕃人呼为补骨脂……舟人李蒲诃来，授予此方，服之七日，力强气壮……故录以传。元和十二年二月十日。"据此可知，补骨脂原是外来药，在唐代元和年间（806—820）输入中国。而"雷公曰"的资料中载此药，当是公元820年以后的事情。

按，《雷公炮炙论》是刘宋时期炮制专著，而《证类本草》所引"雷公曰"的资料，为何出现唐代的药物达59种，超过总数的1/5。这就让人怀疑《证类本草》所引"雷公曰"的资料，很可能被唐以后的人删改过，所以很难说它是刘宋时期《雷公炮炙论》的原貌。

不仅在"雷公曰"的资料中出现大量唐代药物，在《证类本草》所引《雷公炮炙论序》中，也出现了很多唐代的药。例如，《雷公炮炙论序》中有"象胆挥黏""心痛欲死，速觅延胡""除癥去块，全仗硝硇""无名止楚""圣石开盲""肠虚泻痢，须假草零"等句子。在这些文句中所含的药物"无名异""象胆""延胡""硇砂""圣石""草零"等都是唐以后的药物。

按，"无名异"最早见于《日华子本草》，《开宝本草》将其收录为正品药。"象胆"最早见于陈藏器《本草拾遗》，陈藏器云："胆主目疾，和乳滴目中。"到《开宝本草》时，才把象胆的主治收入"象牙"条下。"延胡"最早见录于陈藏器

《本草拾遗序》。序云："延胡索止心痛，酒服。"后来《日华子本草》对延胡索功用有较详细的记载，到《开宝本草》才收录延胡索为正品药。"硇砂"，苏颂《本草图经》云："此药近出唐世。""圣石"，掌禹锡引《蜀本草》注云："光明盐亦呼为圣石。"则"圣石"的药名到五代时《蜀本草》才有的。"草零"即五倍子，此药最早见于陈藏器《本草拾遗序》，序云："五倍子治肠虚泄痢，熟汤服。"据此可知，五倍子到唐代是被当作止痢药使用。

从上述资料来看，《证类本草》所引"雷公曰"的药物中有59种是唐以后的药物。在此59种药物中，有不少药物是到唐代才出现的。如骨碎补是在开元皇帝（713—741）时才有的，仙茅是713年由婆罗门僧传入的，夜交藤是唐代新发现的药。

综上所述，《证类本草》所引"雷公曰"的药物共有271种。按其出处分析，见录于《神农本草经》的167种，见录于《名医别录》的45种，见录于《唐本草》的27种，见录于《开宝本草》的28种，见录于《嘉祐本草》的2种。诸书见录的药，其产生时代很难确定，不过有些药物的产生时代可以确定，如骨碎补、仙茅、夜交藤等，确实是到唐代时才有的，它们不是刘宋时的药物，但《雷公炮炙论》中却有此类药物，这就说明，《雷公炮炙论》非成于一时一人之手，最初创于雷敩，后人多有增删修饰。

（三十八）《证类本草》所引《开宝本草》新增药出处分析

《开宝本草》（以下简称《开宝》）因修纂于宋代开宝年间（968—975）而得名。《开宝》实际包括《开宝新详定本草》《开宝重定本草》二书。现《开宝》一般多指后者而言。

《开宝》是在《唐本草》的基础上修订而成的，载药983种。《开宝重定序》云："新旧药合九百八十三种。"剔除《唐本草》中的旧药850种，《开宝》新增药为133种。《嘉祐补注总叙》亦云："一百三十三种今附。"所谓"今附"，即指《开宝》新增的药。

《开宝》原书已佚，它的内容散在唐慎微《经史证类备急本草》中。在《经史证类备急本草》药物大字条文末，标有"今附"2字，即为《开宝》新增药。

今以1957年人卫影印《重修政和经史证类备用本草》（以下简称《证类》）为例，对《开宝》新增药物出处分析如下。

查《证类》中，标有"今附"（《开宝》新增药）的药物有133种。在此133

种中，有114种已见录于前代本草，只有19种为《开宝》当时新增的药品。兹将此新增的19种药物列举如下，各药后括号内号码为《证类》页次。

生消（88）、婆娑石（96）、铁粉（115）、车辖（118）、釭中膏（134）、石香葇（214）、白豆蔻（239）、使君子（239）、伏牛花（333）、陀得花（240）、灯心草（284）、草三棱（286）、山豆根（276）、鹿药（286）、小天蓼（354）、突厥白（358）、五灵脂（452）、鲻鱼（435）、东风菜（522）。

余下114种新增药物均见录于前代本草，其中以陈藏器《本草拾遗》为最多，其次是《日华子本草》，再次是《雷公炮炙论》《食疗本草》等。兹将《开宝》新增药物见录于各书的药物列举如下，各药后括号中号码为《证类》页次。

（1）《开宝》新增药见录于陈藏器《本草拾遗》的有：生银（110）、秤锤（114）、淋石（135）、不灰木（136）、车脂（134）、延胡索（230）、茅香花（238）、零陵香（232）、艾蒳香（236）、甘松香（236）、荜拔（228）、谷精草（282）、天南星（266）、五倍子（333）、质汗（285）、地松（278）、葛粉（196）、墨（328）、郁金香（331）、紫藤（332）、紫荆木（354）、南藤（355）、千金藤（349）、桄榔子（348）、无患子（350）、益智子（352）、盐麸子（355）、椰子皮（353）、桦木皮（356）、天灵盖（365）、象牙（371）、麂（394）、玳瑁（415）、河豚（435）、嘉鱼（435）、金蛇（451）、荔枝（470）、榲桲（479）、白芥（505）、罂子粟（497）。

（2）《开宝》新增药见录于《日华子本草》的有：无名异（95）、铁华粉（114）、马衔（117）、石蟹（116）、莳萝（236）、京三棱（227）、蒟头（283）、何首乌（262）、金樱子（310）、预知子（280）、大腹（332）、天竺黄（333）、乌药（329）、榼藤子（356）、黄药根（346）、木鳖子（357）、赤柽木（358）、南烛枝（350）、野驼脂（395）、椑柿（471）、榛子（479）。

（3）《开宝》新增药见录于《雷公炮炙论》的有：自然铜（133）、砒霜（124）、蓬莪茂（232）、荜澄茄（235）、补骨脂（231）、密蒙花（334）、骨碎补（274）、马兜铃（272）、仙茅（273）、枳壳（323）、蛤蚧（447）、白花蛇（450）、马齿苋（519）、胡葱（518）。

（4）《开宝》新增药见录于《食疗本草》的有：白鱼（434）、鳜鱼（434）、青鱼（435）、石首鱼（435）、乳柑子（470）、橙子皮（465）、猕猴桃（478）、胡桃（478）、杨梅（477）、林檎（476）、橄榄（479）、越瓜（505）、茄子（520）、绿豆（494）。

(5)《开宝》新增药见录于《药性论》的有：卢会（230）、青黛（229）、天麻（223）、缩沙蜜（232）、肉豆蔻（231）、红豆蔻（236）、丁香（307）、没药（330）、膃肭脐（394）、真珠（414）、乌蛇（451）。

(6)《开宝》新增药见录于《蜀本草》的有：铛墨（125）、续随子（275）、蝎（452）。

(7)《开宝》新增药见录于《海药本草》的有：天竺桂（334）、海桐皮（331）、海松子（478）。

(8)《开宝》新增药见录于《食性本草》的有：仲思枣（463）、庵罗果（478）。

(9)《开宝》新增药见录于《唐本注》的有：胡黄连（235）、红蓝花（226）、威灵仙（264）。

(10)《开宝》新增药见录于《食医心镜》的有：列当（285）。

(11)《开宝》新增药见录于《唐本余》的有：太阴玄精（118）。

(12)《开宝》新增药见录于《药诀》的有：石蚕（136）。

综上所述，《开宝》新增药有133种，其中仅19种药为当时所增，其余114种药，皆出自前代本草。出自《本草拾遗》的药40种，出自《日华子本草》的药21种，出自《雷公炮炙论》《食疗本草》的药各14种，出自《药性论》的药11种，出自《蜀本草》《海药本草》《唐本注》的药各3种，出自《食性本草》的药2种，出自《食医心镜》《唐本余》《药诀》的药各1种。

三、《证类本草》成书后被修订成多种同书异名本

《证类本草》是《经史证类备急本草》的简称，是宋·唐慎微所著。

唐慎微，字审元，四川蜀州晋原（今四川崇庆）人，元祐年间（1086—1094）被李端伯召至成都行医多年，故又被称为成都华阳人。唐慎微精于医药，治病百不失一，其为士人治病不取一钱，但以名方秘录为请，以此士人每于经史诸书中，得一药名、一方论，必录以告。唐氏就这样累积了大量资料，约于公元1098年前后编成《经史证类备急本草》（简称《证类本草》）。

按晁公武《郡斋读书志》记载，唐慎微的《证类本草》是合掌禹锡《嘉祐本草》（1057）和苏颂《本草图经》（1061），加以唐氏本人收集的方药汇编而成。全书载药1746种，新增药628种，如降真香、灵砂等都是首次记载。全书药物按玉

石、草、木、人、兽、禽、虫鱼、果、米、菜、有名未用分类，共分为31卷。这是沿袭《唐本草》分类，将《唐本草》的兽禽分为兽和禽2类，又增人部和本经外类，共分12类，在卷数上亦比《唐本草》多10卷。

《证类本草》引用前代医药资料都是原文转录，使宋以前古本草的原貌得以保存。这比《本草纲目》脔切前代本草资料，使古本草失去原貌的做法要好。

《证类本草》对文献出处都注明来源，凡《本经》药刻为白字，《别录》药刻为黑字，《唐本草》药注以“唐本先附”，《开宝本草》药注以“今附”，《嘉祐本草》药注以“新补”或“新定”。通过这些标记，可以看出大量古代亡佚本草，如《本草经》《本草经集注》《唐本草》《蜀本草》《开宝本草》《嘉祐本草》《本草图经》等书的大致情况。

《证类本草》附有图谱933幅，对识别药物有按图索骥之便。英国李约瑟博士在《中国科学技术史》中赞扬该书说：“要比15和16世纪早期欧洲的植物学著作高明得多。”

在药物主治方面，《证类本草》汇集历代本草之成就，详加考证与阐述，每味药附有单方、验方、古方，共3000余首。有些药还附有采集、鉴别、炮制方法，为后世提供了药物品种鉴别和炮制资料。书中广涉宋以前秘本300多种，保存了许多古方及医药典籍。李时珍对此给予高度评价：“使诸家本草及各药单方，垂之千古，不致沦没者，皆其功也。”

由于该书收载内容丰富，附方多，问世后极受当时医家的欢迎，很快在全国广泛流传。

与该书同时期的《重广补注神农本草并图经》，是四川医家陈承将《嘉祐本草》和《本草图经》合二为一，并增加其个人见解“别说”，由林希为其作序而成的。因陈承书收载资料不多，且无附方，所以并没有受到当时医家的欢迎。

唐慎微书和陈承书流传至杭州后，被当地县尉艾晟加以整理。艾晟把陈承“别说”和“林希序”录入唐氏书中，并在“蓢草”条下增加“治劳瘵方”及其他方子，于宋大观二年（1108）刊行，改名为《大观经史证类备急本草》（简称《大观本草》）并作序于书首。艾晟在杭州，唐慎微在成都，二人相隔千里，艾晟不熟悉唐慎微更多的信息，所以艾晟在序中就讲唐慎微传其书，失其邑里，不知唐慎微是何许人。

公元1116年，《大观本草》经曹孝忠重校，更名为《政和新修经史证类备用本草》，简称《政和本草》。北宋灭亡后，北方被金人所占。南宋建炎二年（1128），宇文虚中受命使金，未归。又宇文虚中和唐慎微原是同乡，当金皇统三年（1143）刊《政和本草》时，宇文虚中在此书末作《书〈证类本草〉后》一文，将唐慎微情况加以介绍。

公元1249年，平阳（今山西临汾）书肆晦明轩主人张存惠把寇宗奭《本草衍义》随文散入书中，更名为《重修政和经史证类备用本草》，该书也简称为《政和本草》。所以《政和本草》有2种，一种是公元1116年曹孝忠刊的本子，一种是公元1249年张存惠刊的本子。曹氏所刊《政和本草》是在《大观本草》的基础上修订的。张存惠所刊的本子是用曹孝忠《政和本草》系列本（庞氏本），增加《本草衍义》而成。前者久佚，后者即是今日流传的《政和本草》。

张存惠所刊《政和本草》，因其书肆号“晦明轩”，故称“晦明轩本”。又因张氏在书首牌记末题“泰和甲子下己酉”，后人又称之为“金泰和本”。其实张氏刻于元初蒙古定宗后称制之年（1249），因元初无年号，张氏是金朝遗老，故题“金泰和甲子”年号。

《大观本草》《政和本草》都不是唐慎微原书面貌。《大观本草》比唐氏原书多陈承“别说”和“林希序”。《政和本草》比唐氏原书除了多陈承“别说”和“林希序”外，还多寇宗奭的《本草衍义》。在卷数上，《政和本草》将《大观本草》的第31卷移在第30卷之前，合并为1卷。因此《大观本草》是31卷，而《政和本草》是30卷。在药物数目上，《政和本草》将《大观本草》中“人口中涎及唾”并在“人溺”条内，在卷4增加“图经余”3药（石蛇、黑羊石、白羊石），在本经外草类分出“金灯”1条，在本经外木蔓类增“天仙藤”1条。在药图方面，《政和本草》收载药图933幅，比《大观本草》多石蛇、黑羊石、白羊石、南烛、野驼、红蜀葵、黄蜀葵、凫葵、莱菔、金灯、天仙藤11幅药图。《大观本草》药图比较大，多数是每半页（线装本半页即平装本1页）1幅药图。由于翻刻次数多，其药图细节部分不太清晰。

唐慎微的书自问世以后，盛行了500多年，直到李时珍《本草纲目》刊行，人们对它的研究热情才逐渐消散。在这500多年中，该书经过多次翻刻，因此有很多种版本。

宋代以来，对该书的翻刻主要有3类版本：一是《大观本草》；二是《政和本草》；三是《大全本草》。

《政和本草》版本很多，常见的有明成化十年刊本（简称成化《政和》）、商务影印本（简称商务《政和》）、人卫影印本（简称人卫《政和》）、上海古籍出版社影印《四库全书》抄本等，在各种版本中，以人卫影印《政和本草》最佳。

人卫《政和》所据底本是否为张存惠晦明轩原始版本，现已不详。从人卫《政和》所存在的问题来看，它的底本不是晦明轩原始版本，其理由如下。

（1）人卫《政和》卷8“蠡实”条释文末，脱“又方治水痢百病。以马蔺子、干姜、黄连各等分为散，熟煮汤，取一合许，和二方寸匕，入腹即断。冷热皆治，常用神效。不得轻之。忌猪肉、冷水”53个字。但成化《政和》、商务《政和》不脱。

（2）人卫《政和》卷3“曾青”条中《本经》文全为黑字。但成化《政和》、商务《政和》作白字。

由此可见，成化《政和》、商务《政和》所据的底本与人卫《政和》所据的底本不是同一种本子。换言之，人卫《政和》所据的底本不是晦明轩原始版本。

（三十九）艾晟校《大观本草》增补陈承“别说”

唐慎微《证类本草》于大观二年（1108）由杭州仁和县尉艾晟校订，增加陈承《重广补注神农本草并图经》的“别说”及某些方子，并冠以大观年号，更名为《大观经史证类备急本草》，简称《大观本草》。

《中国人名大辞典》第281页云：“艾晟，宋真州（今江苏仪征）人。字子先，崇宁（1102—1106）进士。政和（1111—1117）中试宏词，中一等，擢秘书省校书郎，兼编修六典文学。寻判隰、泮、越三州，所至有声，终考功员外郎。”

一般人认为艾晟是医官，并认为《大观本草》为官刊本。其实艾晟并非医官，他是“通仕郎行杭州仁和县尉管句学事”。另外，从艾晟的《大观本草序》可知，《大观本草》非官刊本。艾晟在序中云：“集贤孙公得其本而善之，邦计之暇，命官校正。”此序云由集贤院学士孙氏出资，通过其属官，将《证类本草》校正刊行，此与由政府任命修订者不同，如《政和本草》的修订，即题有“奉敕撰”等字样，即属官修。

艾晟校订《证类本草》时，也增补了一些方子。

例如艾晟在《证类本草》卷9（1957年人卫影印《重修政和经史证类各用本草，简称人卫本《政和》，人卫本《政和》第240页）“翦草”条下增加“治劳瘵方”。其方中全文和《普济本事方》（1959年上海科学技术出版社出版）74页所载相同。日本丹波元胤《中国医籍考》云：“《本事方》载翦草治吐血痨瘵方曰：‘乡人艾孚先尝说此事，渠后作《大观本草》，亦收入集中。’孚先当是晟字。”

嘉庆十九年（1814）叶刻《本事方释义》卷5，所载“衄血劳瘵吐血咯血”条下有“神传翦草膏”云：“或云是陆农师夫人，乡人艾孚先尝亲说此事，渠后作《大观本草》，亦收入集中，但人未识，不苦信尔。”

人卫本《政和》176页“络石”条引“背痈”云：“《图经》云：薜荔治背痈。晟顷寓宜兴县张渚镇，有一老举人聚村学，年七十余，忽一日患发背，村中无他医药，急取薜荔……傅贴，遂愈……乃知《图经》所载不妄。”按，此方中有“晟”，则此方当由艾晟所增。

类似艾晟所增的方子，还有下列各方，药名前号码为人卫本《政和》页次。126页铅丹治疟方，134页锻灶灰治疮方，159页车前子治泻方，240页翦草治痨瘵方，293页枸杞子治疸，176页络石治背痈方，180页蒲黄催生方，269页豨莶有成讷、张咏方（与《本事方》101页同），428页蛴螬治疮方，506页莱菔治偏头痛，518页蒜治疟方。

艾晟校订《大观本草》时，还取陈承书中“别说”，加入《大观本草》中，此可从《大观本草》卷3“丹砂”条的注文证实之。其注云：“晟近得武林陈承编次《本草图经》本参对，陈于《图经》外，又以‘别说’附著于后，其言皆可稽据，不妄，因增入之。”

检人卫本《政和》引“别说”的药物共有44种，兹列举如下，药名前号码为人卫本《政和》页次。

79丹砂，133自然铜，205贝母，297琥珀，82玉泉，134车脂，223天麻，298榆皮，91禹余粮，136花乳石，224阿魏，307沉香，93青石脂，143菖蒲，233荠苨，309藿香，94白石脂，155柴胡，235胡黄连，316竹叶，108石膏，160木香，244天雄，325茗苦樣，113蜜陀僧，164细辛，246大黄，329乌药，115铁，166赤箭，249莨菪，365天灵盖，124砒霜，178黄芪，290菌桂，491小麦，128代赭，199当归，293枸杞，497腐婢，131腊雪，201芍药，295柏实，131热汤。

关于陈承，林希《林枢密重广本草图经序》中有记载，兹将序中所载有关内容，摘录如下。

（1）序云：“阆中陈氏子承，少好学，尤喜于医，该通诸家之说……有奇疾，众医腭眙，不知所出，承徐察其脉，曰：当投某剂，某刻良愈，无不然……承之学，虽出于图书，而精识超绝。”

此段介绍陈承原籍是阆中（今四川南充北）人，少好医学，通晓诸家之说，其学虽出于攻读（相当于今日的自学成才），但医术很高明。后行医于江淮杭浙，故又称他为余杭人。方勺《泊宅编》云："余杭人陈承亦以医显……陈好用凉药……俗语云：'藏用檐头三斗水，陈承箧里一盘冰。'"

（2）序云："承之先世为将相，欧阳子所谓四世六公者，承其曾孙。"

此段介绍陈承祖先为将相。欧阳修所撰《太子太师致仕赠司空兼侍中文惠陈公神道碑并序》云："高幢巨毂，四世六公。惟世有封，秦楚及齐，尚书中书，仪同太师。"文惠即陈尧佐。文惠，因家居阆中，遂为阆州阆中人。尧佐的兄和弟皆封为公，其兄尧叟，谥文忠；弟尧咨，谥康肃。尧佐是陈承的堂曾祖。陈承的曾祖名诩，封齐国公，祖昭汶封楚国公，父省华封秦国公。从陈承曾祖到陈承共四世，其封为公者共六人，故称"四世六公"。据《宋史》所载，陈承曾祖陈尧叟"有《集验方》刻石桂林驿"。

（3）序云："（承）少孤，奉其母江淮间，闭门蔬食以为养，君子称其孝。"

此段言陈承自幼丧父，奉养母亲于江淮间。

（4）序云："（承）尝患二书传者不博，而学者不兼有，乃合为一，又附以古今论说，与已所见闻，列为二十三卷，名曰《重广补注神农本草并图经》。书著其说，图见其形……元祐七年（1092）四月朔……长乐林希序。"

此段讲陈承合《嘉祐本草》及《本草图经》二书为一书，并附以已说。

南宋·陈衍《宝庆本草折衷》云："陈承尝编《神农本草》与《图经》二书并聚为一，发明余蕴，以古今论说与已所见闻立为议论一篇，篇首端冠以'谨按'二字，间列图经之后。"

艾晟修唐慎微《证类本草》，摘引该书陈承"谨按"资料，列于相应条文下，并冠以"别说云"字样。

宋代《太平惠民和剂局方》在大观年间（1107—1110），经当时名医陈承、裴宗元、陈师文等校正。书首有他们3个人共同写的《进表》。在此表的后面，题署3个人的名衔。陈承排在首位，其名衔为"将仕郎措置药局检阅方书"。裴宗元排列第二，其名衔为"奉议郎守太医令兼措置药局检阅方书"。陈师文排列在末了，其名衔为"朝奉郎守尚书库部郎中提辖措置药局"。

陈承从编成《重广补注神农本草并图经》（1092）到《太平惠民和剂局方》（1107—1110），相隔15至18年。

（四十）《大观本草》的刊本

最早为大观二年（1108）孙觌（音狄）刊本，1159年王继先校刊本名为《绍兴校定经史证类备急本草》。以后各代所刊仍称《大观本草》。计有宋淳熙十二年（1185）张渭刊本、宋庆元元年（1195）江南漕司刊本、宋嘉定四年（1211）刘甲刊本、金贞祐二年（1214）刊本、元大德六年（1302）宗文书院刊本、元大德环溪书院刊本、明代重刊宗文书院本、朝鲜翻刻宗文书院本、日本安永四年（1775）望草玄翻刻书院本、清光绪三十年（1904）柯逢时影宋并重刊本。

兹将各种刊本简介如下。

1. 宋大观二年（1108）刊本

明·梅鷟《南雍志·经籍考》卷下云："大观二年（1108）集贤学士孙觌，得善本刊之。"则大观二年刊本为孙觌所刊，艾晟为之作序。序云："唐慎微，其书不传，世早言焉，集贤孙公，得其本而善之，邦计之暇，命官校正，募工锓版，以广其传。"

按《中国人名大辞典》第770页："孙觌，宋晋陵（今江苏常州）人，字仲益，别号鸿庆居士。大观（1107—1110）进士，后举词学兼茂科。历官翰林学士、吏户二部尚书。立朝正直，知秀州、温州、临安诸郡。因忤执政，归隐太湖滨西徐里……有《鸿庆集》。"

2. 宋淳熙十二年（1185）刊本

陶湘《涉园所见宋版书影》载："《证类本草》淳熙十二年刻，海源阁杨氏藏。"据南宋嘉定四年（1211）刘甲刊《大观本草》所写的序，序末附刻："张谓重刊于宋淳熙十二年（1185）"。又刻张谓是"奉议郎充江南西路转运司主管"。据此可知，该本为江南西路转运司于宋淳熙十二年（1185）所刊。

日本森立之与涩江全善《经籍访古志》云："京师伊良子氏藏，大德环溪书院刊本。卷末旧人补抄。附淳熙十二年（1185）奉议郎张谓跋一篇。"《宋以前医籍考》引张谓云："大观间（1107—1110）刊于毗陵（今江苏武进），毗陵即觌之故里，是知慎微之书，初无刊本，逮于大观，孙觌与艾晟，始为校正刊行。"

3. 宋庆元元年（1195）刊本

按，《图书寮汉籍善本书目》云："《本草衍义》二十卷，宋刊本。"卷末有庆元乙卯（1195）跋曰："右《证类本草》计版一千六百二十有二，岁月屡更，版字漫漶者十之七八，观者难之。鸠工刊补，今复成全书矣。时庆元乙卯秋八月癸丑识。”次有儒林郎段杲等5人列衔。又次有朝奉郎吴猎一行。此书纸质精，字格严整，盖南宋版之上乘者。每半页11行，每行21字，高7寸5分，宽6寸1分，旧藏枫山文库。按，此本是江南漕司本，书中避赵昚（音慎）讳，“唐慎微”作“唐谨微”。

4. 宋嘉定四年辛未（1211）刊本

刘甲据宋淳熙十二年刊本校勘刊刻。北京图书馆收藏。书首序残缺，书末有刘甲跋云：“是书初雠校于江西，再刊刻于南隆，今又点勘于东梓，可谓详备，后之得此本者，其不为庸医所欺必矣。嘉定四年十月既望。宝谟阁直学士太中大夫，知潼川军府事兼管内劝农使，须城县开国子，食邑六百户，赐紫金鱼袋刘甲跋。”

跋末附“重刊证类本草（以下残损模糊）淳熙十二年十二月”，并附刻张谓等人校勘名单如下：

承节郎前监户部绍兴府诸暨桑溪酒库刘忠信同校勘；

迪功郎特差充江南西路转运司干办公事舒璘校勘；

从政郎特差充江南西路转运司干办公事楼镇校勘；

从事郎江南西路转运司主管帐司王子湘校勘；

奉议郎充江南西路转运司主管文字张谓校勘；

朝奉大夫权江南西路转运判官王回。

5. 年代未详的宋版《大观本草》

清·季振宜《季沧苇藏书目·宋元杂版书》载，《证类本草》31卷，宋版。

清·钱曾《述古堂藏书目》卷4载，《证类大观本草》32卷，12本，宋版。

6. 金贞祐二年（1214）刊本

清·瞿镛著《铁琴铜剑楼藏书目》卷14载，《经史证类大观本草》31卷，附《本草衍义》20卷，金刊本。卷首有艾晟序，后有墨图记云：“贞祐二年（1214）嵩州（今河南嵩县）福昌孙夏氏书籍铺印行。”每半页12行，每行20字。

张元济编《涵芬楼烬余书录》（1951年商务印书馆版）第3册子部18页著录《经史证类大观本草》附《本草衍义》，金刊本，存11卷，9册。《证类本草》题唐慎微纂，存目录、卷1、卷2、卷3、卷5、卷11、卷12。《本草衍义》即寇宗奭编本，存卷16至20，半页12行，每行20字。是本图记已佚，然实同出一版，则亦金本也。艾晟序“慎微”作“谨微”（南宋孝宗赵昚，昚音慎，为避讳将慎改为谨)，初见处有小注“元从心从真避御名今易”10字。此为金人刊本，不应避宋讳，意必书贾就宋本复刻，悉沿其旧。惟金宣宗贞祐二年（1214），当南宋宁宗嘉定七年（1214），比孝宗赵昚（1163—1189）晚25至50年。

7. 元大德六年（1302）宗文书院刊本

明·梅鷟著《南雍志·经籍考》下篇“梓刻本杂书类”云：“《大观本草》三十二卷，板模糊……唐谨微益以诸家方书，与夫经子传记、佛书道藏……凡六十余万言。谨微不知何许人，大观二年集贤学士孙觌，得善本刊之。大德壬寅（1302）宗文书院重刊。”

光绪乙酉杨守敬《日本访书志补》著录：“《经史证类大观本草》三十一卷，元刊本，元大德壬寅（1302）宗文书院刊本。书中避孝宗嫌名，盖源于宋刻。”

8. 元大德环溪书院刊本

日本森立之与涩江全善《经籍访古志》卷7云：“《经史证类大观本草》，京师伊良子氏（主税助）藏大德环溪书院刊本，卷末旧人补钞。附淳熙十二年（1185）奉议郎张谓跋一篇。”

9. 不详刊年的元本

《秦汉十印斋书目》卷3载，《重刊经史证类本草》31卷，元大德刊本。

清·杨守敬《观海堂书目》严字号载，《证类本草》20本31卷，元本。

10. 明代重刊宗文书院本

日本森立之与涩江全善《经籍访古志》卷7：“《经史证类大观本草》……小岛春沂近得明代重刊本。”

清《四库全书总目》卷103载，《证类本草》30卷，为两淮江广达家藏本，宋唐慎微撰，并云今行于世者有2种。其中一种就是明万历丁丑（1577）翻元大德壬寅（1302）宗文书院本，前有大观二年（1108）仁和（今杭州）县尉艾晟序。陈振孙《直斋书录解题》卷13“医书类”所著录《大观本草》31卷，盖即此。大德中所刻《大观本草》作31卷，与艾晟所言合。

上海孟河丁氏思补山房藏《大观本草》为明嘉靖间（1522—1566）刊本。

南京图书馆藏《经史证类大观本草》31卷为明万历五年（1577）重刊元大德本。

11. 朝鲜翻刻本

朝鲜翻刻本即高丽刻本，31卷24册，每半页12行，每行23字，高21.7厘米，宽15.2厘米。目录题“唐慎微纂”。艾晟序后有木记云：“大德壬寅孟春宗文书院刊行。”

清·杨守敬《日本访书志》卷9：“《经史证类大观本草》三十一卷，元刊本，有朝鲜国翻刻本，一依宗文本，不增改一字，较明人为谨饬焉。”

日本小岛沂《宝素堂藏书目录》内编著录：“《经史证类大全本草》三十一卷，序目一卷，十二册，朝鲜国重刊大德壬寅宗文书院本。”

12. 日本望草玄刊本

全书31卷，26册，每半页12行，每行23字，高20.9厘米，宽15.2厘米。卷1及卷31之末题“江都医官望草玄翻刻”。其后注“安永四年（1775）乙未十月”。

《中医图书联合目录》75页著录，《经史证类大观本草》31卷，日本安永四年（1775）望草玄刻本。

南京图书馆收藏作“《经史证类大全本草》”（原作日本望三英翻刻大德宗文书院本）。

书首有三序。

第1册第一序，是江都医官望草玄的“新刻经史证类本草题跋”，题“安永乙未仲秋穀旦江都医官望草玄”。跋中讲到“大人没后，今岁乙未冬正丁于七年卒业已成矣”。

第二序，是林敬所作“翻刻《证类本草》序”，题“明和庚寅（1770）孟秋秘书林敬识”。序中讲故侍医鹿门君望藏有唐慎微《证类本草》，乃捐重资欲公之世而不果，卒令子仲理君以继命。按，仲理即望三英。《岩濑文库藏书目》著录：“《大观证类本草》三十卷，仲理望三英，安永四年十月。”

第三序，是江都医官望三英所作“翻刻《证类本草》序”，题“明和己丑（1769）孟春江都医官望三英”。望三英又名望月三英。《内阁文库图书第二部汉书目录》著录：“《大观证类本草》三十一卷，望三英校，安永四年（1775）刊。”

该书先由望三英于1769年开刻，未成，三英已死。后由其子望草玄续刻，到1775年，经7年而成。

上海图书馆藏本作“明和六年（1769）江都医官望氏翻刻元大德六年宗文书院本”。

13. 清光绪三十年（1904）武昌柯逢时影宋并重校刊本（后附柯氏的《大观本草札记》）

柯刊本目录及每卷之首题“经史证类大观本草”，每卷之末题“经史证类大全本草”，其中第22卷末又作“经史证类备急本草第二十二”。金刊贞祐本同此。

该本存药图922幅，比《政和本草》少石蛇、白羊石、黑羊石、凫葵、红蜀葵、黄蜀葵、南烛、莱菔、野驼、金灯、天仙藤11幅药图。其药图较大，每半页一图。按《大观本草》早于《政和本草》，故其药图亦有较好的价值，但由于翻刻次数过多，导致其药图细微之处不够精美。

（四十一）《绍兴本草》

《绍兴校定经史证类备急本草》简称《绍兴本草》。全书22卷。由医官王继先等奉诏撰。书首载“绍兴校定经史证类备急本草序”，序末题“绍兴二十九年（1159）二月日上进”。序末有：

检阅校勘官翰林医侯御医兼权太医局教授赐紫臣高绍功；

检阅校勘官翰林医效诊御脉兼权太医局教授赐绯鱼袋臣柴源；

检阅校勘官成和郎御医兼权太医局教授臣张孝直；

详定校正官昭庆军承宣使太原郡开国侯食邑一千七百户食实封壹佰户致士臣王继先。

据《宋史》卷470“王继先传”记载，王继先，开封人，建炎（1127—1130）初，以医得幸，后益贵宠，世号王医师。官荣州防御使，主管翰林医官局，迁奉宁军承宣使，权势与秦桧埒（音劣，同等）。又迁昭庆军承宣使，又欲得节钺使。其徒张孝直等校本草以献。继先富埒王室子弟。后被勒停，籍其赀以千万计，鬻其田园及金银。淳熙八年（1181）卒。

《绍兴本草》是据《大观本草》校订的，书中药图亦据《大观本草》复刻，所以该书序称“形像则本旧绘画。”

该书所存药图801幅，较《大观本草》少菜部中、菜部下及图经外类药图。其图形精美胜过《大观本草》，这可能与传抄过程中加工描绘润饰有关，因此该书具有较高的参考价值。

《四库全书总目》卷103《证类本草》引王应麟《玉海》云：“绍兴二十七（1157）年八月十五日王继先上校订《大观证类本草》三十二卷，释音一卷，诏秘书省修润，付胄监镂版行之。”

《绍兴本草》在国内未见有重刊，日本有影印本和抄本。

（1）宋嘉定间刻本，31 卷，北京图书馆藏。

（2）日本天保七年（1836）神谷克桢抄本，残存 19 卷，北京大学图书馆藏。该本是抄本中不可多得的佳本。由于它属于珍贵的善本，一般人难以借阅。

（3）日本东京春阳堂 1933 年影印旧抄本。

《续中国医学书目》著录《绍兴校定经史证类备急本草画卷》5 卷 5 册，解题 1 册，行字数不定，每页 1 图，无框，高 26. 5 厘米，宽 19. 2 厘米，昭和八年（1933）七月春阳堂影印大森文库 5 册本。该本比神谷克桢本少小麦、丹黍米、粱米、赤小豆、扁豆 5 幅药图，收藏有药图的药物 861 种。该书药图较之《大观本草》《政和本草》药图，互有粗恶与精美的不同，但其线图明晰程度胜过《大观本草》与《政和本草》药图。

其解题是日本昭和八年（1933）中尾万三为该书所作，名《绍兴校定本草解题》，43200 余言，附于该书之末，考证详博，对唐慎微著书时间及《大观本草》《绍兴本草》的关系，皆有详细的论述。

（4）1971 年日本春阳堂又影印龙谷大学藏本。

（5）《绍兴校定经史证类本草图》，日本白井光太郎大正十四年（1925）题识。按，此本据大森文库所藏本而影印。原本 5 册，题云“备急本草”，有王继先序及目录，记事少，绘图不佳，有白井光太郎博士大正十四年（1925）题识。1933 年加上中尾万三所作解题 1 册，合刊为 6 册。

（6）日本抄本有十多种。据中尾万三《绍兴校定本草解题》云，日本当时存该书抄本有 14 种，诸本各有异同，大致分 3 类（《宋以前医籍考》1338 页至 1339 页）：①多记文抄本；②彩色本；③少记文抄本。

（四十二）《大全本草》

《大全本草》最早是万历五年（1577）宣郡王大猷尚义堂刊本，由王秋捐资刊刻，书首有梅守德序、王大猷序。万历二十六年（1598）重刊，题“《证类大全本草》三十卷万历戊戌刊”。万历二十八年（1600）籍山书院重刊该书。万历三十八年（1610）彭端吾又重刊之，增加彭端吾及金励等的序；同年山西有官刊本。清顺治十三年（1656）杨必达、秦凤仪等亦重刊该书。

《大全本草》有很多刊本，兹列举如下。

1.《经史证类大全本草》

31卷，24册，明万历丁丑五年（1577）刻本。每半页12行，行23字。高25.1厘米，宽16.4厘米。目录题“唐慎微纂”。卷内题“春谷王秋捐资，命男大献、大成同校录”。

有梅守德序、艾晟序、王大献后序。

梅守德序云：“王君秋者，郡春谷人，乃重命之锲局，凡费金三百余而告成……万历丁丑（1577）岁春仲月参知滇省在告前进士给事吏科督学东鲁宛陵梅守德撰。”

艾晟序作于大观二年（1108），序后有“大德壬寅孟春宗文书院刊行”牌记。

王大献后序云：“家君捐赀三百余，命之梓人，始于乙亥（1575）之冬，迄于丁丑（1577）之春告成……宛溪梅公叙其端……是编简帙浩繁，工费颇钜，前代皆以官帑充之，家君农圃余生，家无长物，乃能捐己利人……万历丁丑（1577）岁春仲月春谷后学王大献后序。”

此本题宣郡王大献尚义堂刊本，由王秋捐资刊刻。自称万历丁丑（1577）春谷王秋翻刻元大德壬寅（1302）宗文书院刊本，亦即竹坨云刊于宣城民家者所谓《大观本草》也，其实乃《政和本草》。

按，徐乃昌《南陵县志·懿行传》有王秋传，称：“性豪爽，有慧识，捐资刻《大观本草》。”

杨守敬《日本访书志补》卷9跋元刊《大观本草》云：“迨至万历丁丑（1577），宣城王大献始以成化《政和》之本，改从宗文书院《大观》本之篇题，合二本为一书。卷末有王大献后序，自记甚明。并去《政和》本诸序跋，独留《大观》艾晟序及宗文书院木记。按其名则‘大德’，考其书则‘泰和’，无知妄作，莫此为甚。”

丹波元胤《医籍考》138页云：“明代俗刊，取大德题识，以冠魏卿之本，其妄亦甚。”《中医图书联合目录》75页著录该书。美国国会图书馆收藏有该书。

2. 明万历二十六年（1598）刊本

《持静斋藏书记要》卷5载，《证类大全本草》30卷，宋·唐慎微撰，万历戊戌刻。从卷数上，该本似属《政和本草》。

3. 明万历庚子二十八年（1600）刊本

31卷，24册，明万历二十八年印本。每半页12行，行23字，高24.8厘米，宽16.4厘米。

目录题“唐慎微纂”。卷内题：卷1首页第2行署“知南陵县事楚武昌后学朱朝望重梓”；第3行为“春谷义民王秋原刊”；第4行云“庠生王大献、引礼程文绣同校”。卷31末有木记云：“万历庚子（1600）岁秋月重锲于籍山书院”。

有梅守德、朱朝望、艾晟、程文绣等人的序及王大献后序。

梅守德序于万历五年（1577），见前。

朱朝望序于万历二十八年（1600）。

艾晟序于大观二年（1108）。

程文绣序于万历二十八年（1600）。

王大献后序于万历五年（1577）。

此本是修补万历五年原版，改刻题衔重印。朱朝望序中说：“陵民王秋，好义乐施予，竞输三百金，复梓行于世，余每于署暇，取梓本谛观，则见磨者十四，朽者十三，爰捐俸鸠工补葺，黜蠹纳新，属博雅引礼程生文绣董其役，阅月始告成。”

由此可见，此本是用23年前原版修补重印，并非重刊，所以书中行款全同王秋原刻。

《中医图书联合目录》75页著录，美国国会图书馆收藏。

4. 朝鲜活字本（内有艾晟序及大德壬寅孟春宗文书院刊行记）

三木博士《朝鲜医籍考》116页著录《重修政和经史证类备用本草》31卷，25册。注云：疑是万历五年（1577）前后，据成化四年刊本而活字印行。匡郭高25.5厘米，宽17.5厘米，每半页10行，行19字。

页数：卷首序文9；所出经史方书5；目录48；序例108；正文1374；卷末跋文8；第23册首有“大医院印”。

第1册载商辂序、晦明轩记、麻革序、曹孝忠序、所出经史方书、艾晟序、大德壬寅孟春宗文书院刊行记（按，此文非晦明本所有）、目录。

第2、3册收载序例。

第4~25册即正文。

卷30末附载补注本草奏敕、《图经本草》奏敕、《证类本草》校勘官衔名、宇文虚中书后又有大德丙午岁仲冬望日平水许宅印、成化四年岁次戊子冬十一月既望重刊、杨升督工、梅诩重校、刘肃重录、朱广同等木记。

又《东京帝室博物馆汉书目录》作《证类本草》明万历庚子重刊，10册，朝鲜本。按，此本多“艾晟序、大德壬寅孟春宗文书院刊行木记”，缺刘祁跋。

《经籍访古志》卷7、《聿修堂藏书目录》、《跻寿馆医籍备考》、《观海堂书目》青字号、《内阁文库图书第二部汉书目录》、《元治增补御书籍目录》、《静嘉堂文库图书分类目录》、《岩濑文库图书目录》、《杏雨书屋图书假目录》均有著录。

5. 明万历三十八年（1610）刊本

该书据万历二十八年（1600）本重刊，增加彭端吾序、金励序。余同万历二十八年刊。

全书31卷，前2卷为序例上下、衍义序例，第3卷以下列药名。

有大观二年艾晟序，又有政和六年札付寇宗奭，其艾序后有“大德壬寅孟春宗文书院刊行”木记；有“知南陵县事楚武昌朱朝望据元本重梓”；又有题“春谷王秋捐赀命男大猷、大成同校录”。卷末有木记云“万历庚子秋七月重锲于籍山书院”；又有彭端吾、金励、梅守德三序、王大猷后序。

彭端吾序末有“时万历庚戌三十八年（1610）仲冬至日巡按真灿督理两淮盐课山西道监察御史□□彭端吾”。

金励序末有“万历庚戌（1610）岁一之日钦差整饬徽字等处兵备副使箕城金励谨撰”。

《善本书藏书志》卷16、《八千卷楼书目》卷10、《杏雨书屋图书假目录》均有著录。

又《抱金楼藏书志》卷37，著录的《经史证类大观本草》31卷，注明复元大德本。但书中有彭端吾序、万历庚戌三十八年（1610）梅守德序、万历丁丑五年（1577）王大猷序。每半页10行，行20字，小黑口。按《抱金楼藏书志》所云之《经史证类大观本草》，名为复元大德本，实据万历庚戌三十八年（1610）本重刊，易其名为《经史证类大观本草》。

6. 清顺治十三年（1656）刊本

31卷，10册，每半页12行，行23字，高23.9厘米，宽15.7厘米。顺治丙申（1656）重刊。书名题《大全本草》。

目录题“唐慎微纂”。

卷1题“知南陵县事关东杨必达重梓”“春谷义民王秋原刊”“邑举人秦凤仪、许允成、何天俊、贡生刘笃生、刘弘基同校”。

卷末木牌记为“顺治丁酉岁夏月重锲于籍山书院”，并有诸家序。

杨必达序于顺治十四年（1657）。

秦凤仪序于顺治十三年（1656）。

彭端吾序于万历三十八年（1610）。

梅守德序于万历五年（1577）。

金励序于万历三十八年（1610）。

王大猷后序于万历五年（1577）。

其中杨必达序云："陵邑旧有是刻。岁丙申（1656），修志之役竣事，因诸君子之余力与梓人之便，为补其阙略而成之。"由此可知该本是据旧版修补而成，其卷内补版多为修志之役所刻。由于此刻本进行在修志之后，故徐乃昌《南陵县志》未能收载此本。

周中孚《郑堂读书记》卷42，著录此本，题顺治丙申（1656）重刊。并云："至国朝顺治丙申重刊，竟改为《大全本草》，殊为杜撰。"

（四十三）《政和本草》

文献上所讲的《政和本草》有二：一是宋政和六年（1116）曹孝忠据《大观本草》校刊的《政和新修经史证类备用本草》；二是元初张存惠据《政和新修经史证类备用本草》增附宋·寇宗奭《本草衍义》后校刊的《重修政和经史证类备用本草》。前者久佚，后者即今日流行的《政和本草》。

曹孝忠校刊的《政和本草》虽佚，但从文献上仍可了解其大致情况，具体如下。

1. 曹孝忠校刊《政和本草》

（1）校刊情况。

政和六年（1116）九月曹孝忠校刊《政和本草》作的序云："蜀人唐慎微，近以医术称，因本草旧经，衍以证类，医方之外，旁摭经史至仙经、道书，下逮百家之说，兼收并录……乃诏节使臣杨戬总工刊写，继又命臣校正……凡六十余万言，请目以《政和新修经史证类备用本草》云。政和六年九月一日。中卫大夫、康州防御使、句当龙德宫总辖、修建明堂所医药提举、入内医官编类圣济经提举、太医学臣曹孝忠谨序。"

曹孝忠校刊《政和本草》，序中又说："谨奉明诏，钦帅官联，朝夕讲究，删繁缉紊，务底厥理。诸有援引误谬，则断以经传；字画鄙俚，则正以字说；余或讹戾淆互缮录之不当者，又复随笔刊正，无虑数千，遂完然为成书。"

（2）曹孝忠校刊《政和本草》，以《大观本草》为底本。他校刊的《政和本草》与《大观本草》有下列不同。

①在卷数上，《大观本草》原是31卷，其卷30为有名未用药，卷31为本经外草木类。《政和本草》移卷31于卷30之前，合2卷为1卷。所以《政和本草》总卷数为30卷。②在药物上，《大观本草》卷4无石蛇、黑羊石、白羊石，卷31无天仙藤。《政和本草》卷4有石蛇、黑羊石、白羊石，卷30有天仙藤。③在附属文排列位置上，例如，“补注所引书传”是《嘉祐本草》援引的书目提要，介绍16家本草义例。《大观本草》将该书目提要列在卷30“补注本草奏敕”之后。《政和本草》将之列在卷1序例上“臣禹锡等谨按徐之才《药对》、孙思邈《千金方》、陈藏器《本草拾遗》”之后。又如《大观本草》《政和本草》两书末均有“补注本草奏敕”和“《图经本草》奏敕”2个奏敕文。在“补注本草奏敕”文末，《大观本草》有“重广补注图经神农本草卷第三十”14字，而《政和本草》无此14字。《政和本草》在“《图经本草》奏敕”全文开头，冠有“《图经本草》奏敕”6字；在全文末，附有“《证类本草》校勘官叙”，列举龚璧等8位校书人官衔名。然而《大观本草》卷31末仅有“《图经本草》奏敕”的全文，无“《图经本草》奏敕”6字的标题，文末亦无“《证类本草》校勘官叙”。

《大观本草》《政和本草》两书类似这样的差异很多，此处从略。

（3）曹氏校刊的《政和本草》的刊本。

曹孝忠校刊的《政和本草》，久已亡佚。从文献上了解，曾有几种刊本。

最早是政和六年（1116）原刊本。北宋亡后，北方为金朝所占。金皇统三年（1143）刊过该书一次。这可从金翰林学士宇文虚中在皇统三年（1143）为《政和本草》作的跋文得知。

清·莫友芝《郘亭知见传本书目》卷8著录，金泰和六年（1206）刊小字本。

现存《政和本草》麻革序提到“行于中州者，旧有解人庞氏本，兵烟荡析之余，所存无几”。此序提到解人庞氏本。

年代不详的宋刊本。清·钱曾《述古堂藏书目》卷4载《政和本草》30卷，系将《大观本草》第31卷移在第30卷之前，合并为1卷。清·王士钟《艺芸精舍宋元本书目》载《政和本草》30卷，注云抄补。清·徐乾学《传是楼宋元本书目》载宋·唐慎微《证类本草》30卷。这些刊本均佚。

2.《重修政和经史证类备用本草》

该书即今日流行的《政和本草》，是元初张存惠据曹孝忠修订的《政和本草》，增加宋·寇宗奭《本草衍义》重修而成。由于张存惠刻书铺名“晦明轩”，所以张氏重修的《政和本草》，又称为“晦明轩本”。有关张存惠重修《政和本草》，另撰专文述之如后。

（四十四）张存惠重修《政和本草》所据底本的讨论

重修《政和本草》是元初张存惠修订的。张存惠是晦明轩的主人，所以张氏修订的《政和本草》又称为“晦明轩本”。

晦明轩本是据解人庞氏本《政和新修经史证类备用本草》校刊的。其理由如下。

（1）麻革为晦明轩本作序云：“迄于有宋政和……行于中州者，旧有解人庞氏本，兵烟荡析之余，所存无几，故人罕得恣窥。今平阳张君魏卿，惜其浸遂湮坠，乃命工刻梓，实因庞氏本，仍（乃）附以寇氏《衍义》，比之旧本益备而加察焉。”

（2）张存惠在晦明轩本书首牌记中说：“此书世行久矣，诸家因革不同，今取证类本尤善者为窠模，增以寇氏《衍义》。”牌记所言“今取证类本尤善者”即麻革序中的“庞氏本”。

据此可知，晦明轩本是由庞氏本《政和新修经史证类备用本草》，加上寇氏《衍义》而成的。

（四十五）张存惠重修《政和本草》凡例

书首增加牌记及麻革序（1249），书末加“刘祁跋”（1249）。

从晦明轩本书首牌记中可知张存惠增订情况如下。

（1）取证类本尤善者为窠模。

（2）增以寇氏《衍义》。

（3）别本中方论多者，悉为补入。

（4）本经、别录、先附、分条之类，其数旧多差互，亦加考正。

（5）凡药有异名，取其俗称注之目录各条下。如蚤休下注紫河车，假苏下注荆芥，苏下注紫苏，卫矛下注鬼箭，赤柽木下注三春柳，红蓝花下注红花，菒耳实下注苍耳。

（6）图像失真者，据所尝见，皆更写之。如竹分淡、苦、堇三种，食盐著古今二法。

（7）笔画谬误，殊关利害。如升斗、疽疸、上下、千十、未末之类，无虑千数；或证以别本，质以诸书，悉为厘正。

(8) 疑者阙之，敬俟来哲，仍广其脊行，以便缀缉。

(9) 致力极意，不敢一毫苟简，与旧本颇异，故目之曰重修。

(10) 泰和甲子下己酉冬日南至晦明轩谨记。

(四十六)《政和本草》增入寇氏《衍义》

现存《重修政和经史证类备用本草》，是1249年晦明轩主人张存惠翻刻，并附以寇氏《衍义》者。

晦明轩本《政和本草》牌记云："今取证类本尤善者为窠模，增以寇氏《衍义》。"这是北方《证类本草》增入《衍义》最早的记载。但是近人张山雷根据麻革序中有"实因庞氏本，仍附以寇氏《衍义》"的"仍"字，提出《证类本草》增入寇氏《衍义》，并不始于张存惠。这样用"仍"字来断定，未必正确。"仍"字意义很多，亦可作"乃"字用。《中华大字典》31页"仍"字下注云："乃也。《史记·淮南衡山列传》'仍父子再亡国'，谓乃至父子再亡其国也。"此"仍"并不具有"仍旧"的意义。

在北方，张存惠应是最早将寇氏《衍义》增入《政和本草》的人。

在南方，最早在《证类本草》内容后附以寇氏《衍义》的，要算《新编类要图注本草》。日本森立之与涩江全善《经籍访古志》卷7载，《新编类要图注本草》42卷，序例5卷，目录1卷，宋建安余彦国励贤堂刊本，宋桃溪儒医刘信甫、许洪校正。

《经籍访古志》云："按，此本节略唐氏《证类》，而附以寇宗奭《衍义》者。刘信甫、许洪俱宋嘉定间（1208—1224）人，在张魏卿新增《衍义》之前二十有余年矣。卷中药各分白黑。其余悉黑书。但'果人'之'人'，此特作'人'字，且每条畏恶相反大书。其文字或有胜于大德本。"由此可知，《证类本草》增附《衍义》，南方早于北方20余年。

《新编类要图注本草》的书名很复杂。各种图书目录所记载的书名互不一致，大体可分2类，一类以"图注本草"为主要名称，另一类以"图经集注衍义本草"为主要名称。兹将2类书名列举如下。

1.《新编类要图注本草》类

题《新编类要图注本草》，有《经籍访古志》卷7、《图书寮汉籍善本书目》卷3、《聿修堂藏书目》。

题《新编证类图注本草》，有《天禄琳琅书目后编》卷5宋版子部、《群碧楼善本书录》卷2元刻本、《静嘉堂文库图书分类目录》。

题《证类图经本草》，有尤袤《遂初堂书目》，不著撰人及卷数。

题《类要图注本草》，有《传是楼宋元本书目》。

《医籍考》云："按刘信甫著有《活人事证方》……信甫编是书后，就《证类本草》中，附以寇氏《衍义》……存惠之书，与《政和》原文，无所节略，信甫之书，则颇加芟汰，二书体式自异。"

该书刊本如下。

（1）宋余彦国刊本。《新编类要图注本草》42卷，序例5卷，目录1卷，宋桃溪儒医刘信甫校正，卷首有许洪校正字。目录末有木记"建安余彦国刊于励贤堂。"木记四周双边，书框高6寸4分，宽4寸4分，每半页10行，行19字（见《经籍访古志》卷7）。

（2）元刊本。《新编证类图注本草》42卷，题桃溪儒医刘信甫校正，每半页13行，行22字（见《群碧楼善本书录》）。

（3）慧昌刊本。元世医普明真济大师赐紫僧慧昌校正，易其名为《类编图经集注衍义本草》，或称《图经集注衍义本草》，或简称《图经衍义本草》。其卷数版式全同刘信甫校正的书。涩江全善谓该书即《类要图注本草》而妄改题目者。

2.《图经集注衍义本草》类

题《类编图经集注衍义本草》，有《经籍访古志》卷7、江标《宋元本行格表》。

题《图经集注衍义本草》，有《万卷堂书目》卷3、《丛书书目汇编》道藏灵图类、《二续中国医学书目》上海涵芬楼影印正统道藏本、《杏雨书屋图书假目录》。

题《图经衍义本草》，有《丛书书目汇编》道藏举要第八类摄生、《大连图书馆和汉图书分类目录》道藏352页。

题《衍义本草》，有《观海堂书目》学字号、《故宫博物院书目》。此名《衍义本草》与寇宗奭原著《本草衍义》20卷，极易混淆。

题《图经备用本草诗译》42卷，宋·寇宗奭撰，民国刊，同许洪校正（见《杏雨书屋图书假目录》）。

《图经集注衍义本草》有2种：一种是5卷本，仅有序例部分；另一种是42卷本，是完整的，内有序例5卷，目录1卷。皆题宋·寇宗奭编撰，许洪校正。《留真谱新编》第7，载有该书2种影刻本。

(1）一种影刻本。

首行题：类编图经集注衍义本草目录。

二行题：山医普明真济大师赐紫僧慧昌校正。

三行以下又别为匡郭6行。每行刻首末2字，为书贾题词字样。

(2）另一种影刻本。

首行题：类编图经集注衍义本草上卷一。

二行题：通直郎添差充收买药材所辨验药材寇宗奭编撰。

三行题：敕授太医助教差充行在和剂辨验药材官许洪校正。

四行题：补注总序。

五行以下总叙本文，此本与《天禄琳琅书目后编》所载《新编类要图注本草》刊本相同。

涵芬楼影印道藏本，全书42卷，16册，序例上5卷，另出1册。书各卷第2、3行有“宋通直郎添差充收买药材所辨验药材寇宗奭撰”“敕授太医助教差充行在和剂辨验药材官许洪校正”。

书前有各种序：补注总序，本草图经序，唐本序，陶隐居序，又序例，重广补注神农本草并图经序，雷公炮炙论序，又序例上、中、下，又序例目录。

观该书所列诸序，既无《大观本草》艾晟序，又无《政和本草》曹孝忠序。但列有“重广补注神农本草并图经序”，该序《政和本草》标题作“林枢密重广本草图经序”。

该书除对《本经》药名作黑底白字外，其余皆作黑字。因此该书中的《本经》文、《别录》文也就无法分辨了。全书中对唐附（《唐本草》所增药的标记）、今附（《开宝本草》所增药的标记）、新补、新定（《嘉祐本草》新增药的标记）等标记全部删除。各药后的“七情畏恶相反”文，皆作大字书写，全书各药注释文皆很简略，不如《政和本草》详细。对《证类本草》中冷僻药物亦全部删掉。对《证类本草》中“本草图经外草类及木蔓类”“有名未用类”“唐退药”“今退药”“陈藏器余”“海药余”“食疗余”“唐本余”“图经余”大都摒弃不录。因此该书所收药总数比《大观本草》少443种，药图少437幅，而且药图与药名相互混淆，图形多有改变。

全书药图和现存的《大观本草》《政和本草》的药图也不相同。《天禄琳琅书目后编》云：“其正文、分部、汇图，详注药性、道地、炮制、方剂，引据虽博，而编纂无例，标注不明，盖当时局医所撰。”

日本森立之与涩江全善《经籍访古志》卷7云："按，此本节略唐氏《证类》，而附以寇宗奭《衍义》者。刘信甫、许洪俱宋嘉定间人。"

丹波元胤《医籍考》谓"刘信甫著有《活人事证方》，盖嘉定间（1208—1224）人。信甫编是书后，就《证类本草》中，附以寇氏《衍义》者"。

许洪著有《指南总论》上、中、下3卷，附刊在《太平惠民和剂局方》之后，题"授太医助教前差充四川总领所检查惠民局许洪编"（1985年人卫校点本405～471页）。

《图经衍义本草》无重刊年月及序跋，并缺目次，但据书中"桃核人""郁李人""李核人"等仍写作"人"，不作"仁"，应是明成化以前的刻本。

今流行较广的是道藏本，其余几种，均未见翻印过。

（四十七）张存惠重修《政和本草》所题甲子纪年"己酉"年代的讨论

《政和本草》修订的时间没有具体的记载，该书中只记载5个甲子纪年的"己酉"。一是晦明轩牌记末题"泰和甲子下己酉"；二是麻革为《政和本草》作的"重修《证类本草》序"题"己酉孟秋望日"；三是《政和本草》卷30书末附刊刘祁跋的末尾题"己酉中秋日"；四是《政和本草》各卷首页头一行书名下注"己酉新增衍义"；五是《政和本草》卷30末尾题"泰和甲子下己酉岁□□初日辛卯刊毕"。这5个己酉都是同一年的己酉，都是1249年。为什么呢？因为第3个己酉是刘祁的跋中提到的，此跋亦见于刘祁《归潜志》卷13作"书《证类本草》后题己酉中秋日"。《金史》卷226"刘祁传"记载刘祁生卒年为1205—1250年，查公元纪年表，在1205—1250年之间只有1249年是己酉年，就是刘祁逝世的前一年，因此刘祁跋所题"己酉中秋日"的己酉应是1249年。在刘祁跋的文末云："今岁游平水，会郡人张存惠魏卿介吾友弋君唐佐来言，其家重刊《证类本草》已出，及增入宋人寇宗奭《衍义》，完焉新书，求为序引，因为书其后。"由此可知，各卷首题注"己酉新增衍义"的己酉也是1249年。又牌记中讲"今取证类本尤善者为窠模，增以寇氏《衍义》……泰和甲子下己酉"，则牌记中所题己酉亦是1249年。又麻革的"重修《证类本草》序"中讲"存惠字魏卿，岁己酉"，此己酉亦是1249年。

从麻革的序、刘祁的跋、牌记中的资料，可以了解到修订《政和本草》的是平阳张存惠，字魏卿，他于1249年把寇宗奭《本草衍义》随文散入书中，作为增订本，将《政和新修经史证类备用本草》改名为《重修政和经史证类备用本草》。并在书首牌记中题"增以寇氏《衍义》……泰和甲子下己酉冬日南至晦明轩谨记”；在各卷书名下，题“已酉新增衍义”，在卷末，题“泰和甲子下已酉岁□□初日辛卯刊毕”；在麻革序中，题“存惠，字魏卿。岁已酉孟秋望日”；在刘祁跋中，题“张存惠魏卿……其家重刊《证类本草》已出，及增入宋人寇宗奭《衍义》……已酉中秋日”。以上5处所题“已酉”，均是同一个年的“已酉”。

《政和本草》书首牌记所题“泰和甲子下已酉冬日南至晦明轩谨记”，清·钱谦益《有学集》卷46（《四部丛刊》本），对此问题曾做解释。钱氏在“跋本草”条云：“金源代以夷狄右文，隔绝江右，其遗书尤可贵重。平水所刻本草，题泰和甲子下已酉岁。金章宗泰和四年（1204）甲子，宋宁宗嘉泰四年也。至已酉岁为宋理宗淳祐九年（1249），距甲子四十五年，金源之亡已十六年矣。犹言泰和甲子者，蒙古虽灭金，未立年号，又当女后摄政，国内大乱之时，而金人犹不忘故国，故以已酉系泰和甲子之下欤。”

清·钱大昕《十驾斋养新录》卷14（《四部丛刊》本）“《证类本草》”条云：“旧题记云泰和甲子下已酉冬，实元定宗后称制之年，距金亡已十有六载矣。而存惠犹以泰和甲子下统之，隐寓不忘故国之思，或以为金泰和刻则误矣。”

清·程瑶田《通艺录》（安徽丛书）古书求解《证类本草》书后云：“泰和，金章宗年号。甲子为泰和四年（1204），实宁宗嘉泰四年（1204）也。下已酉者，元定宗后称制之年也，为宋淳祐九年（1249），时平阳地属元，元初承金而未建元，故上溯金章甲子以统之。”

按晦明轩本《政和本草》，是元初平阳张存惠重刊《政和本草》，首有牌记，称泰和甲子已酉南至晦明轩记，钱大昕、程瑶田考为元定宗后称制之年，距金灭亡已16年。《四库全书总目提要》以为金泰和刻本，误矣。

（四十八）重修《政和本草》刊本

重修《政和本草》刊本很多，今举其要者列举如下。

1. 晦明轩刊本

元初张存惠刻《政和本草》，增入寇氏《衍义》于各药之后，称为“晦明轩刊本”或称“金泰和刊本”，在其各卷首书名下题“已酉新增衍义”，钱谦益《有学集》卷46、钱大昕《十驾斋养新录》卷14，皆说“已酉”为元定宗后称制之年，即张存惠书刻于金亡之后16年矣。

美国国会图书馆藏金泰和本残存13卷，每半页11行，行19～21字，高16.8厘米，宽12.4厘米。原题“成都唐慎微续证类，中卫大夫、康州防御使、句当龙德官总辖、修建明堂所医药提举、入内医官编类圣济经提举、太医学臣曹孝忠奉敕校勘”。

此本存卷1、卷4、卷5、卷7、卷8、卷10、卷11、卷15、卷16、卷18、卷19、卷20、卷22，仅13卷。《四库全书总目提要》卷103著录过该书。

南京、上海图书馆藏有金泰和刊本30卷，每半页11行，行19~21字，高17.5厘米，宽12.4厘米。北京图书馆藏残存卷12~20卷，有明代藏书家毛晋等印记。

2. 元大德十年刊本

丁日昌《持静斋书目》卷3云：“《证类本草》（即《政和本草》）30卷。元刊本，增附寇氏《衍义》，后署大德丙午（1306）岁仲冬望日平水许宅印。”

3. 明成化四年刊本

清·缪荃孙《艺风藏书记》卷2载有《重修政和经史证类备用本草》30卷。题金泰和甲子晦明轩本，明成化戊子翻刻。有曹孝忠序、麻革序、刘祁跋、宇文虚中跋，每半页12行，行23字，另有成化四年（1468）淳安（今浙江淳安）商辂序。题山东巡抚原杰重刊平阳张存惠本。

日本森立之与涩江全善《经籍访古志》卷7载：“《重修政和经史证类备用本草》30卷，目录1卷。明成化重刊元大德丙午刊本，首载成化四年（1468）商辂序。次题云‘泰和甲子下己酉冬日南至晦明轩谨记’。次己酉孟秋麻革信之序，次政和六年曹孝忠序。又有皇统三年宇文虚中跋及己酉中秋日刘祁跋，云‘书张魏卿重修本草后’。又记‘大德丙午（1306）岁仲冬望日平水许宅印’。”

按段玉裁《说文解字注》：“果人之字，自宋以前本草、方书、诗歌记载，无不作‘人’字，自明成化重刊本草，乃尽改为‘仁’字，于理不通。”

原杰，字子英，阳城（今山西阳城）人，正统十年（1445）进士，历任山东、湖广巡抚，赠太子太保。事见《明史·列传》。

商辂序于成化四年，题“成化四年岁次戊子冬十一月既望，资善大夫兵部尚书兼翰林学士知制诰经筵官淳安商辂序”。序中云：“今山东按察佥事茂彪，曩以御史出按平阳，购求得之，于郡守胡睿珍藏有年。适副都御史原杰，奉命巡抚山东，见而善之，谋诸左右，布政使雷复、叶冕，按察使李裕，副使刘敬，命工重锓。都宪因提学佥事周濠来京，以序见属予，敬为序诸首篇。”

原杰刊本的底本是茂彪从平阳购得的。平阳即张存惠故乡。按《经籍访古志》

所云，原杰是据元大德丙午（1306）刊本翻刻，并非据张存惠原始刊本翻刻。

《四库全书总目提要》卷103著录：明成化戊子（1468）翻刻金泰和甲子晦明轩本，前有宋政和六年（1116）提举医学曹孝忠序……使臣杨戬总工刊写……书末又有金皇统三年（1143）翰林学士宇文虚中跋……盖靖康（1126）以后，内府图籍，悉入于金，故陈振孙未见此书……晁公武所云三十二卷者，殆合目录计之，亦未见政和所刻也……泰和中所刻政和本，则以第三十一卷移于三十卷之前，合为一卷……又有定宗己酉麻革序及刘祁跋，并称平阳张存惠，增入寇宗奭《本草衍义》……然考大德所刻大观本，亦增入寇宗奭《本草衍义》，与泰和本同，盖元代重刻，又从金本录入也。

按杨守敬《日本访书志补》所云，《四库全书总目提要》所言大德刊的《大观》增入《衍义》，实乃王大猷刊的《大全本草》，观其名为《大观》，考其书乃晦明轩本《政和》，所以增有《衍义》。

4. 明正德十四年（1519）刊本。

20册，30卷。清·孙星衍《孙氏书目》内编卷2及《杏雨书屋图书假目录》皆有著录。

5. 明嘉靖二年（1523）陈凤梧刊本

山东巡抚陈凤梧据明成化四年（1468）本重刊。前有明商辂序。30卷，24册，框高25.4厘米，宽16.4厘米，每半页12行，行23字。书末有“大德丙午岁仲冬望日平水许宅印”。

商辂序于成化四年（1468）。

陈凤梧序于嘉靖二年（1523）。序云：“全书，凡三十卷。成化间巡抚山东都御史原公杰，得平阳善本，刻之臬司。然模印既久，字画汗漫。凤梧以谫陋承乏巡抚，延檄臬司访旧本而锓之，阅岁而始告成，凡为版一千三百四十有奇。是举也，始其事者江宪使潮，中其事者吴宪副山，钱宪副宏，终其事者潘宪使珍也。嘉靖癸未（1523）冬十月既望。赐进士出身通议大夫都察院右副都御史奉敕巡抚山东地方，庐陵（今江西吉安）静斋陈凤梧叙。”

美国国会图书馆藏。卷内有“谭莹之印”“栽杏堂”印记。清·孙星衍《廉石居藏书记》内编卷上、日本黑田源次《中国医书目》、《中医图书联合目录》75页皆有著录。

6. 明嘉靖十六年（1537）楚府崇本书院重刊本

全书30卷，10册，据嘉靖癸未陈凤梧刻本重刻。卷末木记有“嘉靖丁酉

（1537）孟春月吉楚府崇本书院重刊”。

《寒瘦山房鬻存善本书目》卷3、《杏雨书屋图书假目录》皆有著录。

7. 明嘉靖三十一年（1552）山东臬司周琉据明嘉靖二年（1523）本重刊

全书30卷，24册，每半页12行，行23字。高25.5厘米，宽16.4厘米。有王积、项廷吉、马三才、商辂、陈凤梧等序。

王积序于嘉靖三十一年（1552）：“原本刊于山东按察司……宪使周琉曰‘此书殆不可坐令其废’，乃谋于方伯谢存儒、沈应龙，请为重刊，予乐从之。乃属济南守李迁鸠工锓梓，越两月竣工，诸君以序来请……嘉靖壬子（1552）春正月望，赐进士出身，知都察院右副都御史，奉敕巡山东地方，太仓王积撰。”（王积亦名王虚斋，太仓人）。

项廷吉序于嘉靖三十一年（1552）：“按察周琉，以拯人起愈是任，爰诹君存儒，沈应龙，属济南守李迁，稽斥冗财，嘉靖壬子布法之月，书乃告成……巡抚山东监察御史，江右渔浦项延吉撰。”（周琉，应城人，累官右佥都御史，巡抚苏、松诸府。事见《明史·列传》）

马三才序于嘉靖三十一年（1552）：“成化初抚台原公，板于东臬，时未百年，字图圮漫。臬使周琉，以请抚按虚斋王公，渔浦项公，复谋梓曰，曷以给工，檄济南守李迁……梓成。因附为序。时嘉靖壬子（1552）岁春中朔旦，赐进士第文林郎，巡按山东，监察御史，前翰林庶吉士，古杭马三才撰。”（马三才，德清人，嘉靖辛丑（1541）进士。见《太学进士题名碑录》）

商辂序于成化四年（1468）。

陈凤梧序于嘉靖二年（1523）。

按此本是据陈凤梧本重刊。字体行款悉同陈本。陈本不记刻工，此本下书口记刻工姓氏。又卷末有牌记云：“嘉靖三十一年岁次壬子春正月重刊，山东济南府儒学教授胡大庆，训导冀为珩同校督。”

《杏雨书屋图书假目录》、《楂栲书屋图书目录》、《中医图书联合目录》75页皆有著录。美国国会图书馆藏有2套，一套是24册装，另一套是12册装。12册装的卷内有“好盐书库”“墅间氏藏书印”等印记（见王重民《中国善本书提要》254页）。

8. 明隆庆三年（1569）刊本。

全书30卷，20册，高26厘米，宽17厘米，每半页12行，行23字。隆庆三年（1569）刊，有商辂序题成化四年，麻革作“重修《证类本草》序”题已酉，曹孝忠序，《证类本草》所出经史方书、晦明轩重修本草牌记题泰和甲子下己酉，目录，序例，跋，有龚璧《证类本草》勘文题政和六年，有宇文虚中书后题皇统三年，有刘祁书后，有大德丙午（1306）岁仲冬望日平水许宅印，卷末有木记曰：“隆庆三年岁次己巳（1569）秋八月吉重刊。”

《中医图书联合目录》著录隆庆三年刊本。

9. 明隆庆四年（1570）浙江巡抚署谷中虚重刊本

30卷，24册，每半页12行，行23字，高25.6厘米，宽16厘米。

谷中虚序于隆庆四年（1570）云：“余来督抚两浙，越再稔，以其暇日，检自敝笥，得尝所校雠《证类本草》一编，表而梓之。”

商辂序于成化四年（1468）。（内容见前）

按，该本为浙江刊本，残缺很多，后人用隆庆六年傅希挚校刊本配补该书。傅本每半页11行，眉端有注音，此本无。

《中医图书联合目录》75页、《杏雨书屋图书假目录》均有著录，美国国会图书馆亦有收藏。

10. 明隆庆六年（1572）山东布政使司施笃臣校刊本

30卷，24册，每半页11行，行23字，高25.8厘米，宽16.2厘米，有傅希挚、吴从宪、施笃臣、商辂、陈凤梧、王积、项廷吉、马三才等人序。

傅希挚序于隆庆六年（1572），云：“本草刊于东省旧矣，模印既久，渐模糊，几不可辨，阅者病之。方伯施笃臣请为重梓，余善之。遂属医官时孟阳辈，细加校雠……神农本经并陶注、唐注，原刊阴文白字，今易以阳文墨字，鸠工锓梓。再阅月而告竣焉。诸君以序来请……隆庆壬申冬十月朔，赐进士第，都察院右佥都御史，奉敕巡抚山东地方，兼督理营田，衡漳傅希挚撰。”

吴从宪于隆庆六年（1572）撰“重刊《证类本草》序”云：“……方伯施笃臣，惧其板模糊，谋重刊之，且以示余，余推本而论之……隆庆壬申岁重阳后，赐进士第，巡按山东，监察御史，后学晋江（今福建晋江）吴从宪序。”

方伯施笃臣于隆庆六年（1572）撰“重刊《证类本草》序”云：“……字多剥落，藩臬诸君，虑其湮灭，与夫共请于两台重梓之。凡三阅月成，诸君属余叙之。隆庆壬申冬十一月长至日，赐进士出身，山东布政使司左布政使，青阳（今安徽青阳）施笃臣叙。”

此本由时孟阳校勘，对标记方法进行了一定的修改，如原刊白字改黑字，《本经》文加圈为识别，其行款与成化、嘉靖本不同。又此本眉端有注音，亦为前诸本所无。

在施笃臣序后，尚有商辂序于成化四年（1468），陈凤梧序于嘉靖二年（1523），王积序于嘉靖三十一年（1552），项廷吉序于嘉靖三十一年（1552），马三才序于嘉靖三十一年（1552）。

《中医图书联合目录》75页、《杏雨书屋图书假目录》均有著录，美国国会图书馆亦有收藏。

11. 明万历五年（1577）蜀府陈瑛重刻本

30卷，由蜀府陈瑛刊于万历五年（1577）。书首有周俶、王积、项廷吉、马三才、商辂等序。

周俶，字初卿，成都人，嘉靖辛丑（1541）进士，历任应天府（今河南商丘）尹（见凌迪知《万姓统谱》。《明史》诸王表，太祖子椿于洪武十一年封蜀王，二十三年就藩成都）。

周俶序是此次陈瑛刊本新增的序，王积、项廷吉、马三才3人的序是承袭周珫刊本的序，商辂序是承袭原杰刊本序。

12. 万历七年（1579）归仁斋杨先春重刊本

30卷，万历七年（1579）杨先春据成化四年原杰本重刊。

孙星衍《孙氏书目》内编卷2、《杏雨书屋图书假目录》、《楂栲书屋图书目录》皆有著录。

书面题“重修政和经史证类备用本草”，扉页作“大观本草纲目全书”。30卷，15册，每半页11行，行21字，框高19.4厘米，题唐慎微续证类，万历七年杨先春新梓。有新刊大观本草序、成化四年商辂序、重修本草牌记题泰和甲子下已酉，牌记后有木记云：“大明万历戊寅岁冬至吉旦归仁斋重刊。”

书末刊有木记“成化四年岁次戊子冬月既望刊重，龙飞万历已卯春月杨先春新梓。”

《平津馆鉴藏书籍记》卷2、《杏雨书屋图书假目录》、《二续中国医学书目》、《宝素堂藏书目录》皆有著录。

13. 明万历九年（1581）富春堂刊本

30卷，题成历九年（1581）年梓，富春堂刊本。《杏雨书屋图书假目录》《楂栲书屋图书目录》著录。

14. 明万历十五年（1587）经厂重刻本，亦称内府本

30 卷，10 册，每半页 12 行，行 23 字，高 28.9 厘米，宽 21.7 厘米。扉页作“大观本草纲目全书”，书口又作“大观本草”，首行又间作“重修经史证类备用大观本草”。有御制序、王积序、项廷吉序、马三才序、商辂序、陈凤梧序、御制跋。

御制序于万历十五年（1587）。

王积序于嘉靖三十一年（1552）。

项廷吉序于嘉靖三十一年（1552）。

马三才序于嘉靖三十一年（1552）。

商辂序于成化四年（1468）。

陈凤梧序于嘉靖二年（1523）。

御制序跋：“朕既命所司校刻《证类本草》一编，序诸简端矣……朕蒐辑群书，得《证类本草》……乃命工重梓之，为叙其简端如此。”

此本为明万历十五年内府刻本。检刘若愚《内板经书纪略》有《重刻证类本草》10 本，1345 页，疑即此本。

此本有王积序，是知内府据山东翻本重刊。又卷 21 第 17 页后至卷 22 之尾为崇祯十五年（1642）补抄本。美国国会图书馆收藏 2 套：一套有御制序跋；一套无御制序跋，但卷内有“四明卢氏抱经楼藏书印”。

15. 明天启四年胡驯据明嘉靖二年（1523）本重刊

明天启四年（1624）历下世医胡驯、陈新据嘉靖陈凤梧本重刊。

全书 30 卷，24 册，每半页 12 行，行 23 字，高 25.1 厘米，宽 16.5 厘米。

卷 1、卷 2、卷 7、卷 8、卷 9、卷 11、卷 23、卷 25、卷 26 末并记“天启甲子岁历下世医邑庠生胡驯、府庠生陈新重校”。卷 7、卷 8、卷 11、卷 23、卷 26“天启”下多“四年”2 字。

书尾有校勘官衔名。兹录如下。

天启五年（1625）岁次乙丑春十月既望重刊。

山东等处承宣布政使司，左布政使，直隶和洲曹尔桢督理。

山东等处承宣布政使司，右布政使，湖广景陵胡承诏督理。

济南府知府，浙江钱塘樊时英督理。

同知　直棣枣强苏为梯督理。

通判　山西兴邑李一桂督理。

通判　陕西朝邑井东星督理。

推官　浙江黄岩吴执御督理。

山东等处承宣布政使司，经历司经历，河南泌阳陈民思督工。

该书翻刻，始于天启四年（1624），至天启五年（1625）二月竣工。字体与嘉靖间刻本异。又刘祁跋后有成化四年督工及官衔名如下。

成化四年（1468）岁次戊子冬十一月既望重刊。

山东按察司经历司知事，湖广黄陂杨昇督工。

山东兖州府东平州学正，湖广武陵梅诩重校。

山东都司济南卫经历司知事，华亭刘肃重录。

寓济南士人姑苏朱同录。

商辂序于成化四年（1468）。

陈凤梧序于嘉靖二年（1523）。

王积序于嘉靖三十一年（1552）。

项廷吉序于嘉靖三十一年（1552）。

马三才序于嘉靖三十一年（1552）。

晦明轩牌记。

宇文虚中书《证类本草》后于皇统三年（1143）。

刘祁跋于己酉（1249）。

《中医联合图书目录》著录。美国国会图书馆收藏明天启四年刊本有2套，一套是完整的，另一套不全。据卷1、卷2、卷7、卷8等所提重校人胡驯、陈新等名，当是天启五年（1625）山东布政使曹尔桢等翻刻本。卷末曹尔桢等题衔已佚，后人据嘉靖三十一年（1552）刻本补写刘祁跋，故误补入校督人胡大庆、冀为珩姓名。不全本亦存有项廷吉序、马三才序、商辂序、陈凤梧序。

16. 不详的明刊本

《重修政和经史证类备用本草》，全书30卷，目录1卷，24册，每半页12行，行23字，高19.5厘米，宽22.8厘米。此本有御制重刊证类本跋，题嘉靖三十一年（1552）刊本；有万历十五年（1587）5月吉日御制前序；有成化四年序，嘉靖壬子太仓王积、江右渔浦项廷吉、古杭马三才、嘉靖癸未庐陵陈凤梧4序，皆山东巡抚巡按等官，有山东济南府儒学教授胡大庆、训导冀为珩同校督。

《天禄琳琅书目》卷9、《平津馆鉴藏书籍记》卷2、《孙氏书目》内编卷2、

《适园藏书志》卷6、《续中国医学书目》136页皆有著录，《中医图书联合目录》著录为明籍山书院刻黑口本。

17. 四库全书本（书名作《证类本草》）

1960年版《中医图书联合目录》未著录。

18. 《四部丛刊》本

清·沈乾一撰《丛书书目汇编》著录《四部丛刊》本《重修政和经史证类备用本草》30卷，12册，宋·唐慎微撰。金泰和晦明轩刊本。1929、1936年商务印书馆据《四部丛刊》本加以影印。

《四部丛刊》本《重修政和经史证类备用本草》是以影印晦明轩原本为号召，其实是取成化复刻本，削去重刊诸序而付印之，绝非原本。按段玉裁《说文解字注》云："果人之字，自宋以前本草、方书、诗歌记载，无不作'人'字，自明成化重刊本草，乃尽改为'仁'字。"

19. 人卫影印本

1957年人卫据扬州季范董氏藏金泰和张存惠晦明轩本影印（另一种平装的是4页合1页本)。该影印本的书首"内容简介"部分主要有3个疑问。

(1)"经医官艾晟等"：按，艾晟是通仕郎行杭州仁和县尉管句学事，并非医官。《历代职官简释》183页云："汉之县尉实为一县掌治安之要职……唐之县尉……下县一人，从九品下。"

(2)"再次改为《政和新修证类备用本草》"：此书名中，"新修"后，脱"经史"2字。按《政和本草》曹孝忠序，应作"《政和新修经史证类备用本草》"。

(3)"一二四九年——蒙古定宗四年"。按，蒙古定宗在位仅3年，至1248年止，到第4年由其后称制。应说"蒙古定宗后称制之年"。

（四十九）成化本《政和本草》版本的讨论

成化本《政和本草》，即明成化四年（1468）山东巡抚原杰据晦明轩本《重修政和经史证类备用本草》复刻的本子（以下简称成化本《政和》)。

1. 成化本《政和》复刻所据的底本

日本森立之与涩江全善《经籍访古志》卷7云："明成化重刊元大德丙午（1306）刊本"。清·丁日昌《持静斋书目》卷3云："《证类本草》(指《政和本草》30卷。元刊本，增附寇氏《衍义》，后署大德丙午（1306）岁仲冬望日平水许宅印。”根据涩江全善和丁日昌所云，成化本《政和》不是据晦明轩原始本翻刻，而是据元大德丙午（1306）刊本复刻的。

2. 成化本《政和》版本概况

成化本《政和》是线装本，每半页12行，大字单行为一行，小字双行为一行，每行大字、小字均是23字。

全书30卷，分24册装订。第1～3册，含卷1、卷2，是全书序例部分；第4～24册为卷3至卷30，是全书药物各论部分。

第1册包含3个序文及螭首龟座牌记、经史方书目录、全书药物总目录。

第1个序是贻溪麻革信之序。

第2个序是曹孝忠的政和新修本草序。

第3个序是重刊本草序。该序由商辂所撰。序题“成化四年岁次戊子（1468）冬十一月既望，资善大夫兵部尚书兼翰林学士知制诰经筵官淳安商辂序”。

序中主要内容：“今山东按察佥事茂君彪，曩以御史出按平阳，购求得之，于郡守胡君睿珍藏有年。适副都御史原君杰，奉命巡抚山东，见而善之。谋诸左右，布政使雷复、叶冕，按察使李君裕，副使刘敬，命工重锓。都宪因提学佥事周君濠来京，以序见属予。”

第2册是卷1序例上。

第3册是卷2序例下。

第4册到24册含卷3到卷30，论述药物。

3. 成化本《政和》存在的问题

将成化本《政和》同1957年人卫影印《重修政和经史证类备用本草》（以下简称人卫本《政和》）相勘比，有很多不同。兹分述如下。

（1）有关脱漏问题。

1）内容脱漏。

①成化本《政和》卷6页42～43“木香”条脱漏外台方：“《外台秘要》，治狐臭，若股内阴下恒湿，或作疮，青木香，好酒浸，致腋下夹之，即愈。”人卫本《政和》卷6页160上末行有此方。②成化本《政和》卷7页26下半页“决明子”条《图经》文中有“得此绿豆者”句，在“此”“绿”之间，脱漏“名。又萋蒿子亦谓之草决明，未知孰为入药者。然今医家但用子如”26字。③成化本《政和》卷10页42上半页，在第8到第9行之间，脱漏“灵床下鞋履主脚气”。人卫本

《政和》卷 10 页 260 有此文。④成化本《政和》卷 6 页 11 “人参”条陶隐居注“四五相对”。“五”，其下，脱“叶”字。⑤成化本《政和》卷 11 页 46 “弓弩弦”条有“主难产胞不出”。“胞”，其下脱“衣”字。⑥成化本《政和》卷 22 页 37 “珂”条有“以为饰”。“为”，其下脱“马”字。⑦成化本《政和》卷 30 页 35 “鸡涅”条有“中寒风”。“中”，其上脱“目”字。

2）诸药名及注文中白字标记脱漏。

①成化本《政和》卷 2 序例下“诸病主治药”中，凡书名、《本经》药名、《本经》药性味均脱白字标记。人卫本《政和》均有白字标记。②书中某些药物《本经》文白字标记脱漏。成化本《政和》卷 6 页 6 “菖蒲”、卷 6 页 50 “龙胆”、卷 6 页 55 “白英”、卷 16 页 4 “麝香”、卷 17 页 5 “鹿茸”、卷 30 页 44 “姑活”等《本经》药条文白字标记均脱漏。③卷 6 页 37 “独活”条药名“独活”、卷 7 页 2 “天名精”条“小虫去痹，除胞中结热，止烦渴”等白字标记亦脱漏。

（2）有关讹误问题。

成化本《政和》刊刻，不仅有脱漏而且讹误亦很多。兹将成化本《政和》各卷误字举例如下。

卷 3 页 13，矾石“恶牡蛎”。“牡”误为“壮”。

卷 3 页 26，石胆“畏芫花”。“芫”误为“羌”。

卷 3 页 32，紫石英“长石为之使”。“使”误为“便”。

卷 3 页 36，黑石脂“出颍川”。“颍”误为“类”。

卷 4 页 3，雄黄“目痛”。“目”误为“自”。

卷 6 页 9，菊花“术为之使”。“术”误为“水”。

卷 6 页 25，菟丝子“一名赤网”。“网”误为“纲”。

卷 8 页 6，葈耳实“膝痛”。“膝”误为“滕”。

卷 8 页 28，知母、贝母的“母”均误为“毋”。

卷 8 页 36，茅根“一名地菅”。“菅”误为“管”。

卷 9 页 7，水萍“一名水苏”。“苏”误为“藓”。

卷 10 页 14，大黄“黄芩为之使”。“芩”误为“苓”。

卷 11 页 14，羊蹄“疽痔”。“疽”误为“疸”。

卷 11 页 25，鬼臼“辟恶气不祥”。“祥”误为“详”。

卷 11 页 51，夏枯草“土瓜为之使”。“土”误为“上”。

卷 17 页 1，白马茎“不祥”。“祥”误为“详”。

卷22页10，蚺蛇胆“下部䘌疮”。“䘌”误为“慝”。

卷23页29，桃核仁“桃枭”。“枭”误为“凫”。

卷30页27，“施州瓜藤”。“藤”误为“药”。

卷30页33，紫佳石“赤无理”。“理”误为“毒”。

卷30页36，九熟草“一名乌粟”。“乌”误为“鸟”。

卷30页36，灌草“叶滑青白”。“青”误为“清”。

卷30页36，勒草“溢盛气”。“溢”误为“益”。

卷30页40，地筋“一名菅根”。“菅”误为“管”。

卷30页41，桑蠹虫“金疮肉生不足”。“生”误为“主”。

卷30页42，河煎条。“煎”误为“前”。

卷30页43，麋鱼“主痹”。“痹”误为“痔”。

卷30页44，弋共“恶玉札”。“玉札”误为“主礼”。

（3）有关异体字问题。

成化本《政和》书异体字很多。兹举例如下。

卷3页35，黄石脂“色如莺鸰”。“鸰”，成化本《政和》作“雒”。

卷4页13，食盐“吐胸中痰”。“胸”，成化本《政和》作“胷”。

卷4页25，磁石“有铁处”，“处”，成化本《政和》作“處”。

卷7页41，徐长卿“主温疟”。“疟”，成化本《政和》作“瘧”。

在成化本《政和》异体字中，以果仁之“仁”最突出。清·段玉裁《说文解字注》云：“果人之字，自宋元以前本草、方书、诗歌记载，无不作‘人’字，自明成化重刊本草，乃尽改为‘仁’字，于理不通，学者所当知也。”凡据成化本《政和》翻刻的本子，其书中果仁之“仁”字均作“仁”。

（4）有关错简问题。

1）文字错简。

成化本《政和》卷1页9下半页第2行中“名医别品”的“别”字，与第3行“分副科条”的“副”字，相互错简。人卫本《政和》卷1页29下栏作“名医副品”，30页上栏作“分别科条”。

明·李时珍作《本草纲目》所参考的《政和本草》，引用此文时，亦作“名医别品”（见1977年人卫点校本《本草纲目》卷1页2），此亦是《本草纲目》沿袭成化本《政和》之误。

2）药物条文错简。

成化本《政和》卷6页67上半页末2行“蓼荞”，66页下半页“蘩菜”“甘家白药”等3条文字互相错简。兹以人卫本《政和》171页“蓼荞”“蘩菜”“甘家白药”3条比较如下。

①蓼荞……亦食其苗如葱韭。亦捣傅蛇咬疮。生高原，如小蒜而长。产后作羹，食之良。（人卫本《政和》171页下栏10～12行）②蘩菜……白花，花中甜汁，饮之如蜜。（人卫本《政和》171页上栏末2行）③甘家白花……岂天资乎？（人卫本《政和》171页下栏末5行）

成化本《政和》把“蓼荞”末20字（划有直线文字），错简在“蘩菜”条末；把②“蘩菜”条末5字（即“汁饮之如蜜”）错简在“甘家白药”条下。不仅成化本《政和》存在这样的错简，凡据成化本《政和》复刻的本子，同样存在错简。《本草纲目》亦同样存在错简，而人卫本《政和》无此错简。

3）版面错简。

成化本《政和》版面错简，可从人卫本《政和》版面得知。

人卫本《政和》171页下栏1～11行，相当于线装本上半页，其下栏12～22行，相当于线装本下半页。如果把上半页和下半页位置对调，即与成化本《政和》卷6页66～67之间错的版面相同。

①人卫本《政和》171页下栏1～11行版面首行为“汁饮之如蜜”。

②人卫本《政和》171页下栏12～22行版面末行为“毒物亦多解物，岂天资乎”。

将①②这2个版面对调。则①版首行“汁饮之如蜜”，正好接在②版末行“毒物亦多解物，岂天资乎”之后。

查成化本《政和》卷6页67第1～2行的条文末尾，有“毒物亦多解物，岂天资乎？汁饮之如蜜”。此15字，刚好是2块版面相错后，在其交界处，形成错简文字。错简文前10字“毒物亦多解物，岂天资乎”是“甘家白药”的条文内容。后5字“汁饮之如蜜”是“蘩菜”的条文内容。由于成化本《政和》版面相错，不同药物中部分条文被拼在一起。

再看上述①②这2个版面对调后，其②版面首行“捣傅蛇咬疮。生高原，如小蒜而长。产后作羹，食之良”20字，正好接在前面一版“蘩菜”条文之后。

查成化本《政和》66页下半页第4行“蘩菜”条中“白花，花中甜”之下，有“捣傅蛇……食之良”20字。此20字原属“蓼荞”条文内容，因版面舛错，误续“蘩菜”条之后。

（5）有关药物分条和并条。

1）分条：将1条分为2条。

成化本《政和》卷3页43上半页末2行，是“流黄香”条，其下半页首2行为“《南洲异物志》……从西戎来”24字。此24字在人卫本《政和》98页上栏10～11行，是“流黄香”条内容，不是单独成为一条，成化本《政和》误分为2条。

2）并条：将2条并为1条。

成化本《政和》卷30页33上半页第6行龙石膏并在“白肌石”条下成为1条。人卫本《政和》539页上栏白肌石、龙石膏是分立为2条的。

成化本《政和》卷30页33下半页第2行，紫佳石并在“石耆”条下，成为1条。人卫本《政和》539页上栏，石耆、紫加（佳）石是分立为2条的。

上述内容是成化本《政和》的重要特点。不仅成化本《政和》有此特点，凡据成化本《政和》翻刻的《政和本草》，均有此特点。明代书商，为了蒙骗外行，在翻刻时，删去成化本《政和》中商辂序，冒充张存惠晦明轩原刊本。1960年版《中医图书联合目录》75页记载蒙古定宗四年已酉（1249）平阳张存惠晦明轩刊本。其末标注参加馆代号有“677”。馆代号677是南京第一医学院图书馆。1964年笔者曾到该馆查过，其特点与成化本《政和》同，足证该馆所藏并非张存惠晦明轩原刊本，而是据成化本《政和》翻刻的本子。

（五十）《四库全书》所录《证类本草》的底本是成化本《政和本草》

1991年4月上海古籍出版社出版了“四库医学丛书”。该丛书收录了清初以前历代各家各派医学主要著作，包括医经、藏象、骨度、病源、本草、方书、伤寒、金匮、温病、临床各科、针灸等内容。其中本草有《证类本草》《汤液本草》《本草纲目》《本草乘雅半偈》《神农本草经百种录》《神农本草经疏》等。

其中《证类本草》是宋·唐慎微所撰《经史证类备急本草》及其各种刊本的通称。该书从1098年前后成书起，经宋、金、元、明、清各代都有翻刻本。由于翻刻及校勘不清，加以翻刻时改纂，因此在名称、卷数、药物总数、排列次序、内容等方面和唐慎微原书和各种刊本之间，均存在不同程度的差异，随着年代的久远、翻刻资料的增多，其差异程度越来越大，从而产生的讹误也越来越多。

《四库全书》所录《证类本草》（以下简称四库《证类》），是各种刊本中的一种。今将四库《证类》的版本讨论如下。

四库《证类》书首有个"提要"。按"提要"所云，纪昀等编撰《四库全书》时，所搜到的《证类本草》有2种刊本：一是翻刻元大德壬寅宗文书院本，元大德壬寅（1302）宗文书院所刊的本即《大观本草》；一是明成化翻刻金泰和甲子晦明轩本，金泰和所刻晦明轩本即《政和本草》。但"提要"又云："泰和……平阳张存惠增入寇宗奭《本草衍义》……然考大德所刻《大观》本亦增入宗奭《衍义》，与泰和本同。"按，《大观本草》是31卷，不附《本草衍义》，但四库《证类》"提要"说元大德宗文书院本附有《本草衍义》，此与《大观本草》实际情况不符。

按，明万历丁丑（1577年）翻刻元大德壬寅宗文书院的《大观本草》，只有宣郡王大献翻刻本。王大献所翻刻的《证类本草》，名为《大观本草》，实际上是《政和本草》。

杨守敬《日本访书志补》云："迨至万历丁丑（1577），宣城王大献始以成化《政和》之本，改从宗文书院《大观》本之篇题，合二本为一书，卷末有王大献后序，自记甚明，并去《政和》本诸序跋，独留《大观》艾晟序及宗文书院木记。按其名则'大德'，考其书则'泰和'……'提要'所称'大德'及钱竹汀所录，皆是此种，'提要'见此本亦增入《衍义》，遂谓元代重刊，又从金本录入，而不知大德原本，并无《衍义》。"

从上述资料来看，四库《证类》中的"提要"所提到的刊本有成化戊子（1468）刊的《政和本草》及万历丁丑（1577）宣城王大献刊的《大全本草》（其书名为《大观本草》，书中内容为《政和本草》）。

《大观本草》与《政和本草》最突出的不同之处有以下几点。《大观本草》不附《本草衍义》，《政和本草》附有《本草衍义》；二者卷数不同；《政和本草》比《大观本草》多石蛇、黑羊石、白羊石、凫葵、红蜀葵、黄蜀葵、南烛、野驼、莱菔、金灯、天仙藤等11幅药图，但同时《政和本草》又比《大观本草》少"海带"条下《图经》文。所以《四库全书》所得到的《证类本草》，实际上是《政和本草》，而非《大观本草》；而且《四库全书》所抄录的《证类本草》，是成化戊子（1468）翻刻本，并非金泰和刊本。

金泰和刊本是金·张存惠翻刻的《重修政和经史证类备用本草》最原始本，附有《本草衍义》。

其实张存惠翻刻《政和本草》并非在泰和年间，而是在金代灭亡后，元初定宗后称制之年，即1249年，也就是书中各卷首行所题"己酉新增衍义"中的己酉年。

这个“己酉”是元定宗后称制之年，此时金已亡16年。由于元代初期没有年号，即用甲子纪年表示年代，甲子纪年是60年为一周期，60年一周期的开头为甲子，从己酉年向上推，推到甲子年，正是金章宗完颜璟泰和四年。因此，张存惠题署刻书完成时间为“泰和甲子下己酉岁初日辛卯刊毕”。

清代嘉庆年间，钱大昕《十驾斋养新录》卷14《证类本草》条下，论之颇详。钱氏云：“题记云泰和甲子下己酉冬，实元定宗后称制之年，距今金亡已十有六载矣，而存惠犹以泰和甲子下统之，隐寓不忘故国之思，或以为金泰和刻则误矣。”清·钱谦益《有学集》卷46、清·程瑶田《通艺录》古书求解《证类本草》书后，对此问题均做同样的论述。

四库《证类》“提要”认为成化本《政和》是据金泰和刊本翻刻，但成化本《政和》刊有“大德丙午岁仲冬望日平水许宅印”记，则成化本《政和》的底本，当为元大德丙午年刊本，并非据金泰和本刊刻。

元大德丙午年即元大德十年（1306），《皕宋楼藏书志》所收成化本《政和》亦有“大德丙午岁仲冬望日平水许宅印”字样。《经籍访古志》卷7亦云：“《重修政和经史证类备用本草》三十卷，目录一卷，明成化重刊元大德丙午刊本，首载成化四年（1468）商辂序……又记‘大德丙午岁仲冬望日平水许宅印’。”这些事实都说明成化本《政和》是据元大德丙午（1306）《政和》翻刻的，并非据金泰和原刊本翻刻。

四库《证类》中讹误、脱漏悉同成化本《政和》。

1957年人卫影印的《重修政和经史证类备用本草》（以下简称人卫本《政和》），可能是金·张存惠晦明轩于1249年原始刻的本子。该本与成化本《政和》有很多不同之处。

把成化本《政和》、四库《证类》、人卫本《政和》三者勘比，前二者讹误全同。

兹将前二者相同的讹误，举例如下。

人卫本《政和》卷3页98“流黄香”条共64字，前40字为“流黄香……三千里”；后24字为“《南洲异物》……从西戎来”。这些字原为“流黄香”条的全部条文内容，然而，成化本《政和》卷3页43、四库《证类》卷3页123，将前40字和后24字，分别立为2条。这后24字不能立为1条，四库馆臣抄录时，亦未能发现成化本《政和》之误。

人卫本《政和》卷30页539石耆与紫加（佳）石是相邻的2条。成化本《政和》、四库《证类》均并为1条，误把石耆、紫佳石当作一味药来看待。

人卫本《政和》卷7页183“决明子”条，引“图经曰”文中有“名。又萋蒿子亦谓之草决明，未知孰为入药者。然今医家但用子如”26字。成化本《政和》、四库《证类》均脱漏此26字。

人卫本《政和》卷10页252“钩吻”条，药性云：“温，有大毒”4字。成化本《政和》卷10页25、四库《证类》卷10页486“钩吻”条均作“温，大有毒”。查《大观本草》《千金翼方》所引“钩吻”条药性之文同人卫本《政和》，而不同于成化本《政和》、四库《证类》。

人卫本《政和》卷1页29“又进名医副品”。成化本《政和》、四库《证类》俱作“又进名医别品”。查敦煌出土《本草经集注・序录》作“副”。故人卫本《政和》正确，成化本《政和》、四库《证类》均误。

人卫本《政和》卷7页171有“蓼荞”“鳖菜”“甘家白药”3种药物条文，而成化本《政和》、四库《证类》中此3种药物条文均有同样的错简。兹将3种药物条文摘录如下。

①蓼荞……亦食其苗如葱韭。亦捣傅蛇咬疮。生高原，如小蒜而长。产后作羹，食之良。②鳖菜……白花，花中甜汁，饮之如蜜。③甘家白药……岂天资乎?

上述3条末尾一些文字，在成化本《政和》、四库《证类》，均存在同样的错简问题。将“蓼荞”条末“捣傅蛇咬疮。生高原，如小蒜而长。产后作羹，食之良”20字，错简在“鳖菜”条末（四库《证类》286页，上栏14行）。又把“鳖菜”条末“汁饮之如蜜”5字，错简在“甘家白药”条下（四库《证类》286页，下栏7行）。

不仅成化本《政和》、四库《证类》存在这样的错简，凡据成化本《政和》翻刻的本子，也同样存在这样的错简。

人卫本《政和》全书中果仁的“仁”字，均作“人”。段玉裁《说文解字注》云：“果人之字，自宋元以前本草、方书、诗歌记载，无不作‘人’字，自明成化重刊本草，乃尽改为‘仁’字。于理不通，学者所当知也。”

此后，凡据成化本《政和》翻刻的本子，其书中果仁的“仁”字，均作“仁”，不作“人”。

成化本《政和》、四库《证类》所存在的误字亦相同。

如人卫本《政和》卷7页219“水萍”条，有“一名水苏”。“苏”，成化本《政和》卷9页7、四库《证类》卷9页404，同误作“薛”。

人卫本《政和》卷3页89“石胆”条“畏芫花”。“芫”，成化本《政和》卷3页26、四库《证类》卷3页105，同误作“羌”。人卫本《政和》“白马茎”条“蛊疰不祥”。“祥”，成化本《政和》卷17页1、四库《证类》卷17页762，同误作“详”。类似此例有百余条。

从上述举例来看，四库《证类》所存在的讹误，全同成化本《政和》，所以四库《证类》是据成化本《政和》抄录的。

（五十一）《本草纲目》参考成化《政和本草》系列本例证

明·李时珍所著《本草纲目》，是以宋·唐慎微《证类本草》为蓝本编撰的。

唐慎微《证类本草》共有4类版本系统。一是《大观本草》系统，二是《政和本草》系统，三是《大全本草》系统，四是《绍兴本草》系统。在4类版本系统中，以《政和本草》系统流行最广。

《政和本草》版本系统，又可分为2种系列本。

一是明成化四年（1468）以前的《政和本草》刊本，为一种系列本。

二是明成化以后的《政和本草》刊本，为另一种系列本。

1957年人卫影印的《政和本草》即属前者，1921—1936年商务影印的《政和本草》即属后者。这2种《政和本草》，大体相同，但细节出入很大，根据它们之间的差异，可以看出，明·李时珍在著《本草纲目》时，所参考的《政和本草》是后者，而不是前者。兹将其例证列举如下。

1.《本草纲目》错简字与成化《政和》相同

成化《政和》卷1页9下半页2行、3行有错简字。①2行有“又进名医别品”；②3行有“分副科条”。

第1句中“别”，在人卫《政和》29页末行作“副”。第2句中“副”，在人卫《政和》30页首行作“别”。

人卫《政和》不错简，成化《政和》错简，商务《政和》也错简。由于《本草纲目》参考的是成化《政和》，所以《本草纲目》卷1“历代诸家本草”中的《名医别录》书名下引此文时，亦作“又进名医别品”。句中“别”当为“副”之误。

2.《本草纲目》错简文与成化《政和》相同

（1）甘家白药条例。

成化《政和》卷6页66有“甘家白药”条，其文为：“甘家白药，味苦，大寒，小有毒。主解诸药毒，与陈家白药功用相似。人吐毒物，疑不稳，水研服之。即当吐之，未尽又服。此二药性冷，与霍乱下痢相反。出龚州已南。甘家亦因人为号。叶似车前，生阴处，根形如半夏。岭南多毒物，亦多解物，岂天资乎？汁饮之如蜜。”商务《政和》卷6页170“甘家白药”条文同。

人卫《政和》卷6页171“甘家白药”条文，与成化《政和》不同。即人卫《政和》在“甘家白药”条末无“汁饮之如蜜”5字。按，此5字原非“甘家白药”条的文字。乃是“鼜菜”条的文字。成化《政和》有错简，故其条末文多出“汁饮之如蜜”5字。

《本草纲目》卷18下草部“白药子”条附录中有“甘家白药”云：“味苦，大寒，有小毒。解诸药毒，水研服，服吐出。未尽再吐。与陈家白药功用相似。二物性冷，与霍乱下痢相反。出龚州以南，生阴处，叶似车前，根如半夏，其汁饮之如蜜。因人而名。岭南多毒物，亦多解毒物，岂天资之乎?”

将此文与成化《政和》“甘家白药”条文相比，基本相同。文中亦多出“汁饮之如蜜”5字，其错简与成化《政和》同。由此可见，《本草纲目》所参考的《证类本草》即是成化《政和本草》的系列本。

（2）蓼荞条例。

成化《政和》卷6页67有“蓼荞”条：“蓼荞，味辛，温，无毒。主霍乱腹冷胀满，冷气攻击，腹内不调，产后血攻，胸胁刺痛。煮服之，亦食其苗如葱韭也。”商务《政和》171页“蓼荞”条全同。

人卫《政和》卷6页171“蓼荞”条为：“蓼荞，味辛，温，无毒。主霍乱，腹冷胀满，冷气攻击，腹内不调，产后血攻，胸胁刺痛。煮服之，亦食其苗如葱韭。亦捣傅蛇咬疮。生高原，如小蒜而长。产后作羹，食之良。”

比较上述2个蓼荞条文，并不相同。成化《政和》比人卫《政和》少“亦捣傅蛇咬疮。生高原，如小蒜而长。产后作羹，食之良”21字。

《本草纲目》卷26菜部“薤”条“附录”下有蓼荞全文。其文与成化《政和》同，也缺少“亦捣傅蛇咬疮……食之良”21字。

按，成化《政和》“蓼荞”条末21字已错简在“鼜菜”条末，故缺少此21字。《本草纲目》以成化《政和》为蓝本，所以《本草纲目》“蓼荞”条末也就缺少此21字。

3.《本草纲目》所引异文与成化《政和》相同

成化《政和》卷10页25“钩吻”条，其药性为“大有毒”。商务《政和》卷

10“钩吻”条同。

《本草纲目》卷17草部“钩吻”条“气味”栏目下，亦作“大有毒”。李时珍并注曰：“其性大热，本草毒药止云有大毒，此独变文曰大有毒，可见其毒之异常也。”

查人卫《政和》252页上栏4行“钩吻”条作“有大毒”，并不作“大有毒”。此“大有毒”出自成化《政和》，《本草纲目》以成化《政和》系列本为底本，所以《本草纲目》引作“大有毒”。

4.《本草纲目》所引异名与成化《政和》相同

成化《政和》卷30“并苦”条，其异名有“一名蝁（音或）薰”。商务《政和》卷30同。

人卫《政和》544页“并苦”条作“一名蜮音或薰”。

张绍棠本《本草纲目》卷20（1957年人卫本1095页）草部“并苦”条引作“一名蝁薰”，其下注云：“蝁音或”。《本草纲目》所引异名，正与成化《政和》、商务《政和》相同。

1979年人卫校点本《本草纲目》1422页“并苦”条，改作“一名蜮薰”。并出校注云：“蜮，原作蝁，字书无，疑‘蜮’字裂缝而成。今据《唐本草》卷20、《千金翼》卷4及《大观》《政和本草》卷30并苦条改。”《本草纲目》校点者疑“蝁”为“蜮”字裂缝而成。其意即《本草纲目》“并苦”条“一名蝁薰”的“蝁”字，由“蜮”字裂缝而成，其实是《本草纲目》据成化《政和》系列本抄袭而来。

成化《政和》卷1页28“雷公炮炙论序”有“水中生火，非猾髓而莫能”。注云：“海中有兽，名曰猾。”商务《政和》卷1页36文同。以上2句“猾”，人卫《政和》41页作“獝”。

《本草纲目》卷51兽部有“猾”条，下注出《炮炙论》。在该条“集解”项目下引敩曰：“海中有兽名曰猾”“水中生火……非猾髓而莫能”。此文与成化《政和》同，与人卫《政和》不同。由此可见，《本草纲目》所列“猾”条，系取材于成化《政和》系列本“雷公炮炙论序”文。

（五十二）商务影印《政和本草》错简例

商务影印《政和本草》，即1921—1927年商务印书馆缩印金泰和晦明轩本《重修政和经史证类备用本草》（以下简称商务本），该书有两处错简。现在用1957

年人卫影印本《重修政和经史证类备用本草》（以下简称人卫本）进行校勘比较。

1. 在“梁·陶隐居序”中发生错简

商务本26页下第14、15相邻2行有错简。第14行文为：“经三品合三百六十五为主，又进名医别品，亦三百六十五。”第15行文为：“合七百三十种，精粗皆取，无复遗落，分副科条，区畛物类。”

第14行中第16字“别”字，与第15行中第16字“副”字是互为错简。第14行中的“名医别品”，在敦煌出土的《本草经集注》（群联版第4页4行）作“名医副品”。第15行中的“分副科条”，在敦煌出土的《本草经集注》（群联版第4页5行）作“分别科条”。

这种错简在成化本《政和》及据成化本重刊的《政和》，皆同样存在。由此可知，商务本的底本是据成化本《政和》翻刻的。

据成化本《政和》及其刊本援引的后世本草，皆抄作“名医别品”“分副科条”。例如1955年人卫影印《本草纲目》卷1上332页上倒6行及1977年校点本《本草纲目》卷1页2第10行皆引作“名医别品”。

实际上，商务本26页14行的“名医别品”，实为“名医副品”之误。因人卫本不是据成化本《政和》影印，故人卫本作“名医副品”（见人卫本29页下末行）。

2. 在“陈藏器余”的文中发生版面颠倒

商务本卷6末载有“陈藏器余”药46种，其末尾12种中，有3种药互相错简。现将商务本同人卫本比较如下。

(1) 商务本170页15～17行“鼙菜”条全文为：“鼙菜，味辛，平，无毒。主破血，产后腹痛。煮汁服之，亦捣碎傅丁疮，生江南国荫地。似益母，方茎对节，白花，花中甜。捣傅蛇咬疮。生高原，如小蒜而长，产后作羹食之，良。”

此条文末“捣傅蛇咬疮……后作羹食之，良”20字，人卫本卷6页171“鼙菜”条末作“汁饮之如蜜”5字。试看同一条“鼙菜”，其条文因版本不同，相差如此之大。商务本“鼙菜”条末的20字，与该条的文义衔接不起来。而人卫本条末“汁饮之如蜜”与上文“白花，花中甜”文字相衔接，其文理、医理皆十分吻合。人卫本“鼙菜”条末的“汁饮之如蜜”5字，在商务本中是错简在“甘家白药”条下。

(2) 在商务本170页，从23行至次页2行为“甘家白药”条。其文为：“甘家白药，味苦，大寒，小有毒。主解诸药毒，与陈家白药功用相似。人吐毒物疑不稳，水研服之。即当吐之，未尽又服。此二药性冷，与霍乱下痢相反。出龚州已南。甘家亦因人为号。叶似车前，生阴处，根形如半夏。岭南多毒物，亦多解毒物，岂天资乎？汁饮之如蜜。”

此文末“汁饮之如蜜”5字，在人卫本171页“甘家白药”条并无此文。商务本“甘家白药”条末多出“汁饮之如蜜”5字，很明显是异文窜入本条。经查成化本《政和》和人卫本，可知此5字是由“蘩菜”条末的5字窜入的。

（3）商务本171页11～12行“蓼荞”条文为：“蓼荞，味辛，温，无毒。主霍乱腹冷胀满，冷气攻击，腹内不调，产后血攻胸胁刺痛。煮服之，亦食其苗如葱韭也。”

此条文末“也”字，人卫本171页“蓼荞”条作“亦”字。其下并有“捣傅蛇咬疮。生高原，如小蒜而长，产后作羹，食之良”20字。此20字，商务本错简在“蘩菜”条末。

在商务本170～171页“蘩菜”“甘家白药”“蓼荞”三药的条文末尾均存在互为错简。“蘩菜”与“甘家白药”的条末有“汁饮之如蜜”5字互为错简，“蘩菜”与“蓼荞”的条末有“捣傅蛇咬疮。生高原，如小蒜而长，产后作羹，食之良”20字互相错简。

为什么会发生错简呢？这是因为商务本170页和171页整个版面互为颠倒。

兹将商务本卷6页170及页171各药条开列于后。在商务本170页有下列10种药。

孟娘菜（2～5行）、吉祥草（6～8行）、郎耶草（9～10）、地杨梅（11～12行）、茅膏菜（13～14行）、蘩菜（15～17行）、石荠宁（18～19行）、蓝藤根（20行）、七仙草（21行）、甘家白药（23行～下页2行）。

在商务本171页有下列7种药。

益奶草（3～4行）、蜀胡烂（5～6行）、鸡脚草（7～8行）、难火兰（9～10行）、蓼荞（11～12行）、天竺干姜（13～14行）、池德勒（15～16行）。

为了研究方便，笔者特将商务本170～171页的“蘩菜”到“蓼荞”条添加阿拉伯数字号码，其排列顺序如下。

①蘩菜；②石荠宁；③蓝藤根；④七仙草；⑤甘家白药；⑥益奶草；⑦蜀胡烂；⑧鸡脚草；⑨难火兰；⑩蓼荞。

这10种药物在人卫本中排列顺序如下。

①蘩菜；⑥益奶草；⑦蜀胡烂；⑧鸡脚草；⑨难火兰；⑩蓼荞；②石荞宁；③蓝藤根；④七仙草；⑤甘家白药。

在人卫本中，从①“蘩菜”条末“汁饮之如蜜”起，到⑩“蓼荞”条末“其苗如葱韭亦”止，正好是一个版面（暂称之为甲版）。

在人卫本中从⑩“蓼荞”条下“捣傅蛇咬疮”起，到⑤“甘家白药”条末“岂天资乎”止，正好也是一个版面（暂称之为乙版）。

当甲版和乙版位置颠倒时，即形成商务本各药错简的现象。而商务本 3 种药物互为错简，正好发生在甲版和乙版前后相邻处。如果把商务本 170 ~ 171 页的版面按人卫本甲版和乙版排列，则所有错简全部得到纠正。

查成化本《政和》卷 6 页 66 ~ 67，也存在同样的错版，与商务本错版完全相同。而商务本和成化本《政和》的错简版面，正好是人卫本 2 个完整的版面；当 2 个半页完整版面颠倒后，即导致成化本《政和》、商务本相应版面中药物条文的错简。这种现象的产生，就提示我们，成化本《政和》与商务本的底本是同一种，这种本子每页是 24 行，每行 23 字。而商务本除缺少几篇序外，其余情况全同成化本《政和》。商务本一向被商务印书馆称为“缩印金泰和本”，实际上是明代商人用成化本《政和》削去麻革序和刘祁跋冒充金泰和本的。

明·李时珍《本草纲目》卷 15 蘩菜、卷 18 甘家白药、卷 26 蓼荞也同样存在错简，与成化本《政和》错简几乎完全相同。这就说明《本草纲目》所据的《证类本草》是明成化本《政和》的同类刊本。

（五十三）商务影印《政和本草》版本辨伪

1921—1929 年商务印书馆影印的《政和本草》声称是“金泰和刊本”。在该书首有该馆题识云：“此为金刻善本，间有原版残损，墨印模糊之字，因医书重要，未敢取校他本，率加修补；其中残存字画，足以辨正明复本之伪者，触处皆是，读者勿以版印摩灭而少之。商务印书馆谨白。”从这个题识来看，商务影印《政和本草》的底本是金泰和刊本，但从该书所存在的具体问题来看，却不像是金泰和刊本。

把现存各种版本的《政和本草》进行比较，我们发现商务印书馆影印《政和本草》（简称商务本）和明成化四年（1468）刊本（简称成化本）除序跋缺少外，其余部分完全相同，而与 1957 年人卫影印的《政和本草》（简称人卫本）不相同。兹将三书比较如下。

1. 版本每行字数的比较

在版本每行字数上，成化本和商务本每行大小字皆23字；人卫本每行大字20字，小字26字。

成化本和商务本中流黄香的分条，石耆与紫佳石的并条，白肌石与龙石膏的并条，山慈石与石濡的并条，都是改版时，在从20字转变成23字的过程中，由于抄旧本的人不识药物条文内容，误将某些药物分条或并条。其分条、并条都发生在相邻的2个药物之间，其前一个药物条文字数刚好是20或40字，正好是版本每行大字20字的倍数，故容易同相邻的后一药物搅在一起，出现分条或并条的现象。

在成化本中，分条或并条的例子是很多的。奇怪的是，凡成化本中出现的，在商务本中也同样存在，没有一个例外；而人卫本却不相同。

如成化本卷7页26“决明子”条引“图经曰”，其文末为：“又有一种马蹄决明，叶如江豆，子形似马蹄故得此绿豆者，其石决明是蚌蛤类，当在虫兽部中。”商务本情况全同成化本。查人卫本在该文“此”与“绿”之间，尚有“名。又萋蒿子亦谓之草决明，未知孰为入药者。然今医家但用子如”26字，刚好是人卫本的一行。成化本之所以脱漏此26字，是因为当其改版成每行23字时，抄底本的人漏抄了2行，也就漏抄26个字。

2. 黑底白字标记的比较

人卫本对《本经》药的文献标记均刻成黑底白字；商务本及成化本脱漏黑底白字标记很多，商务本脱漏的情况又与成化本完全相同。

如《政和本草》卷2序例下“诸病主治药”及“七情畏恶药”，在人卫本都有黑底白字标记，但商务本及成化本皆无此黑底白字标记。

成化本卷6页6菖蒲、卷6页50龙胆、卷6页55白英、卷16页4麝香、卷17页5鹿茸、卷30页44姑活等《本经》药物，均无黑底白字标记，商务本对此6种药亦无黑底白字标记，但人卫本对此6种药有黑底白字标记。

3. 版面模糊痕迹的比较

成化本与商务本在某些版面上出现裂缝，或夹杂大小不规则的污点，或出现印字模糊不清等痕迹。这些痕迹所在版面位置及其形态大小，以及字迹模糊不清的程度均相同。人卫本在相应的版面上均无此类现象。

如成化本卷6页29“茺蔚子”条文中，“益，益”等字横断面中折开，形成裂纹状空白。商务本152页全部相同；人卫本153页无此裂纹状空白。

又如成化本卷6页52“细辛”条文中，在“行、除”等字横断面中折开，形成裂纹状白缝。商务本同，而人卫本无此现象。

4. 误字的比较

凡成化本出现的误字，在商务本亦同样出现，而人卫本无此类误字。

如成化本卷3页32“紫石英”条文中，有“长石为之便”之句，“便”为误字。商务本87页亦作“便”；而人卫本92页则为“使”。

又如成化本卷4页3“雄黄”条文中，有“疗自痛”句，“自”为误字。商务本95页亦作“自”；人卫本101页则作“目”字。

5. 某些字书写的比较

不同版本的《政和本草》，字的书写笔画也不相同。有的用简化字，有的用异体字，有的用近似字，有的用不同的字；有的笔画增减，有的笔画变异。在这些变化中，成化本与商务本是一致的，而人卫本并不相同。

如“主五脏”的“脏”字，成化本和商务本全书中皆作“脏”，而人卫本作“藏”。

又如“补五脏”的“补”字，成化本和商务本皆作“補”（衣旁少一点），而人卫本皆作“补”。

6. 文字颠倒的比较

有些字前后倒置，成化本与商务本是一致的，而人卫本不同。

如成化本卷10页25“钩吻”条中的“大有毒”，商务本261页同此，人卫本252页作“有大毒”。

7. “仁”字的比较

人卫本“果仁”之“仁”皆作“人”，而商务本的“果仁”之“仁”皆作“仁”。按段玉裁《说文解字注》所云，本草中果仁之仁，在成化以前皆作“人”，自成化以后始改作“仁”。商务本“果仁”之“仁”皆作“仁”，这就说明商务本是成化以后的刊本，而人卫本则是成化以前的本子。

8. 结语

（1）1921—1929年商务本号称是“金泰和刊本”。经过对版本每半页行数、每行字数，以及书中有关刻印各方面问题的研究，笔者确定商务印书馆影印的底本是据明成化本或其系列本削去诸序跋翻刻而成的，绝非是金泰和原刻本。

（2）通过对《政和本草》版本的讨论，我们可以确定《政和本草》存在2类系列本：一类是以人卫本为代表的系列本；另一类是以成化本为代表的系列本。凡以成化本为底本复刻的本子，均保留着成化本的特点，如误字、标记脱漏、错简等。凡以人卫本为底本的翻刻本，均保留人卫本的特点。查《本草纲目》引用《政和本草》资料，所存在的各种问题，均与成化本一致，这就提示李时珍当年以《证类本草》为底本所据的版本属成化系列本。

（五十四）人卫《政和本草》2种刊本比较

人卫《政和本草》是人卫于1957年据扬州季范董氏藏金泰和张存惠晦明轩本影印。人卫《政和本草》共印成2种本子：一种是线装本，一种是4页合1页精装本。兹将这2种本子比较如下。

线装本是绵纸印的，用双股白丝线装订，共分12册，每6册为1函。每函有一函套。函套用厚硬质纸为里，外包贴以蓝布。函套左边有2个骨质别子，能固定函套。

全书每册以蓝纸为书皮。蓝纸下衬以空白纸为封面。封面下为扉页（护页）。扉页前半面（前扉）是空白，扉页后半面（后扉）印有“内容简介”。每册蓝色书皮左边，粘贴白纸书签，签上题“重修政和经史证类备用本草”。每册书根右端标有中文自然号码。12册共标12个号码，即从“一”标到“十二”。

第1册含书的总目录和卷1。

第2册含卷2、卷3。

第3册含卷4、卷5。

第4册含卷6、卷7。

第5册含卷8、卷9。

第6册含卷10、卷11。

第7册含卷12、卷13。

第8册含卷14、卷15、卷16、卷17。

第9册含卷18、卷19、卷20、卷21。

第10册含卷22、卷23、卷24。

第11册含卷25、卷26、卷27、卷28、卷29。

第12册含卷30。

每册书高22.3厘米，宽16厘米。每页版框高18厘米，宽13厘米。版框上、下栏均是双边。外边为粗墨线，内边为平行的细墨线。每版面12行，每行大字平均20字呈单行，小字平均26字呈双行。版心（每页外边中缝折页处）上、下各有一个黑鱼尾，均是顺排（即顺排黑双鱼尾）。双鱼尾上、下处均是白口。上鱼尾下方版心处刻有书的卷次，下鱼尾下方白口处刻有书的页次。

精装本是用白报纸印的。全书装订成一本，书皮是厚硬纸板制作的。扉页的前扉纵分左、中、右3行。左行小，印“人民卫生出版社影印”。右行亦小，题“宋唐慎微撰”，中间行大，题“重修政和经史证类备用本草”。后扉印的是“内容简介”。

全书共有550页，第1页是螭首龟座牌记，第2页是麻革信之“重修《证类本草》序”，顺次排列，到书末是550页。

每页合线装本4页，即取线装本4个页的版面拼成1页。线装本栏框粗墨线、鱼尾、线装本页次均删掉。线装本页边印有页次和卷次，在卷次之上印有“重修政和经史证类备用本草”，在卷次之下印各卷相应的药物品类名称。

人卫《政和本草》线装本和精装本，除上述书的形式不同外，对字体、药图大小、个别字的校改也不同。

①字体：精装本字体比线装本要小。②药图：精装本药图比线装本要小。③改正误字：精装本改正的误字较多，而线装本误字未改。兹将精装本改正的误字列举如下。

对每一条改正的误字，先列精装本页码，页码分“上”“下”（指精装本页面分的上、下栏，“上”表示上栏，“下”表示下栏）。“上”“下”后面的数字表示栏中的行次，精装本每栏是22行。接在行次后，是精装本“提示句”（句中含有校改的字）。在“提示句”的后面列出校改字，然后将线装本中相对应的字，加以说明。

线装本以“线”字表之，“线”字后面的号码前一个是卷次，后一个是线装本页码。由于线装本页次刻在中缝折页处，所以线装本一个页码含前后2个页面（以下称前一个页面为“上”，称后一个页面为“下”）。上、下后的数字为行次。

例如382（精装本页码）上（指上栏）倒6（指倒数6行），善斗至死（精装本提示句）。“斗”（精装本校改的字）；线（指线装本）17、16下6（指线装本卷17，16页，后半页，6行）作“闻”（指线装本未改的字）。

14下倒3，柳华叶实子汁附。“汁”，线目录20下作“注”。

28下末行，比比。线1、8下末行作“此此”。

54下倒6，芦根寒主卒苑。“苑”，线2、8下作“啘”。

85下8，此又云。“云”，线3、16下3作“去”。

124上倒5，胸膈间积气。“间”，线5、6下7作“问”。

161 上 11，山海经云景山北。“北”，线 6、41 上末行作“其”。

179 上 11，“泄精”。线 7、14 上末行作“泄积”。

197 下 2，“瓜叶作叉”。“叉”，线 8、10 上 2 作“又”。

295 下 4，赤毛若花。线 12、16 上 4 作“赤毛若苑”。

331 上 2，互有异。“互”，线 13、35 上 2 作“玄”。

332 下 8，互相交。“互”，线 13、38 上倒 4 作“玄”。

340 下 4，丘冢间。“冢”，线 14、6 上 4 作“家”。

346 上倒 3，小儿。“儿”，线 14、17 下倒 3 作“现”。

349 上倒 6，頳桐。“頳”，线 14、23 下 6 作“赪”。

353 上倒 6，一名牛李。“牛”，线 14、31 下 6 作“生”。

356 上倒 5，而赤。“而”，线 14、37 下 7 作“面”。

363 下 11，颜儿。“儿”，线 15、2 上倒 1 作“皃”。

368 下 4，黑色者下。“下”，线 16、3 上 4 作“不”。

379 下倒 6，令易生而黑。“令”，线 17、11 下 6 作“今”。

382 上倒 6，善斗至死。“斗”，线 17、16 下 6 作“闻”。

385 上 2，兔头味甘。“甘”，线 17、22 上倒 5 作“目”。

395 上 1，又云多。“云”，线 18、15 上 1 作“六”。

403 上 3，十二月。“二”，线 19、14 上倒 2 作“一”。

412 下 3，右顾则牝蛎。“牝”，线 20、7 上 3 作“牡”。

414 下 5，其北海。“北”，线 20、11 上 5 作“此”。

414 下 10，真珠于上了。“了”，线 20、11 上倒 2 作“子”。

416 上 2，石决明凉。“凉”，线 20、14 上 2 作“京”。

416 上 6，凡使即。“凡”，线 20、14 上 6 作“足”。

424 下末行，小蜂肉。“肉”，线 21、4 下末作“冈”。

432 下 8，惊疳。“疳”，线 21、20 上 8 作“痫”。

433 上 14，乃劣耳。“乃”，线 21、21 下作“力”。

455 下倒 4，入即香成。“即”，线 22、34 下 8 作“印”。

455 下倒 7，去腥。“腥”，线 22、34 下 5 作“醒”。

462 下倒 5，互市。“互”，线 23、7 下 7 作“玄”。

476 下 5，名曰寒疝。“曰”，线 23、34 作“白”。

477 上倒 6，与麦同熟。“熟”，线 23、35 下 6 作“热”。

488 上 9，凡服。“凡”，线 25、6 上倒 3 作“月”。

493 上倒 1，米饮。“米”，线 25、16 下倒 1 作“采”。

546 下倒 3，药性论云占斯。“云”，线 30、48 下倒 3 作“木”。

（五十五）人卫《政和》和柯《大观》异同的比较

武昌柯逢时于清光绪三十年（1904）影宋并重校《经史证类大观本草》（以下简称柯《大观》）。

1957 年人卫影印唐慎微《重修政和经史证类备用本草》（以下简称人卫《政和》）。人卫《政和》有线装本和 4 页合 1 页精装本，这里所讲的人卫《政和》是指后者。

柯《大观》同人卫《政和》对比，差异很多。兹将两书主要差异比较如下。

1. 书名的比较

柯《大观》全名为《经史证类大观本草》，但各卷末又题“经史证类大全本草”。人卫《政和》全名为《重修政和经史证类备用本草》。

2. 书首序记的比较

柯《大观》书首有二序。一是“柯氏序”。序末题“光绪三十年（1904）冬武昌柯逢时序”。二是“经史证类大观本草序”。序末有“谨微姓唐，不知何许人，传其书，失其邑里族氏，故不及载云。大观二年十月朔。通仕郎行杭州仁和县尉管句学事艾晟序”。

人卫《政和》书首有螭首龟座牌记，牌记末题“泰和甲子下己酉冬日南至晦明轩谨记”。其次是“重修《证类本草》序”，序末题“岁己酉孟秋望日贻溪麻革信之序”。

再次是“政和新修经史证类备用本草序”。序末题“政和六年（1116）九月一日。中卫大夫、康州防御使、句当龙德宫总辖、修建明堂所医药提举、入内医官编类圣济经提举、太医学臣曹孝忠谨序”。此是曹孝忠修《政和本草》所增。

再次是“《证类本草》所出经史方书”，列有 247 家书名。此是张存惠修晦明轩本所增。

3. 两书药物总目录的比较

（1）两书总目录药物数字的比较。

两书有些卷所注药物数字不同。

柯《大观》总目录第4卷玉石部中品药物总数是84种。人卫《政和》作87种。因人卫《政和》多3种“图经余”，即石蛇、黑羊石、白羊石。

柯《大观》总目录第13卷木部中品药物总数是91种。人卫《政和》作92种。柯《大观》将紫鉚与骐驎竭并为1条，人卫《政和》分为2条。

柯《大观》总目录第15卷人部药物总数是26种。人卫《政和》作25种。因柯《大观》新分出“人口中涎及唾”1条。

柯《大观》总目录第31卷，分本经外草类上总31种，本经外草类下总43种。

人卫《政和》总目录作“第三十卷，本草图经本经外草类总七十五种”。此数比柯《大观》多1种。所多的1种，即是“金灯”条。柯《大观》将“金灯”条并在“水麻”条中。

柯《大观》总目录第31卷本经外木蔓类24种。人卫《政和》总目录作“本草图经本经外木蔓类二十五种”。因人卫《政和》比柯《大观》多天仙藤。

（2）总目录药物下所附同类药名的比较。

柯《大观》总目录各卷药名下不附同类药名，人卫《政和》药名下附有同类的药名。现列举如下。

卷4石膏无“玉火石附”。太阴玄精无“盐精附”。

卷5石灰无“百草霜附”。代赭无“赤土附”。浆水无“冰浆附”。白垩无“白土也”。自然铜无“鉐石附”。姜石无“粗黄石、麦饭石附”。

卷6独活无“羌活附”。薯蓣无“今呼山药”。远志无“小草附”。

卷7络石无“薜荔、石血”。肉苁蓉无“草苁蓉附”。旋花无“续筋附”。地肤子无“鸭舌草附”。千岁虆无“藤是也”。

卷8葈耳实无“苍耳也”。石韦无“石皮、瓦韦续注”。

卷9海藻无“石发、瓦松”。蘹香子无“一名茴香”。红蓝花无“红花也”。京三棱无“鸡爪三棱、石三棱附”。姜黄无“莣药附”。积雪草无“连钱草附”。莎草无“根即香附子也，水香棱附”。凫葵无“莕菜也”。鳢肠无“莲子草也”。爵床无“今名香苏”。

卷10白敛无“赤敛附”。

卷11商陆无“章柳根也”。甘蕉根无“芭焦油续注”。芦根无“苇笋等附”。山豆根无“石鼠肠附”。蚤休无“紫河车也”。

卷12柏实无“侧柏”。

卷13猪苓无“刺猪苓附”。卫矛无“鬼箭也”。

卷14 蜀椒无“崖椒附”。诃梨勒无“随风子附”。楝实无“即金铃子也”。桐叶无“梧桐附”。椰子无“皮”字。杉材无“杉菌附”。赤柽木无“三春柳也”。

卷16 龙骨无“吉吊、紫梢花”。

卷17 鹿茸无“肾”。豹肉无“貊附”。

卷18 貒膏无“獾、貉”。豺皮无“狼附”。

卷20 玳瑁无“鼊鼊附”。

卷21 蟹无“截、蝤蛑、蟛蜞”。

卷22 蝛蜼无“乎咸切、音进”。金蛇无“金星鳝等”。鲮鲤甲无“今人谓之穿山甲”。鼠妇无“湿生虫也”。

卷23 藕实茎无“石莲子附”。芰实无“菱角也”。梨无“鹿梨附”。

卷27 芜菁无“即蔓菁也”。胡瓜叶无“亦呼黄瓜”。莱菔无“即萝卜也”。

卷28 苏无“紫苏也”。

卷29 葫无“大蒜也”。蒜无“小蒜也”。白苣无“莴苣附”。

4. 两书卷数的比较

柯《大观》31卷，外有目录1卷。卷1、卷2为序例，卷3到卷31为药物各论。自卷3至卷29为正品药。卷30为有名未用类，卷31为本经外草木类。

人卫《政和》30卷。自卷1到29与柯《大观》同。其卷30含柯《大观》卷30、卷31，并将柯《大观》卷31本经外草木类移在卷30有名未用类之前。

5. 两书所存药数的比较

柯《大观》所存药数比人卫《政和》少。人卫《政和》卷4比柯《大观》多石蛇、黑羊石、白羊石3条。人卫《政和》卷30比柯《大观》多天仙藤1条。此外人卫《政和》卷13页14目录中，将紫鉚、骐驎竭分为2个药名。人卫《政和》卷30将金灯从“水麻”条中分出，所以人卫《政和》又多出金灯1条。

6. 两书所存药图的比较

柯《大观》所存药图较大，每半页1个药图。人卫《政和》所存药图比柯《大观》多石蛇、白羊石、黑羊石、天仙藤、金灯、凫葵、红蜀葵、黄蜀葵、南烛、莱菔、野驼11个药图。

7. 两书药物分条和并条的比较

柯《大观》卷15页5上半页3～4行有“人口中涎及唾”1条。其位置居“人精”和“怀妊妇人爪甲”之间。人卫《政和》365页上栏，将“人口中涎及唾”

1条并在“人溺”条注文中。

柯《大观》卷31页37上，“金灯”条并在“水麻”条中。人卫《政和》卷30页534，将“金灯”条从“水麻”条中析出，独立为1条。

柯《大观》总目录17页，紫鉚、骐驎竭并为1个药名。人卫《政和》总目录14页，将紫鉚、骐驎竭分立为2个药名。

8. 两书脱漏文的比较

柯《大观》同人卫《政和》互校，柯《大观》脱漏很多。尤以个别字脱漏最多。至于个别字的脱漏姑且不计，今就其大的脱漏情况列举如下。

（1）药物和药图的脱漏。

柯《大观》卷4页40下，“车辖”条以下脱漏石蛇、黑羊石、白羊石3种药物条文和药图。人卫《政和》118页，有此3种药物条文和药图。

柯《大观》卷9页53，“凫葵”条脱漏药图。人卫《政和》237页有此图。

柯《大观》卷18页14上，脱漏“败鼓皮”条正文和注文。注文含“陶隐居注”“图经注”“外台秘要注”“肘后方注”“梅师方注”“杨氏产乳方注”。人卫《政和》395页有“败鼓皮”条正文和注文。但柯《大观》卷1总目录中仍有败鼓皮的药名。

柯《大观》卷30页50，脱漏“天仙藤”条的全文和药图。人卫《政和》538页有“天仙藤”条全文和药图。

（2）药物部分正文脱漏。

柯《大观》卷8页71，“筋子根”条正文末，脱漏“不可食”3字。人卫《政和》215页有此3字。

（3）药物正文下所引的文献脱漏。

柯《大观》卷18页14上“猕猴”条，脱漏“《抱朴子》云：猕猴寿八百岁即变为猿，猿寿五百岁变为玃，玃寿一千岁变为蟾蜍”。人卫《政和》395页有此文。

柯《大观》卷18页14“野驼脂”条脱漏“《丹房镜源》云：驼脂可柔金”。还脱漏“图经曰：野驼，出塞北、河西”“又六畜毛蹄甲，主鬼蛊毒，寒热，惊痫，癫痓狂走。骆驼毛尤良。陶隐居云：六畜，谓马、牛、羊、猪、狗、鸡也。骡驴亦其类，毛蹄各出其身之品类中，所主疗不必尽同此矣”。人卫《政和》395页有此2段内容。

柯《大观》卷21页27“海马”条脱漏“图经云：生南海。头如马形，虾类也。妇人将产带之，或烧末饮服，亦可手持之。《异鱼图》云：收之暴干，以雌雄为对。主难产及血气”。人卫《政和》436页有此文。

（4）药物正文下所引的方子脱漏。

柯《大观》卷21页11“蛴螬”条脱漏“治口疮：截头箸，翻过试疮，效”。人卫《政和》428页下栏9行有此方。

柯《大观》卷22页19“斑猫”条脱漏“又方：妊娠或已不活，欲下胎。烧斑猫末，服一枚，即下”。人卫《政和》448页有此方。

柯《大观》卷5页5“砒霜”条中所引的方子与人卫《政和》125页所引的方子不同。

柯《大观》引的方子为“简要济众方，治疟神圣丹：砒霜半钱研，黑豆面一钱，右件二味细研，滴水丸小豆大，雄黄为衣。未发时，空心面东新水下一丸”。人卫《政和》引的方子为“灵苑方：治瘰疬。用信州砒黄，细研，滴浓墨汁丸如梧桐子大，于铫子内炒令干，后用竹筒子盛。要用于所患处灸破或针，将药半丸敲碎贴之，以自然蚀落为度。觉药尽时，更贴少许”。

柯《大观》卷7页27“漏芦”条末所引的方子与人卫《政和》182页所引的方子不同。

柯《大观》引的方为“千金方：治乳无汁方，漏芦、石钟乳各一两，治下筛，饮服方寸匕，即下”。人卫《政和》引的方为“外台秘要：治蛔虫，漏芦，杵，以饼臛和方寸匕，服之”。

（5）药物正文下的注文脱漏。

柯《大观》卷23页12“蓬蘽”条脱漏注文58字：“异条，芎䓖与蘼芜各用。今此附入果部者，盖其子是覆盆也。臣禹锡等谨按陈士良云：诸家本草皆说是覆盆子根，今观采取之家，按草木类所说，自有。”人卫《政和》465页有此58字注文。

柯《大观》卷21“海马”条脱漏“图经云：生南海。头如马形，虾类也。妇人将产带之，或烧末饮服，亦可手持之。《异鱼图》云：收之暴干，以雌雄为对。主难产及血气”48字。人卫《政和》436页有此48字。

柯《大观》卷23页30“杏仁”条脱漏注文30字：“女人阴中，治虫疽。陈藏器云：杏仁本功外，杀虫。烧令烟未尽，细研如脂，物裹内。”人卫《政和》474页有此30字注文。

柯《大观》卷25页10“丹黍米”条脱漏注文9字：“黑黍一名秬黍。秬，即墨。”人卫《政和》490页有此9字注文。

柯《大观》卷31页52“《图经本草》奏敕”文中脱漏“并取逐味一二两或一二枚封角，因入京人差赍送，当所投纳”24字。人卫《政和》548页有此24字。

（6）药物文献标记脱漏

柯《大观》卷19页16“白鸽”条末脱漏“新补”2字。人卫《政和》405页有此2字。

柯《大观》卷19页17“鹑”条末脱漏“新补”2字。人卫《政和》405页有此2字。

柯《大观》卷26“罂子粟”条末脱漏“今附”2字。又该条引《图经》文，脱漏“罂子粟旧不著所出州土”10字。人卫《政和》497页有此文。

总之，柯《大观》脱漏文多于人卫《政和》，从一至数十个字不等，以上仅就主要脱漏情况列举之。其实柯《大观》对个别字的脱漏极多，但由于篇幅所限，此处从略。

9. 书中某些内容排列位置的比较

（1）“十六家书目提要”的名称和排列位置的比较。

按，“十六家书目提要”是简明扼要地介绍《嘉祐本草》所引的16家本草的书名、卷数、成书年代、作者、内容特点、流传等内容。这种“书目题解”是《嘉祐本草》的首创，其后《宝庆本草折衷》《本草纲目》均沿袭之。

柯《大观》称“十六家书目提要”为“十六家名氏义例”，列在柯《大观》卷30之末。

人卫《政和》称“十六家书目提要”为“补注所引书传”，列在人卫《政和》卷1序例上39页。

（2）“《图经本草》奏敕”的排列位置的比较。

柯《大观》将“《图经本草》奏敕”的全文列在柯《大观》卷31之末，但无“图经本草奏敕”的标题。

人卫《政和》将“《图经本草》奏敕”全文列在人卫《政和》卷31页548，并立有“《图经本草》奏敕”标题。

（3）某些卷次药物目录排列次序的比较。

柯《大观》、人卫《政和》对卷21虫鱼下、卷23果上、卷27菜上，以及卷末本经外草类等卷的药物目次排列次序各不相同。由于文繁，此处从略。

（4）药物条文下所引诸方排列次序的比较。

柯《大观》卷22页10上，“蛇蜕”条引“千金方”，其下有3个“又方”。其中第2个“又方”和第3个“又方”排列位置，在人卫《政和》刚好是颠倒过来的。

10. 增附其他异文的比较

(1) 柯《大观》卷30之末刻有“重广补注图经神农本草卷第三十”。这是陈承校柯《大观》本草所增，人卫《政和》无此文。

(2) 人卫《政和》卷30末有3个附文。

①《证类本草》校勘官叙。计有龚璧、丁皐、许堪、杜润夫、朱永弼、谢惇、刘植、曹孝忠8人官衔名。题“政和六年七月二十九日奉敕校勘”。此节文字，是曹孝忠校勘《政和新修经史证类备用本草》所增。柯《大观》无此文。

②翰林学士宇文公书《证类本草》后。题“皇统三年（相当于南宋绍兴十三年，1143）九月望成都宇文虚中书”。此是北宋亡后，北方为金人所占，金人对唐慎微《证类本草》重新进行翻刻，由宇文虚中作书后，用以介绍唐慎微的身世背景。

③刘祁跋。题“已酉中秋日云中刘祁云”。此跋是刘祁为张存惠重刊《政和本草》增附寇宗奭《本草衍义》而作。

(3) 增附寇宗奭《本草衍义》的比较。

柯《大观》与寇宗奭《本草衍义》同于清末经柯逢时分别校勘，由武昌医馆分别影刻重刊，一并发行，但其书仍是2种书。

人卫《政和》将寇宗奭《本草衍义》的序例上、中、下3个部分内容抽出，插在《政和本草》卷1序例上之末，题名为“衍义序例”。又将《本草衍义》全书各种药物条文分散在《政和本草》相应的药物注文的末尾，使两书并为一书。人卫《政和》所增的《本草衍义》，是由张存惠修晦明轩本《政和本草》所增。

(五十六) 人卫《政和本草》脱误的讨论

人卫《政和》有2种本子，一种是线装本，另一是4页合1页精装本。本文所讨论的脱误，是指后者中的脱误。

我们可以分两点来讨论，一是脱漏，二是讹误。

1. 脱漏

(1) 标记脱漏。

1) 白大字标记脱漏。

人卫《政和》中《本经》文，均用黑底白字（以下简称白字）为标记。但人卫《政和》91 页上栏“曾青”条，条文全是黑字。校以《大观本草》，其条文如：“曾青，味酸，小寒，无毒。主目痛，止泪出，风痹，利关节，通九窍，破癥坚积聚，养肝胆，除寒热，杀白虫，疗头风，脑中寒，止烦渴，补不足，盛阴气。久服轻身不老，能化金、铜。生蜀中山谷及越嶲。采无时。”

条文中划有黑线的文字是《本经》文，《大观本草》作白字，而人卫《政和》作黑字。

又如 182 页“天名精”条“止烦渴”。“渴”，校以《大观本草》，当为白字。

再如人卫《政和》237 页“蜀羊泉”条“疗龋齿”。“齿”，校以《大观本草》，当为白字。

2）白小字标记脱漏。

在《政和本草》药物条文下的注文中，对文献的出处，多用白小字表示。例如引“陶隐居”文，即将“陶隐居”印成白小字；引“唐本注”文，即将“唐本注”印成白小字；引《开宝本草》“今按”文，即将“今按”2 字印成白字。但在人卫《政和》注文中，有些文献出处的白小字标记存在脱漏。

例如人卫《政和》237 页下栏“王孙”条下注文，所引“陶隐居”“唐本注”，均脱漏白小字标记。

人卫《政和》137 页“蛇黄”条下，引有《开宝本草》文，所冠“今注”标记，应作白小字，但人卫《政和》脱漏白小字标记。

人卫《政和》281 页“葫芦巴”条下，引有《嘉祐本草》文，所冠“今据”标记，应作白小字，但人卫《政和》脱漏白小字标记。

人卫《政和》315 页“桑根白皮”条下，引有《食疗本草》文，所冠“孟诜云”，按《政和本草》体例，应作白小字，但人卫《政和》脱漏白小字标记。

类似此例很多，此处从略。

3）墨盖子“▀”标记脱漏。

人卫《政和》每种药物注文中，凡唐慎微所增的资料，皆冠有墨盖子“▀”。但人卫《政和》校以《大观本草》或其他刊本《政和本草》，则脱漏墨盖子的药物很多。

兹将人卫《政和》脱漏墨盖子的药物，列举如下（各条前的号码为人卫《政和》页次）。

87“朴硝”条引“圣惠方”。“圣”，其上脱墨盖子。

92“白石英”条引“圣惠方”。“圣”，其上脱墨盖子。

106“食盐”条引“食疗”。“食”，其上脱墨盖子。

130“大盐”条引“太平广记”。“太”，其上脱墨盖子。

246“鸢尾”条引“陈藏器”。“陈”，其上脱墨盖子。297页“鋻”条同。

291“松脂”条引“圣惠方”。“圣”，其上脱墨盖子。

367“夫衣带”条引“孙真人”。“孙”，其上脱墨盖子。

411“蜂子”条引“礼记曰”。“礼”，其上脱墨盖子。

4）大书字标记脱漏。

《政和本草》引文献名称，多作大字书写，是用来分隔不同文献来源的标记。如果脱漏，容易误不同来源的文献为同一出处的文献。

人卫《政和》259页“豚耳草”条，条末引有《百一方》注文。该注文共有41字。前17字是《百一方》的文字，后24字是《颜氏家训》的文字。按《政和本草》体例，后24字开头《颜氏家训》4字，应作大字书写，以便同前17字分开，否则易误后24字也属《百一方》的文字。按，《百一方》是梁·陶弘景所著，《颜氏家训》是北齐·颜之推所著，颜氏晚于陶弘景，故《百一方》不可能引《颜氏家训》文。

（2）文献出处标注脱漏。

在人卫《政和》中，凡《开宝本草》新增药，皆注“今附”2字。凡《嘉祐本草》新增药皆注“新补”2字。

人卫《政和》310页金樱子，333页五倍子、伏牛花，334页密蒙花等皆是《开宝本草》新增药，此等药物条文之末，皆脱漏“今附”2字。439页虫部下品目录中“乌蛇”，其下亦脱“今附”2字。

人卫《政和》404页乌鸦、练鹊是《嘉祐本草》新增药，其条文末脱“新补”2字。

（3）方子脱漏。

人卫《政和》202“蠡实”条，其末为张文仲方。在张文仲方子之下，脱漏“又方治水痢百病。以马蔺子、干姜、黄连各等分为散，熟煮汤，取一合许，和二方寸匕，入腹即断。冷热皆治，常用神效。不得轻之。忌猪肉、冷水”53字。成化《政和》、商务《政和》皆有此方。

（4）小段文字脱漏。

人卫《政和》441～442页蛤蜊、蚬、蜮蜼、蚌蛤、车螯、蚶、蛏、淡菜8条皆从“马刀”条分出（见439页“淡菜”条下注）。分出后各条，在条末均注“图经文具马刀条下”8字。唯“车螯”条下脱漏此8字。

人卫《政和》280页“乌蔹莓”条引《蜀本草》注文“花青白色，俗呼为”。句末“为”字下，人卫《政和》脱“五叶莓，所在有之，夏采苗用之。陈藏器云”16字。

人卫《政和》38页诸药炮制例“凡菟丝子……暴，微白，皆捣之”。“之”字下，成化《政和》有“不尽者，更以酒渍，经一宿，漉出，暴，微白，捣之”17字，人卫《政和》脱此17字。

人卫《政和》145页“人参”条，条末畏恶有“反藜芦”。在“芦”字下，成化《政和》有“又云马蔺子为使，恶卤咸”10字，人卫《政和》脱此10字。

2. 讹误

（1）文献来源出注有误。

人卫《政和》265页“蒴藋”条，条末注有“今附”2字。按《嘉祐补注总序》云：“凡《开宝》所增者，亦注其末曰‘今附’。”“蒴藋”条末既注有“今附”，则蒴藋当是《开宝本草》新增药。按，《千金翼方》卷3所录《唐本草》有蒴藋，《医心方》《本草和名》所载《唐本草》目录中均有蒴藋。据此可知，蒴藋在《唐本草》中已有，不是《开宝本草》新增药。所以人卫《政和》“蒴藋”条末所注“今附”是错误的。

（2）《本经》文白字标记有误。

人卫《政和》255页“青葙子”条有“五月、六月采子”作白字，但是柯《大观》、成化《政和》俱作黑大字。按人卫《政和》全书体例，所有白字《本经》文，均无采收时日记载，则“青葙子”条“五月六月采子”，当非《本经》文，应作黑字。人卫《政和》作白字，当属讹误。

人卫《政和》343页“柳华”条有“生琅邪川泽”作白字，但柯《大观》作黑字。按人卫《政和》全书体例，所有白字《本经》文，均无产地记载，则“柳华”条“生琅邪川泽”当非《本经》文，应作黑字。人卫《政和》作白字，当属讹误。

人卫《政和》298页“酸枣仁”条有“生河东”。“生”，误作白字。

人卫《政和》330页“松萝”条有“生熊耳山”。“生熊”2字，误作白字。

人卫《政和》428页“乌贼骨”条有“阴中寒肿，令人有子”。句中“寒肿令”3字，误作白字。

人卫《政和》213页“白薇”条有“疗伤中淋露”。“疗”，误作白字。

（3）墨盖子标记有误。

前文讲过，墨盖子“■”是唐慎微增录资料的标记，所以凡不是唐慎微增录的资料，皆不冠以墨盖子。

例如人卫《政和》131 页腊雪、136 页花乳石、166 页赤箭等，有艾晟增加“别说”资料，均未冠以墨盖子标记。但是 115 页铁及 309 页藿香内注文引的“别说云”，其上冠有墨盖子标记“■”，这是属于误标，应当删去。

（4）文句有误。

人卫《政和》136 页“不灰木”条墨盖子下引陈藏器：“要烧成灰，即斫破，以牛乳煮了便烧，黄牛粪烧之成灰。中和二年，于李宗处见传。”文内“中和二年”，即 882 年。按宋·钱易《南部新书·辛集》云：“开元二十七年，明州人陈藏器撰《本草拾遗》。”开元二十七年是公元 739 年。则陈藏器于 739 年写书，怎么能见录 882 年的事情。很显然，“中和二年”有误。

人卫《政和》33 页“梁·陶隐居序”文有“张茂先辈逸民皇甫士安”句，句中的“辈”字，校以敦煌本《本草经集注》，实为“裴”之误。但是现存各种刊本《证类本草》皆作“辈”，致使明·李时珍《本草纲目》亦承袭此误，并误断句为“张茂先辈、逸民皇甫士安”。这与敦煌本《本草经集注》原文含义“张茂先、裴逸民、皇甫士安”完全不同。

又查《晋书·裴秀传》，秀子頠，字逸民，晋河东闻喜（山西闻喜县）人，由此可知底本“辈”为“裴”之误。

人卫《政和》376 页“鹿茸”条有“骨中热疽痒骨安胎下气”，人卫《政和》在“痒”和“骨”之间插以掌禹锡的注文，将鹿茸条全文析为 2 段，“痒”字以上为一段，“骨”字以下为另一段。校以卷子本《唐本草》，“痒”为“养”之误，此文应断句为“骨中热疽，养骨，安胎下气”。

人卫《政和》378 页“牛角䚡”条下有“唐本注”云“屎，主霍乱”“屎，主消渴”。文中后一个“屎”字，校以卷子本《唐本草》为“尿”之误。

人卫《政和》347 页“白杨树皮”条引“图经曰”有“其形如杨柳相似，以生冰岸，故名水杨”。文中“冰”字实为“水”之误。

人卫《政和》511 页“韭”条，其注文中有掌禹锡、苏颂引《韩诗》：“六月食郁及薁”来释“韭”。句中“薁”是李的一种，如何能释“韭”。查《说文解字注》草部“雚”字条，有段玉裁注云“宋掌禹锡、苏颂皆云：韩诗六月食郁及雚”。段氏又引《尔雅》云：“雚，山韭。”按“雚”是“韭”的一类。用“雚”

来释“韭”，比“薁”字来释“韭”更为合拍。所以人卫《政和》引“六月食郁及薁”的“薁”字，当为“藿”之误。

人卫《政和》356 页“赤爪木”条引陈藏器文有“梂以小查而赤”。但人卫《政和》318 页“吴茱萸”条引陈藏器作“梂似小柤而赤”。按“查”“柤”同。则上句中“以”当为“似”之误。类似此例很多，此处从略。

（五十七）《政和本草》避讳字举例

在中国封建社会里，对皇帝或长辈不能直接称呼其名字，需要避讳。最初只是为了尊敬，后来逐渐变成礼教规矩。特别是对君王名字的避讳要求更严格，不仅要避正名，也要避嫌名（嫌名即与正名声音相同的名称），如若触犯即受到处罚。例如金·张洁古，27 岁试经义进士，因文章中触犯已故皇帝的名字（古代称之为犯庙讳）而被除名。

人卫于 1957 年据扬州季范董氏藏金泰和张存惠晦明轩本影印的《政和本草》（简称人卫《政和》），含宋以前历代主流本草内容，因此书中也存在宋及宋以前的避讳字。宋以前避讳字，是沿袭前代本草习惯而来；宋代避讳字由宋代各朝编修本草或翻刻本草而来。

在北宋灭亡后，北方为金人所占，《政和本草》仅在北方流行。金人所翻刻的《政和本草》仍沿用北宋时修撰的《政和本草》，其书中避讳字亦沿袭北宋时所用的避讳字。

南宋时，南方流行的是《大观本草》。南宋翻刻的《大观本草》除含有《政和本草》避讳字外，还含有南宋各朝帝王的避讳字。人卫《政和》只有北宋以前的避讳字，不含南宋帝王的避讳字。

兹将人卫《政和》含北宋及宋以前避讳字，举例如下。

1. 人卫《政和》含宋以前避讳字例

（1）避汉代高后（前 187—前 180）吕雉讳。

高后的事迹记载于《史记·吕太后本纪》，其名吕雉，因避“雉”字讳，改呼“雉”为“野鸡”。又“雉”与“痔”音相近，故“痔病”亦呼为“野鸡病”，“五痔”呼为“五野鸡病”。

人卫《政和》335 页“象豆”条：“主五野鸡病。”又云：“一名合子。主野鸡病为上。”文中“野鸡病”即“痔病”，此乃沿袭汉代避高后名“雉”字讳而来。

（2）避汉代殇帝（106）刘隆讳。

《史记·孝景本纪》索隐曰：“隆虑音林闾，避殇帝讳改之。”殇帝名刘隆，故凡遇“隆”皆改为“林”。

人卫《政和》中“癃”“淋”互用。如该书449页贝子，《本经》云：“五癃，利水道。”

415页桑螵蛸，《本经》云：“通五淋，利小便。”

448页斑蝥，《本经》云：“破石癃。”

441页马刀，《本经》云：“破石淋。”

88页滑石，《本经》云：“（主）癃闭，利小便。”

190页石龙刍，《本经》云：“（主）小便不利，淋闭。”

以上五癃、石癃、癃闭，亦作五淋、石淋、淋闭。

按“癃”作“淋”，是沿袭汉代避讳的习惯。

（3）避东晋时期后赵明帝（319—333）石勒讳。

人卫《政和》501页“罗勒”条云：“北人呼为兰香，为石勒讳也。”《本草纲目》云：“按《邺中记》云，石虎讳言勒，改罗勒为香叶。”（石虎是石勒侄，于335—349年自立为后赵武帝）

人卫《政和》504页“胡瓜”条云：“北人亦呼为黄瓜，为石勒讳。”按石勒是羯族，讳“胡”字，改“胡”为“黄”。

（4）六朝时避“饭”字讳，称“饭”为“飰”。

人卫《政和》498页，有“寒食飰”药名。“寒食飰”即“寒食饭”。《说文句读》卷10“饭”字条云：“六朝讳言反，故改饭为飰。”

（5）唐代避讳例。

1）唐代避“唐”讳。

人卫《政和》108页“石膏”条，陶隐居云：“今出钱塘。”“钱塘”，在唐代以前作“钱唐”。唐王朝以“唐”为国号，对“钱唐”的“唐”加“土”字旁为“塘”。后世沿袭不改，遂为“钱塘”。

2）避唐代李世民讳。

“世”改为“俗”或“时”。

人卫《政和》31页下6行陶隐居序文有“谚云：俗无良医”。又34页下4行有“俗用既久，转以成法”。以上2句中“俗”，敦煌本《本草经集注》（以下简称敦煌《集注》）均作“世”。

按《唐本草》是在《本草经集注》基础上修订的，因避讳，将《本草经集注》中的“世”字改为“俗”或改“时”，宋代本草沿袭之。

人卫《政和》29 页下 4 行陶隐居序文有“惠被群生”。“群生”，敦煌《集注》作“生民”，此亦沿袭避唐太宗李世民的“民”字讳而改。

3）避唐高宗李治（650－683）讳。

上文提到《唐本草》是在《本草经集注》基础上修订的，那《本草经集注》中“治”字，因避唐高宗李治讳，或省掉，或改“疗”，或改“造”，或改“除”，或改“理”。《政和本草》沿袭《唐本草》旧例，故其书中“治”亦被省去，或改成其他字。

人卫《政和》沿袭《唐本草》旧例，对药物“主治某某”，改为“主某某”，省去“治”字。兹举例如下。

人卫《政和》401 页“燕屎”条有“主蛊毒鬼疰”。吐鲁番出土《集注》残片作“主治蛊毒鬼疰”。

人卫《政和》402 页“天鼠屎”条有“主面痈肿”。“主”下，敦煌《集注》有“治”字。

人卫《政和》393 页“鼹鼠”条有“主痈疽，诸瘘”。吐鲁番出土《集注》残片作“主治痈疽诸瘘”。

比较上述几种药物，我们可以知道敦煌《集注》作“主治某某”，《政和本草》作“主某某”。《政和本草》是沿袭《唐本草》避唐高宗李治的讳，删去“治”字，即成“主某某”。

人卫《政和》沿袭《唐本草》旧例，对药物“治某某”，改为“疗某某”。兹举例如下。

人卫《政和》“陶隐居序”文中，含有“疗”字的文句，有：

30 页下 6 行“疗病之辞渐深”。

31 页上倒 10 行“其主疗虽同”。

31 页下 6 行“拙医疗病，不如不疗”。

31 页下 14 行“欲疗病”。

31 页下 18 行“亦无肯自疗”。

32 页上倒 6 行“若用毒药疗病”。

32 页下 5 行“疗寒以热药，疗热以寒药”。

51 页上倒 10 行“疗风通风”。

以上各句中“疗病”的“疗”字，在敦煌《集注》中均作“治”。不仅陶隐居序文如此，全书药物条文中，凡敦煌《集注》中“治某某”，在《政和本草》中均作“疗某某”。因为《唐本草》是以《本草经集注》为蓝本编修的。在编修时，为避高宗李治讳，故将《本草经集注》中“治”字，全改为“疗”。《政和本草》沿袭《唐本草》避讳旧例，亦改“治”字为“疗”字，所以《政和本草》全书中很少见到“治”字。

唐高宗李治的“治”或改为“除”。

人卫《政和》34 页下 5 行“依方分药，不量剥除”。句中“除”字，敦煌《集注》作“治”。

唐高宗李治的“治”或改为“理”。

人卫《政和》37 页下倒 7 行“右合药分剂料理法则”。句中“理”字，敦煌《集注》作“治”。

4）避唐高宗太子弘讳。

人卫《政和》28 页下倒 9 行“梁陶景雅好摄生”。句中“陶景”即“陶弘景”，因避唐高宗太子弘的讳，删去“弘”字。

2. 人卫《政和》含北宋避讳字例

（1）避赵匡胤（960－975）始祖赵玄朗讳。凡遇“玄”字，改为“元”。

人卫《政和》424 页“露蜂房”条引“衍义曰：世谓之元瓠蜂”。在“元”字下注云：“本音犯圣祖讳，今改为元。”此注文所言“本音”，即指“玄”字音。因宋代赵匡胤的始祖名玄朗，避“玄”字讳改为“元”。

人卫《政和》43 页上倒 7 行“衍义总序”文中有“张果骈洁之齿”。其下注云：“张果召见，元宗谓高力士曰。”注中“元宗”即“唐玄宗”。因避宋讳，改“玄”为“元”。

（2）避宋赵匡胤祖父赵敬讳。凡遇“敬”改为“恭”。

《唐本草》编者苏敬，到宋代修本草书，引用苏敬注，不言“苏敬曰”，改为“苏恭曰”。明·李时珍著《本草纲目》沿用宋代本草旧例，凡引《唐本草》注，一律作“苏恭曰”或简称“恭曰”。此皆避赵敬讳，改“敬”为“恭”。

人卫《政和》39 页下 5 行《唐新修本草》条有“苏恭表请修定，因命太尉赵国公长孙无忌、尚药奉御许孝宗与恭等二十二人”。句中“苏恭”即“苏敬”，因避赵敬讳，改为“苏恭”。

（3）避宋赵匡胤父赵弘殷讳。凡人名中有“弘”“殷”等字，俱改为其他字，或删掉。

人卫《政和》28页上3行《开宝重定序》“陶景乃以《别录》参其《本经》”。句中“陶景”即“陶弘景”。因避赵匡胤父赵弘殷的“弘”字讳，故删去“弘”字。

人卫《政和》33页上倒8行陶隐居序中有“商仲堪”。按，商仲堪即殷仲堪，晋代名医，事见《晋书·殷仲堪传》。因避赵匡胤父赵弘殷的“殷”字讳，改为“商仲堪”。

（4）避宋赵匡胤讳。凡与“匡”“胤”相同字，或改，或删。

人卫《政和》81页“玉屑”条引“图经曰”有“张邺使于阗”。在“邺”字下，有小字注云：“本二名，上一字犯太宗庙讳上字”。“张邺”原名“张匡邺”，因避宋太宗赵匡胤的“匡”字讳，删去“匡”字，改名为“张邺”。

人卫《政和》178页“黄芪”条引“图经曰”有“唐·许裔宗初仕陈。”句中“许裔宗”原名“许胤宗”，因避赵匡胤的“胤”字讳，改“胤”为“裔”。

（5）避宋真宗（998—1022）赵恒讳。凡遇“恒”改为“常”。

人卫《政和》253页有“常山”药名。但《医心方》卷1页13“有恒山勿食生葱菜”。又《医心方》卷1页28引《唐本草》药物目录作“恒山”。说明“常山”药名，在《唐本草》中是作“恒山”，到宋代改为“常山”。人卫《政和》避宋真宗赵恒讳，“恒山”药名改为“常山”。

人卫《政和》30页下9行陶隐居序文有“不可常服”，句中“常”，敦煌《集注》7页倒3行作“恒”。此亦因人卫《政和》避宋真宗赵恒讳，改“恒”为“常”。

（6）避宋仁宗（1023—1063）赵祯讳。凡遇“贞”改为“正”。

人卫《政和》28页上3行《开宝重定序》有“至梁正白先生”。句中“正白”，原是“贞白”，即陶弘景的号，因避宋仁宗赵祯嫌名，改为“正白”。

人卫《政和》372页“羊乳”条引《经验方》有“正元十年”，句中“正”，原为“贞”，因避宋赵祯讳，改为“正”。

人卫《政和》201页“芍药”条引“图经曰”有“正元广利方”。按“正元”即“贞元”，唐德宗年号（785—804），因避赵祯讳，“贞元”改为“正元”。类似此例的还有191页王不留行、196页葛根、200页通草、203页秦艽、213页萆薢、226页红蓝花、227页牡丹，这些药的“图经曰”文中，所引“贞元广利方”俱作“正元广利方”。

（7）避宋英宗（1064－1067）赵曙讳。

人卫《政和》160页“署预”条注文引《衍义》曰：“山药。按本草，上一字犯英庙讳，下一字曰预，唐代宗（762—779）名预，故改下一字为药。今人遂呼为山药。如此则尽失当日本名，虑岁久，以山药为别物，故书之。”

3. 人卫《政和》不含南宋避讳字

（1）人卫《政和》不避南宋高宗（1127－1162）赵构讳。

人卫《政和》33页下14行陶隐居序文有“虚构声称”。柯《大观》卷1页17、刘《大观》卷1页18，俱作“虚驾声称”。因《大观本草》翻刻于南宋，避南宋高宗赵构讳，改“构”为“驾”。

（2）人卫《政和》不避南宋孝宗（1163—1189）赵昚讳。

按昚音慎。柯《大观》、刘《大观》全书中，凡有“慎”字，均改用别的字。但人卫《政和》全书中“慎”字，不避讳，仍用“慎”字。

人卫《政和》各卷目录中有“凡墨盖子已下并唐慎微续证类”，句中“慎”字，刘《大观》、柯《大观》俱作“谨”。此因《大观》避赵昚讳，改“慎”为“谨”。

人卫《政和》31页下倒2行，陶隐居序文有“轻身薄命，不能将慎”，同书32页上11行“常不能慎事上者”，33页下17行“何不深思戒慎邪?”以上4句中“慎”字，刘《大观》卷1页15、页18，柯《大观》卷1页14、17俱作“谨”。

人卫《政和》469页上1行“芋”条引孟诜云“慎风半日”。句中“慎”，刘《大观》卷23页25、柯《大观》卷23页19，俱作“忌”，此因避“慎”字讳改作“忌”。

人卫《政和》477页下3行“李核仁”条“图经曰”有“不过五六日有效。慎风”。句中“慎”字，刘《大观》卷23页43、柯《大观》卷23页36，俱作“避”。此因避赵昚讳，改“慎”为“避”。

人卫《政和》382页下4行“羚羊角”条“图经曰”有“许慎注《说文解字》”。句中“慎”，刘《大观》卷17页17、柯《大观》卷17页16，俱作“氏”。此因避赵昚讳，改“慎”为“氏”。

根据避南宋赵昚讳，可知刘《大观》刊本及柯《大观》刊本所据的底本应是南宋时翻刻本。当时北方私人书坊，亦曾据南宋翻刻本进行复刻过。据瞿镛著《铁琴铜剑楼藏书目》卷14记载《经史证类大观本草》条云：“三十一卷，附《本草衍义》二十卷，金刊本……卷首有艾晟序，后有墨图记云‘《经史证类大观本草》……贞祐二年（1214），嵩州（今河南嵩县）福昌孙夏氏书籍铺印行’……每半页12行，每行20字。”

附录　药名索引

二画

三画

四画

五画

六画

七画

八画

九画

十画

十一画

十二画

十三画

十四画

十五画

十六画

十七画

后　记

《重修政和经史证类备用本草》全书200万字，共30卷，载药1746种，集唐宋各家医药名著、经史传记、佛书道藏等书中有关本草学知识之大成，是本草史上一颗灿烂的明珠。该书也是现代学者考察古本草发展，辑佚古医方、本草书，丰富和发展中国医药学的重要文献来源。该书把宋代本草学术发展推向了高峰，在本草史上占有极为重要的承先启后的历史地位。李约瑟博士在《中国科学技术史》一书中称赞该书“要比15和16世纪早期欧洲的植物学著作高明得多”。

该书原是宋·唐慎微所撰，当时书名为《经史证类备急本草》。后经艾晟校正，并于大观二年（1108）刊行，更名为《大观经史证类备急本草》，简称为《大观本草》。1116年由曹孝忠重校重刊，更名为《政和新修经史证类备用本草》。1249年张存惠取解人庞氏本予以重刊，更名为《重修政和经史证类备用本草》，简称为《政和本草》。唐慎微的书经历代翻刻，书名多次更换，内容亦有增减，讹误亦多，故今日所存各种版本《政和本草》，都存在药物条文错简、文献出处标记舛误、错字、颠倒、增衍、脱漏等很多问题。这给药物基源的考证、历史文献的引用、主治功用的研究、药物名实的考证等方面的研究和应用，带来了极大的困难。因此对该书进行整理和研究是非常有必要的。

笔者从中华人民共和国成立以来，对《新修本草》《名医别录》等古籍文献进行整理研究，参阅过大量文献，其中有关《大观本草》《政和本草》各种版本均互校过。笔者校阅过的《大观本草》的版本有元大德六年（1302）宗文书院所刊《经史证类大观本草》及日本安永四年（1775）望草玄刻本、清光绪三十年（1904）柯逢时影宋重校刊本。校阅过的《政和本草》的版本有明成化四年（1468）刊本、1921—1929年商务印书馆影印金泰和本、1957年人民卫生出版社影印金泰和晦明轩本。笔者还对这些刊本互校，将其中互校异文做札记。其他参考文献如《新修本草》《本草经集注·序录》《外台秘要》《备急千金要方》《千金翼方》《肘后备急方》《本草纲目》《本草衍义》《十三经注疏》等，笔者均有收藏。

《政和本草》囊括了宋以前历代主要本草的内容，从《神农本草经》至宋代《证类本草》，像滚雪球似的层层叠加，从而成为宋以前最完整、最系统的一本巨著，不仅李时珍编写《本草纲目》要以它为蓝本，即便是现代编写《中华本草》也不能离开它。该书对临床、教学、科研、医药史的研究有着重要的参考价值，对药物名实考核、品种鉴定、开发药物资源等也有重要的实用价值。例如人参，有人认为古代的上党人参并非五加科人参，争论不休，莫衷一是，后来通过对《政和本草》药的考证证实，我国山西长治（上党）确实生长过五加科人参。

笔者对《政和本草》的文献整理研究，是采用文献校勘和实物考证相结合的方法进行的。

1. 在文献校勘方面

以1957年人民卫生出版社据扬州季范董氏藏金泰和张存惠晦明轩本影印《重修政和经史证类备用本草》线装本为底本。以元大德六年（1302）宗文书院所刊《经史证类大观本草》、宋嘉定年间（1211）刘甲刊本《经史证类大观本草》、1904年柯逢时影宋并重刊《经史证类大观本草》、蒙古定宗四年（1249）平阳张存惠晦明轩刊《重修政和经史证类备用本草》、明成化四年（1468）山东巡抚原杰据晦明轩本翻刻《重修政和经史证类备用本草》、1921—1929年商务印书馆影印金泰和甲子下己酉晦明轩本《重修政和经史证类备用本草》、1577年宣郡王大献尚义堂刊《经史证类大全本草》为校本。以卷子本《新修本草》、敦煌出土《本草经集注·序录》、《外台秘要》、《备急千金要方》、《千金翼方》、《肘后备急方》、《医心方》、《本草和名》等为旁校本。以《十三经注疏》《尔雅》《广雅》《本草纲目》《说文解字》，以及有关含本草资料的各种类书如《太平御览》《艺文类聚》《白孔六帖》《永乐大典》等为参考本。对《重修政和经史证类备用本草》中每一味药的正名、别名、性味、主治功用、附方、药图、产地、所引文献名称、出处等全面进行校勘。对校勘出互异文进行考证，确定谁最准确，出注文献证据和科学依据，从而得出最新、最精、最全、最可信的内容。

2. *在实物考证方面*

利用现代植物分类学、动物分类学、矿物分类学及中华人民共和国成立以来对中药基源研究的成果和现有植物、动物、矿物的标本，以及天然存在的自然活标本，参照历代文献的记载，对照书中药图及说明文进行考证，定出原书某某药、某某图，相当于今日某某科某某属动物、植物、矿物等实物，从而解决了历史上遗留下来的药物品种混乱的问题。

首先要弄清楚该书的产生及发展情况。例如该书成书年代，长期以来众说纷纭，李时珍《本草纲目》把首刊年当作成书年。清·钱大昕《十驾斋养新录》卷14、日本中尾万三认为该书成于元祐六至八年（1091—1093）。日本冈西为人认为成于绍圣四年（1097）。到底成于何时，我们需要研究明白。又如该书收载药物数量，不同的版本所载的药物总数有1518种、1558种、1455种、1746种等多种情况。这次整理要弄清它的确切总数。类似这样的问题，都要明确。

还要研究该书与《大观本草》《绍兴本草》《大全本草》《本草衍义》等书之间的关系。

另外，该书本身具体内容方面存在的问题也是需要厘清的。该书由于历代抄写、翻刻、校订、重刻导致错误很多，在不同程度上，影响了该书的质量，给参考应用该书的人，带来了不同程度的不便。例如人卫本《政和本草》卷3“曾青”条，原是《本经》药，其经文应作白字标记，但人卫本《政和本草》却脱漏白字标记，让读者容易误曾青为《别录》药。又如商务印书馆影印金泰和甲子刊晦明轩本《政和本草》中，对菖蒲、龙胆、白英、麝香、鹿茸、姑活等《本经》药，皆脱漏白字标记，这就容易给初学的人误以为此类药不是《本经》药。又如各种版本《政和本草》卷1序例上有“张茂先辈逸民皇甫士安”句，《本草纲目》抄此文时，断句为“张茂先辈。逸民皇甫士安”。笔者在校读敦煌出土《本草经集注·序录》时，发现《政和本草》句中“辈”字，实为“裴”字之误。此句应改正为“张茂先、裴逸民、皇甫士安”。句中“裴逸民”是个人名，是晋代裴秀的少子。类似这样的例子很多。

通过以上各项内容的系统研究，将各种版本《政和本草》中有关文献性质的标记，文献来源的说明，书中所存在的舛错、错简、漏字、漏行、跳行、衍夺、颠倒、讹误、刊刻模糊等一切问题，均加以考订，予以改正，使千百年来各种错误得到全面的纠正。

全书整理研究分为序例、药物各论、全书药图、参考文献、索引等部分。

总论包括历代本草序例、序录、本草通论（诸通用药、七情畏恶例等）等内容，药物各论收载植物、动物、矿物及其他类药1746种，本次整理对上述内容进行了全面校勘、标点。

全书有药图900余幅，本次整理采用各种版本进行勘比，并对部分药图重新进行摹绘。

本次整理、研究、校订的目的，在于进一步提高《政和本草》的质量，争取能推出一个更好、更精确、更完善的标准本。

尚志钧

2000年2月

写在《〈政和本草〉校点》出版之际

父亲尚志钧从事本草文献研究60年，积累了大量的文献资料，其中包括各种本草书、工具书、参考书和手抄杂录活页笔记；特别的是，还有《重修政和经史证类备用本草》（以下简称《政和本草》）各种不同版本互校出异文记录。

父亲从1958年开始，就把以前通读的古籍文献与版本学、校勘学有机地结合起来，采用文献校勘和实物考证相结合的方法校点该书。1982年郑金生教授加入对《政和本草》的校点工作，我于1988年2月至1990年11月，全脱产随父亲校点该书。前后历时35年，终于在1993年5月，定名为《证类本草》的书稿由华夏出版社正式出版。

1993年版《证类本草》出版后，父亲经过细读，发现书中仍有不少错误，如错字、漏字、图片颠倒等问题。父亲指出："该书需进一步完善，需要严格校点，否则，对药物基源考证、历史文献引用、主治功用研究都会带来不便。"

随后，父亲又用了7年时间，把1993年版《证类本草》30卷，从头至尾，逐句逐字用各种版本又重新进行了校勘，我和哥哥尚元胜协助父亲翻查文献资料，终于在2000年2月完成了该书的重新校点工作，父亲并在原书研究文献基础上，又增加了新的研究内容，共撰写了57篇《政和本草》文献研究资料和《〈政和本草〉校点》药名索引。

父亲在世时，曾多次联系出版社出版，均无果。2008年10月9日，父亲因病救治无效，带着遗憾离开人世，享年 90 岁。

父亲曾告诉我："《政和本草》是宋代有名的本草巨著，它辑录了宋以前的药学文献，并保存了今已失传的古医药方书。由于该书流传版本较多，历代翻刻有误，书中增减错漏，包括我们 1993 年版的也有错误，降低了该书的实用价值。我重新校点的这部手稿，要想办法出版，争取早日出版。出版时可将书名改为《〈政和本草〉校点》。"

今北京科学技术出版社出版父亲的《尚志钧本草文献全集》，将《〈政和本草〉校点》书稿一并纳入，实属幸事，父亲在天之灵得以告慰。

感谢北京科学技术出版社的领导、主任、编辑们的辛勤劳动；感谢任何主任不计较个人得失，甘愿为父亲的《尚志钧本草文献全集》的出版出力。

尚元藕

2020 年 10 月 26 日